JN165590

編集復刻版 戦後改革期文部省実験学校資料集成
第Ⅱ期 第2回配本（第4巻～第6巻）

2017年8月10日 第1刷発行
揃定価（本体75、000円＋税）

編・解題者 水原克敏
発行者 小林淳子
発行所 不二出版
東京都文京区向丘1-2-12
TEL 03(3812)4433
印刷所 富士リプロ
製本所 青木製本
乱丁・落丁はお取り替えいたします。

第4巻 ISBN978-4-8350-8047-5
第2回配本（全3冊 分売不可 セットISBN978-4-8350-8046-8）

編集復刻版

水原克敏 編・解題

戦後改革期文部省実験学校資料集成 第Ⅱ期 第4巻

不二出版

〈復刻にあたって〉

一、原本自体の破損・不良によって、印字が不鮮明あるいは判読不能な箇所があります。

一、資料の中には人権の視点から見て不適切な語句・表現・論もありますが、歴史的資料の復刻という性質上、そのまま収録しました。

一、解題（水原克敏）は第１巻巻頭に収録しました。

（不二出版）

〈第４巻　目次〉

資料番号―資料名◆編・著◆発行所◆発行年月日……復刻版頁

〈初等教育研究資料〉

◎収録一覧

巻		資料名	出版社	発行年月日
		〈初等教育研究資料〉		
第1巻	1	第１集　児童生徒の漢字を書く能力とその基準	明治図書出版	1952(昭和27)年５月10日
	2	第２集　算数　実験学校の研究報告(１)	明治図書出版	1952(昭和27)年６月５日
	3	第３集　算数　実験学校の研究報告(２)	明治図書出版	1953(昭和28)年１月20日
	4	第４集　算数　実験学校の研究報告(３)	明治図書出版	1953(昭和28)年３月５日
	5	第５集　音楽科　実験学校の研究報告(１)	音楽之友社	1953(昭和28)年５月10日
第2巻	6	第６集　児童生徒のかなの読み書き能力	明治図書出版	1954(昭和29)年５月１日
	7	第７集　児童の計算力と誤答	博文堂出版	1954(昭和29)年３月25日
	8	第８集　算数　実験学校の研究報告(４)	明治図書出版	1954(昭和29)年６月１日
	9	第９集　算数　実験学校の研究報告(５)	明治図書出版	1955(昭和30)年６月５日
第3巻	10	第10集　算数　実験学校の研究報告(６)	明治図書出版	1955(昭和30)年10月５日
	11	第11集　国語　実験学校の研究報告(１)	明治図書出版	1956(昭和31)年２月10日
	12	第12集　読解のつまずきとその指導(１)	博文堂出版	1956(昭和31)年２月22日
	13	第13集　教育課程　実験学校の研究報告	明治図書出版	1956(昭和31)年９月５日
第4巻	14	第14集　頭声発声指導の研究—音楽科実験学校の研究報告(２)	教育出版	1956(昭和31)年７月20日
	15	第15集　算数　実験学校の研究報告(７)	明治図書出版	1956(昭和31)年９月５日
	16	第16集　小学校社会科における単元の展開と評価の研究—実験学校の研究報告	光風出版	1956(昭和31)年12月10日
	17	第17集　国語　実験学校の研究報告(２)	明治図書出版	1957(昭和32)年６月10日
	18	第18集　読解のつまずきとその指導(２)	明治図書出版	1956(昭和31)年11月15日
第5巻	19	第19集　漢字の学習指導に関する研究	明治図書出版	1957(昭和32)年６月15日
	20	第20集　国語　実験学校の研究報告(３)	明治図書出版	1958(昭和33)年９月
	21	第21集　色彩学習の範囲と系統の研究—図画工作実験学校の研究報告(１)	博文堂出版	1958(昭和33)年９月５日
	22	第22集　家庭科　実験学校の研究報告(１)	学習研究社	1959(昭和34)年11月15日
第6巻	23	第23集　小学校　特別教育活動の効果的な運営—実験学校の研究報告	光風出版	1960(昭和35)年５月15日
	24	第24集　小学校ローマ字指導資料	教育出版	1960(昭和35)年７月15日
	25	第25集　構成学習における指導内容の範囲と系列—図画工作実験学校の研究報告	東洋館出版社	1961(昭和36)年８月30日
		〈文部省初等教育実験学校研究発表要項〉		
	26	昭和28年度　(文部省初等中等教育局初等教育課)		1954(昭和29)年５月
	27	昭和29年度　(文部省初等中等教育局初等教育課)		1955(昭和30)年５月

初等教育研究資料第XIV集

頭声発声指導の研究

——音楽科実験学校の研究報告（2）——

文部省

初等教育研究資料第ＸＩＶ集

音楽科実験学校の研究報告(2)

文部省

ま え が き

この研究報告は，文部省初等教育音楽科実験学校であった仙台市立南材木町小学校において昭和27年から29年までの３か年間に研究した事がらをまとめたものである。

この研究は，児童発声の実験的研究をもとにして，小学校における音楽科の指導を，より効果的にすることをねらったものである。

発声の問題は，音楽科学習指導上，特に重要なものであるが，中でも児童発声については従来，どちらかといえばおとなの発声法を児童のそれに置き換えて論じ合うことが多く，しかも研究者の立場立場によって所論が違い，現場の教師としてはどれによって指導すべきかに迷ってきたのが実情であった。一方，昭和26年に改訂された小学校学習指導要領音楽科編で，小学校の歌唱指導では「頭声発声」を主体にするのがよいと示されてから，これに対する現場の関心がにわかに高まってきた。

しかし，「頭声発声」ということの輪郭を，概念的にはつかむことができ，また，それが小学校の児童にとって最も適切な発声法であるということがわかっても，それが実際にはどのような響きの声であるか，また，そのような声にするにはどのように指導したらよいかという具体的な事がらについては，まだ明確には解明されていなかった。

そこで文部省では，現場に足をおろした実験的な研究資料を得るために，前記仙台市立南材木町小学校にその研究を依頼したのである。

この種の研究は，わが国でははじめての試みであり，しかも，日常の学習指導と並行して行うという困難な条件のもとになされた関係で，まだ今後の研究に残された分野もないではないが，ここに述べられた研究内容は，現在の段階では非常に貴重なものである。

なお，発声についての研究報告は，単に文章による表現だけではじゅうぶんに意を尽すことが不可能なので，補助的手段としてレコードを添附した。これも，この報告書の一つの特色だといえよう。読者は，報告書を読まれるとともに，レコードを聴取することによって，いっそう具体的にこの研究の成果を理解することができるであろう。

おわりに，この困難な実験研究を快く引き受けてくださった同校に対し，深く感謝の意を表するとともに，実験を担当された職員各位の３か年間の御努力に対して，深く敬意を表したい。なおこの研究に御協力くださった，須永・二村の両博士をはじめ多くの学者や音楽専門家ならびに仙台市・宮城県の両教育委員会，仙台市・宮城県・東北の各音楽教育研究会の関係各位に対しても，あわせて感謝の意を表したい。

昭和31年５月

初等・特殊教育課長　　上 野 芳 太 郎

目　　次

目　次

目　次

1. 研 究 課 題

1.1. 研究課題をこのように受け取った

「児童発声について」という課題で，初等教育音楽科実験学校として，文部省の指定を受けたのは昭和27年4月のことである。課題は，きわめて大まかなものであったから，実験研究の方法や計画を立てる以前の課題の解釈や目標の決め方などに，かなり多くの時間をかけて論をつくさなければならなかった。

発声指導はどうしたらよいかということについては，従来多くの学者や専門家の論ずるところではあったが，それは，教育現場の音楽を担当するすべての教師が，関心をもつところまでは意識が高められていなかったようである。むしろそれは，音楽コンクールのような場合に一つの傾向を作るとか，あるいは，音楽に熱心な少数の教師たちの間の問題として限定されていたとみるのが，いつわりのないところであろう。歌唱指導上のさまざまな問題，たとえば，美しく歌わせるにはどうしたらよいか，正確な音程で歌わせるにはどうしたらよいか，合唱に美しい響きを与えるにはどうしたらよいか，男児にも美しく歌わせたいが，どうしたらよいかなどがある。しかしこれらのことが，直接の問題として取り上げられ，解決されようとはしていなかったようである。

よい発声ということになれば，それは合理的な基礎に立って，かつ美しいものでなければなるまい。発声の美しさとは，歌唱の美しさということになって現れて，はじめて価値あるものとなるものであろう。そして，歌唱の美しさということには，前記の，いくつかの歌唱上の問題を解決するということにも同時につながらなければなるまい。

このように考えてくると，この問題の広さ，奥行の深さ，それに伴う研究方法のむずかしさということが，大きくわれわれの目の前にのしかかってきたのである。さらにまた，発声の問題は，音楽上の他の知識や技能のように，定着させるということがかなり困難であるということである。読譜力とか，楽典上の知識とか，器楽の技能などというものは，一定の目安がある上に定着性があり，効果の判定も可能な尺度が示されているのである。しかし，発声については何よりもまず判定の尺度が示されていない。小学校のこどもの声の標準というものが与えられていないのである。したがって研究は，こどもの声の現段階から出発しなければならないということになる。そして研究の目標として与えられている手がかりは，小学校学習指導要領音楽科編に示されている〝軽い頭声〟ということばである。このことばは1学年の指導目標「歌唱の能力を伸ばす」のところに，○軽い頭声で――と示されており，同学習活動の例の項目には，○特に軽く美しい発声に気をつけて聞く。と示されている。このことについて，同書をさらに詳しく見ると，P.56○よい発声の次に「児童の発声はだいたい，頭声発声を主体として指導するのがよい。これはことさらに，のどで声を作ろうとするのでなく，軽く頭上に抜けるような気持の発声であって，特に地声で高い声をはり上げたり，叫び声で歌ったりすることは，努めて避けさせなければならない。」となっている。

声は，声音として示されて，初めてその実態がつかめるものであり，いまだ，そのような声を現実に聞くことのできなかった者にとっては，それをどのようにことばで説明されても実態をつかむことができないのである。このことはしかし，この研究を進め，結末をつけるにいたるまで終始つきまとった問題であり，その意味では，この研究報告もまた，児童の声の実態の記録と合わせて聞き，かつ読まれる場合を除いては不完全なものといわざるを得ない。

さて，課題のはあくである。さきにも述べたように，まず児童の現実の声から出発して，軽く頭上に抜けるような気持の発声の実態をつかむということになろう。このことは，別にいえば，児童の現実の声の中で最も美しいものは，はたして頭声といえるかということにもつながるし，最も美しいと判定するその判定のしかたということにも関係してくるわけである。判定結果は，できるだけ一般性，客観性をもたねばならないし，声音の判定には主観が強く出てくることは，音楽コンクール等の審査に現れる，審査員の配点の開きというようなことからしても，容易に想像されるところである。

中央から急行6時間という仙台の位置は，このような判定に客観性や普遍性や権威などを与えるようにするためには，きわめて不便といわなければならなかった。

このようにして，前途に多くの困難を予想しながらも少しずつ課題の主旨がつかめてきた。研究は，児童のなまの声を対象とすること，それを，軽く頭上に抜ける声ということを手がかりとして，現在の児童の中からさがし出すことであり，なければそのような声を育てあげるように努力しなければならないということで，できるだけ多くのこどもをその目標に向かって引き上げる方法の発見ということにもなるわけである。

このように研究の方向や方法は，きわめて高度なものを要求しているのであるが，結果としては，小学校の現場の要求を満たす程度の，一般性をもたなければならないというところにもさらに一つの困難がつきまとっている。

こうして研究課題は，「児童発声の実験的研究」と決まり，実験室ならぬ教室の中から，みんなの協力で結果を生み出そうということになったわけである。

2. 研究の目標

2.1. 目標を決めるまで

研究の目標は，課題の受取り方によって決定される。与えられた課題については，さきに述べたように，頭声を児童の現実の声としてつかむことであり，その頭声に導くための，指導方法の発見ということにあると受け取ったわけである。ここにおのずから，研究の目標が出てくるわけであるが，限定された期間内（毎年1回，研究発表，3か年修了）に，限定された指導者によって，6学年全部にわたって研究をまとめていくということはきわめて困難なことである。ことに研究のために特別の時間を設けて実験するということは，学校という場において，児童を対象とするものである限り不可能に近い。毎日の授業の中から資料を求め，毎時の学習の中に研究を累積するということがどうしても必要になってくる。

したがって，実験研究の目標は，そうした条件の中で満たすことのできるようなものでなければならないということになった。

2.2. 目　標

○軽い頭声とはどのような声か

○軽い頭声発声の指導の要点

最初に設定した実験研究の目標は，このような2点に要約される。つまり，一つには頭声の実態を児童の現実の声として究明することであり，一つにはその頭声に導くための，指導の方法の発見ということになろう。

2.2.1. 軽い頭声とはどのような声かをつきとめるために

軽い頭声ということを明らかにするためには，前にも述べたように，児童の声の実態から出

発しなければならない。そこには，初めから頭声が発見されることは予想されない。むしろ百人百種の声こそが実態であろう。そうすれば，それらの多くの傾向の声のものを，望ましいものから，望ましくないものにという方向で，いくつかの類型に分けるという仕事が必要であろう，（発声類型に分けるということは，後々の研究にまで，きわめて有力な指導上の手がかりを与えることになった。）ということになった。

さらにまた，男児と女児との声の比較ということが問題になった。すなわち，原則としては男女児の差別的取扱ということは，実験上好ましいことではないけれども，日常の歌唱指導ということから考えて，結果について，男女別の考察をするということはどうしても必要だろうということになった。

したがって，このような点から，軽い頭声とはどのような声かをつきとめるために，さらに幾つかの項目がつけ加えられたわけである。

目標1.　軽い頭声とはどのような声か（実態はあく，モデル提示，文章による定義）

○結果を，好ましいものから好ましくないものへと，いくつかの類型を立てて分類する。

○結果を学年別，男女別にはあくする。（必要なものはケースをとる。）

2.2.2. 頭声発声に導くための指導の方法を発見するために

この実験研究においては，頭声の実態究明ということが大きな前提となるわけであるが，教育現場では，実態が明らかにされたということだけではきわめて意味が薄い。最もたいせつなことは，理想的な発声にまで高めるための，指導法の発見ということになろう。

第1の目標によって，児童の実態がいくつかに分類されるということは，望ましくない発声──→望ましい発声と，ややはっきりした段階ができることとなろう。そして望ましい水準に高まるためには，それぞれの段階に応じた，指導の難易の問題がからんでの方法的な違いも考えられる。ここから，一般的な指導の問題と，個別的な指導の問題などの解決の緒が見つかるのではあるまいかと考えたわけである。

すなわち，

目標２．頭声に導くための指導の方法

○学年に応じた指導の方法

○男女に応じた指導の方法

○類型に応じた指導の方法

ということに決め，次に示すそれぞれの研究の分担を決定した。

○総　　説	鎌田　孝・朴沢　あき
○低学年指導	柳田かほる
○中学年指導	朴沢　あき
○高学年指導	朴沢　あき
○男児の指導	菅原　文吾
○嗄声の指導	岩崎　文郎
○発声練習曲の研究	三浦　節夫

3. 研究の方法

3.1. 対象の選定

研究の方法を決めるにあたって問題となったことは，各学年についての実験研究の資料を集めるためには，全校児童を対象とするか，抽出した児童を対象とするかということであった。この際ランダムサンプリングで対象を抽出することが望ましいのであるが，当時の在籍は2,626名という多数であったことと，全学年・全学級にばらまかれた児童を対象として実験することは，事実上不可能に近い難事であるということから，けっきょく，各学年から２個学級を有為的に選んで実験学級とし，いっさいの実験研究はこの学級を中心として行うこととした。

この実験学級の制度は，３か年の研究期間中，次の表のような形で継続した。（表3.1.1.実験学級と担任表を参照）

以上のように，実験研究は実験学級を中心として行われたのであるが，必要な調査（たとえば，嗄声児・音感異常児の分布等。）や，必要な指導（たとえば，有力と認められた頭声発声の指導のしかた等。）は，全校・全学年にいき渡らせることとした。

3.2. 実態調査とその方法

さきに述べたように，この研究は，児童の実態から出発すべきであるということから，まず実態をつかむための調査の対象や方法が問題になったわけである。すなわち，次のような予備調査について，全学年にわたる本調査を行うこととした。

3.2.1. 予備調査

① 対象～５年生１個学級

② 調査方法～学級全員に，ひとりずつ順に「野ばら」（ウェルナー作曲）を歌わせる。音楽

表3.1.1. 実験学級とその担任

初年度（昭和27年度）

学年	担任	備考
1	柳田かほる	
1	吉田幸子	
2	中畑澄子	
2	本郷とよ	
3	岩崎文郎	
3	大宮ウタ	
4	朴沢あき	専
4	橋本恭知	
5	菅原文吾	
5	佐藤きよ	
6	鎌田孝	主
6	三浦節夫	専

第2年度（昭和28年度）

学年	担任	備考
1	武藤泰子	
1	小室まさ	
2	同	
2	同	
3	吉川絹子	
3	同	
4	鎌田孝	主
4	同	
5	同	
5	安住タカ	
6	同	
6	三浦節夫	専
6	曽我道雄	専

第3年度（昭和29年度）

学年	担任	備考
1	柳田かほる	
1	吉田幸子	
2	三浦節夫	専
2	安住タカ	
3	朴沢あき	
3	本郷とよ	
4	菅原文吾	
4	丸山信治	
5	同	主
5	橋本恭知	
6	曽我道雄	専
6	曽我道雄	専

〔注〕主は主任
専は専科
同は前学年と同じの意

研究部員（男6，女6）全員がたちあってこれを聞き，各自の判定の結果をつき合わせて，ABCDの四つのグループに分ける。

③ 判定基準～ABCDの四つの段階

○A～よい発声をしている。

○B～発声が普通と認められる。

○C～発声があまりよくない。

○D～音程がしっかり取れず，　になっていない。

当時，軽い頭声を望ましい発声とみて基準を作ることにしたのであるが，実際には，児童の発声の実態から，これをまず，そぼくな形ででもよいから分類していくといった方法を取るよりいたし方がなかったのである。

④ 結果～この結果として得られたAグループが望ましい発声であり，いわ　る軽い頭声といえるかどうかについては，いまだ多くの疑問を残していた。

そればかりでなく，個々の児童の発声状態はきわめて多種多彩であって，A～Dに至る4段階という単純な分類によっては，どうにもならない場合が多く出てきた。

したがって，類型をもっと多くの段階に分けて，児童の発声の実態をつかみやすくすること，また，望ましい発声，いわゆる軽い頭声についての考え方を明確にして，その所在を確かめることなどが，本調査の必要事項としてつけ加えられたのである。

3.2.2. 発声類型を立てるための実態調査（実態調査の方法）

① 対象～各学年の実験学級（2個学級）

② 実施期間～毎月1回，第4週を期間とし，10時～12時の間に実施する。

③ 調査課題曲～調査のための課題曲を，次のものに一定する。課題曲は，あらかじめ一定期間にわたり，事前に指導をしておく。

○1年～「チューリップ」　（井上武士作曲）

○2年～「たなばた」　（林　柳波作詞・下総院一作曲）

○３年～「もみじ」　（文部省唱歌）

○４年～「若　葉」　（文部省唱歌）

○５年～「野ばら」　（ウェルナー作曲）

○６年～「思い出」　（ベイリー作曲）

この選曲は，次のような条件に合わせた。

a　児童の歌い慣れている曲。（らくな気持で歌わせ，その発声状態を見るため。）

b　高い音域，低い音域の両方にまたがり，各学年とも文部省の標準声域内で作曲されている曲。（高音域・低音域の発声状態の比較をはっきりさせるため。）

c　跳躍音程あるいは順次進行の音程が，適当に組み合わされている曲。（換声や声区の結合が，どの辺でどの程度になされているかを知るため。）

④　調査委員の構成～調査委員は，実験学級担任・当該学年の音楽研究部員，それに音楽専科教員を加えて構成する。

⑤　判定基準～予備調査の結果から，A～Dの四つのグループを，実態に合わせてさらに細分し，次のように決めた。

発声類型（第１次案）

(1)　頭声発声

(2)　高音になって頭声

(3)　胸声で全声域を発声

(4)　のどの開かない地声

(5)　歌声にならず気息のもれる声

(6)　声域が狭く低音しか歌えない

(7)　音痴

(8)　嗄声

(9)(10)　音質の硬軟

(11)(12)　音色の明暗

非常に粗雑な分類のしかたであるが，当時としては，ここまで考えて，一応の目安を立てるということがようやくであった。

＊昭和26年，全国唱歌ラジオコンクール優勝メンバーの児童の声を，

ｉ頭声発声のモデルとして考えることにした。

ii 頭声発声については，当時の諸文献（沢崎氏「唱歌法」・「小学校学習指導要領音楽科編」等。）予備調査の結果，モデル児童の発声等を参考にして，次のような一応の定義を下し，本調査の実施にとりかかることとした。

軽い頭声とは

a　頭部共鳴が，胸部共鳴より比較的多いと，耳で聞いた感じから判定される声

b　全声域が同質に感じられる声

c　無理のないやわらかい声

d　つやのある明るい声

e　曲の発想を自由に表現できる声

質的なものと技術的なものとが並列していて，定義としては幼稚であり，論理的でないともいわれよう。しかし，これは一面，さきにも述べたことでもあるが，耳で聞いて感じとる声音を，音そのものによらないで，文字によって表現しようとする点から起る矛盾でもある。

3.3.　頭声発声への指導方法の発見

3.2.に示したような，児童の発声の実態を明らかにすると同時に，頭声というものを，本質的にはあくする手がかりを与えるものと考えられる。しかしさきに述べたように研究の目標は，このようなことを明らかにするとともに，望ましい頭声への指導の手がかりを求め，その方法を確立しようとするところに重点を置いているのである。

このように，指導方法ということが大きな研究の比重を持つものではあるが，これを最初から抽象化し一般化していこうとすることは，問題の性質上非常に危険が感じられるのである。

学年に応じ，男女の性に応じ，個々の児童に応じて行われるべき方法そのものが，初めから普遍化，一般化を求めるのは無理なので，むしろ個々の教師が個々の学級において，それぞれに応じたやり方によって得た結果の中から一般性，客観性を求めて体系化すべきであろう。

もちろん，できるだけ多くの事例研究によって，個人差に応じていく方法も，あわせて追及されなければならないであろう。

けっきょく，各学年の実験学級担当教師が，その実践結果を定例の研究集会に提出し，討議にかけることによってこれを反省し，次の実践への手がかりを発見するという個別研究と，共同研究の総合的方法によって累積して，指導法を固めていくことにした。

4. 研 究 組 織

研究は，毎年5月に行われる文部省主催の実験学校研究協議会を一週期として中間発表を行い，第3年度目の発表会までに結論を出すことにした。

研究のまとめ方，および発表のしかたは，音楽科，特にその中の発声という問題の特質からみて単なる文書記録・理論発表ということを避けようということになった。そして，できるだけ児童のなまの声や，指導経過の録音等によって，耳に訴えることができるように用意することとした。

研究は前にも述べたように，本校のカリキュラムをこのために特に改めるというやり方をとらないで，本来のあるべき形において進めることを原則とした。したがって，実態調査の場合等を除いては，すべて正規の学習時間の中で指導を行うこととし，特別の時間を設けるということはしなかったのである。

しかし，このことは，実験研究の広がりや奥行を，教師の可能限界内ということで限定したり制約したりしようとしたものではない。実際には，調査や指導の結果とか反応とかの解釈については，専門家や学者の意見をたたかなければ，どうにもならないという場合が非常に多かったのである。このようにして，一方では特定の場とか方法とかを避け，できるだけ自然な形の場において，自然な方法で資料を得たり，指導を進めたりしてきたのであるが，他方どうしてもこれに専門的立場の考察や解釈を加えなければまとまらないということにもなったわけである。

以上のような条件を満たし，学校経営が，文部省実験学校ということに傾斜がかからないように心を配って，研究のための組織を次のように決めて運営に当ってきた。

4.1. 研究組織とその機能

4.1.1.　研究組織

4.1.2.　研究組織の機能

① 実験学級担任――実験研究の直接の担当者として，調査や指導の結果を研究責任者に報告する。

② 低中高学年研究責任者――学年内の実験学級担任の中のひとりが，学年研究責任者となる。各学年ごとに随時会合を開き，研究結果のいっさいを責任をもってとりまとめ，委員会に報告する。

③ 男児発声研究責任者・異常発声研究責任者――各学年研究責任者から必要な資料を集め，研究をとりまとめ，委員会に報告する。

④ 音楽科主任――主任は，縦横の研究の調整と研究の体系化に責任を持つ。

⑤ 児童発声研究委員会――①～④の全員に，校長を加えて構成する。校長は委員会を主宰する。委員会は，毎月，定例1回開催する。必要に応じて臨時委員会を開くことができる。
委員会は，各研究責任者からの報告に基いて研究協議する。
この委員会には，協力者・指導者が参加し，助言指導する。

⑥ 協　力　者――研究に協力する。
仙台市小学校音楽教育研究会幹部

⑦ 指　導　者――研究の指導や，委員会における助言に当る。
文部省・東北大学・宮城県教育委員会・仙台市教育委員会・NHK仙台中央放送局

4.2.　児童発声研究委員会構成メンバー

① 実験学級担任～表 3.1.1. 参照

② 研究責任者

○低学年研究責任者	仙台市立南材木町小学校教諭	柳田かほる
○中学年 〃 〃	〃	朴沢　あき
○高学年 〃 〃	〃	朴沢　あき
	〃	曽我　道雄
○男児発声研究責任者	仙台市立南材木町小学校教諭	菅原　文吾
○異常発声 〃	〃	曽我　道雄
	〃	三浦　節夫
○音楽科主任	〃	鎌田　孝
○校　長	仙台市立南材木町小学校長	瀬上　顕

③ 研究協力者

○仙台市小中学校音楽教育研究会長　二木　信一
○仙台市小学校　〃　勝又　憲賀
○　〃　〃　副会長　大友　正己

④ 指導者

文部省初等教育課　文部事務官　真篠　将
東京大学付属病院　医学博士　須永　義雄
声　楽　家　橋本　秀次
○東北大学教授　理学博士　二村　忠元
○仙台市教育委員会　音楽科指導員　海鋒　義美
○宮城県教育委員会　指導主事　内海　正
○仙台市　〃　千葉　徳二

4.3. 実験学校研究協議会運営委員会メンバー

実験学校研究協議会運営委員会（メンバー）

○文部省初等教育課　文部事務官　真篠　将
○宮城県教育委員会　指導課長　奥野　泉
○　〃　指導主事　内海　正
○　〃　主事　立花　勇
仙台市教育委員会　指導室主査　茂手木良助
○　〃　指導主事　千葉　徳二
○　〃　〃　大野　敏夫
○仙台市小中学校音楽教育研究会長　二木　信一
○仙台市中学校音楽教育研究会長　高橋　善行
○仙台市小学校音楽教育研究会長　勝又　憲賀

○仙台市小学校音楽教育研究会副会長　大友　正己
○仙台市立南材木町小学校長　瀬上　顕
○仙台市立南材木町小学校教頭代理　一条　一男
○仙台市立南材木町小学校音楽主任　鎌田　孝

（昭和28年5月現在）

5. 研究の経過

5.1. 初年度の研究経過

児童発声研究委員会の経過概要を示すと次のようになる。

打合せ会

第１回　　1952. 5. 9.

実験課題をどう受け取ったらよいか，についての基本的な打合せ。

第２回　　6. 2.

１年～６年までの実演授業を中心として，発声についての話合い。

研究計画についての話合い。

第３回　　6. 25.

実態調査実施についての具体的な話合い。

※発声調査カードの原案作製。

第４回　　7. 2.

問題児（発声異常児）の抽出とその指導について。

第５回　　7. 4.

※頭声・胸声・中声等についての話合い。

音域調査（後に声域と改める）について話合い。

問題児の指導についての話合い。

第６回　　7. 8.

実験学級実態調査について。

学級の実態に即してのいっせい指導と個別指導について。

実態調査委員会の持ち方について。

第７回　　1952. 7. 10.

実態調査方法の具体的な取り決め。

調査統計の取り方について。

第８回　　7. 11.

第１回調査。

学級実態調査の実施。

調査にあたって起ったいろいろな問題について。

第９回　　7. 12.

調査の実施とその反省。

第10回　　7. 26.

第２回調査。

調査経過についての報告と話合い。

※８月中は個別研究として各自調査結果の取りまとめにあたり，打合せ会はもたなかった。

第11回　　9. 6.

第３回調査の実施。

第12回　　9. 26.

第４回調査の実施。

第13回　　10. 1.

第５回調査の実施。

第14回　　10. 9.

調査結果の話合いと集計上の打合せ。

第15回　　10. 16.

調査結果の集計についての打合せ。

第16回　1952. 10. 24.

調査集計の結果についての検討。

第17回　11. 4.

発声類型についての話合い。

第18回　11. 13.

発声類型についての原案作成。

第19回　11. 21.

発声類型原案についての共同研究。

第20回　11. 28.

発声類型第1次案　完成。

第21回　12. 9.

発声個人別調査について。

第22回　12. 15.

発声個人別調査結果についての検討。

今後の研究調査についての方針決定。

第23回　12. 19.

発声各類型の録音。

録音を中心としての話合い。

第24回　12. 28.

実験学校研究公開日程原案作成。

第25回　1953. 1. 9.

実験学校研究公開日程原案検討。

第26回　1. 12.

研究公開内容の検討。

実演授業者の決定

第27回　1953. 1. 13.

実験学校研究協議会運営委員会構成。(メンバー別記)

児童発声研究委員会と運営委員会の合同会議，研究公開について。

第28回　1. 20.

発声調査カードについての打合せ。

発声練習曲について。

第29回　1. 22.

第3学期実験計画について。

第30回　1. 23.

発声個人別調査。

第31回　1. 27.

校内小研究会。

発声指導の実際と研究経過の報告。

第32回　2. 3.

学年別発声指導法の検討。(低学年)

第33回　2. 10.

発声個人別調査。

第34回　2. 17.

学年別発声指導法の検討。(中学年)

第35回　2. 20.

学年別発声指導法の検討。(高学年)

第36回　3. 3.

発声個人別調査。

第37回　1953. 3. 10.

個人別調査結果の検討。

第38回　3. 17.

校内研究会，研究授業と批評会。(低学年)

第39回　3. 27.

発表要項。(原稿の検討)

第40回　4. 9.

新学年第1回打合せ。

全校合唱曲の選定とその練習方法について。

第41回　4. 14.

研究協議会当日の教材決定と指導案の形式について。

第42回　4. 17.

校内研究会・研究授業，全校合唱とその批評会。(中学年・高学年)

第43回　4. 22.

低学年の発声練習の方法について検討。

第44回　4. 24.

全校合唱，各学年合唱の実演とその批評。

第45回　4. 27.

南材行進曲完成，南材行進曲合唱指導。

第46回　5. 6.

実験学校運営委員会。

実験学校役員総会。

第47回　5. 7.

ブラウン管オシログラフによる実験研究。

東北大学工学部電気通信科，二村教室において。

第48回　1953. 5. 11.

研究発表会予行，研究発表者の発表時間測定。

第49回　5. 14.

合唱練習，研究発表会諸準備完了。

第50回　5. 15.

文部省初等教育音楽科実験学校研究発表協議会・南材木町小学校。

「児童発声の実験的研究」第1回発表。

仙台市立南材木町小学校構堂において。

5.2. 研究初年度の概要

5.1.に述べたように，研究初年度においてはできるだけ会合を多く持ち，研究課題の解釈，研究目標の設定，研究組織の確立，研究方法の確立，研究方法の確認等，まず研究の基礎固めを行った。次いで，本年の実験研究として，児童発声の実態調査，それに基く発声類型の設定，頭声の実態追及，指導法の手がかりのはあく等，なしうる限り広く資料を集め，将来に備えるように努めた。

5.3. 研究第2年度の経過と研究概要

研究第2年度の経過概要（特に主要なもののみを掲げる。）

○「第1次研究発表会」反省会。　1953. 6. 1.

○研究第2年度方針の確立。　6. 9.

○第1学期実験データの整理検討。　7. 14.

○研究第2年度，中間発表。　12. 11.

○研究第2年度の整理。　1954. 1. 12.

○発表原稿整理。 1954. 2. 16.

○各学年合唱録音。 3. 28.

○「第2次研究発表会」打合せ。 4. 24.

○「児童発声の実験的研究」第2回発表。 5. 22.

千葉市立登戸小学校構堂において。

以上のような経過をたどって，第2次研究発表会を迎えた。この間，特に力を入れたのは，初年度発声類型の不備と矛盾を正すこと，頭声発声の指導方法確立のために，指導段階を設定すること，発声異状児のうち，嗄声児の対策を確立することなどである。

頭声の実態はあくに，客観的条件を付与することに努め，声域調査，オシログラフ撮影，呼気量測定等を新しく採用したことも，研究第2年度の特色ということができよう。

5.4. 研究最終年度の経過と研究概要

研究最終年度（第3年度）の，経過と研究の概要を次に述べる。

○前年度研究の反省と最終研究年度の研究方向の決定。1954. 6. 2.

○第1学期の研究整理。 7. 5.

○共鳴と呼吸についての研究会。 9. 10.

○実験データの整理と検討。 11. 24.

○最終実験研究企画会。 1955. 1. 11.

○中間発表会。 2. 16.

○共鳴と呼吸についての研究会。 3. 8.

○発表原稿整理完了。 4. 5.

○研究発表会企画会。 4. 11.

○県内対象，研究発表会。 5. 17.

○発表会の反省。 5. 18.

○文部省実験学校最終発表会。(第3回) 5・27

仙台市立南材木町小学校構堂において。

以上のような経過によって最終の研究発表会（文部省初等教育音楽科実験学校研究協議会）を迎えた。

研究最終年度においては，頭声発声を各学年の児童の発声の上に，実態として明確に打ち出すことにまず全力を傾けることとした。

発声の研究において，頭声とはどのような声かを文章表現によって定義づけるのは，おのずから限界のあることを知ったからである。

次に頭声発声指導のために，どのような方法が最も効果的であるかということを明らかにしようとした。指導段階を検討整備すること，学年の縦の系列に従って，継続的，累積的，効果的に指導の手が打たれるようにすることなどが，本年の重点的な研究となったのはいずれもその点をねらってのことである。

なお，音感異常児の問題を取り上げ，その指導対策を確立することに努めた。

6. 児童発声の実態調査

6.1. 児童発声の類型

6.1.1. 第1次調査と発声類型

3.2.2.において述べた方法によって，各実験学級の第1回児童発声実態調査を行った結果，予備調査（5年対象，前述）の場合とは別な意味での，さまざまな問題が新しく起ってきた。

① 調査上の問題点とその反省

予備調査（3.2.1.）の結果，A，B，C，Dの4類型を細分化して，1〜12までの段階を設けたのであるが，問題はまずこのことにあった。細分化することによって具体化をねらったのであるが，児童の声の実態はもっと複雑な要素がからみ合っていて，これらの条件を設けることによって，簡単に判別できるような性質のものでなかったのである。もっともこのことについては，まず児童の声の実態にあたり，これを現象面から分類して類型を立てるべきだとする考え方も一応出たことであった。しかし実際にあたってみると，このことはどちらの面から改めても，そう単純に結果の出てくるようなものではなかったということがわかったのである。

このようにして，第1回調査の結果，今後の実験や調査は，試行錯誤を積み重ねていく以外に方法はあるまいということになった。

さて，第1回調査の反省として，次のようなことがあげられた。

A 児童のなまの声を聞いてみると，それをどの類型に入れるかという判断をくだすことがなかなかむずかしかった。

このことは，さきに立てた12の類型が，明確な判定の根拠をそれぞれにもっていなかったということにも原因する。しかし，それよりもたいせつなことは，なまの声というものは，これをなんらかの類型に分けようとすると，単純な一定尺度によって判別できるような性質のものではないということであった。それは個々の児童の外見や性格が異なるように実に多彩なニュアンスに富んでいた。一方このころはまだ教師の耳が集団の中から個性を見いだし，さらにおのおのの個性の中に類型を見つけ出すというように働くためには，もっと多くの修練を経なければならない初歩的な段階にあったともいえよう。

B 低学年の場合には，歌声に慣れていないものも多いので，判定は最も困難であった。

（この場合には，予備調査の結果，4段階から12段階にしたことが，かえって判定をむずかしくすることになった。）

C 個別調査の場合，急に固くなって，（特に女児の場合に多い。）その児童のほんとうの声を聞くことができない場合があった。

さて，以上のような調査結果の反省として，次のようなことが決まった。

○判別基準となる基本類型は，もっと整える必要がある。

○基本類型はもっと単純にしなければならない。

○入学当初の児童の発声類型は，それよりもさらに単純化されたものでなければならない。

○基本類型の立て方は判定の根拠を明らかにし，論理的でなければならない。

このようにして実際には，さきに立てた12類型では分類上無理があるということになり，第1回調査結果をも新しく立てた次の基準によって分けることにした。

② 発声類型の改訂

A 発声類型第2次案の作成

さきに述べたような条件にしたがって作成した第2次案を，第1次案と比較すると次のようになる。

（第1次案）	（第2次案）
	○頭声の状態である発声
1）頭声発声	1）頭声発声
	2）裏声的発声（女児に多い。頭声としては響きの足りない弱々しい声）
2）高音になって急に裏声のようになる声	3）換声はできるが，急に変化して全体が同質の声に感じられない発声（声隙がはっきり現れている声。）
	○胸声の状態での発声
3）胸声で全声域を発声する	4）全声域胸声（高音域になっても頭部共鳴が比較的少なく，かたい金属的な声。）
4）のどの開かない地声	5）響きのない地声
5）歌声にならず気息のもれる声	
6）声域が狭く低音しか歌えない	6）地声の上に高音域が狭く，オクターヴ下げて歌う発声
7）音痴および音痴的発声	7）嗄声（ざらざらして響きのない気息の多い声。）
8）嗄声	8）発声障害―身体的障害による音痴など（声域が著しく狭く，呼吸が悪く，音程がふらついている音痴的発声。）
9）10）音質の軟硬（やわらかい声，かたい声。）	
11）12）音色の明暗	

※線は第1次案と，第2次案の各項目の関係を示す。

以上のようなわけで，第1次案の1）頭声発声を1），2）とさらに細分し，裏声的発声の一項目をつけ加えたこと。（これは実態に基いて，この項を加える必要を生じたからである。）

第1次案の5），8）をまとめて，7）嗄声と一項目にしたこと。

全体として大きく，○頭声発声の状態での発声と，○胸声発声の状態での発声との二つに分けた。

音質の軟硬，音色の明暗という第1次案の項目を削除したことなどが注目される。

結果的には，前述の条件をじゅうぶんに満たすものとは言いがたいが，分類基準としては，第1次案よりは，児童の実態に一歩近づいたものということができよう。

B　入学当初の児童の発声類型

さきにも述べたように，入学当初の児童は，一般的に声域が狭く，音程も不正確であるからこれを，前の8類型にあてはめることはきわめて困難である。そこで，入学当初の児童については，次のようなそぼくな分け方によって，いくつかのグループを作ることにした。

入学当初の児童の発声類型

1）発声のよいもの
2）地声のもの
3）低音で聞きとれないもの
4）歌わないもの

このような分類のしかたは，入学当初の児童の，個々の声を聞いてみた上で分けたものである。このころの児童については，あらかじめいくつかの条件を設けておいて分けていくということは，事実上困難であると思われる。

6.1.2.　発声類型の第3次案

発声類型に分けるということはすでに述べたように，分類するそのことに目的があるのではない。分類することによって，「頭声」の実態を明らかにするということと，各類型の特質をつかむことによって，それぞれに応じた具体的な指導の方法を発見するということにねらいがあるのである。

音楽，特に歌唱の指導においては，従来ともすると，いっせい指導の形態を取りがちのよう

表6.1.1. 児童発声の類型（第3次案）

声区＼種別		類型	性質	発声状態	波型
正常発声	頭声区	1. 頭声発声。A	1. A ○全声域が同質に感じられ，しかも無理のないやわらかな声。○共鳴のある明るい弾力のある声。	○声帯は薄くなって縁の部分だけが振動し，声門を閉じる力も弱く，空気の波動が頭のほうに強く反響する。	頭声A
		B	B ○Aに比べて響きの少ない弱々しい細い声		B
		C（換声のはっきりしている発声）	C ○低音から高音に移るとき，ある音（ハ二）をさかいとして，急に音色・音量がかわる声。	○胸声から頭声発声へと急に移行し，中間に声隙が現れている。	
	胸声区	2. 全声域胸声。	2. ○力強い豊かな声であるが，換声をしないで高音まで胸声で通しているかたい声。	○声帯が厚っぽくなって，声門を閉じる力も強く，声帯の全幅が振動している。	胸声
		3. 地声A	3. A ○2に比べてのどの開かない話声に近い雑音の多い声。	○声帯の振動様式は2と同じであるが，喉頭腔，下咽頭腔の開き方が足りない，共鳴が少ない。（共鳴腔の形の違いによる）	地声
		B（音域狭小）	B ○イロ位の音高になると1オクターヴ下げて発声する。比較的高音域の狭い声。		
異常発声		4. 嗄声。	4. ○常に声がとぎれたり，かすれたりして雑音が多く，聞き苦しい声。	○×声帯に病的な異常がある。×声帯が硬くなっていて自由な振動ができない×すきまができていて，声にならない摩擦音が含まれている「音声学」による。	嗄声
		5. その他の特異発声。	5. ○満足に音程がとれず，旋律どおり歌えないもの。		

に思う。発声指導の問題を，各類型に応じて取り上げていこうとすると，もはや，われわれは個別指導でなければどうしても切り抜けられない壁につき当る。（このことについては，指導方法の項で後述。） したがって，指導の実際を幾たびか経ることによって，さらに，このような分類のしかたの非合理性というものも明らかになってくる。

初年度（昭和27年度）の第2次案は，昭和28年5月以降，なお，細密な批判検討を経て次のような第3次案としてまとめられた。

この第3次案（表6.1.1.参照）で改められた点をあげると次のようになる。

1）各類型の性質を明らかにしようとした。

表6.1.2. 児童発声の類型（第4次案）

声区＼種別		類型	性質
正常発声	頭声区	1. 頭声発声。A B	1. A ○全声域を通じて次のような性質をもつ声。a 澄んだ美しさがある b 輝くような明るさがある c はりがあり，力強さがある ｝声 ○共鳴のある豊かな声。○曲想をじゅうぶんに表現できる柔軟性のある声。B ○Aに比べて，響きの少ない，弱々しい，細い声。
	胸声区	2. 胸声発声。A B（声域狭小）	2. A ○力強い声であるが，高音まで胸声で通している，かたい声。B ○Aに比べてのどの開かない話し声に近い声 ○イロぐらいの音高になると，1オクターヴ下げて発声する，比較的高音域の狭い声。
異常発声		3. 嗄声。	3. ○常に声がとぎれたり，かすれたりして，雑音が多く，聞き苦しい声。
		4. 音感異常。	4. ○満足に音程がとれず旋律どおり歌えない。

2）音声学的な立場から，それぞれの発声状態を明らかにしようとした。

3）オシログラフによる，波型の分析（後述）を試みた。

4）全体を「正常発声」・「異常発声」の二つに大きく分類した。

5）正常発声を，さらに，「頭声区」・「胸声区」の２声区に分けた。

※第２次案の「頭声の状態での発声」・「胸声の状態での発声」に明確なくぎりをつけた。

a　頭声区は，響きの多少，声隙の有無等によって，A，B，Cの３段階に分けた。

b　胸声区は，のどの開き，声域の広狭などによって，これも３段階とした。

6）異常発声を「嗄声」と「その他の特異発声」との二つに分けた。

この場合，特に音痴ということばは用いないことにした。

以上のような第３次案では，できるだけ各類型の特質を明らかにするように，具体的な手がかりを求めることに努力した。

なお，分類上の用語や，用語の概念規定等についてはその後もいろいろ検討を重ね，この第３次案における分類のしかたも，最後的なものとはなり得なかったのである。しかしこれらの点についての詳細は，指導方法の中で具体的に触れることにする。※表6.1.2.児童発声の類型（第４次案）参照。

6.2.　第１次調査に現れた児童発声の実態

6.2.1.　調査結果

第１次調査は，昭和27年７月，実験学級中から，各学年１個学級を選んで実施した。調査結果はさきにも述べたように，発声類型，第２次案によって整理した。

この整理結果は，表に示すと次（表6.2.1.）のようになる。

6.2.2.　調査結果の考察

①　全般的考察

表6.2.1.によって全学年を通じての，各類型の傾向をみると，④全声域胸声を頂点（106名，

30.1%）として，山が，⑤地声（85名，24.3%）にかたよっている。また①頭声（32名），②裏声的発声（35名），③声隙がはっきり現れる（33名），⑥声域狭少（43名）などは，数的にほぼ均衡をみせていることがわかる。

すなわち，全声域胸声および地声の児童が，普通状態においてはきわめて多く存在しているということが，まず第一に注目されなければならない。

なお，⑦嗄声（10名），⑧発声障害（８名）の両者を加えると18名となり，全体の５%を占める数になるということは，これらの児童を今後どう指導するかということとからんで，かなり大きな問題となろう。それに，⑥声域狭小の43名を加えると，全体の12%を上まわる数字となり，これらの児童の指導をさしおいて，発声指導を考えることはできないといっても過言ではないように思われてくるのである。

表6.2.1.

第１回調査に現れた各学年発声類型の分布													計	
調査学年	1年		2年		3年		4年		5年		6年			
発声類型	男	女	男	女	男	女	男	女	男	女	男	女	男	女
①頭声	0	0	0	1	3	5	1	5	1	0	3	13	4.7% 8	13.3% 24
②裏声的発声	1	1	1	2	1	3	0	8	1	2	4	11	4.7 8	15.0 27
③声隙がはっきり現れる					0	1	2	13	1	7	3	6	3.5 6	15.0 27
④全声域胸声	2	4	2	13	8	19	10	4	18	15	9	2	28.5 49	31.7 57
⑤地声	17	23	13	10	13	0	4	0	2	0	3	0	30.2 52	18.3 33
⑥声域狭小	6	4	9	0	5	2	10	0	1	1	5	0	20.9 36	3.9 7
⑦嗄声	3	0	0	0	2	1	1	0	1	1	0	1	4.0 7	1.7 3
⑧発声障害			0	0	0	0	0	0	3	2	3	0	3.5 6	1.1 2
計	29	32	25	26	32	31	28	30	28	28	30	33	172	180

② 男女別・類型別考察

次に表6.2.1.を類型別，男女別に考察してみると次のようになる。

a 女児は，⑤地声～①頭声へと数字が集まっている。

b これに対して男児は，④全声域胸声～⑥声域狭小へと数字がかたよっている。

すなわち，傾向としては，女児はよりよい方向に，男児はより悪い方向へと，おのおの数字のかたよりをみせている。

c ①～③，いわゆる頭声の状態でなされる発声の群においては，女児の実数が男児の3～4倍の割で高率を示している。

d 逆に，⑤～⑧の胸声の状態でなされる発声の群においては，はるかに男児の数字が上まわっているのである。特に，⑥声域狭小は，女児の5倍にも上っていることは注目されることである。

こうした調査に現れた傾向は，明らかに発声を条件とした場合の男女児の差であり，これが音楽科に対する男女の好ききらいの傾向，音楽科学習時における男女の興味や要求の違いということにも密接につながってくるように考えられる。したがってこのことは，指導にあたって，男女の差を考慮すべきかどうかということにも関係してくるわけである。

③ 学年別・男女別・類型別考察

さて，表6.2.1.を学年別・男女別に図示すれば，図6.2.2.のようになる。

この図によってみると，

a 奇数学年においては，④全声域胸声（3年～5年），⑤地声（1年～3年）等に著しい傾向となって現れている。

b 偶数学年においては，数字が各類型に分散している。

このことは偶然の結果かもしれないが，学年的な発達の特長と指導の結果とが，微妙にかみ合って出てきたものとするならば，まことにおもしろい。

c 数字の山が，集合・分散の形をとりながらも，高学年になるにしたがって，しだいによ

図 6.2.2. オ1回の調査に現れた各類型の人数の比較（全学年）

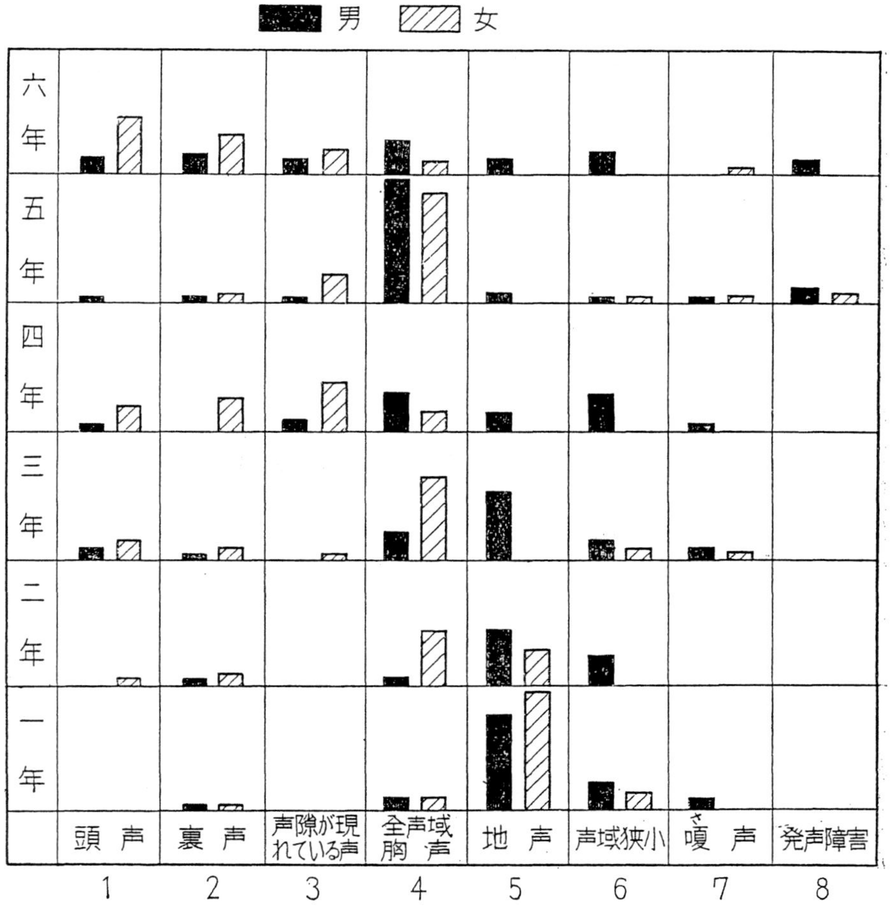

りよい傾向をたどっている。

d　学年別に見た場合でも，女児のほうが男児よりも明らかに，よりよい方向にかたよっている。

e　男女の差は，低学年は接近し，学年の上るにつれて開いてくる。

f　4年から5年への移行が，この図6.2.2 の上ではやや不自然である。特に5年の男女とも，④全声域胸声に数字がかたまっているのは，4年の傾向からすると，解釈に苦しむところである。

6.3.　継続調査とその結果の考察

6.3.1.　継続調査の方針

第1回の調査で，児童の声の実態は，大部分がわれわれの予想以上に，頭声にはほど遠いところにあるものだということを知った。したがって，今後の継続調査の方針はまず，この実態をどう切りくずしていくかにかかるわけである。すなわち，学年差，男女差，個人差というものが一応はっきりした数字で出たわけであるから，それに対する指導の基本方針を立てて，その結果を毎月判定し，その間にさらに指導を積み上げていくということになった。

基本方針

a　男児における⑤地声，⑥声域狭小の指導に力点をかける。

b　低学年における⑤，⑥の類型の指導をくふうする。

c　女児の④全声域胸声を頭声に導くくふうをする。

d　いっせい指導を避けて，できるだけ類型別グループ指導を行うようにする。

e　類型別に事例研究を併行させる。

このことは，要約すると，

○低学年の指導

○男児の指導

○胸声から頭声への切り換えの指導

に重点を置いていくということにもなるであろう。

第1次調査によれば，低学年の児童は一般的に，各学年の男児に見られる傾向に近いものを持っている。ここに，指導上の類似点が発見されるかもしれない。しかしながら一方，男児は男児，低学年は低学年としての特色もまた打ち出されてくるであろう。さらにまた，各学年共通の課題である，「胸声から頭声への切り換え」の追究によって，学年の発達段階に応じた指導体系をうち立てることができるであろう。

このようにして，基本方針が決定し，これに基いて調査を継続することになった。なお学年差，学級差による指導上の問題，個々の教師の指導上の見解の相異などについては，そのつど児童発声研究委員会（以下研究委員会）において合議することとした。したがって，共通の立場をふまえていても，指導の実際にあたっては，あくまでも教師個々の特色や創意が生かされなければならないとし，共同研究と個人研究とのかみ合わせは，すべて研究委員会において考慮することとした。

6.3.2.　継続調査の方法

調査の方法は，3.2.2.実態調査の方法によることとした。したがって，毎月1回行うこととし，各学年中，1学級をケースとして，その結果を累積することにした。この場合，成績の向上（頭声への転換）ということだけにとらわれないで，結果の正確な判断，類型移動の原因追及，累積指導の方法の研究等に特に重点を向けていくこととした。

6.3.3.　継続調査の事例—頭声への転換をはかるために，どのような指導が加えられたか

（4年　朴沢学級の例）

継続調査の方法については，前項に述べたとおりである。この場合の特色は調査結果を検討し，これに一定条件による指導を加え，その結果をさらに検討し，新たな指導を加えるという形で，調査指導が次々に累積されていくところにある。

ここでは全学年にわたって，こうした累積の経過を見ていくことが困難なので，4年実験学

級の事例を掲げることにする。

① 実験学級継続調査の経過――事例

A 第1回調査結果とその指導

この学級の第1回調査結果は，次の表のとおりである。この表によれば，男女の差が著しく表われている。すなわち，①～③の類型（頭声発声の状態での発声）が男児では，全体の10%にも満たないのに対し，女児は全体の90%に近い数字を示しているのである。このことは，女児では，類型①に近い②，③の類型をどう指導すべきかに重味がかけられるのに反し，男児では，類型④，⑤，⑥の指導に重点を置かなければ，どうにもならないという違いとなって現れてくるのである。

この結果からみて，第2回調査までに，次のような目標を掲げて指導を加えることとした。

表6.3.1. 第1回調査結果（昭和27.7.11. 調査）

性＼類型	①頭　声	②裏声的発　声	③声隙がはっきり現れる	④全声域胸　声	⑤地　声	⑥声域狭小	⑦嗄　声	⑧発声障害
男	1	0	2	10	4	10	1	0
女	5	8	13	4	0	0	0	6

指導目標

a 地声の児童に対して～のどに力を入れないで，のどを開いて発声させる。

b 声域狭小児童に対して～*換声を指導し，高音の発声に慣れさせる。

c 男児一般に対して～叫び声をやめさせる。

d 女児一般に対して～歌うことに慣れさせる。

指導方法

a のどを開いて発声させる指導

○地声の類型のほとんどの児童は，話声と歌声との区別がついていない。したがって，まず話声と歌声とでは，声の出し方が違うということをよくわからせる。

○肩・くちびる・あご・舌・のどなどの緊張をほぐし，らくな姿勢，らくな気持で，静かに呼吸させる。その後，そのような条件で，ホ，ハなどの子音で気息音を出させ，その音を長く続けて出させてみる。

○前のような要領で，個々の児童の出しやすい音高で発声させてみる。

○吸気のときの，のどの状態を鏡で見せて，のどが開くというのはどのような様子かをわからせる。

○よくのどを開いて発声している児童の声を，耳で感覚的につかませ，まねをさせる。

b 換声と高音発声の指導

○のどをつめて歌うと，声帯が緊張して高音が出にくくなると考えられる。そこで前の要領で，身心の緊張をほぐしておいて，ニホの高音をねらって発声させる。この場合，オ母音を使うと効果的である。

○上述のほかに，跳躍音程を弱声によりスタカートで，瞬間的に出させる方法がある。この方法によって，高音域と低音域とでは，発声のしかたが違う（このことについては，「9. 発声指導の方法」，各学年の研究第2年度以降を特に参照されたい。）ということを感覚的につかませる。

*発声練習曲，(A) (B) (C) (D) の順に用いて指導することによって，高音発声に慣れさせることができる。

c 叫び声をやめさせる指導

○学習時間中，休み時間のとき，そうじ当番の場合等，日常生活のすべてにわたって，必要以上の大声を出さないように特に注意する。

○発声の生理について説明し，発声についての知的理解を深め，叫び声をみずから抑制するような意識を育てる。

○児童会の協力を求め，学校の努力事項とし，学級だけでなく，学校全体の児童が叫び声を上げないという習慣形成を目指して指導する。

以上のような指導を行った結果，第２回調査（27.10.17.調査）には，次に示すような数字の変動となって現れた。

B　第２回調査結果とその指導

第２回調査結果は，（図６．３．3.）に示すとおりである。これを第１回調査結果（図６.３.２.）と比較すると，

○男児における，地声・声域狭小の減少。

○男女ともに，換声を覚えた児童の増加。

という傾向となってはっきり現れている。

指導目標

a　地声・声域狭小の児童には，前回同様の指導を継続する。

b　全声域胸声の児童には，換声によって高音を頭声で発声することを指導する。

指導方法

a　地声・声域狭小児の指導

第１回指導によって，男児の発声が変ってきていることは前述によって知られるところである。しかし，この場合の児童の声は，「気息音の非常に多い，かすれた弱声」である。生気や音量に欠けていて，もどかしいような声なのである。したがって，この声を今後どのように指導するかが問題となったが，急速な解決を求めないで，気長に指導を重ねていくことにした。教師のあせりは，第１回の指導の積み上げをくずす心配がある。そこで当分の間，弱声であってもしかたがないから，発声の場合には，りきませないように特に注意して指導を継続するこ

図 6.3.2. 調査に現れた各類型のパーセンテージ

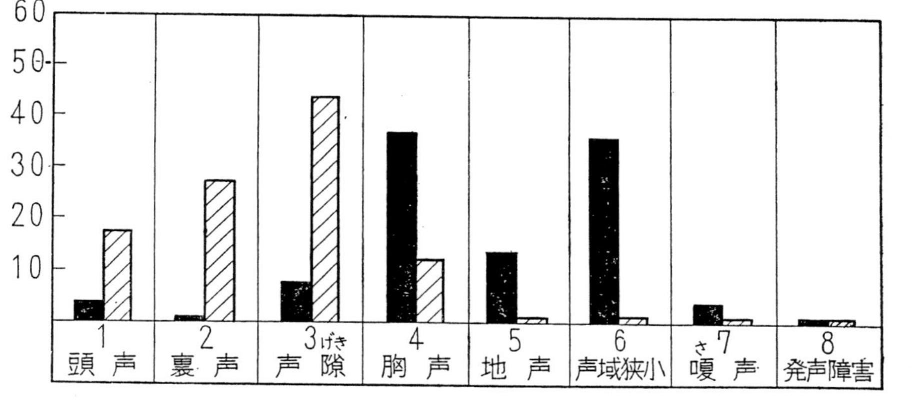

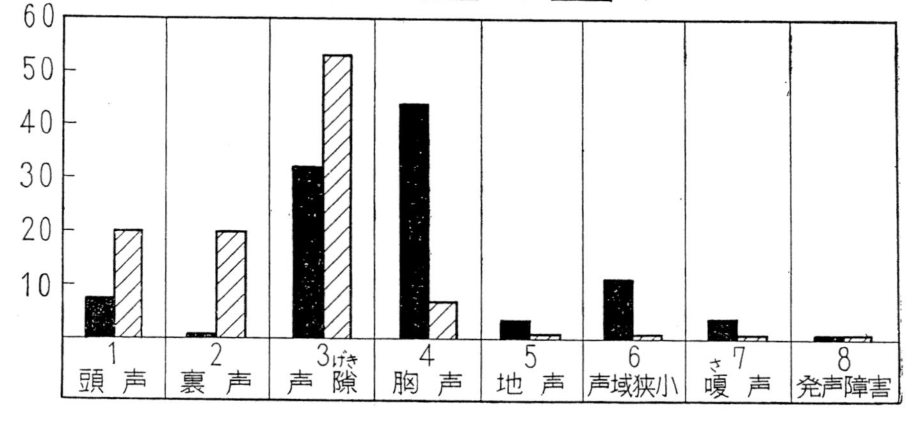

図 6.3.3. 調査2回目 は男 は女

とした。

＊（このことは，あとになってみて，頭声へ導入するために非常にたいせつな指導のポイントであることが立証された。）

b　全声域胸声児の指導

胸声は，力強い聞きばえのする声である。全声域胸声児の特色は，この胸声の状態で高音域までずり上げて発声するところにある。このようにして出される高音は，鋭くて丸味に欠けている。またこのような発声は，声帯を必要以上に緊張させるので声帯の負担が大きく，その疲労を早めることになるようである。

＊（このことは研究第２年度，頭声と胸声の呼気消費量の比較と関連する。）

したがって結果的には，音程が安定性に欠け，下がり気味になるという現象が見られる。

このような現象は，胸声の児童がハ以上の高音を発声しようとするとき，はっきり現れてくる。高音発声の要領をつかんでいないので，のどをつめて，むりに声を出していることが観察されるのである。

これらの児童には，やはり，のどを開いて歌うことの指導がたいせつになってくる。すなわち，のどに力を入れないで，ホヘあたりの音を，弱い声で静かに発声させるのである。

こうして，一応のどを開いて高音を発声することの要領がつかめたら，練習曲２，３，４，５，６，７などによって高音発声の習熟に努めることにした。

C　第３回，第４回の調査結果とその指導

第２回調査結果を検討し，前述のような指導を行ったあとの調査結果（27.12.16. 調査）は図6．3．4．に示すとおりである。ここでは便宜上，そのあと引き続いて行われた第４回調査結果（28. 1.24. 調査）をも示し（図6． 3． 5.）， 比較検討しながら，指導の実際について述べることとする。

第３回調査結果を，図6．3．4．によって見ると，胸声から女児がまったく姿を消し，これで女児の全部が頭声の状態で発声の仲間入りをしたことと，男児声域狭小の類型が０になった

図 6.3.4. 調査3回目 ■は男 ▨は女

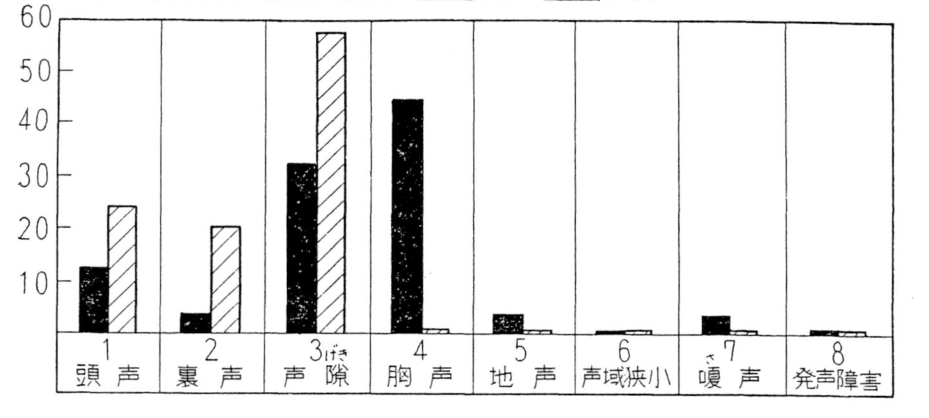

図 6.3.5. 調査4回目 ■は男 ▨は女

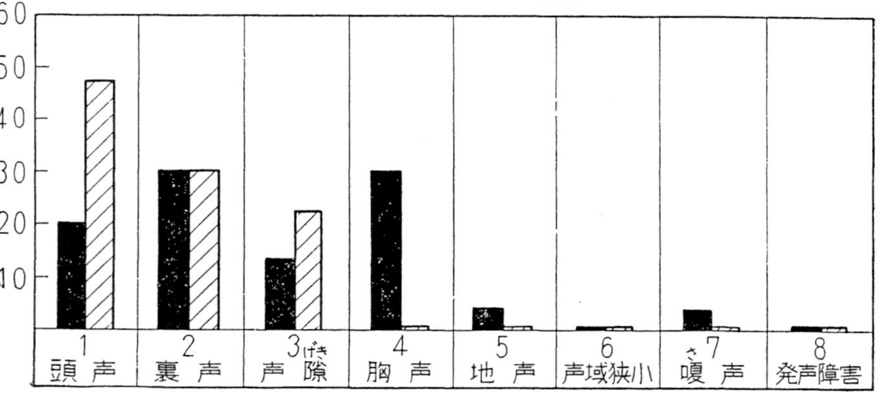

ことが特に目だっている。

図の上では，このことのほかには，特に注目される点が現れていない。

しかし，図には見られないが，この回の調査では，

○学級全体の歌声がそろってきたこと。

○男児の音色が，女児の音色に近くなったこと。

などが大きな特色となって現れている。

この第3回調査結果を第4回の調査と比較してみると，ここに，明確に一つの線が引かれているように思われる。すなわち，（男児胸声に，一つの例外が見られるけれども）第3回までは，どうすれば頭声の状態での発声を多くするかの段階であったのが，第4回を境として，頭声にみがきをかけるという段階に動いてきているということである。このことは，男・女児の類型①,②,の増加を，図6．3．4．，図6．3．5．によって比較してみるならば，一つの裏付けが得られよう。

さらに調査の時期をみてわかるように，このころは，2学期から3学期にわたっている。学年としての実力のつくころである。児童は，今までの指導によって発声についての意識が高まり，学習も自覚的で積極的になってきた。

以上の点から見て，この期の指導目標を次のように決めた。

指導目標

a 換声の指導に力を入れる。

b 声区の融合を図るために，共鳴の利用について指導する。

指導方法

a 換声の指導。

これは，前回に準じて行う。

b 声区の融合を図るための，共鳴の利用についての指導。

この指導は，換声はできるようになったが，低音と高音の発声の音色が違っていて，特に耳

だつような児童を対象として行った。

声区の融合というのは，頭声の状態での高音域の発声と，胸声の状態での低音域の発声とのつなぎ目を，自然に，耳だたないようにしようということである。

＊（初年度におけるこのような考え方は，第2年度以降，大きく訂正された。

さて，この指導は，次のような順序を経て行った。

○まず，高音の発声を固める。（発声練習曲3.4.5.6.7.利用）

○中音域の発声に，その高音の音色を持たせるようにする。（発声練習曲8.利用）

この指導効果を高めるために，「旋律が下降するにつれて，━━の感じで発声させる。」このことは，中音域に胸声の出ることを防ぐのに役だった。

さらに，歌い出しの音を弱く発声させる。」このことは，上昇音をくずさないようにするために役だった。

○このような指導を土台として，低音域の発声にもやわらかな音色が出るように努力する。（発声練習曲9．〜12.利用）

指導の結果は，図6.3.5.に見るように，類型③の減少，類型①，②の増加という好ましい傾向を生んだ。

しかしその反面，今までの「弱声の許容」ということが，全体的な傾向となって広がっていき，問題を投げかけることになった。学級全体の歌唱を聞いてみると，音色もやわらかく，よくそろっているが，生気に乏しく，迫力に欠け，その弱々しい感じはどうにもおおうことのできないものであったからである。（このことは，この学級に限ったことではなく，当時の学校全体の傾向であった。）

具体例でこのことを説明すると，たとえば，「村のかじや」の歌唱の場合である。比較的高音で始まっているこの曲の最高音を，ホヘに移調して歌わせた場合でも，すっきりとそろい，音程が下がるということはなくなった。これは明らかに当時としては進歩であった。

しかし，いかにも音量が乏しく，生気に欠けて，歌としての感動が伴わないのである。この

欠陥は率直に認めなければならなかった。

頭声とは，この欠陥を埋め，この段階から抜け出したところで到達できるものであろう。こうして指導の重点は，おのずからこの欠陥を埋めることに向けられた。

D　第5回，第6回の調査結果を図示すると次のようになる。（図6. 3. 6.，図6. 3. 7. 参照）

この二つの図は，前4回のそれと比較すると，分散していた数が，①頭声に片より，きわめて理想的なカーブを描いていることに気づく。第3回と第4回の間に境界を引いたことが，ここに来て，さらにはっきり立証されたわけである。しかし考えようによっては，あまりに，うまくいき過ぎているともいえよう。そのような意味では，この学級の例は，一般的であるというよりはむしろ特殊的である。

これを細かに見ると，類型①頭声の数は，常に女児が優位を示し，男女児の関係は，最終回まで変らなかったことが注目される。（男児発声の指導の項参照）

最終調査に，男児1名が，④胸声に残った以外，全級の児童が，「頭声の状態でなされる発声」の仲間にはいったことも，著しい特長である。（この場合，特に類型⑦嗄声，⑧発声障害児等の扱いとその指導結果の判定については，いろいろ問題があろう。しかし，この学級には初めから⑧の類型がなかったし，嗄声は1名となっている。（嗄声については後述「嗄声」の項参照）

このような結果，特に，最終調査における頭声，女児90%，男児70%という成果をあげるまでに，どのような指導が行われたかを次に述べる。

指導目標

a　横隔膜呼吸に慣れさせる。

b　共鳴をつかませる。

c　のびのびと歌わせる。

指導方法

a　横隔膜呼吸に慣れさせる。

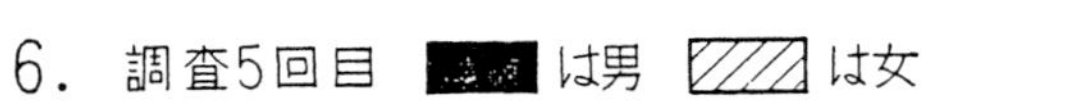
図 6.3.6.　調査5回目　■は男　▨は女

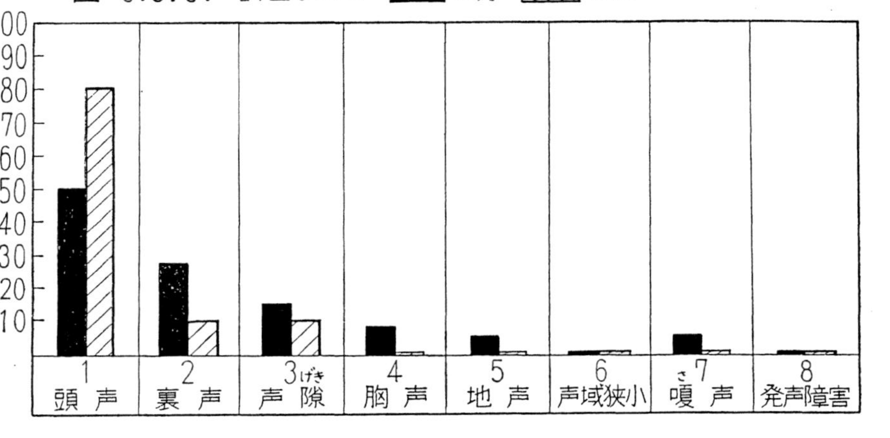

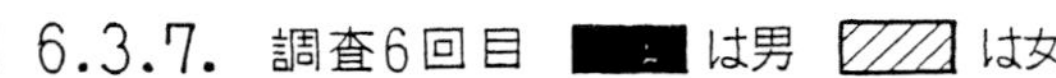
図 6.3.7.　調査6回目　■は男　▨は女

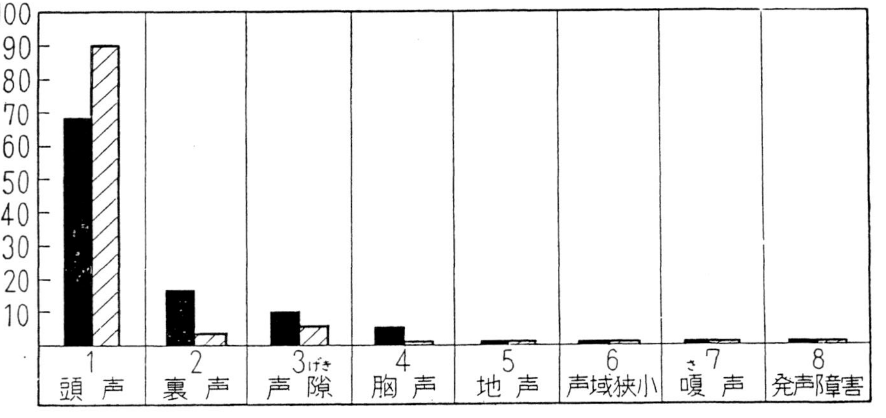

このことのために，次のような指導をした。

○母音で，一つ一つの音をむらのないように，長く発声する練習をする。

○一つの音を延ばしている間に，―― ――ができるように指導する。

○横隔膜呼吸を意識させる。

このための指導法の一つとして，スタカート唱法がある。これを，のどで音を切らないで，腹で切るように指導する。それによって，「ささえのある呼吸」を体得させる。

b　共鳴をつかませる。

○共鳴の焦点をさがさせ，よく響く声で歌うということを，体験を通してつかんでいくように指導する。（呼吸と共鳴については，後述参照）

c　のびのびと歌わせる。

○これまでは，叫び声をおさえ，歌声をつかませるということでせいいっぱいであった。

このことは，効果的には教師も児童も，発声ということにこだわり過ぎることになったようである。

○そこで段階的に見ると，だいたい発声の土台が固まってきているので，声に自信を持たせ，のびのびと歌わせることにした。（もちろんこの場合にも，乱暴な発声にならないようにすることはたいせつな注意である。）

このような指導の結果，頭声の女児の声にはボリュームが加わり，いわゆる弱声の心配がなくなってきた。

男児の場合は，女児に比べて，音色の美しさ，声の響きなどの点について，なお問題が次年度に持ち越されることになった。

6.3.4.　調査結果の考察（全学年を見通して）

調査は，調査方法の項で述べたように，毎月1回行うこととしたのであるが，毎月では数の変動がきわめて少なく，結果の比較考察に不適当であることがわかったので，実際には，次の5回が集計された。（4年8組だけは6回）

すなわち，

第1回　27年7月　　第2回　27年10月
第3回　27年12月　　第4回　28年1月
第5回　28年2月　　（第6回　28年3月）………4年実験学級だけ実施，

これを表に示すと次のようになる。

(1)　調査結果集計表　（表6.3.8.～表6.3.13. 参照）

(2)　結果の考察

この集計表の考察にあたっては，次の2点に留意することとした。

すなわち，

○頭声の増加に見られる傾向。

○声域狭小の減少に見られる傾向。

がそれである。

調査の当初に，時間的な経過から見ても，指導が累積されるわけであるから，当然，望ましい発声の類型に数が動いていくだろうと考えられた。したがって，調査の回数を重ねるごとに頭声は増加し，声域狭小等は減少するだろうと予想されていた。しかし，その増加と減少の傾向が，学年や男女の差によって異なってくるのではなかろうか。そしてそこに指導上のかぎが潜んでいるのではあるまいかと考えたわけである。（前項6.3.3.の事例参照）

以下，これらのことを念頭に，結果についての考察を試みることとする。

A　頭声の増加に見られる傾向

a　学年的傾向

表6.3.1.～表6.3.6.によって頭声増加の傾向を，学年別に見ていくならば，そこに著しい相違を発見することができる。

すなわち，低学年においては，調査回数に比例して，頭声が必ずしも漸次増加の傾向をたどっていない。ところがこれに対して，高学年では，調査回数に比例して，その順調な増加の傾

表6.3.8. 1年2組

調査年月日	27.7.10.		27.10.16.		27.12.15.		28.1.23.		28.3.13.			
調査回数	1回目		2回目		3回目		4回目		5回目		6回目	
発声類型	男	女	男	女	男	女	男	女	男	女	男	女
① 頭声	0	0	0	0	0	0	2	10	2	10		
② 裏声的発声	1	1	2	3	5	8	5	10	10	20		
③ 声隙がはっきり現れる												
④ 全声域胸声	2	4	1	2	1	0	1	0	1	0		
⑤ 地声	17	23	19	24	17	22	15	9	11	0		
⑥ 声域狭小	6	4	4	3	3	2	3	3	2	2		
⑦ 嗄声	3	0	3	0	3	0	3	0	3	0		
⑧ 発声障害												
計	29	32	29	32	29	32	29	32	29	32		

表6.3.9. 2年2組

調査年月日	27.7.10.		27.10.16.		27.12.15.		28.1.23.		28.2.24.			
調査回数	1回目		2回目		3回目		4回目		5回目		6回目	
発声類型	男	女	男	女	男	女	男	女	男	女	男	女
① 頭声		1	1	6	1	6	2	10	4	13		
② 裏声的発声	1	2		1					0	2		
③ 声隙がはっきり現れる				1		2		1	0	2		
④ 全声域胸声	2	13	10	11	11	10	11	12	11	7		
⑤ 地声	13	10	7	6	7	6	7	4	5	2		
⑥ 声域狭小	9	0	4	0	3	0	4	0	5	0		
⑦ 嗄声												
⑧ 発声障害												
計	25	欠1 26	欠3 22	欠2 25	欠3 22	欠2 24	欠1 24	27	25	欠1 26		

表6.3.10. 3年7組

調査年月日	27.7.11.		27.10.17.		27.12.16.		28.1.24.		28.2.26.			
調査回数	1回目		2回目		3回目		4回目		5回目		6回目	
発声類型	男	女	男	女	男	女	男	女	男	女	男	女
① 頭声	3	5	3	6	9	14	10	16	10	17		
② 裏声的発声	1	3	1	3	1	2	1	2	3	2		
③ 声隙がはっきり現れる	0	1	1	2	0	4	1	2	2	2		
④ 全声域胸声	8	19	10	17	16	8	15	9	13	8		
⑤ 地声	13	0	12	0	3	0	2	0	2	0		
⑥ 声域狭小	5	2	3	2	2	1	2	1	1	1		
⑦ 嗄声	2	1	2	1	2	1	2	1	2	1		
⑧ 発声障害												
計	欠1 32	31	欠1 32	31	33	欠1 30	33	31	33	31		

表6.3.11. 4年8組

調査年月日	27.7.11.		27.10.17.		27.12.16.		28.1.24.		28.2.26.		28.3.24.	
調査回数	1回目		2回目		3回目		4回目		5回目		6回目	
発声類型	男	女	男	女	男	女	男	女	男	女	男	女
① 頭声	1	5	2	6	4	7	6	13	15	24	20	27
② 裏声的発声	0	8	0	6	1	6	9	8	7	3	5	1
③ 声隙がはっきり現れる	2	13	9	16	10	17	4	6	4	3	3	2
④ 全声域胸声	10	4	13	2	13	0	9	0	2	0	1	0
⑤ 地声	4	0	1	0	1	0	1	0	1	0	0	0
⑥ 声域狭小	10	0	3	0	0	0	0	0	0	0	0	0
⑦ 嗄声	1	0	1	0	1	0	1	0	1	0	0	0
⑧ 発声障害	0	0	0	0	0	0	0	0	0	0	0	0
計	欠1 28	30	入1欠1 29	30	入1欠1 30	30	欠1 30	欠3 27	欠1 30	30	欠2 29	30

表6.3.12. 5年6組

調査年月日	27.7.12.		27.10.18.		27.12.17.		28.1.20.		28.2.27.			
調査回数	1回目		2回目		3回目		4回目		5回目		6回目	
発声類型	男	女	男	女	男	女	男	女	男	女	男	女
① 頭声	1	0	1	0	2	3	3	4	8	12		
② 裏声的発声	1	2	1	4	0	6	7	13	4	6		
③ 声隙がはっきり現れる	1	7	1	9	7	11	6	7	6	7		
④ 全声域胸声	18	15	18	11	13	4	9	3	9	2		
⑤ 地声	2	0	1	0	1	0	0	0	0	0		
⑥ 声域狭小	1	1	3	1	3	1	3	1	2	1		
⑦ 嗄声	1	1	1	1	1	1	0	1	0	1		
⑧ 発声障害	3	2	2	2	1	0	0	0	0	0		
計	欠1 28	欠1 28	欠1 28	欠1 28	欠1 28	欠3 26	欠1 28	29	29	29		

表6.3.13. 6年4組

調査年月日	27.7.12.		27.10.18.		27.12.17.		28.1.26.		28.2.27.			
調査回数	1回目		2回目		3回目		4回目		5回目		6回目	
発声類型	男	女	男	女	男	女	男	女	男	女	男	女
① 頭声	3	13	4	17	5	20	7	22	10	26		
② 裏声的発声	4	11	6	8	9	7	7	5	4	3		
③ 声隙がはっきり現れる	3	6	4	6	4	4	6	4	6	3		
④ 全声域胸声	9	2	9	1	8	1	4	1	4	0		
⑤ 地声	3	0	1	0	0	0	0	0	0	0		
⑥ 声域狭小	5	0	3	0	3	0	3	0	3	0		
⑦ 嗄声	0	1	0	1	0	1	0	1	0	1		
⑧ 発声障害	3 変声	0	3	0	3	0	3	0	3	0		
計	欠2 30	33	欠2 30	33	32	33	欠2 30	33	欠2 30	33		

向が見られるのである。（特に4年，6年等にはっきり出ている。）

このことを，表6.3.8. 1年2組のデータについて見ると，1回（7月），2回（10月），3回（12月），の調査では，頭声の児童は男女とも0であって，第4回調査ではじめて男2，女10となって現れてきている。そして表6.3.13.の6年4組では，1回（7月）男3，女13となっていて，これが5回（28年2月）の男10，女26になるまできわめて順調といえる増加をたどっているように見られるのである。（この間にあって，やや特異な傾向を示しているのは，表6.3.12.の5年6組のデータであるが，これについては，「男児発声の指導」の項で詳しく述べる。）このように，一般的には頭声増加について，前述のような学年的傾向が認められると思うのである。

このような現象に応じて当然，指導の場合も，学年によって重点の置き方が違ってこなければならない。（このことについては，指導方法の項を参照）

b 性別による傾向

表によれば一般に，男児は女児に比べて，頭声への転換が遅いということがいえよう。（前項6.3.3.参照）そして，この傾向は，低学年ほどはっきり出ている。

したがってまた，どの学年においても頭声児童の比率が，男児より女児のほうが高くなっている。この数字を第5回調査によって比べると，次の表のようになる。

これによると，男女差が最も接近している3年の場合でも，女は男の1.7倍を示し，最も開いている1年の場合は，女が男の5倍となっている。また，総計を見ても女が男の2倍強とな

表6.3.14. 頭声児童数の学年別男女別比較表

類型	性＼学年	1	2	3	4	5	6	計
頭声	男	2	4	10	15	8	10	49
	女	10	13	17	24	12	26	102

っていることは注目される。

このようなことから，児童の実態から出発すると，どうしても男児に指導の重みをかけなければよい成果が得られないということになってくる。

B　声域狭小の減少に見られる傾向

声域狭小の減少を，各学年の第1回調査と第5回調査の結果によって表示すると，次のようになる。

表6. 3. 15.　声域狭小減少の学年別男女別の比較表

類型＼性＼学年		1	2	3	4	5	6	計
声域狭小	男	6／2	9／5	5／1	10／0	1／2	5／3	36／13
	女	4／2	0／0	2／1	0／0	1／1	0／0	7／4

〔備考〕表は次のように見る第1回調査→／←第5回調査

a　学年別比較

これによれば，声域狭小もまた低学年に片寄りを見せている。

かりに，3年と4年の間に線を引いてみると，数字は著しく低学年に片寄っていることがわかる。この関係は，第1回調査結果と第5回調査を比べてみても，変動を見せていないのである。このような学年的傾向は，やはり身体的発育の状態や，指導の累積による実積と深く関係しているもののように思われる。（発声指導の方法の項参照）

b　男女別比較

表6. 3. 15. を男女別という観点に立ってみると，ここにも女児の優位性がはっきり現れている。すなわち，第1回調査においては，4年では声域狭小男10，女0という数が出ており，総計では男36，女7という数が出ている。この関係もまた，最終調査まで大きな変動がなかった。小計に出ている男13，女4という数がこのことを示している。もともと，声域狭小が男児に多いということと，指導を加えても女児に比べて男児の場合，そのきょう正が困難であるということがこれによってわかる。

以上のことのほかに，類型④全声域胸声，類型⑤地声等にあたってみると，ここでも男女の数が，女児の数より上まわって現れている。

けっきょく，このように見てくると，頭声発声に導くための指導の問題点は，低学年指導と男児童指導とにあるということができるようである。（各学年指導方法の項参照）

(3)　結果の反省

実験学級を中心とした初年度の調査研究は，前に述べたような経過をたどって行われた。この調査結果を，各類型ごとに男女別学年平均を出し，第1回，第3回，第5回の3回を図示比較すると，次の図のようになる。（図6. 3. 16. 参照）

これによってみると，頭声の増加は順調なカーブを描いており，特に女児の増加傾向は理想に近い状態を示している。したがって，これだけで見ると，頭声指導の問題解決がきわめて近いところにあるかのように感じられる。しかし，これをさらに反省してみると，初年度は「叫び声をおさえて，頭声発声の要領をつかませる。」というそぼくな第1段階を経たに過ぎなかった。調査の事例にも述べたように，当時，「頭声」と判定された声そのものに，なお多くの問題が残されていたのである。音量・共鳴・迫力・精彩等の条件を欠くことは，頭声としての美しさをじゅうぶんに満足させるものではなかった。この図6. 3. 16. に現れている「頭声」の中には，このような未完成な声がかなりはいっていたことを認めないわけにはいかない。

今後の課題は，だれが聞いても納得のいく美しさの条件を備えた声でなければならない。そしてその指導をどうするかということである。「頭声にみがきをかける。」ということばが使われ出したのは，そのような欠陥を認め，新しい研究方向を目ざして生れたことばであった。

(4)　調査をする場合の注意

このような，調査や指導を進めていく場合，特に注意しなければならないこととして，次のようなことがあげられる。

図 6.3.16. 全学年各種発声類型の変化

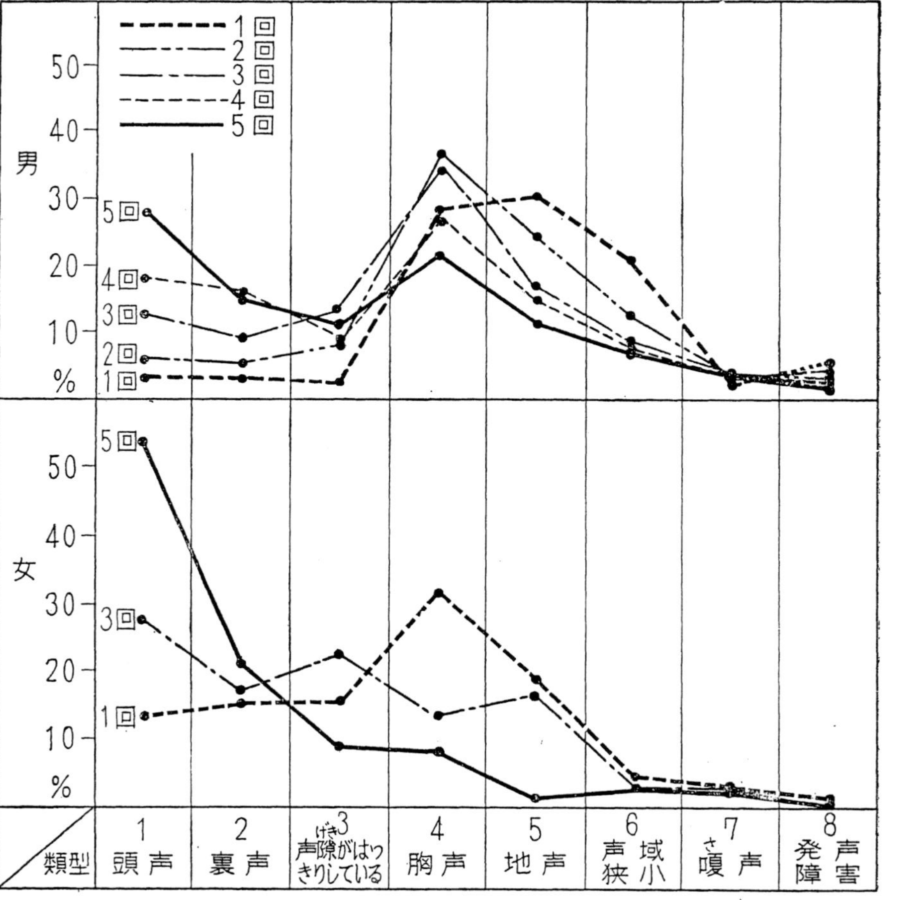

a　調査結果によって，類型ごとのグループを編成し，次の調査によって，逐次編成変えをしていくようにする。

b　グループ指導に重点を置く。

c　グループ指導のために，正規の音楽科の時間外に週１回30分程度の特設時間をとる。

d　グループの取扱にあたっては，児童に劣等感をもたせないように，細心の注意を払う。（グループの名のつけ方，教師のわずかな言動など，児童にはすぐ響く。）

7. 頭声発声の特質

7.1. 頭声とはどのような声か

7.1.1. 頭声の條件（研究初年度）

(1) 経過

2．研究の目標の項で述べたように，この実験研究の第1の目標は，「頭声」とはどのような声か，その実態を明らかにするところにある。そして，この目標についての最初の手がかりとなったのは，「ことさらに，のどで声を作ろうとするのでなく，軽く頭上に抜けるような気持の発声。」という頭声についての，小学校学習指導要領音楽科編の解説であった。

これと沢崎氏の「声帯辺縁振動説」を参考とし，予備調査（3.2.1.参照）の結果から検討を加え，「軽い頭声」とは次のような条件を満たす発声と考えていた。（既出）

(2) 軽い頭声

軽い頭声とは

a 頭部共鳴が胸部共鳴より比較的多いと，耳で聞いた感じから判定される声。

b 全声域が同質に感じられる声。

c 無理のないやわらかい声。

d つやのある明るい声。

e 曲の発想を自由に表現できる声。

頭声を，一応このように定義づけして研究を進めてきた。しかし，これらの条件や観察点はいずれも主観によって，どうにでも左右されるものばかりである。頭声に客観的な判定を下す根拠となるものが，ここには示されていなかった。

初年度の研究をまとめるにあたってこうしたことを反省し，第2年度の研究によって，頭声

判定の客観的な条件をそろえるように努力することとなった。

7.1.2. 頭声の特質（研究第2年度）

(1) 研究の方向

初年度の反省に基いて，第2年度の研究では，できるだけ頭声判定の客観的な条件をそろえることに努力した。その1は，学年の標準声域に対する頭声群，胸声群の声域の広狭という点からみた差異であり，その2は，頭声群と胸声群との発声時呼気消費量に関する比較であり，その3は，オシログラフ撮影による頭声・胸声の波型の比較による，可視的条件の付与ということであった。

(2) 研究の結果

① 声域の比較

以下，図7.1.1.〜図7.1.4.までは，1年と5年を除く各学年，女児（2年のみ男女児）の個人別声域表である。

実験研究の結果からすると，女児は男児に比べて高音域発声を早く身につけることができる。ところが，これらの図表によってみると，いずれの学年においても頭声群の女児は，標準声域を越える広がりを見せている。

これに反して，胸声群女児は，高学年になるほど，高音域ののびなやみが観察される。

このことは，胸声発声では，高音域発声が困難であることを示し，高音域発声における頭声発声の優位性を証拠だてるものと思われる。

図7.1.5.は，実験学級の頭声群男女児の声域を示すものである。この図表によると，高音域ののびに男女差は認められず，頭声発声を身につければ，男児でも高音域の発声が女児に劣らないことを示している。これは，前述の頭声の優位性を裏づけるものともいえる。

したがって，声域から見た頭声発声の特質として，

○高音域の発声がらくに美しくできる。

○高音域の発声可能範囲を広げることができる。

図.7.1.1.

声域調査表

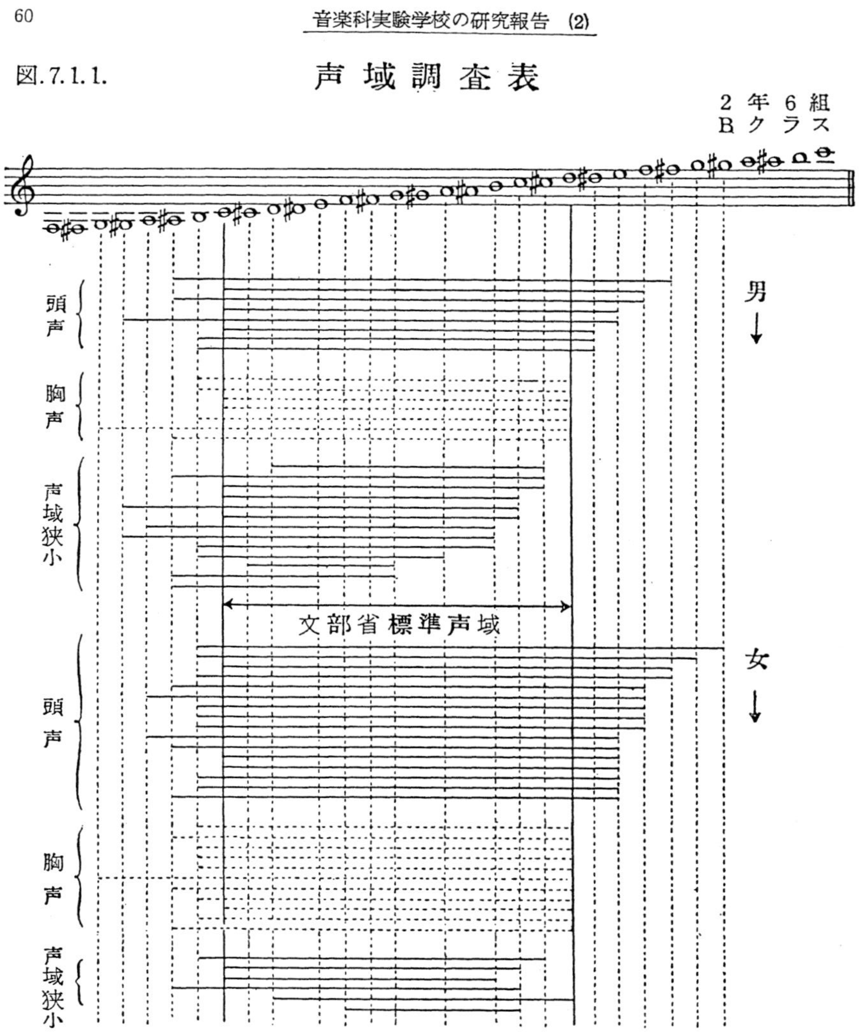

図 7.1.2.

声域調査表

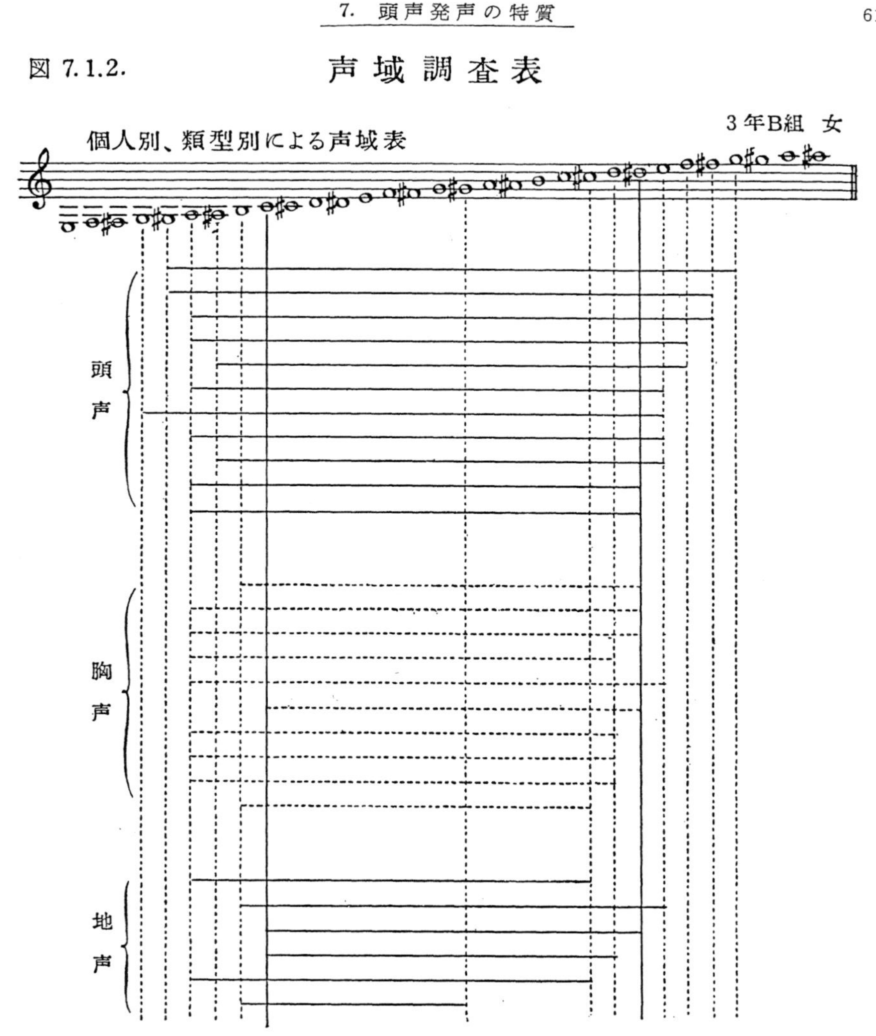

図 7.1.3.

声 域 調 査 表

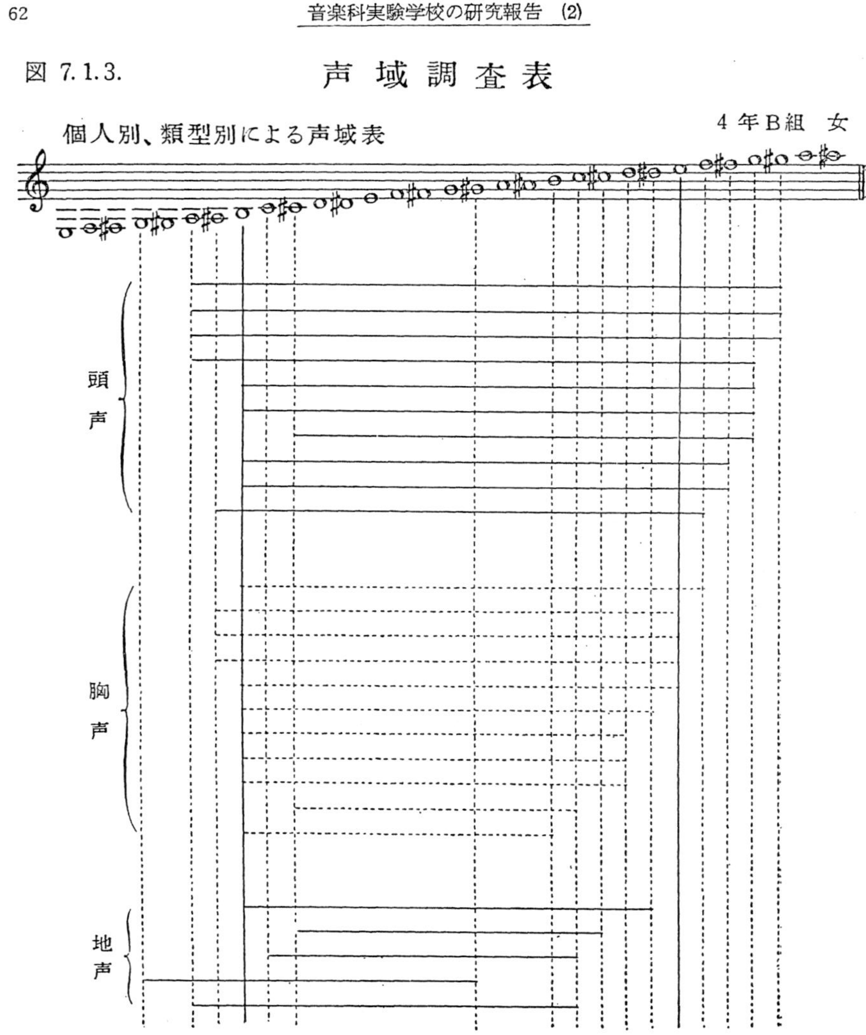

図 7.1.4.

声 域 調 査 表

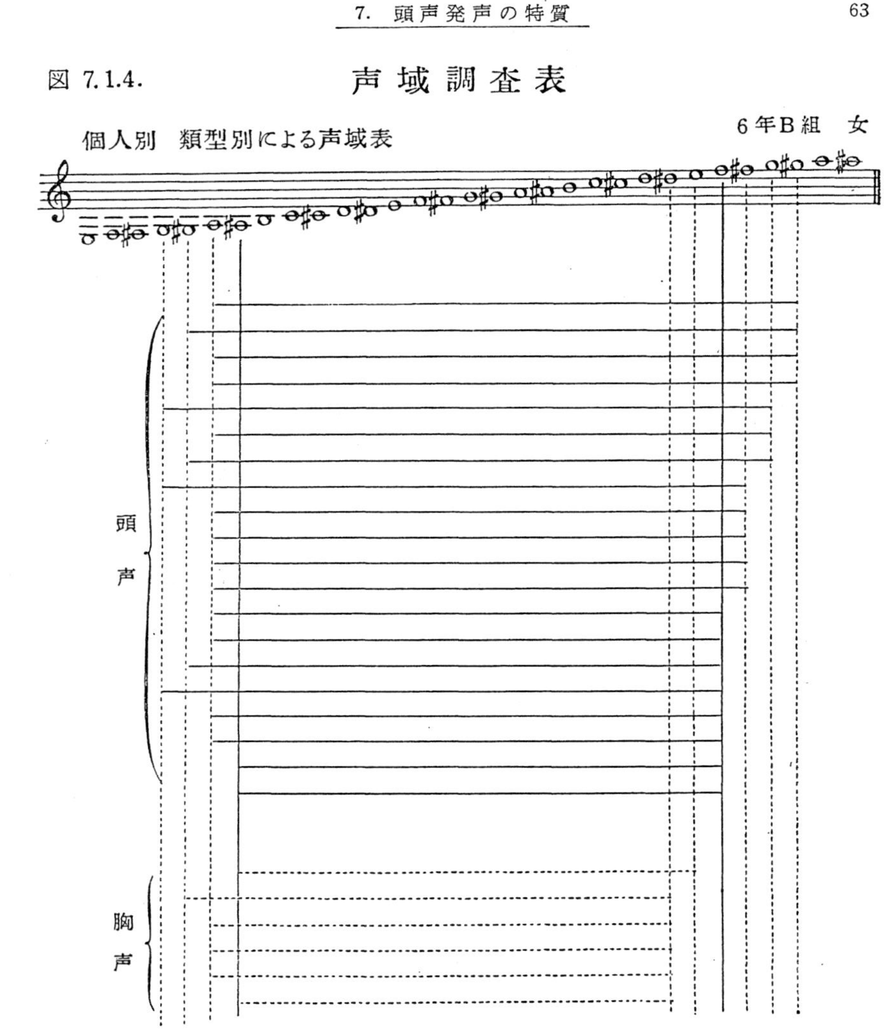

図 7.1.5. 実験学級声域表

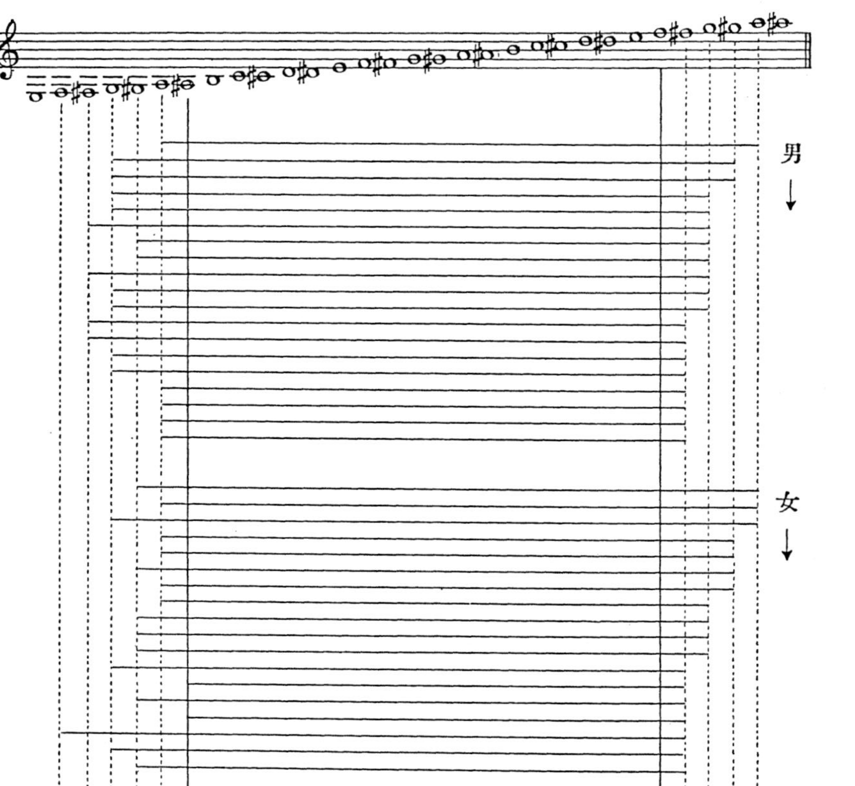

※声域調査の方法は，音階をオ母音で発声させ，次に曲（南材行進曲，イ長調）を歌詞をつけて歌わせ，「長く延ばしてもある程度の響きがあり，音高が下がらないこと」「その音高がことばをつけても歌えること」を条件として決定した。

② 呼気消費量の比較

頭声群（５年児童10名），胸声群（５年児童10名）を対象とし，その肺活量・呼気消費量・発声持続時間を測定し比較した。その結果を図示すると，図7.1.6.のようになる。

発声持続時間の測定は，イ音をア母音で，*mf* で，できるだけ長く発声させて測定した。呼気消費量は，発声持続時間で肺活量を除し，１秒間の平均呼気消費量とした。

＊この呼気消費量の算出において，肺活量より呼気量を求めたことに無理があったので，後に，呼気消費量の測定方法を改めた。10.2.5. 頭声男女児の音量について(1)参照。

呼気消費量算出に無理があるけれども，以下は一応，このデータを使用して記述することとする。

○発声持続時間を基準として

この調査で発声持続時間が最も信頼度の高い数字である。これによって，個人差はあるにしても，呼気保持ができているかいないかを判定する基準とすることができよう。

頭声群　最高14秒～最低７秒

胸声群　最高７秒～最低３秒

上は発声持続時間の比較である。これによって，頭声群の最低と胸声群の最高が，同一時間となっていることがわかる。しかしこの場合，肺活量をそのまま呼気量とすることはできないとしても，歌唱時呼気を肺活量に比例するものと仮定するならば，肺活量の大きいものが，発声持続時間が長くなるという仮説が成立しよう。

頭声群　最高持続時間14秒～肺活量1820cc

頭声群　最低持続時間７秒～肺活量1300cc

胸声群　最高持続時間７秒～肺活量2100cc

ところが，上表のように，３者のうち肺活量の最も多い（2100cc）胸声群の児童の持続時間が，７秒にすぎないということになる。

肺活量が多くて発声持続時間が短いというのは，呼気消費量が多いことを示している。前の

図 7.1.6. 頭声と胸声の呼気消費量の比較

声域 5年児童

群	児童	肺活量	持続秒数	呼気消費量
頭声群	①	1820cc	14秒	130
	②	2070	12	172
	③	2100	12	175
	④	2120	12	176
	⑤	1700	9	188
	⑥	1300	7	185
	⑦	1660	8.5	195
	⑧	1600	8	200
	⑨	1720	7.5	230
	⑩	2360	10	236
胸声群	①	1800cc	6秒	300
	②	2100	7	300
	③	1950	6	358
	④	1740	5	348
	⑤	1780	5	356
	⑥	2320	6	386
	⑦	1710	4	427
	⑧	1380	3	460
	⑨	2030	4	507
	⑩	1780	3	593

三つの表について，一応肺活量をもとにして呼気消費量を比較しても，

呼気消費量

頭声群　持続時間14秒～呼気消費量130cc

頭声群　持続時間７秒～呼気消費量185cc

胸声群　持続時間７秒～呼気消費量300cc

となる。

このことから，同じ音高で，同じ強さmfで発声する場合でも，胸声児は呼気の消費量が多く，頭声児は少ない(すなわち，頭声児の呼気保持ができていることを示す。）ということになる。

合理的な，むだのない呼気消費によって，効果的によい発声ができるという頭声発声の特質の一つが，明らかにされたわけである。

③　オシログラフ撮影による波型の比較

オシログラフ撮影によると波型（10.2.4.の図10.2.4.波型図参照）によると，頭声・胸声・地声・嗄声など，各類型の違いを視覚に訴えて，めいりょうに見ることができる。

すなわち，頭声児童の波型を見ると，倍音の含み方がきわめて規則正しく，美しい波を描いていることがわかる。ところが，胸声・嗄声の児童の波型は，倍音の含み方が乱れてきて，非調和部分音（雑音）を含んでいることが，その波型の複雑さに明らかに見ることができる。

この波型の観察によって，頭声は，倍音の含み方が規則正しく，雑音のない，澄んだ美しさをもっていることが明らかにされたわけである。

以上，研究第２年度において，頭声の優位性を証明する三つの客観的条件をそろえることができた。

7.2.　実験結果から帰納した頭声の特質

7.2.1.　頭声の特質

過去３か年の実験結果から，頭声の特質を次のように規定した。この場合の頭声とは，われ

われの現場において理想の水準に達していると思われる，多くの児童の現実の声についていうものである。それらの児童のなまの声をわれわれの耳に感じ取り，その声の中から頭声の美しさの要素を拾い上げたものである。

（たびたびくり返すが，これはあくまでも説明にすぎない。頭声とはと聞かれるならば，その本質はやはり現実の声によって判断してもらうよりしかたがないのである。）

（頭声の特質）

a 全声域を通じて，次のような音声をもつ声

○澄んだ美しさがある。

○輝くような明るさがある。

○張りがあり力強さがある。

b 共鳴のある豊かな声

c 高音がらくに歌える声

d 曲想をじゅうぶんに表現できる柔軟性のある声

以上のような，各条件を満たしていると感じられる声を頭声とした。

7.2.2. 頭声の追及

前項に掲げた頭声の特質は，われわれの理想の発声である。同時にそれは，現実の声として児童の大部分が到達しうる水準でもある。

指導にあたってこのような頭声を追及するには，教師の鋭敏な耳が要求される。教師の耳は一々の要素に分析して感じる耳ではなく，頭声の条件の一つの脱落をも聞きのがさない耳でなければならない。

頭声の美しさは，常に完成された一つの音声としての美しさである。

このような立場で頭声の指導を考え，児童の実態の中にはいこんで，取扱の一々を検討し反省して，指導方法の確立に努めることとした。

8. 児童発声の指導段階

8.1. 指導段階第1次案（研究第2年度）

8.1.1. 第1次案のあらまし

初年度に行った児童発声の実態調査および頭声発声の指導法等を検討した結果，頭声発声の指導段階（第1次案）を作成し，指導の系統を立てることとした。この場合，特に児童の心身，知能の発達段階を考慮し，学年の焦点，縦の系列等を調整するようにした。

初年度には，実態に応じた指導の創意くふうということを重んじてきたが，2年度においては，このような初年度の実績から帰納し，各学年の指導のより所をはっきりさせるという点にねらいをおいたわけである。

この第1次案は，全体が大きく四つの段階に分けられ，それがさらに14の項目に分割されて各学年に配当されている。

すなわち，

(1) 導入段階

表8.1.1.の①～③

(2) 第1段階

表8.1.1.の④～⑦

(3) 第2段階

表8.1.1.の⑧～⑩

(4) 第3段階

表8.1.1.の⑪～⑭

表8.1.1. 頭声発声の指導段階（第1次案）

番号	項目 ＼ 学年	1	2	3	4	5	6
①	歌声になれさせる	——	——	……	……	……	……
②	母音の正しい口形を指導する	——	——	……	……	……	……
③	歌声と話声とでは著しい差があることをわからせる	——	——	……	……	……	……
④	どならないで歌う習慣を養う	——	——	……	……	……	……
⑤	機会を捕えて頭声発声の要領を覚えさせる	——	——	……	……	……	……
⑥	ブレスをそろえて歌うことを指導する	——	——	……	……	……	……
⑦	歌うときの姿勢に注意し，あごをひき，のどに力を入れないで歌う習慣を養う	——	——	——	……	……	……
⑧	頭声区の発声を徹底させる			——	——	……	……
⑨	換声について指導する			——	——	……	……
⑩	低音域の発声を指導する			……	——	——	……
⑪	呼吸に注意させ，呼気をささえることを指導する			……	——	——	——
⑫	デックングの状態で歌う習慣を養う			……	——	——	——
⑬	声区の移行をなめらかにすることを指導する				……	——	——
⑭	発声についての知的理解を深める					……	——

8.1.2. 第1次案の解説

(1) 導入段階

この段階は，頭声発声に導入するための基礎がためとなるものである。項目①～③が，この段階に属している。

○項目① 歌声に慣れさせる。

入学当初の児童には声域の狭いものが多く，ニ以上の高音が歌えるものが非常に少ない。それでいて，この期の児童は歌いたくてしかたがないのである。それで，その歌いたい本能を満たしてやりながら，歌うということに慣れさせる必要があるわけである。

○項目② 母音の正しい口形を指導する。

母音に応じての縦横の開き。

開きの不足や，開き過ぎ。

くちびるに力を入れないで。

えみをたたえた表情（スマイリング）で。などの点に注意して，口形の指導をする。鏡を使って，自分の口の開きに注意させると効果がある。ただし共鳴腔の形成に個人差があるから，各人の発声の音色を聞き，個別指導をする必要がある。

○項目③ 歌声と話声とでは著しい差があることをわからせる。

項目①と関連して，歌声に慣れさせるとともに，歌うときと話すときとでは，声の出し方の違うことをのみこませる。

よい歌声を聞かせ，そのまねをさせるなどは効果がある。

(2) 第1段階

導入段階で基礎固めをしておいて，頭声発声への第1次段階の指導にはいるわけである。項目④～⑦が，この段階に属している。

○項目④ どならないで歌う習慣を養う。

○項目⑤ 機会を捕えて頭声発声の要領を覚えさせる。

歌声と話声の区別ができるようになったら，どならないで歌う習慣をつけていくようにする。せいいっぱい声を張り上げて歌うことから，やさしい声，美しい声で歌うという方向へ切り換えていくのである。

このために

歌詞や旋律の美しいやさしい感じの曲

リズムのなだらかなレガートな曲

比較的高音域が用いられている曲（最低ヘトぐらいでとまるように，移調して用いるのがよい。）などを選んで歌わせる。高音域で動く曲はどなっては歌えないので，自然にどなり声がおさえられる。そのようにして歌っているうちに，頭声らしい声が出てくるから，そのときの発声の状態を，のどの感じと耳からの感じとで捕えさせるようにする。いわゆる頭声発声指導の第１段階がここにある。

このようなことに慣れてきたら既習曲も移調して与え，高音域での歌唱の回数を増していく。

○項目⑥　ブレスをそろえて歌うことを指導する。

これは，歌唱のときに，呼気をじょうずにむだなく使わせるようにするための指導である。

いちどにたくさん吸わせない。

吸った息を一時腹でささえ，静かに吐かせるようにする。

フレーズの間は，なるべく一息で歌うよう習慣づける。

などのことがたいせつな注意点である。低学年でのこのような指導は，高学年での呼吸法の完成に深い関係をもつものと思われる。

○項目⑦　歌うときの姿勢に注意し，あごをひき，のどに力を入れないで歌う習慣を養う。

歌唱のときの姿勢としては，座唱よりは，もちろん立唱のほうがよい。背すじをまっすぐにすることはたいせつだが，むやみに緊張してかたくなってはいけない。正しくて，らくな姿勢ということになろう。

それから，あごを上げすぎたり下げすぎたりしないように，頭の位置に注意させる。いわゆる，デックングの要領を初歩的につかませるわけである。

*（デックング〜喉頭を少し下げ，共鳴腔を広げることである。これによって，母音の音色は充実し，下咽頭腔や，鼻腔の共鳴がよくなり，音声は丸味をおびてくる。発声の疲労も少ない。）

(3)　第２段階

第２段階の指導のねらいは，声域の拡張をはかることである。学年に応じた，高音域，低音域の発声ができるように，声域の幅をもたせるための指導の段階である。この段階に属するのは，⑧〜⑩の３項目となっている。

○項目⑧　頭声区の発声を徹底させる。

これは，弱声指導で習得させた高音域の発声にみがきをかけ，共鳴をつける指導である。

○項目⑨　換声について指導する。

低音で始まっている曲で，高音域の発声について特に注意する。低音発声の状態で，そのまま高音へ音をずり上げると胸声になるから，高音になったら換声させ，頭声の要領で発声するように指導する。（この項は，第３年度の研究でさらに改められた。）

○項目⑩　低音域の発声を指導する。

高音から始まる曲については，低音も高音と同じような音色で歌わせるように指導する。低音になってもりきませないで，強さよりも響きを要求するように発声させる。

(4)　第３段階

ここでは，声区の移行をなめらかにするということが，指導のねらいになっている。この段階に属しているのは，⑪〜⑭の４項目である。

○項目⑪　呼吸に注意させ，呼気をささえることを指導する。（前述項目⑥参照）

○項目⑫　デックングの状態で歌う習慣を養う。

○項目⑬　声区の移行をなめらかにすることを指導する。

○項目⑭　発声についての知的理解を深める。

ここでは，頭声・胸声の２声区にまたがり，比較的音域の広い曲を歌う場合，換声が耳だたないように（頭声区と胸声区をなめらかに融合させるように。）発声することを指導する。

また，さきに述べたデックングの状態で歌うように習慣づける。

どのような状態の発声のときに，最もよい共鳴が得られるか，各児童にくふうさせる。

以上が「頭声発声の指導段階」第１次案（昭和28年５月〜同29年４月）である。当時としては，このような段階をふむことによって，頭声発声の指導が，系統的，効果的に行われるものと考えたわけである。

この第１次案は，その後の検討によって，次のような諸点について改善の余地あることが明

らかにされた。すなわち，

○各項目が，具体的な指導の手がかりとなるように要素化する。

○発声の条件として考えられる各要素の学年的配当は，さらに改善されなければならない。

○呼吸と共鳴についての，指導の系統を整理する必要がある。

○頭声・胸声の２声区を許容し，換声を認めるということについては再考の必要がある。

8.2.　改訂．児童発声の指導段階（研究第３年度）

8.2.1.　指導段階第１次案改訂のあらまし

(1)　改訂方針

第１次案の改訂にあたっては，さきの反省に基き，14の各項目を検討して，重複は削除し，概念的なものは具体化し細分化するという方針をとった。

基本的な問題としては，「換声」「声区の結合」という考え方を，そのまま残すかどうかということが取り上げられた。このことは前項にも述べたように，声区の結合，換声の指導という考え方の基盤として，ひとりの児童に，胸声・頭声の２声区を認めるということになる。問題は，過去２年間の論議の焦点であり，学者や専門家の間でも異説の多いところである。けっきょく実験研究の結果として生れた，児童の発声そのものがどうかという実証的な立場から誤解の起らないような表現を用いることとした。

「全声域が，同じ音色で歌える」(改訂．指導段階項目⑰)という条件は，研究初年度に「全声域が同質の声に感じられる」ことを，頭声発声の基本条件としたことと一致する考え方である。したがって，「高音の澄んだ響きで低音も歌える」（改訂．指導段階項目⑫）という条件が頭声指導の重要な段階として成立することになろう。こうなれば，「声区の移行をなめらかにする」（第１次案，項目⑬）というような表現は，指導の基本的方針について誤解をまねく心配があるので，改訂にあたって削除した。

(2)　改訂の要点

改訂にあたって，呼吸・共鳴・歌声の三つの観点に立つて，それぞれについての要素を分析し，難易の程度と発達の段階とを考慮して，学年に配当することとした。

A　呼吸の指導

○よい姿勢で歌える。　1.

○歌い出すとき肩を上げないで息を吸うことができる。　1.

○ブレスまで息を続けて歌える。　1. 2.

○吸気を静かに長く吐くことができる。　3.

○吸気のとき，音をさせないで早く吸うことができる。　4.

○呼気をささえて歌うことができる。　4.

○ささえのある呼吸法で歌える。（スタカートもレガートも）　5. 6.

B　共鳴の指導

○ことばがはっきり歌える。　1.

○口を正しくあけて歌う。　2.

○のどに力を入れないで歌える。　3.

○のどをよく開いて響きのある発声で歌える。　4. 5.

○共鳴のある明るい豊かな発声ができる。　6.

C　歌声の指導

○どならないで歌える。　1.

○歌声に慣れさせる。　1.

○高音域の発声に慣れる。　2.

○高音域の発声が美しく歌える。　3.

○高音の澄んだ響きで低音も歌える。　3. 4.

○全声域が同じ音色で歌える。　5.

○曲想をじゅうぶんに表現して歌える。　6.

○発声についての知的理解をもつ。　6.

*（右端の算用数字は，要素の配当学年を示す。）

表8.2.1.　児童発声の指導段階要素別一覧表

区	番号	項目　＼　学年	1	2	3	4	5	6
A	①	よい姿勢で歌える	——	……	……	……	……	……
A	④	歌い出すとき肩を上げないで息を吸うことができる	——	……	……			
A	⑥	ブレスまで息を続けて歌える	——	——				
A	⑩	吸気を静かに長く吐くことができる		……	——			
A	⑭	吸気のとき音をさせないで早く吸うことができる			……	——	……	……
A	⑮	呼気をささえて歌うことができる			……	——		
A	⑯	ささえのある呼吸法で歌える（スタカートもレガートも）					——	——
B	②	ことばがはっきり歌える	——	……				
B	⑦	口を正しくあけて歌う	……	——				
B	⑨	のどに力を入れないで歌える			——	……		
B	⑬	のどをよく開いて響きのある発声で歌える				——	——	
B	⑱	共鳴のある明るい豊かな発声ができる					……	——
C	③	どならないで歌える	——					
C	⑤	歌声に慣れさせる	——					
C	⑧	高音域の発声に慣れる		——				
C	⑪	高音域の発声が美しく歌える			——			
C	⑫	高音の澄んだ響きで低音も歌える			——	——		
C	⑰	全声域が同じ音色で歌える					——	……
C	⑲	曲想をじゅうぶんに表現して歌える					……	——
C	⑳	発声についての知的理解をもつ					……	——

〔注〕　A区は主として呼吸，B区は共鳴，C区は歌声

表8.2.2.　児童発声の指導段階学年順系列表

番号	項目　＼　学年	1	2	3	4	5	6
①	よい姿勢で歌える	——	……	……	……	……	……
②	ことばがはっきり歌える	——	……				
③	どならないで歌える	——					
④	歌い出すとき肩を上げないで息を吸うことができる	——	……	……			
⑤	歌声に慣れさせる	——					
⑥	ブレスまで息を続けて歌える	——	——				
⑦	口を正しくあけて歌う	……	——				
⑧	高音域の発声に慣れる		——				
⑨	のどに力を入れないで歌える			——	……		
⑩	吸気を静かに長く吐くことができる		……	——			
⑪	高音域の発声が美しく歌える			——			
⑫	高音の澄んだ響きで低高も歌えるようになる			——	——	……	……
⑬	のどをよく開いて響きのある発声で歌える				——	——	……
⑭	吸気のとき音をさせないで早く吸うことができる			……	——	……	……
⑮	呼気をささえて歌うことができる			……	——		
⑯	ささえのある呼吸法で歌える（スタカートもレガートも）					——	——
⑰	全声域が同じ音色で歌える				……	——	……
⑱	共鳴のある明るい豊かな発声ができる					……	——
⑲	曲想をじゅうぶんに表現して歌える					……	——
⑳	発声についての知的理解をもつ					……	——

〔注〕実線はその学年で主として指導することを示す。実線のあとの点線は，常に考慮に入れて指導を続けていくことを示す。実線の前の点線は前学年において少しずつ予備的指導を行うことを示す。

以上によって，呼吸・共鳴・歌声についての指導を，具体的，段階的に明示するとともに，発声指導についての基本態度をも明らかにしようとしたのである。

8.2.2. 改訂．児童発声指導段階

さきに示した発声指導の要素をまとめて，表 8.2.1. 児童発声の指導段階要素別一覧表を作った。これによって，要素別指導の学年的系列をつかむことができよう。（表8.2.1.参照）

次に，これらの要素をかみ合わせ，学年で指導を進める順に従って配列すると，表8.2.2.児童発声の指導段階学年順系列表となる。（表8.2.2.参照）

9. 発声指導の方法

9.1. 入門期の発声指導

9.1.1. 類型調査から指導の手がかりをつかむ（研究初年度）

(1) 入学当初の児童の発声状態はどうか。

昭和27年４月入学の児童，男29名，女32名を対象として調査した。児童の知っている「むすんでひらいて・ハ調」「はとぽっぽ・ヘ調」「夕やけこやけ・ハ調」を選び，その中の１曲をひとりひとり歌わせて結果を記録した。

（昭和27年４月末調査）

表9.1.1. 入学当初の児童の発声状態

類型／性判	よいもの	地声のもの	低声で聞きとれないもの	歌わないもの
男	1	22	6	0
女	2	17	8	5

入学当初の児童が相手では，上学年の児童に対してのように，あらかじめ条件を設けておいての調査はむずかしいので，児童の実態に即した結果を，この表9.1.1.のように大まかにまとめてみた。

この表によってわかるように，普通に歌えるものが非常に少ない。

低声で聞きとれない児童や歌わないなどの児童は，入学当初のことであるから，まだ学校の生活に適応できないでいるものと思われる。それにしても，数の多いのは注目される。

地声の児童というのが大多数を占めているのは，このころの最大の特色といえよう。これらの児童は，発声がでたらめで声域が狭く，高音域が歌えない。この期の児童を取り扱うのに特に留意しなければならない点であろう。

以上は，この表を通しての考察であるが，調査を実施してみてさらに，次のようなことが共通の傾向としてあげられる。

A 発音がはっきりしない。

B 歌詞のまちがいが多い。

C テンポがまちまちである。

D 音程が正しくない。

E 発声がでたらめである。

正規の指導を受けていないのだから，このようなことはきわめて一般的な傾向と見てよいと思う。

(2) 入門期指導の目標を立てる。

さきの調査をもとにして，次のような指導の目標を立てた。

a どならないで歌う。

b ことばをはっきり歌う。

c 呼吸法を会得する。

d リズムを体得する。

e 大ぜいでそろって歌う。

f 興味深く楽しく学習する。

いかにも初年度の目標らしく，整理のゆきとどかない項目の配列であるが，次に，これらの六つの目標を達成するためにどのような指導をしたか，その実際を述べることとする。

(3) 入門期における発声指導の実際

前項にあげた各目標について，実施して効果のあがった方法を要約して述べよう。

a 「どならないで歌う」ことの指導。

さきの調査にも見られるように，入学当初の児童（特に男児）は，地声を張り上げてどなる

ように歌うものが多い。これらの児童は，あごを出し，首すじを緊張させて歌うので，高音になるほど苦しい発声になり，疲れが早く音程もくずれやすい。したがって，どならないで歌うことの指導が必要になってくる。

そのためには，小さい声で，音程を正しく歌わせるように常に心がける。方法としては，「ちょうちょ」，「ぶんぶんぶん」などのように，高音域から始まる曲を選んで，地声をおさえて歌う習慣をつけていくようにした。次に示すような練習曲もこの指導のために役だった。（図9.1.2.参照）

図 9.1.2. 練習曲

b 「ことばをはっきり歌う」ことの指導

口形図を見ながら，母音の発音練習をする。このとき，顔面や口腔（こう）の筋肉をじゅうぶんに動かして発音させるようにした。個々の音が，めいりょうに発音できるようになったら音高をつけ，アー，エー，イーのように発声練習を加え，歌声としてもつかませるようにした。

図 9.1.3. 練習曲

興味をもたせるために，「やぎ」，「羊」，「おおかみ」などの鳴き声をまねさせながら，エ，オ，ウの発音，発声練習をねらった。

c 「呼吸法を会得する」ことの指導

この期の多くの児童は，息の続くかぎり歌っていって，続かなくなったところで息つぎをするといったぐあいである。ひとりひとりみんなまちまちであるから，どうしても呼吸の指導が必要になってくる。

歌詞の取扱には，息つぎのところで切って読むように指導した。範唱のときに，「ここまで一息に歌うのです。」と念をおして指導するようにした。

呼吸については

○肩を上げないで，静かに鼻から吸って，静かに口から吐かせる。

○肩を上げたり，音を立てたりしないで，急に口と鼻とから吸って，なるべくゆっくり吐かせる。

○ゆっくり吸った息を，いちど，腹にためてからゆっくり吐かせる。

などの指導をした。このように，実際には「呼吸法を会得する」というよりは，きわめて初歩的な呼吸についての指導をしたのである。

d 「リズムを体得する」ことの指導

e 「大ぜいでそろって歌う」ことの指導

リズムがつかめればそろって歌うことができるようになるので，この二つは関連して扱う。

リズムを，からだでつかませるようにした。まず「曲に合わせて，拍子打ちをする。」次に「曲に合わせて，足踏みをする。」曲は既習の二拍子のものの中から選び，強拍が左足にかかるように指導した。足踏みができたところで行進の指導に移った。かけ足の指導も曲に合わせて，かけ足足踏みから，かけ足に移るようにした。

このような指導といっしょに，テンポを早くつかむ練習をした。曲のテンポの変化にしたがって，いっせいにぱっと反応するようになれば，「大ぜいでそろって歌う」ことがうまくできるようになる。

f 「興味深く楽しく学習する」ことの指導

「いもむしごろごろ」，「かごめかごめ」，「ひらいたひらいた」，「まりつき」，「かくれんぼ」など歌に合わせて動作を加え，遊びの中で歌わせる。歌の解説を童話風にする。などのことによって，音楽の時間を楽しくするようにした。教えこもうという気持が先に立つとどうしても指導がかたく，つめこみになるので警戒しなければならない。

9.1.2. 声域調査から見た入門期の特色とその指導（研究第2年度）

(1) 入学当初の児童の声域

初年度の調査によって，入学当初の児童は地声で歌うものが多く，発声のしかたもまちまちであり，声域も狭いことが認められた。

これらの児童の個々の特質をはっきりつかむために，声域個人調査を行った。

声域調査の方法は次のようにした。

○既知教材「はとぽっぽ」を使った。

初めハ長調で歌わせ，順次，半音ずつ音を上げていって，歌える限界までいったとき，そのいちばん高い音を長く延ばして発声させる。

その音が，不自然にふるえたり，音程が下がったりしないという条件で，最高音の限界を決めた。

この調査の結果（昭和27年～同29年）を表にすると次のようになる。（図9.1.4.，図9.1.5.，図9.1.6.参照）

これらの図表によって，（昭和27年のみ7月調査）入学当初の児童の特色が，声域の面にもめいりょうに出ていることがわかる。

すなわち，3か年を通して，入学当初に文部省標準声域に達している児童は，どの年にも男女合計は全体の10％強にすぎないという事実が注目される。（表9.1.7.参照）

また，このことについての男女の比を見ても，3か年間ほとんどその関係が変っていないことがわかる。したがって，入学当初の児童の90％に近い数が，歌唱や発声について大きな問題をもっていることが明らかである。そして，その問題をさらにしぼっていくと，共通現象である声域狭小を，どうするかということになろう。

図 9.1.4. 入学当初の児童の声域

昭和27年度1月実験学級
昭和27年7月調査

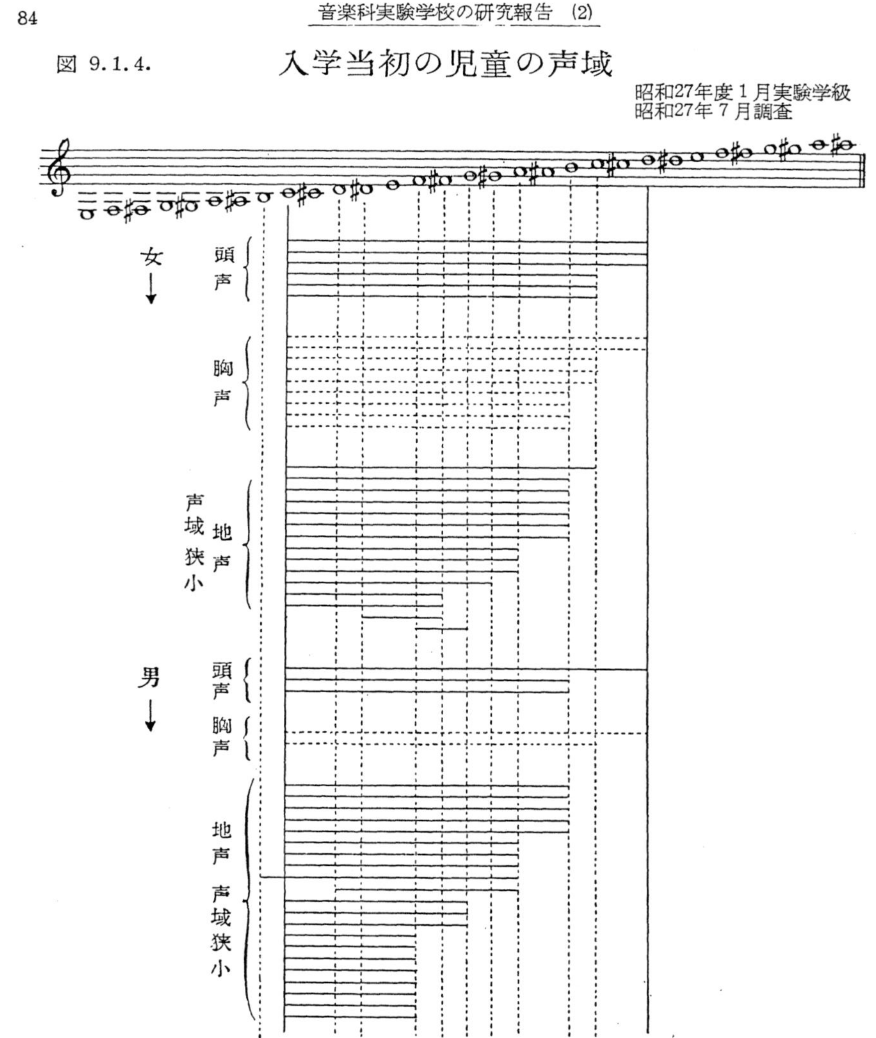

図 9.1.5. 入学当初の児童の声域

昭和28年度1月実験学級
昭和28年4月末調査

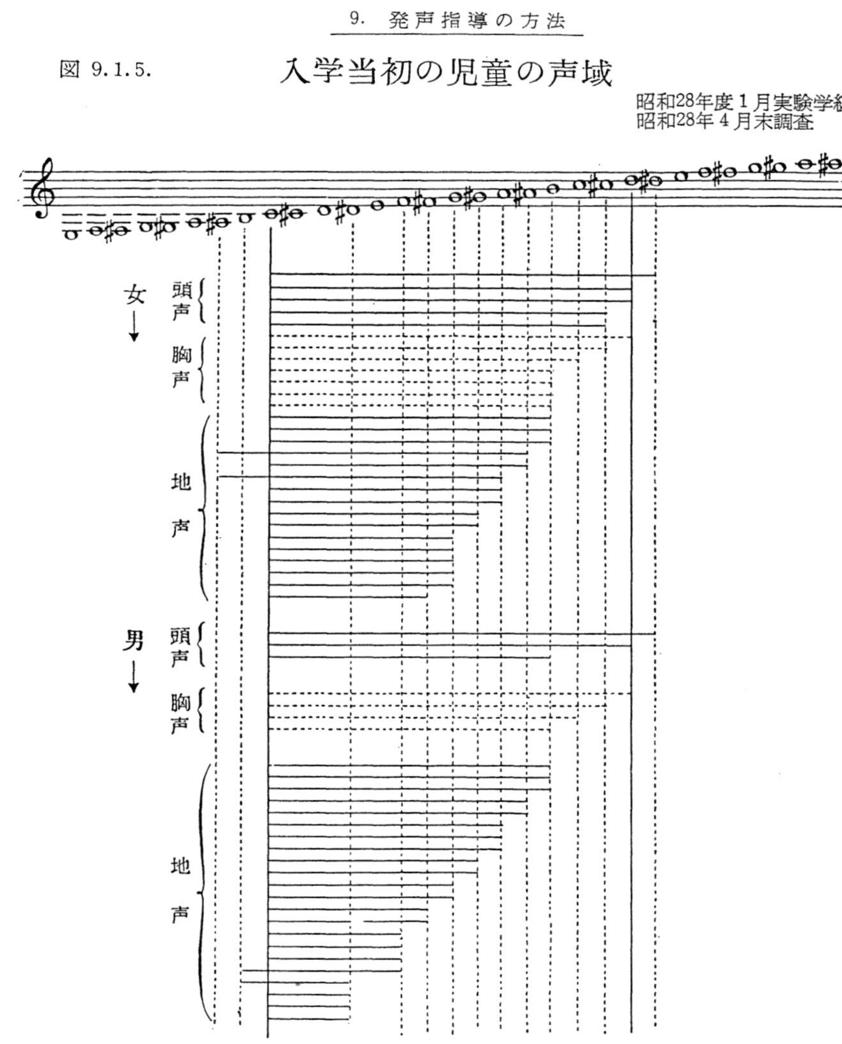

図 9.1.6.　入学当初の児童の声域

昭和29年座1月実験学級
昭和29年4月末調査

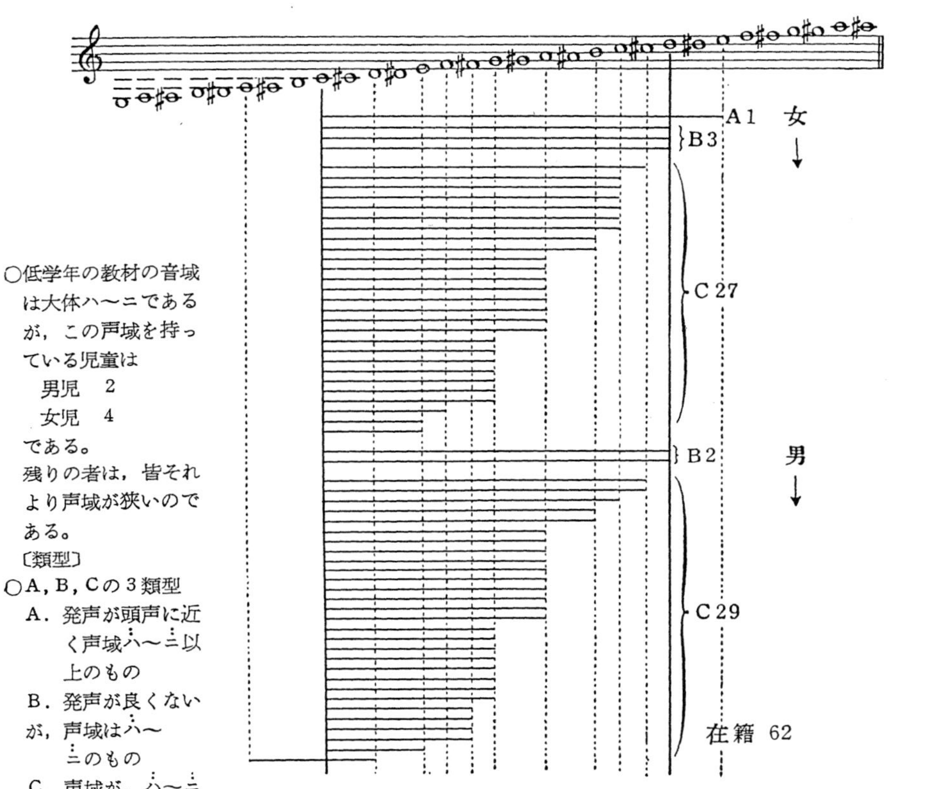

○低学年の教材の音域は大体ハ～ニであるが，この声域を持っている児童は
　男児　2
　女児　4
である。
残りの者は，皆それより声域が狭いのである。

〔類型〕

○A，B，Cの3類型

A．発声が頭声に近く声域ハ～ニ以上のもの

B．発声が良くないが，声域はハ～ニのもの

C．声域が，ハ～ニにならないもの

○この調査の結果からみて「はとぽっぽ」（へ調）を，高音域まで正しい発声で，できるものは，入学当初は，きわめて少ないということがわかる。

表9.1.7.　入学当初標準声域に達している児童

性別＼年度	27 年 度	28 年 度	29 年 度
女	5	4	4
男	2	3	2
計	7	7	6

さきにも述べたことであるが，低学年の傾向として著しいこの声域狭小は，図9.1.4.～図9.1.6.によって検討すると，女児は男児より全体としてややよい素質的条件を備えているので，男児的傾向とも見ることができる。

(2)　声域狭小児に見られる共通の欠陥

声域狭小児に見られる共通の欠陥として，次のようなことがいえる。

a　歌声と話声との区別がない。

b　呼吸が浅く，どこででもブレスする。

c　発音がはっきりしない。

d　息を吸いながら歌う。

これらの欠陥は，初年度の調査に，入門期児童の傾向としてあげた項目とほとんど一致するものである。（9.1.1.参照）しかし，声域の面から見ると，これらの児童は，さらに次の二つに分けることができる。

○ハ～ロ，ハ～イ程度の声域をもち，可能声域内では比較的音程の正しいもの。

○ハ～ホ，ハ～イ程度の声域をもち，音程のきわめて悪いもの。

このようなわけで，第2年度の指導は，この年にさらに明らかにされた実態に対応して，実施していくこととした。

(3)　入門期の指導と声域狭小児の取扱

研究第2年度においては，以上のような調査の結果からみて，入門期指導の重点を声域狭小

児にかけることとした。

ここで考えられるのは，文部省標準声域に達していないのが，大部分という，入門期児童の実態に対して，どのような教材が配当されているかということである。これを教科書，1学期の配当教材について見ると，そのほとんどがハからニまでの高音が使われている。したがってこれらの教材を原調のままで歌わせることは，この児童の実態からどうしても無理なことになる。そこで，こうした問題を解決しながら，声域を標準まで広げるということが，入門期指導の当面目標となったのである。

(4) 指導の方法

a 「歌声に慣れさせる」ことの指導

研究第2年度において，入門期の児童（特に声域狭小）の共通の欠陥としてあげた中で，初年度に出ていないのは，「歌声と話声との区別がない」という1項である。入門期の児童が，声域が狭く，高音の発声ができないというのは，この歌声と話声の区別ができないというところに原因が潜んでいるのではあるまいか。この期の児童は，リズムやメロディーがどうあろうと，自分がそのつもりになっていさえすれば歌ったことになるのである。話すようなつぶやきでも，自分では，じょうずな歌なのである。しかし，学習は，目標への到達を意識するところから始まる。

「歌声と話声との区別」をつけて，「歌声に慣れさせる」というのは，児童の遊びの歌を，目標を意識した音楽の学習へ高めることであろう。

もちろんこのことは，学習の興味や欲求を無視してよいということではない。

学習は，まず，児童の歌いたいという欲求を満足させることから始めた。歌わせるために大部分の児童が歌うことのできる音域にまで，原調を移調（長二度ないし長三度ぐらい調子を下げる）して指導した。これによって，正確な音程やリズムで歌うことに慣れさせるのである。こうしているうちに歌うためののどの調節を自然に覚え，歌声がねれてくる。正しい歌い方ができるようになったら，半音ぐらいずつ高くして原調に近づけていく。初めから無理な音域の

歌唱を強いると，発声が不自然になり，音程に対しても神経を使わなくなってしまう。児童の実態をつかんで指導にかかるということは，発声指導の場合にもきわめてたいせつなことであった。

研究初年度の指導方法に，以上のような方法を加えたのが研究第2年度の入門期指導の実際であった。このような一般的ないっせい指導の段階から，グループ別指導に移るわけであるが，これは，「低学年指導」の項に詳しく述べることとする。

9.1.3. 発声指導の基礎を固める入門期指導の留意点（研究第3年度）

(1) 3か年の実験研究を通してみた入門期児童の特色

a 発音がめいりょうでない。

b 呼吸が浅い。

c 声域が狭い。

d 歌声と話声との区別がつかない。

e 大ぜいでそろって歌うことに慣れていない。

3か年にわたる実験研究の結果から，以上の5項目が入門期児童の著しい特色としてあげられる。これらの5項目は，いずれも過去2年の研究に，表現は違っているが取り上げられた事がらであり，整理統合してこのようにまとめたものである。

＊この5項目を通してみると，いずれも音楽科だけに限定される問題というよりは，入学当初の児童が学校生活の初めに，いろいろの学習の場合に示す共通の傾向である。したがって，その解決もこの期においては，音楽科だけというよりは，総合的な立場での解決が考えられなければならないものと思う。

＊入門期〜発声指導の上からみて，入門期指導の最終の線を，1年2学期半ばにとする。

(2) 発声指導の基礎を固める指導の目標

前述のような入門期児童の特色からみて，指導の目標を次のように決めた。しかし実際にはこのような目標の一つ一つが，個々に扱われることを意味するものではない。あくまでも，総合的な取扱の中で，音楽を楽しみながら発声の基礎固めがなされるように注意すべきである。

（8.児童発声の指導段階，参照）

〔指導目標〕

a よい姿勢で歌える。

b ことばがはっきり歌える。

c どならないで歌える。

d 歌い出すとき，肩を上げないで息を吸うことができる。

e 歌声に慣れさせる。

f ブレスまで息を続けて歌える。

(4) 入門期指導の留意点

前項にあげた各目標に従って，指導上特に注意すべき点を次に述べることとする。

a 「よい姿勢で歌える」ことの指導

どなって歌う児童の姿勢は，固くなっていつもりきんでいる。弱々しい息もれの発声の児童の姿勢は，立つてもすわっても安定感がない。正しい発声の条件として，ゆったりした安定した姿勢が要求される。それで，指導にあたっては，次のようなことに注意した。

○上体をまっすぐにし，あごを出さないようにする。

○いつもゆったりした，らくな気持で歌うようにする。

b 「ことばがはっきり歌える」ことの指導

（9.1.1.〔研究初年度〕の(3)のb参照）

前述の方法のほかに，発音には個人差があるから，個別的に欠陥をみつけて指導するようにした。

歌詞を正しく美しく歌わせるために，個々の教材について，正しい発音で範唱して聞かせることを継続した。

発音の指導にあたっては，口形というような外形的な指導といっしょに，耳から正しい音をつかませることの指導を欠いては，効果をあげることができない。

c 「どならないで歌える」ことの指導

（9.1.1.〔研究初年度〕の(3)のa参照）

この指導の方法は前述に尽きるが，「どならないで」を強調し過ぎると，いじけた弱々しい声で歌うことになる。したがって，教師はこの指導にあたって，のびのびと自然に歌わせるということを念頭におくべきであろう。

また，この指導の場合にも，範唱やよいグループの斉唱はどんな声で歌うのが，よい歌い方なのかを知らせるために，たいせつな位置を占めている。

d 「歌い出すとき肩を上げないで，息を吸うことができる」ことの指導

どなって歌う児童は，初めから大きな声を出そうとして，大げさに肩を上げて息を吸う傾向がある。このような吸い方は，息も長く続かない。肩を上げないで腹のほうに息を吸うように指導する。

e 「歌声に慣れさせる」ことの指導

（9.1.2.〔研究第2年度〕(4)のa参照）

この指導については，前述のほかに，特に，次のようなことに考慮した。

○短い時間でよいから，毎日歌う機会をつくる。

○絵譜を見て，音の高低感を視覚の面からも捕えさせる。

○暗唱歌の数をふやす。

○曲の速さにすぐ反応するようになる。

既習教材を使って拍子打ちをする。そろってできるようになったら曲の速度を変え，速くしたり遅くしたりして，拍子打ちが，それにうまく反応するようにする。

○拍子あてをする。

楽器でひいてやったり，歌ってやったりして曲を聞かせ，何拍子かあてさせる。この場合曲の強弱をはっきり出すようにする。

○遊戯・器楽練習・リズム遊びなど，総合的な学習を取り入れ，動作を通して興味深く歌を

理解させることは，この期の児童を指導するにたいせつなことである。

f 「ブレスまで息を続けて歌える」ことの指導

この指導は，dと関連し，次のようなことに注意して指導した。

○吸った息をできるだけゆっくり吐かせる。

○歌いやすい音を，長く延ばして歌う。

○歌詞読みの指導のときから注意して，ブレスを意識させるようにする。

しかし，この項目については，入門期にはあまりやかましく要求しないで，次の段階で力を入れて指導するのがよい。

以上，入門期の児童の指導について述べた。前にも触れたことであるが，各項目において述べた指導上の個々のポイントは，いずれも個別に取り上げられ，ドリルされるものであってはならない。総合的な取扱の中で，これらが重点的におさえられるように指導にくふうをこらし，児童の欲求と興味の高まるところに，効果的な目標の達成がねらわれなければならない。

9.2. 低学年の発声指導

9.2.1. 軽い頭声への導入（研究初年度）

(1) 低学年指導の位置づけ

入門期に続く低学年の指導は，前者が大ぜいでそろって歌う，というそぼくな歌唱条件を満たす段階とするならば，その地ならしの上に，頭声発声指導のねらいをはっきり打ち出してかかる段階でなければならない。初年度の入門指導の目標の中にも，「呼吸法を会得する」とか「リズムを体得する」とか，今考えるときわめて高次なものも加わっていた。しかし，これらの目標は，入門期において会得とか体得とかをねらうのは無理であった。したがって，それらは，（特に呼吸法）入門期から高学年にまで指導が継続されなければ，効果をあげることはできないものである。（指導段階，参照）このような理由で，低学年の指導を頭声への導入の段階として位置づけることとした。

(2) 低学年指導の目標

前述のように低学年の指導目標は，入門期指導の目標に加えて，頭声発声の導入段階としての目的を打ち出していくところにある。しかし，指導にあたっては，方向を明確につかんでかかる必要があるから，目標を次のようにしぼっていくことにした。

〔指導目標〕

a 正しい姿勢で歌う。

b のどを開いて歌う。

c 高音域の発声ができるようになる。

（前述のように，これらの目標は，入門期指導の目標の上につけ加えられるものであることを考慮して，取り扱わなければならない。）

(3) 低学年の発声指導

a 「正しい姿勢で歌う」ことの指導

この場合の正しい姿勢とは，緊張したかたい姿勢をさすのではない。歌うための身構えではない。むしろ，そのような状態から解放し，心もからだも安定したゆとりを持つ状態をねらうものである。（入門期指導・第3年度の「よい姿勢で歌える」ことの指導，参照）この項の児童は「姿勢を正しくして」という注意に対して，からだを極度に緊張させる傾向があるから，緊張をゆるめたよい姿勢ということを念頭において指導した。歌唱の場合の，自然な，ゆったりした態度や姿勢は，低学年のころからよく指導されなければならない。姿勢の指導はまた「どならないで歌う」の入門期指導にも関連することである。

b 「のどを開いて歌う」ことの指導

のどを開けといっても，児童にははっきりわからないので，このために次のような指導をした。あくびをしてごらんといって，みんなにあくびをさせ，そのときのゆるめられたのどの状態をわからせる。次に，あくびのときののどで声を出してごらんといって，あくびののどに，声をつけさせるようにした。いわばこれはデックングのきわめて初歩の段階の指導である。

これまでにもたびたび述べたことであるが，このような指導には，よい発声を聞かせて，耳からものどを開いた声を感じとらせることが必要である。

c 「高音域の発声ができるようになる」ことの指導

低学年の児童には，さきにデータで示したように，声域狭小や全声域胸声という児童が非常に多い。そして，入門期を過ぎても，急にはこうした傾向が減少するものではない。（表9. 2. 2.，参照）高音域の発声指導は，このような低学年の傾向を好転させるために，きわめてたいせつな指導と思われる。

このための指導は，次のように行った。まず，高い音（ハまたはニ）を軽く（初めは弱くてもよい）出させる。これらの発声ができるようになったら，母音（初めはオ母音がよい）を用いて，その高音からスタートして，下降音階の練習をする。（高音から下降する3音階の練習は，頭声発声の指導にはきわめて重要な手段の一つであることがあとで証明された。）これによって，高い音をらくに，低い音も明るくという，発声指導の初歩のねらいを満たしていこうとするわけである。

これにひき続いて，「ぶんぶんぶん」，「ちょうちょ」，「あられ」，「たこのうた」など高音で始まっている曲を用い，高音域発声の練習を積ませた。

図 9.2.1. 高音発声練習曲

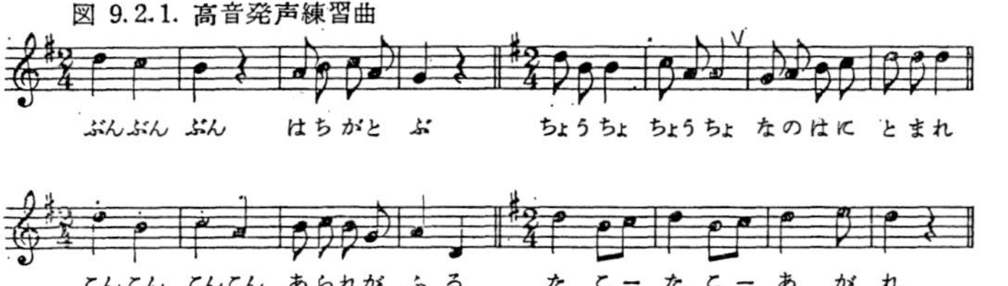

以上のような指導のほかに，声域狭小の児童の指導としては，入門期同様に，歌うことのできる声域まで，原曲の調子を下げて歌わせるというようなことが必要である。また，嗄声児・発声障害児などの指導もたいせつであるが，これらについては，別に項を設けて述べることにする。（11. 嗄声児とその指導，12. 音感異常児の実態とその指導，参照）

(4) 発声類型調査に現れた各類型の移動の状況

初年度における発声類型の調査については，すでに述べたところであるが，ここでは入門期後半から1年3学期末までの調査表に基き，各類型の移動の状況を考察することとする。

表9. 2. 2. 調査に現れた発声類型の移動

類型＼性別		1回目 男	1回目 女	2回目 男	2回目 女	3回目 男	3回目 女	4回目 男	4回目 女	5回目 男	5回目 女
頭声	A 頭声	0	0	0	0	0	0	1 (1)	5 (5)	2 (1)	10 (5)
頭声	B 頭声に近いもの	1	1	2 (1)	3 (2)	5 (3)	5 (2)	6 (2)	10 (10)	7 (2)	20 (15)
全声域胸声		2	4	1	2	1	0	1	0	1	0
声域狭小（地声）	A(ハー イ,ロ)	17	23	19 (2)	24 (1)	17 (1)	25 (1)	15	15	14 (1)	0
声域狭小（地声）	B(ハー ヘ,ト)	6	4	4	3	3	2	3	2	2	2
嗄声		3	0	3	0	3	0	3	0	3	0
		7月10日		10月16日		12月15日		1月30日		3月13日	

a 表の見方

これは，昭和27年7月～3月にかけての，当時の第1学年実験学級の継続調査結果を，表にしたものである。

（　）の中の数字は，第2回以降の調査において，他の類型から移動してきた人員を示す。（　）のない数字は，前回の調査のときの人員に（　）の中の人員を加えた，その回の調査に現れた実人員である。実例で説明すると，第1回調査では，男頭声B 1名が，第2回調査では2名となっている。これは，全声域胸声男2名の中の1名が，頭声Bに移動したからである。したがって，第2回調査では，全声域胸声の男児が1名に減じている。

……線は女児を示し，――線は男児を示す。

b　表による考察

この表において特に注目されることは，声域狭小児の移動である。いずれの調査においても全声域胸声の段階をへないで頭声Bに動いている。このことは，胸声発声では声域拡張の指導が困難であることを示す反面，過渡的な方法として取った弱声発声による指導が声域の拡張に役だち，頭声発声の根本に，直接的につながっているものであることを証拠だてているとも解釈されよう。（以上，研究初年度）

9.2.2. グループ別指導・個別指導の徹底（研究第2年度）

(1)　グループ別指導

研究第2年度においては，指導の効果をいっそう高めるために，グループ別指導に力を入れることにした。

a　グループの分け方

低学年指導の場合のグループは，発声の非常によいもの，それに対して普通のもの，悪いものとの三つに分けた。分けたグループにはそれぞれ，次のようなグループ名をつけたが，これは花の名などが適切なようである。（各グループの児童が，無用の優越感や劣等感を持たないような配慮が特に必要である。）

Aグループ……（発声のよいもの）

○声域がハ～ニ以上のもの。
○高音の発声に響きのあるもの。

Bグループ……（発声普通のもの）

○声域がハ～ニ以上のもの。

○りきんで発声するもの。
○息もれのするもの。

Cグループ……（発声の悪いもの）

○声域の狭いもの。
○音程の不正確なもの。
○強度の嗄声。

b　グループ指導のしかた

Aグループの指導

① 高音の発声がのびのびして，響きが加わるように，変ホ以上の音を母音で長く延ばす練習をする。声に美しい響きがついてきたらほめてやる。

② ト音以下の音は胸声になりやすいので，――に歌うように指導する。

③ 原曲を高く移調して，高音域の発声を固める。

④ ブレスまで一息に歌うように注意する。

以上のような点に注意しながら，いっせい指導個別指導を適切におりまぜ，グループ全体が美しい発声で歌えるように訓練する。

このグループは，学級の歌唱指導の場合中心的な位置を占め，学級全体の傾向をよくするための役割を持っている。

Bグループの指導

① りきんで歌う児童に対して，教材「ぶんぶんぶん」，「あられ」などを用い，ニ音以上の高音を，弱声で軽く発声する要領をのみ込ませる。

② 息もれの児童については，姿勢と呼吸に注意して指導する。足を少し開いて立たせ，腹に力を入れさせる。（両手で，2，3冊の本を持って立たせるとよい。）その姿勢で息をじゅうぶんに吸い込ませ，フォルテで歌わせる。

Cグループの指導

① 簡単な既習教材を，児童の声域に合うように移調し，弱声でゆっくり，歌う練習をする。

一つ一つの音程を，正しくキャッチできるように，ゆっくり，くり返して歌わせることがたいせつである。正しく歌えるようになったら，しだいに原調に近づけていく。

② このグループの児童を指導するについてたいせつなことは，根気よく続けるということである。

いちどに長時間の練習は避けて，毎日，短時間の練習を積むことが肝要である。静かな環境で落ち着いた気持で練習させることが望ましい。前日の練習が翌日は逆もどりしているというのがこのグループの児童の実態であるから，根気よくくり返すことである。ほめながら指導をするという教師の心構えが，これらの児童に対しては特にたいせつなことである。

(2) 個別指導のケース

個別指導については，Cグループ男女各1名の事例によって，次に説明することとする。

a 男児ケース

表9.2.3.は，事例としてここに取り上げた男児22番の個人カードである。（この個人カードは実験学級の児童全員について記録されている。）

このカードでもわかるように，入学当初には，

○声域がきわめて狭い。（ハ～ヘ）

○音程が悪い。

○姿勢が悪い。（ねこ背）

○内向性で，恥ずかしがりやである。

○左ききで，無器用である。

という非常に条件の悪い児童であった。

1年生（昭和27年4月入学）のときの記録をたどると，進歩のあとがかなりはっきり出ている。特に，1年3学期末に，声域がハ～ハにまで広がったことは注目される。このときの声はやや嗄声の傾向があったが，音程は正確であった。

表9.2.3. 個人別発声調査カード

A B Ⓒ グループ

No. 22　　発声調査カード　　1952年 南材校

児童氏名	A　㊚ 女	昭和21年1月25日生	満 7 才
1年 2組 担任 柳田かほる		保護者名 父	
住所 仙台市新河原町		職業 会社員	電話 なし

調査児童の諸条件

身体的	身長	111.8cm	肺活量	1080	栄養	可	概評	可
	体重	19.0	鼻腔	異常なし	背柱	正		
	胸囲	54.5	いん頭	同上	耳疾	なし		
	座高	62.4	声帯	同上	歯列	普通		
					視力			

家庭環境　家族の趣味　父 別になし　母 別になし　兄 なし
　経済状態　中の下

音楽的　音楽指導を受けた時間数（週2時間）
　音楽の特別指導の有無（校外）　なし　家庭にある楽器　なし　ラジオ

知能的　学業評価　F
　知能指数　98

調査累加記録

第1回 7月11日 10時	第2回 10月16日 10時	第3回 12月15日 10時

1. 音楽に対して無関心。 2. 姿勢が悪い。 3. 口形がはっきりせず音程がふらふらする。	1. 可能な音域内で，音程に注意しながらくり返し練習したところ，以上の音域内では正しく歌うようになった。 2. 発音ははっきりしない。	1. 姿勢，口形に注意する一方音域内での練習を続けた。 2. 前回よりも正しく，発音もはっきりしてきた。
第4回 1月24日 10時	第5回 3月24日 10時	省略

1. かぜで声がかすれてよく歌えない。 2. 以上の音域内で音程はだいたいよい。	1. 音楽が好きだというようになった。 2. 二点ハ音まで歌えるようになった。 3. 高音はややかすれる。	

2年になってからは進歩が著しく，2年3学期末の声域ロ～変ホと広がり，Aグループに編入されるまでになった。

b 女児ケース

入学当初の傾向

○声域ハ～ヘ。

○入学当初の類型「歌わないもの」。

○低声でボソボソものをいう。

○発音不めいりょう。

○内向性で無口。

1年3学期末

○声域ハ～ヘ。

2年3学期末

○声域ロ～ホ。

○音程正確。

○やや嗄声。

○Bグループ。

以上二つの事例は，Cグループとしてさきに述べたような指導の観点に立って，個別指導を続けてきたものである。入学当初の条件がどのように悪くても，このケースに見るような実を結ぶというのは，指導の重要性を物語るものとして銘記される。

つけ加えておくが，ここにあげたのはよい結果になった二つの例であって，指導してもよくならなかったものも，表9.2.2.でわかるように残るのである。しかし，これらについては，後に嗄声・音感異常児の項で述べることとする。

(3) 声域の広がりに見られる傾向

昭和27年4月入学の児童（実験学級）を対象として，入学当初（昭27.7.）と，2年3学期末

個人別声域比較表

表 9.2.4. （入学当初と2学年末） 昭和27. 7.～昭和29. 3

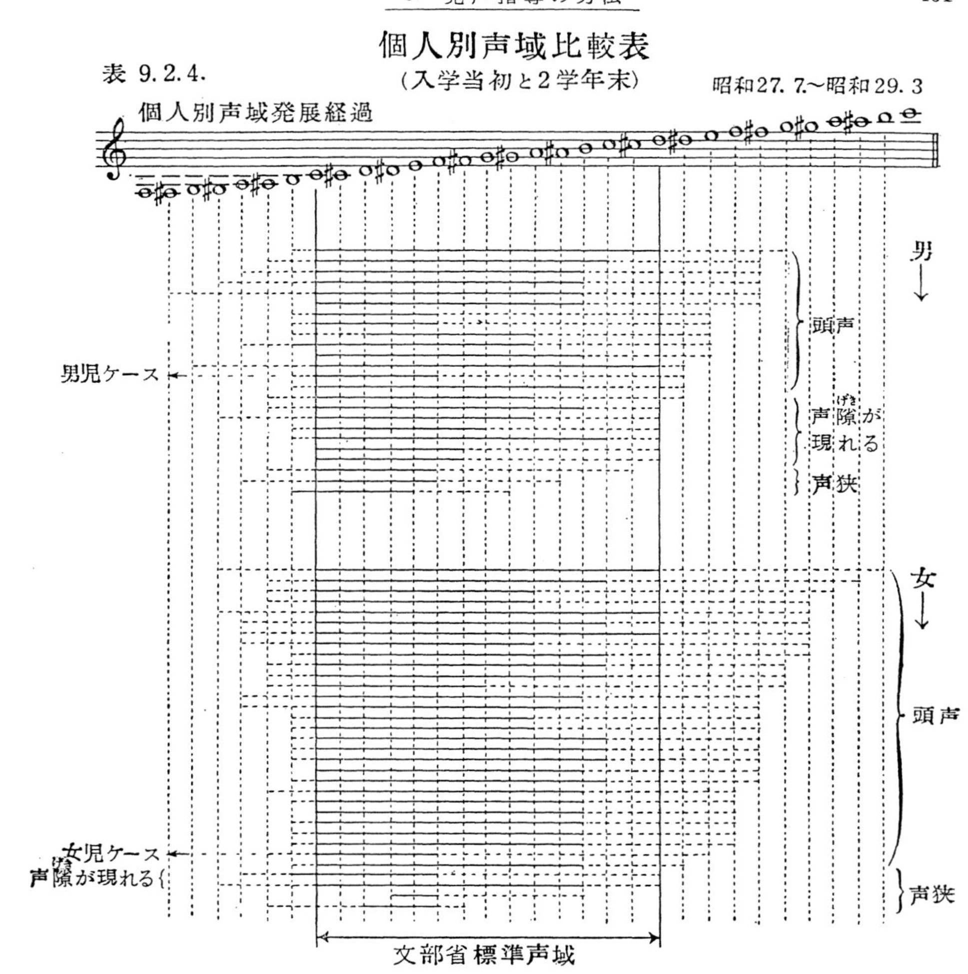

※ 実線は入学当初，点線は2学年末現在

(昭29.3.) との声域を個人別に比較すると，表9.2.4.のようになる。

この表によれば，入学当初の調査に見られる著しい傾向としての声域狭小（文部省標準声域に達しないもの90%弱）は，必ずしも悲観すべき現象ではないようである。なぜならば，2年3学期末には，それらのほとんどの児童が，文部省標準声域よりも広い声域をもつようになっているからである。

したがって，入門期指導，低学年指導は，声域狭小を入学当初の児童の一般的特徴としてはあくし，その上にうち立てられる指導方法でなければならない。

また，この表で注意されることは，入学当初における声域の広狭が，将来のその児童の声域の広がりに対して，必ずしも決定的な条件となるものではないということである。入学当初の声域狭小児が，2年生の終りの調査では，頭声のかなりよいところにはいっている事実がこのことを証拠だてている。

次に，男女を比較してみると，著しい傾向として，女児の高音域の広がりがあげられる。ほとんどすべての女児が（例外4名）標準声域を越えているばかりでなく，高学年のそれをも，越えているものがある。男児のほうも，その6割強が標準声域を越えているが，女児の比ではないことがこの表ではっきりする。

9.2.3. 低学年指導の仕上げ（研究第3年度）

(1) 低学年指導の留意点

低学年の指導が，入門期指導の地ならしの上に，頭声発声への導入としての位置を持つことはさきに述べた。また，指導の実際にあたっては，グループ指導，個別指導に徹底して，効果的な学習が考えられなければならないことについても前述した。

ここでは，研究第3年度の仕上げとして，低学年指導の留意点を明らかにするとともに，指導段階に応じた指導の実際について述べることにする。

〔低学年指導の留意点〕

a 短い時間で数を重ねる。

この期の児童はあきやすく疲れやすい。音楽の指導も，週2回60分ずつという時間配当よりは，結果的に見ると週6回，20分ずつという時間の割り当てのほうが効果的であった。毎日音楽を，そして短い時間で，重点的にということがたいせつであろう。特に発声練習は激しい運動のあとなどには避けなければならない。

b 総合的にそして興味的に

低学年においては発声指導といっても，リズム表現・器楽指導・階名模唱などを加えて，総合的，有機的に学習させることである。特に，身体動作に訴えるなど，興味的に扱うことが考慮されなければならない。

c 声域狭小の対策は早く

学年が進むにつれて，声域狭小児の指導はむずかしくなる。発声器官のやわらかなうちに，適切な指導がたいせつである。声域狭小は，いわば頭声に慣れないための未発達の状態なのであるから，早く指導の手が打たれなければならない。

d 高音の発声に慣れさせる

一部の女児を除いては（特に男児は）ニ音以上の発声には指導が必要である。また，この指導がなければどの教材も歌いこなすということができない。高音発声指導の必要なゆえんである。高音発声ができるということは，頭声につながる近道でもある。

e 生活指導と関連して

低学年には，嗄声児が非常に多い。1年から2年になるとさらに数を増す傾向にある。したがって，日常の生活指導と関連して，叫び声を出さないような指導も必要になってくる。

(2) 指導段階に基く低学年指導の仕上げ

低学年の指導は入門期に続くものであるから，指導の段階も入門期のそれと重複して行われるのがたいせつである。しかしここでは，特に低学年として強調されなければならないものについて説明することとする。

〔指導段階〕（入門期に引き続いて）

6. ブレスまで息を続けて歌える。

7. 口を正しくあけて歌う。

8. 高音域の発声に慣れる。

〔指導の方法〕

① 「6.ブレスまで息を続けて歌える」ことの指導

このことの指導については，入門期指導のところに述べた。しかし，入門期の児童に，このことの徹底を期するのはむずかしい。それで，特に2年生の指導にあたって，この点に力を入れるようにした。

この指導は，指導段階，「10吸気を静かに長く吐くことができる」につながる指導であるから，母音を長く延ばして，美しい響きが出てくるような練習がたいせつである。この練習のときは，必ず高音（変ホあたり）から始めるようにする。

② 「7.口を正しくあけて歌う」ことの指導

口の動きを早く，正確にするための練習をする。国語科の発音練習とも結びつけるようにする。次のような曲を早口で歌わせ，効果をあげることができた。（図9.2.5.参照）

初めはゆっくり，だんだんテンポを速めて練習する。

図 9.2.5. 練習曲

③ 「8.高音域の発声に慣れる」ことの指導

指導が順調な経過をたどると，1年3学期末には，かなり多くの児童が高音域の発声ができるようになる。（表9.2.6.入学後1年を経た児童の声域，参照）したがって，2年3学期末までには，声域狭小児を残さない（音感異常を除く）ということを目標にして，指導にかかるこ

図 9.2.6. 入学後1年を経た児童の声域

昭和29年4月入学児童（昭和30年3月25日調）

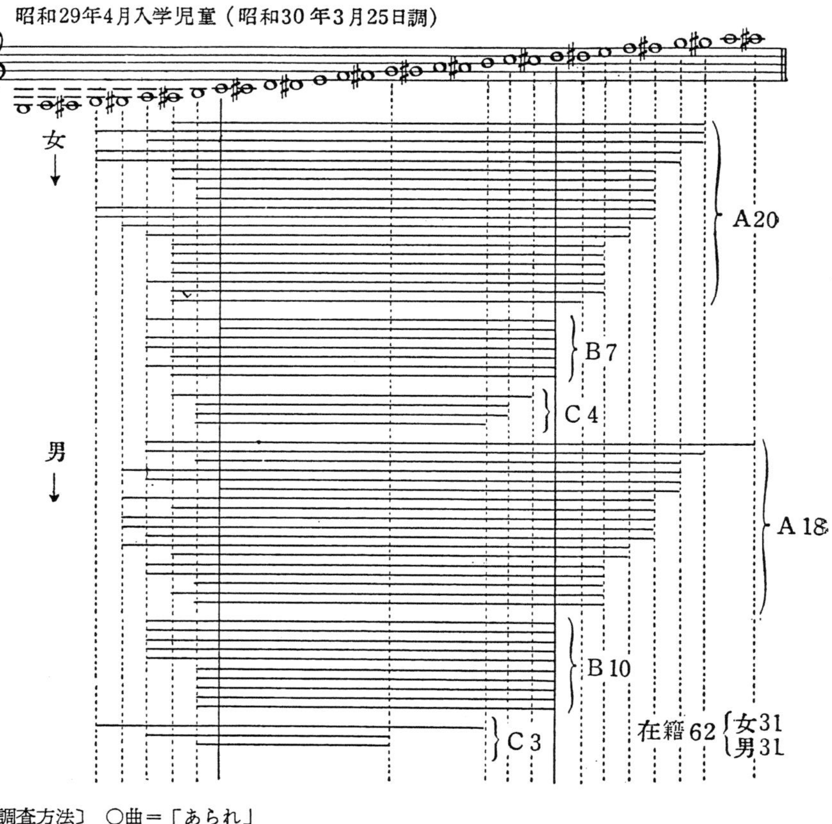

〔調査方法〕 ○曲＝「あられ」
〔結　果〕 ○発声の良いⒶの類型が，計38
○発声のまだ良くないものⒷ計17
○声域の狭いものⒸ計7

とにした。

また，斉(せい)唱に慣れさせ，高音の発声に確実性をねらうとともに，声量をも増させるように指導した。

身体表現に訴えたり，劇化演出したりすることなどによって，低学年らしいやり方で曲想をつかませ，その曲想を生かして歌うということで，高音域の発声に慣れさせることも試みた。

いずれにしても，低学年の発声指導には，児童の興味と欲求に訴え，無理なく，生活化されていくような配慮が特に必要であろう。

9.3. 中学年の発声指導（3か年の研究を総括して）

中学生の発声指導については3か年間の研究を総括し，結論的に記述することとする。

9.3.1. 指導の目標

入門期から低学年までに，主として呼吸法の初歩的指導，歌声に慣れさせることの指導，高音域発声の指導などを行ってきた。中学年では，これらの基礎指導の上に次のような目標を立て，発声指導の展開を図ることとした。

〔指導目標〕(児童発声の指導段階による)

a 10.呼気を静かに長く吐くことができる。

b 14.吸気のとき音をさせないで早く吸うことができる。

c 15.呼気を与えて歌うことができる。

以上呼吸の指導

d 9.のどに力を入れないで歌える。

e 13.のどをよく開いて響きのある発声で歌える。

以上共鳴の指導

f 11.高音域の発声が美しく歌える。

g 12.高音の澄んだ響きで低音も歌える。

以上歌声の指導

指導段階による中学年の目標は，これらの7項目である。しかし実際の指導には，これらが互に深い関連をもって総合的に取り扱われることになる。ここでは記述の便宜上，頭声の指導〔指導段階11.〕〔指導段階12.〕の2項に焦点をあて，他の5項はこれに関連させながら取り上げていくこととする。

9.3.2. 指導の方法

(1) 「11.高音域の発声が美しく歌える」ことの指導

これは前述「高音域の発声に慣れる」を受け，高音域発声の充実をねらったものである。呼吸とデックングの指導に重点をおき，高音域の発声に，共鳴をつけていくことで頭声を伸ばしみがいていく段階といえよう。

a 呼吸の指導

日常の無意識な呼吸運動が歌唱の場合には，意識的に行われなければならない。曲想の表現に応じて気息の調節が必要になるからである。呼吸の指導はここから出発する。以下に述べるのは，呼吸法としての横隔膜呼吸の要領である。

横隔膜呼吸の要領

① 「ゆっくり吸って静かに吐く」

この指導は指導段階「10.吸気を静かに長く吐くことができる」に関連するものである。

○肩を上げない。(指導段階4.)

○吸った息を，一度止めてから静かに吐く。

○おなかに息を吸う。

などの注意を与え，教師が手を上下に動かすのに合わせて，吸ったり吐いたりさせる。児童各自に腹部（へそのあたり）に手を当てさせ，吸気が腹にはいっているかどうかを確かめさせてみるのもよい。

② 「歌いやすい音を母音で長く延ばす」

これは歌いやすい音（ロ～ハあたりの音）を，母音（オ，ア）などで，長く延ばして歌わせる方法である。いわば，「ゆっくり吸って静かに吐く」その呼気に，音をつけさせることになるのである。

○アタックの音の高さを考えて。

○音を延ばしている間，舌を動かさないで。

などの注意を与え，教師の手の合図によって延ばす練習をする。

③　「1音を長く延ばしながら，その音をクレシェンドしていく」

②に続く段階で，1音を母音で長く延ばすことに，漸強の条件をつけて指導する。

○クレシェンドするとき強くするというよりは，音をふくらますような感じで。

○のどに力を入れないで。

○最後をおしつけないで（オーオッとならないように）自然に切る。

などの注意を与え，これも教師の手の合図に合わせて行う。呼気をしだいに増し，むらなくクレシェンドできるように練習する。

④　「1音を長く延ばしながら，その音をデクレシェンドしていく」

これも手の合図で行い，③と反対に呼気をしだいに減じ，むらのないデクレシェンドができるように練習する。

⑤　「クレシェンドとデクレシェンドを組み合わせていく」

1音を長く延ばしながら，漸強・漸弱の指導をする。あらかじめ教師の手の動き方によって漸強・漸弱の約束を決めておく。

○手の合図をよく見る。

○アタックは p で。

○途中で音を切らない。

などの約束を守らせて練習をくり返す。

呼気量の調節，息もれのきょう正，発声の充実など，この練習を重ねることによって発声指導にもたらされる効果は大きかった。

⑥　「吸気のとき，音をさせないで早く吸う」

静かに吸って長く吐く呼吸の指導から一歩進んだ段階である。

○鼻と口から早く吸う。

○おなかに吸う。

などに注意しながら指導する。これには，リズムの細かいテンポの速い曲によるブレスの指導なども効果的であった。

ブレスの前の音が，決められた長さよりも短くならないように歌うためには，このような指導が特にたいせつである。

曲 9.3.1.

⑦　「呼気を与えて歌うことができる」

これは，スタカート唱法の場合とか，たたみかけてくる歌詞を速く歯切れよく歌う場合とか三連音などの細かいリズムを正しく歌う場合とかに，たいせつな呼吸の訓練である。

○一度吸った息を，おなかで止める。

○止めた息を，一つ一つ区切って吐く。

○のどで音を切らないで腹で切る。

などの注意をして，次のような練習をした。

曲9.3.2.

A 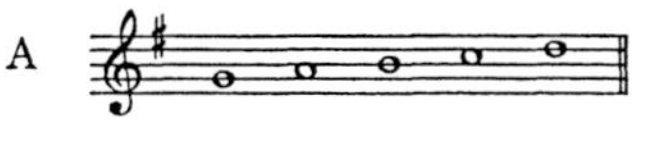

B 

練習曲AとBとの間に適当な休止をおきピアノでひく。そのピアノに合わせて，上行で1音ごとに区切って息を吸わせ，下行で，1音ごとに区切って息を吐かせる。その練習のあとで，上行音階で吸った息を下行音階に合わせて吐くときに，子音ホで音をつけさせる。これにより腹筋のささえによって声を出す要領をつかませるわけである。

また，次のような曲の歌詞を歯切れよく歌わせることによって，呼気のささえがしだいに確かなものになっていく。

曲 9.3.3.

以上はすべての呼吸の指導である。実験によると呼吸の指導は，高音域の発声指導と組み合わせて行うことによって効果を高めることができる。また，呼吸指導によって呼気量の調整ができるようになると，気息のもれがなくなり，高音が澄んだ美しさを持つようになる。この澄んだ音に，さらに豊かな響きを持たせるために，共鳴の指導が必要になってくる。

b 共鳴の指導

① 「のどに力を入れないで歌える」

のどをよく開いて，響きのある発声で歌える，の前段階の指導である。首筋やのどを緊張させないように注意し，のどに無理な力のはいった歌い方にならないように指導する。

基本口形については低学年で一応指導しているが，この学年では共鳴に個人差のあることをわからせ，各自にどんな口形のときによく響くか，くふうさせるようにした。

② 「のどをよく開く」

のどをよく開かせるために次のような指導をした。

○舌を平らにして舌のつけ根を上げない。

（舌に力を入れない）

○オ母音で，口の奥のほうを開くような気持で声を出す。

○自分で響きを聞きながら弱声で発声する。

これらのことに注意して1音を延ばして歌うことに始まり，続いて，簡単な旋律（発声練習曲3. 4. 5.6. 7.）に移るようにする。

この場合，鏡で口の中を見せ，のどの開き方についてわからせたり，よく響く発声をしている児童ののどを見せたり，声を聞かせたりすることは効果的である。

③ 「どの母音も響きのある発声で歌える」

○教材をオ母音で歌う。

高音は低音よりも，響きがつかみやすい。それで，高音が多く用いられている曲をオ母音で練習させることによって，高音域の発声を充実させることができる。

○フレーズの初めの母音で曲を歌う。

例「ゆうべのゆめは，たなばたあそび」

「ウ………………，ア………………」

このようにして，オ母音によってつかんだ響きを，他の母音にも付けさせるように練習する。最後に歌詞で歌わせ，全体が響きをもって歌えるように指導する。

実験によると，母音「オ」による発音の場合が，他のどの母音の場合よりも，響きが豊かにつく。

以上のような指導によって，高音域の発声につやと響きをもたせるように努力した。

しかし，共鳴の仕上げは高学年にまたなければならない。中・低音域を含む共鳴指導の仕上げは，頭声発声の完成段階につながるものであるからである。

(2) 「12.高音の澄んだ響きで低音も歌える」ことの指導

このねらいは，中・低音域に広がりを持つ曲でも，高音域の発声と同じような響きと音色とで歌えるように，ということである。

高音域に比較すると，中音域や低音域は発声しやすいので，どうしても胸声色が強く出てくる。そのような中・低音域の発声に，高音域の発声に現れるような澄んだ響きをつけるようにするには，どうしたらよいかということである。この指導は(1)において述べた。呼吸・共鳴などを基礎として展開するものである。

a　高音から始まっている下行旋律の曲で，低音の発声を指導する。

① 曲 9. 3. 4.

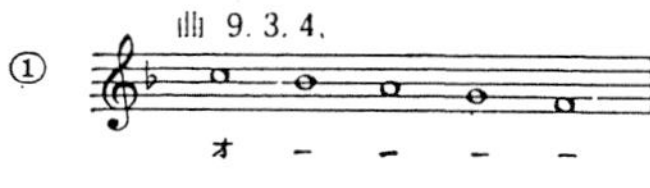

曲9. 3. 4. を母音で歌わせる。旋律が下行してくるときに──で歌う。発声練習曲7. 15. をイ調あたりから，だんだん低音域に移調して歌わせる。

②　曲9. 3. 4 の最後の1音を長く延ばして歌わせる。力を入れないで響きをなくさないように，と注意しなが歌わせる。

③　歌唱教材の下降旋律の部分を用いて，── で歌う練習をさせるのも効果的である。たとえば，「春の小川」の部分（曲9. 3. 5.）を用い，

曲 9. 3. 5.

前の要領でヘ調～ハ調まで移調しながら，低音の歌い方に慣れさせるのである。

これらの方法は，いずれも高音の響きと音色を，低音にも，つけていこうとするための試みであった。このやり方によって低音発声に共鳴がつくようになったら，次の段階の指導に移り共鳴のある低音を固めていくようにする。

b　上行旋律の曲を用いて，低音が高音と同じような響きと音色で歌えるように指導する。

① 曲 9.3.6.

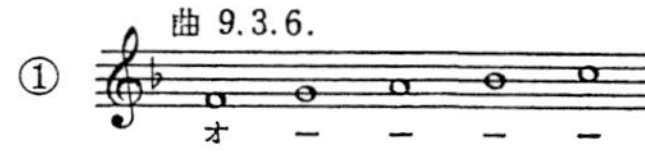

曲9. 3. 6. のように，旋律が上行のときは歌い出しを弱く，──の形で歌わせるように指導する。歌い出しの音と最後の音とが同じ音色で歌えるように，注意しながらゆっくり歌う。

② 曲 9. 3. 7.

曲9. 3. 7 のような跳躍音程の場合，前と同じような注意を与え，高い音になって急に音色・音量が変らないように歌わせる。

（発声練習曲11. ～14. 参照）

深い呼吸でよく響かせて歌い，高音の共鳴の感じを低音発声につけていくように，意識させることがたいせつである。

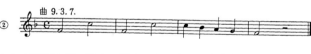

③ 曲 9. 3. 8.

歌唱教材の上のような部分を取り上げて，前述のような指導を行い，高音も低音も同じ音色で歌えるという条件を満たしていくようにする。

（発声練習曲8. 9. 10. 11. 12. 13. 14. 15. 参照）

以上のような指導によって，さきに掲げたこの学年の目標に，ほぼ到達することができたように思う。これらの指導はしばしば述べたことであるが，音楽学習の中に孤立して行われるものではなく，総合的な取扱によって効果が高められるものである。しかし中学年という位置か

ら見て，基礎を固めていくためのドリル的取扱も，当然必要になってくることはもちろんである。このような立場にあっての指導が，高学年への発展の要件となるわけである。

9.4. 高学年の発声指導

9.4.1. 指導体系の確立

(1) 指導の効果を高めるために

発声指導は歌唱表現活動のすべてではない。しかしそれは，美しい，楽しい，歌唱表現のための前提でなければならない。みごとな花とりっぱな結実を望むならば，まず大地を耕しこれを肥やし，たゆまない手入れによって根をはらせ，茎を葉を育てなければなるまい。発声の指導とは，いわば歌唱表現という花を咲かせ，実を結ばせるための母なる大地をつちかうことであろう。そして，教師は発声指導に必要な栄養素を，将来の見通しに立って，適時に適切に与えていく実践人でなければならない。

このように考えてくると，発声指導をより正しい方向において，より効果的に行うための諸条件を，明確にしておく必要が起ってくる。すなわち，「指導体系」の確立ということが重要な意味をもつことになる。それぞれの学年に，適切な要素を適時に与えられることが必要なのである。「3.研究の方法」において，初年度の出発点は個々の教師の個々の立場において，という基本態度を取ったのであるが，研究第2年度以降には，それでは実験研究を固めていくことができなくなったのである。

このような，必要の場において，「8.児童発声の指導段階」が生まれ，体系の確立をみたわけである。(研究第2年度)しかし，こうして生まれた「指導段階」案も，実際，指導の場への適用において多くの問題を生み，なお論議を尽さなければならなかった。（8.児童発声の指導段階，参照）

研究第3年度において「指導段階」が最終決定をみたのは，このような経過をたどって論議され改訂されたものが，児童の歌唱表現に学年的な発展系列として，効果的に反映されてきたからである。

研究初年度の個々の実践において，収穫したものをもちよって構成した第1次案が，さらに1か年の実験を経て完成したというわけである。

(2) 高学年指導のねらい。(指導段階による)

高学年においては，中学年までに固めた基礎に立って，頭声発声にさらにみがきをかけ，児童の身についたものとすることが指導のねらいである。みがきをかけるための具体目標は，次にあげる5項目である。

〔指導目標〕

16. ささえのある呼吸法で歌える。（呼吸）
18. 共鳴のある明るい豊かな発声ができる。（共鳴）
17. 全声域が同じ音色で歌える。
19. 曲想をじゅうぶんに表現して歌える。
20. 発声についての知的理解をもつ。

（17.～20. ｝（歌声））

これらはいずれも，呼吸・共鳴・歌声という大項目の，小学校6か年の完成の段階を示すものであることが注目される。

高学年においては教材の内容も，リズム・音程・和声・曲想などが複雑になってくる。しかも，これらの総合された歌唱という表現活動が正しく，そして音楽的に美しく，という条件を満たして行われるためには，より高次の技術が要求されるのは当然である。したがって要素別（リズム・音程・和声・曲想など）の指導も考慮されなければならないだろうが，さきに掲げた目標を満たす柔軟性のある，より高次の正しい発声ということが，何物にも優先する条件として考えられるのである。

正しい音程のはあく，確かなリズムの体得，弾力のある曲想表現，よく溶け合ったハーモニーなどの問題は，発声指導から出発して，より確固なものになっていくであろう。

したがって，一方には発声指導の方法もまた，教材の内容や目標に合わせて行うところに効果が期待されるのである。こうした理由からたびたび述べたように，教材のおのおのの要素の指導と有機的関連のもとに，総合的にということが高学年の発声指導においてもくり返されるのである。

9.4.2. 高学年発声指導の焦点

(1) 発声と呼吸

正しい発声に導くためには，呼吸の指導がきわめて重要な役割をもっている。それは，研究初年度，入門期の声域狭小児，高学年男児胸声児などについて，いずれも呼吸法の欠陥が指摘され，指導の必要性が強調されていることによっても明らかなことである。

呼吸についての認識は，初め，普通呼吸時における無意識的な呼吸と，歌唱時における意識的な呼吸という常識的な考え方から出発した。すなわち話声・歌声の場合の意識的呼吸が，当面の研究課題となったわけである。しかし歌唱の場合，フレーズ・曲想表現・音量などによって，より意識的に呼吸の調節が行われなければならないので，やがて発声指導上の最大の問題点となった。

(2) 発声指導の仕上げと呼吸法の指導

さきにも触れたことであるが，実験研究の結果によると，胸声児・嗄声児・音感異常児などのほとんどが呼吸法に欠陥があり，その呼吸は深呼吸のような胸郭呼吸（注，参照）であった。

したがってこれらの児童は，歌唱の場合，呼吸保持（呼吸をむだなく全部，音にする）ができず，ブレスのとき「すっー」という音を出し，フレーズも一息で歌えないということになる。また大量の息を吸いながら呼気保持ができないため，息もれ（Wild air）の雑音が伴うことになる。

このようなことが明らかになり，その対策として呼吸法の指導が大きく取り上げられたのは研究第２年度以降であった。研究初年度においては，呼吸の指導に関心があっても頭声発声の要領をつかませるということで，仕事は手いっぱいであった。

研究初年度の実験学校研究協議会の際，児童の発声が，「頭声発声でなく弱声発声である」との批判の声があった。当時においては，息もれの指導対策，合唱の際のハーモニーの濁りをどうするかの指導対策などが明らかでなかった。頭声群の児童の発声も，まだ共鳴・音量などの点において，満足すべき条件を備えてはいなかった。したがって，このような批判に，研究者はすなおに耳を傾けなければならなかった。ことに研究初年度は，入門期児童も高学年の児童も「頭声発声の指導」ということについては，出発点がまったく同じという状態であったから，取り残された問題が多くあったこともやむを得なかった。

研究第２年度において，呼吸法は「息もれ」,「ブレス」の問題として取り上げられた。しかし頭声指導の仕上げと息もれの問題が結びつけられ，明確な位置づけに基いて呼吸指導が体系づけられたのは，第２年度の研究協議会以後においてであった。

千葉市登戸小学校における（昭和29年５月）実験学校研究協議会の際，講師須永義雄博士から，頭声発声について次のような指導があった。「頭声発声の場合，左右の声帯の声門は，ほんの瞬間閉じるか，あるいは接近する状態になる。しかしこのとき，声帯下の呼気量の調節ができないと，声にならない息もれ（Wild air）が聞かれることになる。これは，けっきょく，まだ正しい呼吸法ができていないからであって，理想的な頭声発声とは言えない。」（責記者）

これによって頭声発声の完成の段階は，呼吸法につながるものであることが明らかになった。研究第３年度において，高学年の発声指導の焦点を，呼吸法に求めたのはこのような理由からである。

発声指導における呼吸の指導は，前述の胸郭呼吸を排し，発声上の自然なフォームとしての横隔膜呼吸を会得させることにある。呼吸指導の体系（指導段階参照）もこの立場から決定された。

＊（胸郭呼吸～肺にはみずから動く力がない，胸郭呼吸は深呼吸の場合のように胸郭を広げることによって肺に空間を生じ，吸気の行われない状態をいう。）

＊（横隔膜呼吸（横隔膜側腹呼吸）～横隔膜が，脳の刺激によって運動を起し，この運動によって肺の空間が拡張し，あるいは圧迫され，呼吸運動が行われることになる。）

9.4.3.　指導の方法

(1)　呼吸法の指導

a　横隔膜呼吸と呼気保持

歌声における望ましい呼吸法は，呼吸保持ができる，すなわちささえのある呼吸ができるということになる。したがって，指導段階，呼吸法の指導，高学年の目標を「ささえのある呼吸法で歌える」とした。

この呼気保持は，横隔膜呼吸に習熟することによって可能になると考えられる。ところが，従来児童発声において，正しい呼吸法の指導がじゅうぶんになされていなかったので，胸郭呼吸が非常に多い，というのが実態である。それで呼気のささえの指導以前に，横隔膜呼吸の指導が必要になるわけである。

ここで，歌声の場合の胸郭呼吸と横隔膜呼吸とを比較すると，次のようになる。（表9.4.1.参照）

このような理由から音声学者は，歌声の場合の呼吸法は横隔膜呼吸でなければならないと結論づけているのである。

横隔膜呼吸には，さきにも述べたように横隔膜の自由な運動が主動権をもっている。

表9.4.1.　胸郭呼吸と横隔膜呼吸の比較

胸 郭 呼 吸	横 隔 膜 呼 吸
①　胸郭を広げたり，せばめたりすることは，非常に労力を費すから，呼吸に疲れがきて調子が乱れる。	①　呼吸をするための労力が少なく，自然である。
②　発声不随意筋の緊張を招き，のどぼとけが上がりそのため発声された声は堅くなる。またトレモロの原因になる。	②　発声不随意筋の緊張がなく，自然であって，発声がやわらかい。
③　声帯下の呼気量の調節ができないので息もれを多くする。	③　声帯下の呼気量の調節ができる。

ところが，歌声の場合の *p*，*f*，cresc.，dim.，レガート，スタカート，メサディボーチェなどの効果的な表現にあたっては，横隔膜運動をコントロールし，呼気を調節することが必要になる。したがって，呼吸法の指導として横隔膜運動のコントロール，すなわち，腹筋のはたらき，自然な呼吸の調節ということが強調される。この指導によって，いわゆる呼気保持，発声時，声帯下の呼気量の調節ができるようになるのである。

b　呼吸法指導の第1段階

ニ音あたりの音から始めて，半音ずつ上げたり下げたりして，頭声で母音（ア，オ）を，*p*——*f*，または *f*——*p* で発声させる。この指導によって，呼気保持の要領をつかませるのである。

この場合，指導上の留意点として次のような点があげられる。

①　姿勢

立唱の場合，両足をやや開き上半身の重みを両足に均等にかけるようにする。上半身はまっすぐに保ち，肩やあごに力がはいらないようにする。両腕は自然にたれるか，前で自然に組ませる。

②　ブレス

吸気はできるだけ早く音をさせないで，口と鼻から腹に吸わせ，発声前の一瞬，呼気を腹筋でささえさせる。

③　発声

p——*f*，*f*——*p*，いずれも自然に発想をつけて発声させる。音程を正しくする。アタックと切るときとを正確にし，音が残らないようにする。息もれがないようにする。

以上のことは，正しい呼吸法（呼気保持）の指導効果をあげるためには欠くことのできない事がらである。

姿勢については立唱を原則とした。両足を開かせるのは身体を安定させ，腹筋のコントロール作用が行いやすいからである。肩やあごに力がはいると，いわゆる胸郭呼吸になるおそれがあるから注意しなければならない。

ブレスを，音をさせないで早くということはアタックを正確にするためにも，コーラスの場合，歌を美しくするためにもたいせつなことである。また，アタックの直前に呼気を止めることはアタックを正確にし，声の響きをつかませるために効果的である。呼気を一瞬止めることによってアタックの際の息もれが防がれ，声の焦点をつかませることができるからである。

f——*p*，*p*——*f* をロングトーン（1音を長くひっぱる発声）で，自然に発想をつけて歌わせる場合，教師の表情が重要な役目を持っている。児童の声をよく聞き，*p*——*f* まで自然にいくように発声させ，音を残さないできれいに切ることがたいせつである。

ブレスのときの教師の予備モーションは，余裕をもって自然にブレスできるようにやわらかにしてやる。予備モーションがあまり急であると，児童はそれにつられて，思わず肩を上げて息をのみこむことになる。

クレシェンドして行く場合，音を大きくしようと意識するあまりに，息を多く出してしまいがちである。このようになると息もれがして，音が濁りクレシェンドした *f* の音量も上がらないし，ロングトーンの延びがなくなる。息もれは児童の耳からも感覚的につかませ，これを直すように指導しなければならない。呼気保持ができて息もれがなくなったときに，澄んだ共鳴，豊かな音量という条件が満たされることになる。

c　呼吸法指導の第2段階

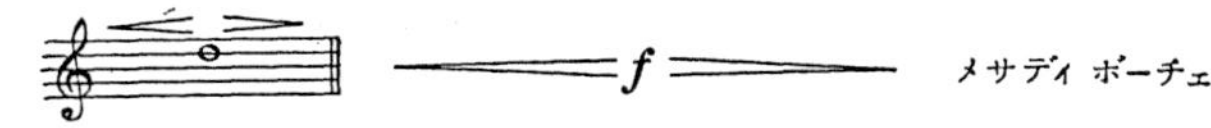

メサディボーチェが自然にできるように指導する。この指導は，前述のロングトーンによる *p*——*f*，*f*——*p* の指導の基礎の上に展開する，より高次の指導の段階といえよう。

実験によれば，メサディボーチェは，発声・呼吸の総合的な指導法として，より高次であるとともにきわめて効果的な方法であった。この指導にあたっての留意点として次のようなことがあげられる。

① —— ——が自然に歌えること。——は比較的よくできるが，——はなかなか自然にいかない。

② ——のとき，息もれが多いから注意する。

③ ——のとき，しだいに音が澄んでくる。この澄んだ音の感覚を児童の耳でつかませる。

④ 教師は，—— ——のタイミングをはっきりつかんでおく。

—— ——が自然にできるということは，呼吸保持ができているということである。したがって，漸強漸弱が不自然でむらがあるならば，それは腹筋による呼吸調節がうまくできていない証拠である。

さきにあげたように，——の場合，声を強くの意識から必要以上の息を出し息もれになり，音声に濁りが生じる。これに反して——になると，吸気が少なくなるので呼気の消費を節約し，少ない呼気がすべて声になるような使い方をする。こうなると息もれがなくなり，音声はしだいに澄んで，声を切る直前が最も美しく澄んでくる。

この——に移った場合の呼気の使い方の要領をつかませ，そのときの声の感じを児童の耳で捕えさせることがたいせつである。それによって，呼気保持の要領，息もれのない声の澄んだ美しさの実感を身につけさせていく。

また—— ——の指導にあたっては，教師のタイミングのはあくがたいせつである。それには—— ——が自然に美しくできる児童によって，タイミングを適確に判断し，それを他の児童の指導に適用するとよい。アタックから声を切るまで，いたずらに長く声を出させても効果がないのである。

このような指導は，現場の教師達にとってはある意味で未開拓の分野ともいえよう。したがって，教師自身が児童とともに学習し，その指導実践の中から，具体的な指導の手がかりを見つけ出していくのが最善の策であろう。—— ——の指導におけるタイミングのはあく，声質の判断，呼気保持の要領はあくなどは，いずれも実践を通してのみ初めて身につけることのできるものである。児童がまたみずからの耳の感覚を練り，指導されたことについての反省に基いて，発声を美しくしようとの意識をもたなければならないとするのも，前者と同様の意味で，高学年としてたいせつな学習の心構えである。けっきょく，身についたものにするには，教師も児童もなまの発声を聞き合い，実験を正確に判断しそれを反省し，そこからより高次の段階へと進むように努めることがたいせつであると思う。

d　呼吸法指導

①　pの発声を少ない息で美しく。

f ── pの発声および── ──の発声練習を重ね，美しいpの発声をつかませる。

大量の息を吸わないように注意し，横隔膜の運動をゆるやかに腹筋で調節させ，呼気がむだなく声になるように指導する。これができるようになると，少ない息で（息もれのない）pが美しく発声されるようになる。この場合も，息もれのないpの発声の美しさを，児童に耳で捕えさせることがたいせつである。

②　スタカートで歌う場合の呼吸。

スタカートで歌う場合の呼吸は，1音ごとに呼気の調節が正確にできるように指導する。この場合，発声の最初の瞬間，息もれの聞かれることがあるから注意する。

スタカートの歯切れのよさは，のどで音を切ったのでは望めない。あくまでも腹で音を切ることを指導するのである。このようにして，腹筋による呼気調節を指導することによって，スタカートが正確に美しくできるようになる。また，スタカート唱法を用いることは，腹筋による呼気調節を意識させ，結果的に横隔膜呼吸に習熟させることにもなるから，指導効果は循環的に高められることになる。

ホ ホ ホー　ホ ホ ホー

③　レガートな発声の場合の呼吸。

レガートな発声の場合は息もれに注意し，正しいブレスで1音1音をじゅうぶんに響かせ，

たっぷりと歌わせるようにする。

次のような，高音域からスタートする下行音階で指導するとよい。

テンポをゆっくり，1音1音の音程を正しく，ブレスの前のB（変ロ）の二分音符をきちんと2拍で，ブレスをできるだけ早くさせ，次のC（ハ）のアタックをそろえて歌わせる。発想もできるだけ自然につけさせる。この場合に，テンポをゆっくり落して歌うためには呼吸保持がたいせつな条件になる。

e　正確な歌い出し

歌い出し（アタック）を正確にするには，呼吸法の指導が固められていなければならない。すなわち，

○ブレスを早くする。

○歌い出すのによいように発声器官を整える。

○音の高さを考える。

このような歌い出しの準備が瞬間的にできて，敏速に指揮に反応し，はじめてアタックが正確になるものであるから，この場合，特に呼吸法が重要な意味を持つわけである。

たびたび述べたことであるが，このような場合，アタックを正確にするということと正しい呼吸法を身につけるということは，循環的な因果関係になるわけである。

したがって，アタックを正確にするために呼気のささえができるようになり，呼気のささえをつかむためにアタックを正確にするということに重点をおいて指導すれば，効果があがるであろう。

(2)　共鳴の指導

a　高音域で共鳴をつかむ

高学年の歌声の指導目標の一つは「17全声域が同じ音色で歌える」ということである。中学年までの指導の基礎に立って，中音域にも低音域にも共鳴をつけ，全声域を同じ音色で歌えるようにすることである。これは共鳴指導の完成の段階といえよう。

指導の出発は高音域で共鳴をつかませる（前述の中学年の発声指導参照）ことである。頭部共鳴をつかみやすいニ音あたりの高音から── ──の指導をする。アタックからクレシェンドして，ある強さまで達すると共鳴が得られる。この共鳴の感じを児童に捕えさせ，dim. して *p* まで共鳴を逃がさないように指導する。この場合でも，共鳴ということを児童の耳に訴え，感覚的に捕えさせることがたいせつである。

このような指導にあたって教師が共鳴のついた模範的な発声ができればそれに越したことはないが，必ずしもそれが指導者としての第一の条件ではない。むしろ児童の発声の良否を聞き分けることのできる，鋭敏な耳の感覚こそ第一義的な資格といえよう。そのような鋭い耳は，けっきょく，実践を通して鍛えていく以外によい方法はないようである。

児童に共鳴をつかませるというのも，そのような耳をもつ教師によって判定された，共鳴のあるすぐれた声をモデルとして，児童の耳から与えていくようにしなければよい効果は期待できない。

b　中音域や低音域にも共鳴をつける

高音域のメサディボーチェの指導ができたら，次のような練習曲などによって高音域で得た共鳴をのがさないようにして，中音域や低音域の発声をさせる。（半音ずつ調子を上げ，または下げてやる。）

高音域は比較的頭部共鳴を得やすいが，中音域・低音域となってくると共鳴をつけさせるのがむずかしい。ことに低音になるほど声が広がってしまい，頭部共鳴が得られなくなってくる。

低音域から出発する上行跳躍音程の場合，その初めの音が聞き取れないことが多いというのも，低音域において共鳴をつけることのむずかしさを語るものであろう。

したがって，低音発声において声をまとめるということと（焦点のある発声）高音域の頭部共鳴の感じを低音域発声に生かすということの指導に力を入れた。

歌声においては，このようにして全声域を通じて共鳴のバランスのとれるように指導することが，きわめてたいせつである。

c　どの母音にも共鳴をつける

歌声において望ましい音を作成するためには，音階の主音であるところの五つの母音の響きが，均等に得られるように要求される。

実験結果から見ると，五つのうち，オ母音の共鳴が最もつけやすく，共鳴の豊かさということからしても他の母音よりすぐれていた。

それでオ母音を中心とし，㋔ウ，㋔ア，㋔イ，㋔エというようにして，オでつかんだ共鳴をそのまま他の母音に移していくような指導をした。

この場合の音高はニ音あたりからとし，半音ずつ上げたりあるいは下げたりして練習する。ロングトーンの場合には，── ──を忘れないで練習に織り込んでいく。

実際指導上，最も困難に感じたのはイ母音であった。発声が平板で堅くなり，共鳴がつけにくいのである。この指導対策として次のような方法を取った。上下の前歯の間に人さし指を1本くわえさせ，のどを開かせて発声させる。やわらかなきれいな共鳴が得られたら指を取り，共鳴腔（こう）の形を変えないように注意してイ母音を発声させる。このやり方は効果的であった。

次に，焦点がつかみにくく共鳴のつけにくいのはエ母音である。しかも，この母音の発声には多く息もれが伴う。エ母音に息もれの多いのは共鳴腔（こう）としての口形が狭く，呼気の逃げやすい形のためとも考えられる。この指導としては呼吸法を身につけさせて息もれを防ぐことと，オ母音の共鳴の感覚をしっかりつかませ，これをエに移すように練習を重ねていくことである。けっきょく，この辺のことになると，練習の積み重ねが大きくものをいうように思われる。

d 教材の全曲母音唱

歌唱表現の場合，高・中・低音域のすべてにわたって，声の響きのバランスを取ることの重要性はすでに述べた。この目的を果すための実際的で効果的な方法として，全曲の母音唱があげられる。

全曲母音唱のやり方としては，初めから終りまでオ母音で通す場合と，フレーズごとの頭の母音で変えていく場合とがある。

全曲母音唱は，このほか二部分唱の場合の，ソプラノ・アルトの各パートの融合をはかるために，きわめて効果的な方法として利用することができる。

e 共鳴腔(こう)の利用

共鳴腔(こう)は，その長さと容積に比例して，豊富な倍音を含む明るい発声を生むことができる。したがって，豊かな明るい発声のためには，共鳴腔(こう)の利用ということを考えなければならない。

共鳴腔(こう)利用というのは，けっきょく発声のための理想的な共鳴腔(こう)のフォームを作ることであろう。それには舌・くちびる・あごなど，それらのなめらかな動きを拘束するような，無用の力が加わらないようにしなければならない。要は共鳴腔(こう)のフォームを作るのに関係のある諸器管がなめらかに動いて，発声される有声音によい響きを与えるようにさせることであり，その指導である。

f 発声を明るく

頭声発声において発声の明るさということが，たいせつな要素の一つである。

よく共鳴をつかんでいると思われる頭声の児童の発声をオシログラフで撮影し，その波型をフーリエ分析してみた。その結果，基音に対する倍音の含み方がきわめて整然としていて，第3倍音までが特に大きな音圧で現れていることがわかった。共鳴をつかんだ声は，感覚的にはよく通る声であり，明るい表情に富んだ声であるといわれていたが，倍音が大きな音圧で整然と現れているというこの分析によって，確かな裏づけの一つを得たように思われる。

この発声の実験研究において，比較的主観に左右されやすい聴覚に訴える判定（評価）のしかたに，できるだけ可視的な条件を加えることによって，客観性を高めたいと考えていた。波型分析はその試みのひとつであったが，きわめて専門的な技術を必要とするので，学者の援助がなければ，じゅうぶんな効果を期待することができない。今後の課題として残された分野である。

明るい共鳴をつけるには発声がこもらないようにし，声をなるべく前に出すように指導する。のどだけの共鳴にたよると，声がこもって暗い感じになる。

声をなるべく前に出すという指導法としては，手のひらを口の前にもってきて，1音1音の発声ごとに手のひらを，口もとから前のほうに少し動かしながら発声させると効果がある。練習曲は次のようなものを用いた。

テンポをゆっくり，半音ずつ調子を上げたり下げたりして練習することは，これまでに述べたことと同様である。

また明るい発声のためには，スマイリングの習慣を養うことがたいせつである。ほほえみの表情で歌うことは，発声時の口形や姿勢についての注意の基本条件を満たしているばかりでなく，発声に明るい共鳴をつけるために効果的である。

以上，手のひらを使うにしても，スマイリングにしても，児童に明るい発声を求めるために心理的な効果をねらった手段であることに注意したい。

(3) 歌声の指導

高学年の歌声の指導目標として，次の三つがある。すなわち，

○ 「17. 全声域が同じ音色で歌える」

○ 「18. 曲想をじゅうぶんに表現して歌える」

○ 「19. 発声についての知的理解をもつ」

がそれである。このうち，「17. 全域が同じ音色で歌える」についてはすでに，(2)共鳴の指導のｂ中音域や低音域にも共鳴をつけるの項で述べているからここでは省略し，18，19の２項目に関して以下に述べる。

a 曲想表現を通して

前に述べた呼吸・共鳴などの指導は，歌唱の場合，曲想をじゅうぶんに表現するための基本的な必要条件であるということができる。しかし曲想表現にはこのような発声上の技術以外に児童は児童なりに曲を理解し，音楽をみずからのものとして求め，その中に溶け込んでいこうとする態度を作り上げていくことが必要である。つまり，児童が心から歌おうとする態度から曲想表現が出発し，それをじゅうぶんにするために，呼吸や共鳴など，発声上の技術や条件が要求されてくる。

このように総合的な歌唱指導の場において，発声指導の個々の要素や技術が生かされみがかれて，はじめてそれが身についたものとなることができるのである。

この取扱の実際例を教材「野ばら」に求め次に述べてみよう。

（指導例「野ばら」）

この教材のもつ優雅な曲趣と，叙情的な詩趣を歌い出すために，次のようなことに特に注意して指導する。

① 共鳴のある明るい発声でレガートに歌う。

② リズムにのって音がとぎれないように，歌が流れるように歌う。

③ ２小節目ごとのブレスは，音をさせないで早く息を吸う。

④ ブレスの前の音が短くならないように歌う。

⑤ ブレスからブレスまでは，必らず一息でとぎれないように歌う。

⑥ 三度を主としたハーモニーを美しく歌う。

⑦ 発想をじゅうぶんに表現して歌う。

全体としては以上のようなことに注意するが，以下フレーズごとに分割して，その指導法を考えてみることとする。

① Ⓐ歌い出しは *mp* でやわらかに，音が中・低音域にまたがるので，胸声色が出ないようにする。

② Ⓑ中音域で歌いやすい。つられて ─ の上行音階の旋律をずり上げないようにする。４小節目の♩. の音符の時価を正しく，またこの小節の ─ を ♩ ♩（＞ ＞）にならないように平均になだらかに歌う。

③ Ⓒ下行音階の旋律の ─ をきれいに。

④ Ⓓ全体をピアノで，その中で，ややふくらます程度にやわらかに *p* で歌う場合は，特に呼気のささえに注意して指導する。

⑤ Ⓔ Ⓐと同じ。

⑥ Ⓕ曲の山を豊かに歌わせる。

中音域から高音域への上行の旋律を，音色が変らないように，音をずり上げないように注意する。

12小節目の♩.は，音符の時価を保って，*f* でたっぷり歌わせる。

ここでは歌詞が，も㋔，お㋔，ゆ㋒，る㋒となっているから，最後のウの音をじゅうぶんに響かせるように歌わせる。

呼吸に注意し，息もれのないようにする。

⑦ Ⓖ *f* から *mp* の移り方を，きれいにしぼる。

高音の *mp* の歌い方は，呼気のささえの指導が必要である。

最後のリズムはあわてないで，やわらかに，落ち着いて終る。

b 和音合唱によって

和音合唱は，合唱の場合の柔軟性のある曲想表現の基礎となる。高学年において，和音に対する美しさに目を開かせ，和音的感覚を身につけさせるように指導することは，教材の曲想表現を通しての歌声の指導と同様にたいせつなことである。

そのためには，まず和音の終止形合唱・分散和音唱・和音聴音などの指導がなされなければならない。

練習曲三部合唱用

練習曲としては，上記のような曲を用いた。

指導にあたってはこのような形だけでなく，リズムを変えたり調子を変えたりして練習させるようにした。できるだけ楽器を離れて，終止形合唱ができるような訓練も必要である。

和音合唱をすることによって，曲想表現の基礎を高めることができたばかりでなく，発声指導上次のような効果があった。

○呼吸保持の練習としても効果的であった。

○共鳴をつかませるのに役だった。

○ハーモニーの美しさをつかませることができた。

○音程に対する感覚が鋭敏になった。

(4) 発声の知的理解

高学年においては，発声諸器管，呼吸の生理，共鳴の原理などについて，知的な理解を深めることもたいせつである。

たとえば，共鳴ということを感覚的に児童の耳に訴えて捕えさせることはすでに述べたが，これに高学年らしい知的な理解を伴わせることである。

音叉を共鳴箱にのせた場合と，そうでない場合との音の違いを比較させ，その理由をつかませる。それをバイオリン・ピアノ・笛・太鼓などの楽器の胴体が，どのような役目をしているかと関連づけて理解させる。

また，このことを発声におけるデックングと比べさせ，どのようなのどの状態，口の形のときによい共鳴が得られるかを，児童個々にくふうさせていくようにするわけである。

また，児童が自分の声帯に関心を持ち，声の衛生に注意し，日常生活において声帯保護を心掛けるような，よい習慣を形成させていくのもたいせつなことである。

このようにして，感覚に訴えて身につけさせるように，指導した事がらに知的な裏づけを与え，より確かな技能として定着させていくことは，高学年の重要なねらいの一つでなければならない。

10. 男児発声の指導

10.1. 問題を取り上げた理由

ここで，特に男児発声の指導を取り上げることにしたのは次のような理由による。研究初年度に発声類型調査を行ったことはすでに述べた。この調査結果を見ると，全声域胸声・地声・声域狭小などの傾向が，学年別に見た場合低学年ほど多く，性別に見ると男児に多く現れていることがはっきりした。（表6.2.1.および6.2.1.の②男女別・類型別考察の項参照）それからまた，頭声への発展の経過を男女別に見ると，男児は女児に比して頭声への転換が遅い（6.3.4.の(2)のAのb性別による傾向参照）ということが明らかになった。

一般的に歌唱指導の場合，男児取扱のむずかしさということが言われているが，この調査によって，それが裏づけられたとも言えるわけである。

そこで男児発声の問題を特に取り上げ，その問題点を究明するとともに，指導上の有力な手がかりを求めるようにということになった。

10.2. 諸調査を通して見た男児の発声

10.2.1. 発声類型調査から（昭和27.7.調査）

(1) 調査

発声類型調査に現れた男児発声の傾向については前に述べた。ここでは，昭和27年5月，当時の5年の実験学級に対して行った調査から男児発声の傾向を，あらためてながめてみることとする。

調査には既習曲「野ばら」（ウェルナー作曲を用）いた。調査方法は「3.研究の方法」に述べたとおりである。その調査結果を表に示すと表10.2.1.発声類型となる。

表 10.2.1. 発声類型

類型＼性別	男人員	女人員
① 頭声	1	4
② 裏声的発声	•	7
③ 声隙（げき）がはっきり現れる	3	4
④ 胸声	10	9
⑤ 地声	10	2
⑥ 声域狭小	2	•
⑦ 嗄（さ）声	2	2
⑧ 発声異常	•	•
計	28	28

(2) 調査結果からわかること

この表によって，次のようなことが知られる。

○男児の頭声発声は1名だけであり，この1名は音楽クラブ合唱班員である。

○裏声的発声の男児は1名もいない。

○胸声・地声・声域狭小の男児が女児の2倍という数字になっている。

以上のことから，この学年でもすでに述べた，発声における男児の傾向というものがはっきり出ていることがわかる。

こうした傾向が，高学年になっても男児童にだけ同じような傾向として，めいりょうに残っているところが注目されるのである。

頭声発声の指導が継続的，系統的に行われてきた場合でないかぎりは，いずれの学校の高学年にもこのような男児の傾向が出てくるように思われる。男児発声の指導を，特に取り上げなければならないとするのは第一には，このような男児の実態に基いてのことなのである。

10.2.2. 歌唱の好ききらいの調査から（昭和27.7.調査）

(1) 調査

○調査対象～2.3.4.5.各学年，実験学級男児童

○調査方法～調査用紙，1.歌うことが好き。 2.あたりまえ。 3.歌うことがきらい。 ｝の該当欄に○をつけさせる。きらいに○をつけたものは，きらいの理由の該当欄にも○をつける。無記名。

その調査結果は，次のようになった。

図10.2.2.

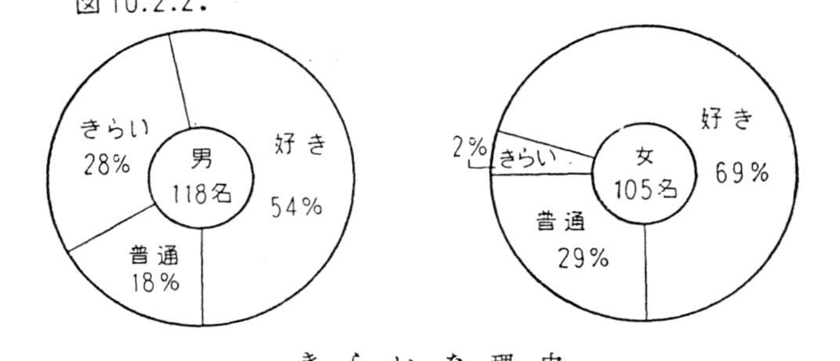

きらいな理由

1	声が出ないから（おもに高い声）	27%
2	歌うと苦しくなるから	21〃
3	声が悪いから	14〃
4	譜が読めないから	8〃
5	おもしろくないから	7〃
6	きばってしか歌えないから	5〃
7	声がかすれるから	3〃
8	歌うとのどが苦しく（痛く）なるから	2〃
9	しかられるから	2〃
10	その他	11〃

(2) この調査からわかること

○男児のきらいは28%で，女児の2%に比べてきわめて高率である。

○きらいな理由のほとんどが発声に関係のある項目である。

○発声に直接関係がないと思われる項目4.5.9.の計17%を除く83%が，いずれも発声に関係がある。

○「歌うと苦しくなるから～21%」，「歌うとのどが痛くなるから～2%」などは，きわめて

具体的な理由となっていて，その数字とともに注目される。

以上のように見てくると，声の出し方，苦しくない歌い方，などについての具体的な指導が行われないかぎり，これからの児童の音楽学習（特に歌唱）にあたっての困難が解決されないことになる。しかも，従来このような男児の歌唱に対する不適応の実態がはっきりつかまれていなかったこと，したがって，そうしたことについての対策が打たれていなかったことも認めなければならなかった。

この調査は，さきに行った発声類型調査の，胸声・地声・声域狭小男児が，歌唱に対してどのような意識をもつかという，歌唱に対する児童の意識調査として意義のあるものであった。

すなわち，以上の初年度の二つの調査から，

○男児には胸声・地声・声域狭小などが多く，発声指導上大きな障害となっている。

○胸声・地声・声域狭小などの児童は，歌唱に対して強い劣等意識をもっている。

などのことが明らかになった。

10.2.3. 発声児の呼気消費量の違いから（昭和29.2.調査）

(1) 調査

さきに行った調査で，発声類型表における男女児の分布状態の差異および歌唱時における男女児の意識（安定感・劣等感など）の違いなどが明らかになってきた。ここではさらに，頭声なら頭声の類型の中でも男女の違いがあるかどうか，それを確かめるために調査を行うこととした。

○調査対象～実験学級男頭声児童15名。女頭声児童15名。

○調査方法～a　肺活量を調べ，男女それぞれの平均値を出す。

b　発声持続時間を調べ，その男女平均値を出す。発声持続時間は，ニ音を普通の強さ *mf* で，できるだけ長く発声させる。

c　肺活量を発声持続時間で割り1秒間の平均呼気消費量を算出する。

この調査の結果は次の表のようになった。

表10.2.3.

項目 ＼ 性	男	女
肺活量	2226cm³	2204cm³
発声持続時間	11.3秒	12.1秒
呼気消費量（秒）	197.0cm³	182.2cm³

(2) この調査によってわかること。

この表によって次のようなことがいえる。

○男児は女児よりも一般的に肺活量が大きい。

○男児は女児よりも肺活量が大きいのに，発声持続時間が短い。

○男児の呼気消費量が女児のそれよりも大きい。

＊（上記の表に見られるような肺活量をもとにして，1秒間の発声呼気消費量を出すのは妥当でないことがあとで指摘された。それでここでは，正確なデーターとしてではなく一応の男女差の目安として捕え出した。）

以上のことは，同じ頭声の類型の中でも男女によって声の響きや強さが違っているといわれる理由を，発声時呼気消費量と関連して解決させる手がかりを与えるものと思われる。また呼気消費が，男児の中でも最も合理的に行われていると思われる頭声の児童がこのような実態であるから，発声時呼気消費量が女児よりも多いというのは，男児の一般的傾向ということができよう。このことは男児の発声指導において，呼気保持の指導が特に重要な位置をもつこととつながってくる。

10.2.4. オシログラフによる波型の比較から（昭和29.2.調査）

(1) 調査

頭声・胸声・地声などの判定は，これまでもっぱら耳の感覚に訴えていた。これに可視的条件を加え，より客観性を高めることができないかというのがこの実験のねらいであった。

図 10.2.4. 波型図

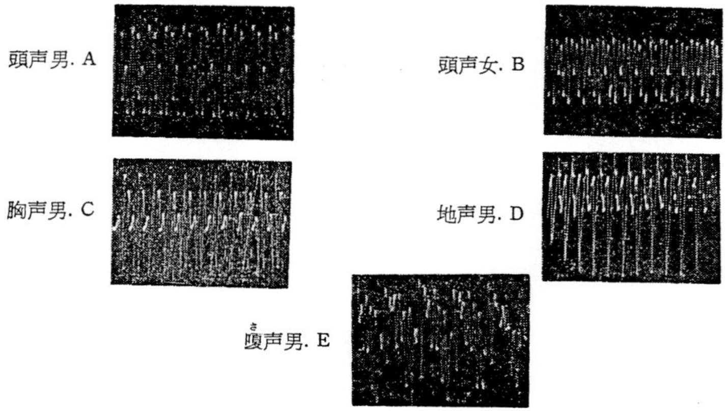

頭声男. A

頭声女. B

胸声男. C

地声男. D

頭声男. E

図 10.2.5. 頭声男女児の波型の比較

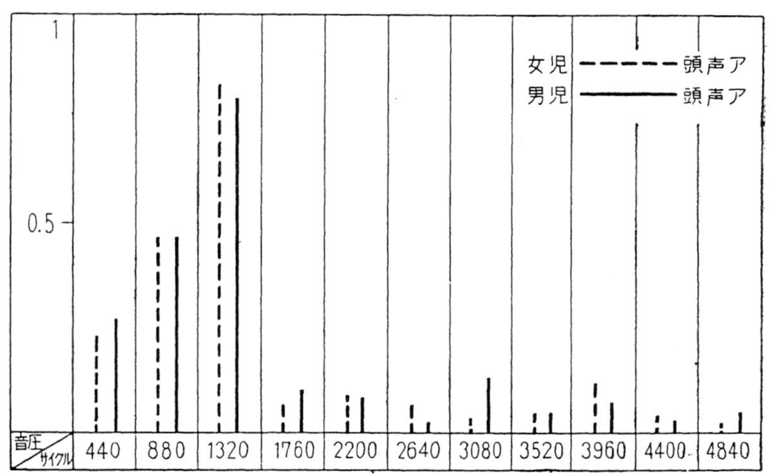

○実験対象～各発声類型について男女それぞれ1名ずつ選んだ。

○実験方法～ピッチ 440，ア母音による発声をオシログラフ撮影により結果を比較する。

このような条件で実験した結果を示すと，図 10.2.4.のようになる。

(2) この実験でわかったこと

この図によって考察すると次のようなことがいえる。

○頭声・胸声・地声・嗄声の各類型の波型の違いがめいりょうに出ている。

○各類型の倍音の含み方の違いが明らかである。

○頭声Aの男女差は，倍音の含み方においてもほとんど認められない。

このことから発声各類型の差異は，オシログラフによる波型からすれば倍音の含みの違いであるということができよう。

頭声男と女とでは，波型では差異が認められず，わずかに男児のほうが女児よりも波長が長いということがいえる程度である。そこで，この波型をさらに分析して比べてみると，図 10.2.5.のようになる。

(3) 分析結果の比較

図 10.2.5.によって見られるように，この図表からは男女の有為差を認めることがほとんどできない。もっと細かい分析や精密な器械による測定をすれば，ここにも男女差が認められるかもしれないが，けっきょく，この段階で打ち切ることにした。したがって頭声男女の差は，小学校高学年までについては，男児が音量において女児よりもややすぐれていること以外には明確にすることができなかった。（耳で感覚的に男女の頭声を捕えての差異については後に述べる。）

10.2.5. 発声についての意識調査

この調査は，前年度の「歌唱の好ききらいと，その理由。」の調査に次ぐ，児童の意識調査である。

(1) 調査

○調査対象～3.4.5.6.各学年実験学級の男女児童。

○調査方法～男児に対しては

a 男は女よりも発声がよい。

b 男と女の発声は変らない。

c 男は女よりも発声が悪い。

女児に対しては

a 女は男よりも発声がよい。

b 女と男の発声は変らない。

c 女は男よりも発声が悪い。

以上の問を出し，該当項目に○をつけさせた。無記名調査である。

この調査の結果は図 10.2.6.のようになった。

(2) 調査結果からわかること。

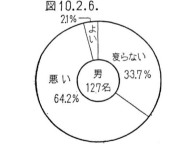

図 10.2.6.によって次のようなことがわかる。

図10.2.6.

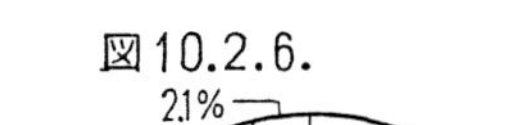

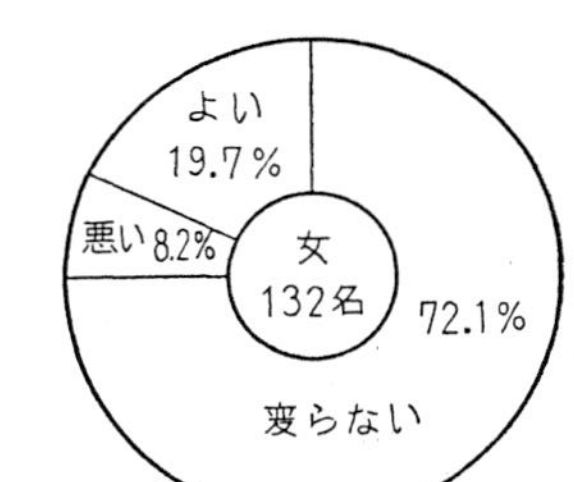

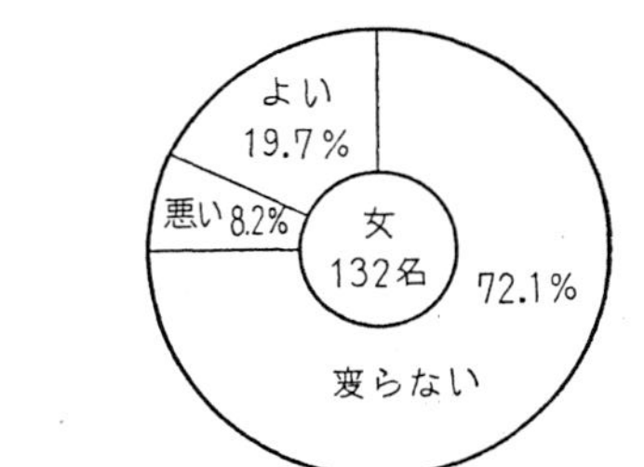

○男児の中で「女児よりも発声がよいと思っている者が，2.1 %」であるが，わずかにいるということ。

○女児の中に「男児よりも発声が悪いと思う者が，8.2 %」いること。

○女児の 132 名の中に「男児よりも発声がよいと思う者が， 19.7 %」いること。

○男児の 127 名の中で「女児よりも発声が悪いと思う者が， 64.2 %」という高率を示していること。

○女児の中で「変らないと思う者が， 72.1 %」いるということ。

これによれば，女児の「変らない」が～72.1%と最高を示しているのに対して，男児の，女児よりも「悪い」が～64.2%と男児回答の最高を示していることが注目される。

さきの歌唱の好ききらいとその理由の調査が，児童のやや確かな自己の発声状況の認識から出発しているのに反し，この調査に出た傾向には，先入観的な劣等感が強く出ているように思われる。

このような劣等意識を取り去るためには，歌唱に対する自信をつけてやる反面，平生の教師の男児取扱に，じゅうぶん注意が払われなければならないと思われる。

10.2.6. 頭声男女児の音量について（昭和30.1.調査）

(1) 調査

頭声男女児についてオシログラフによる波型の比較では，ほとんどその差が認められず，わずかに男児が音量においてまさるのではないかということが知られる程度であった。ここでは音量の差について確かめるために調査を行うこととした。

○調査対象～頭声男児・5年・10名。

頭声女児・5年・10名。

○フォーン調査方法～各児童について，高音域・中音域・低音域にわたって調査した。

測定はフォーンメーターを用いた。

児童の口とフォーンメーターのマイクロフォンを，距離 30cm として水平に保ち，普通の強さで，ニ音，イ音，ホ音を発声させた。

室内音は，正確に60フォーンに保つようにした。

○呼気消費量調査方法～フォーン測定と同様の音で発声持続時間を測定した。そのあとで，

図 10.2.7. 音量調査個人表（室内音60フォーン）

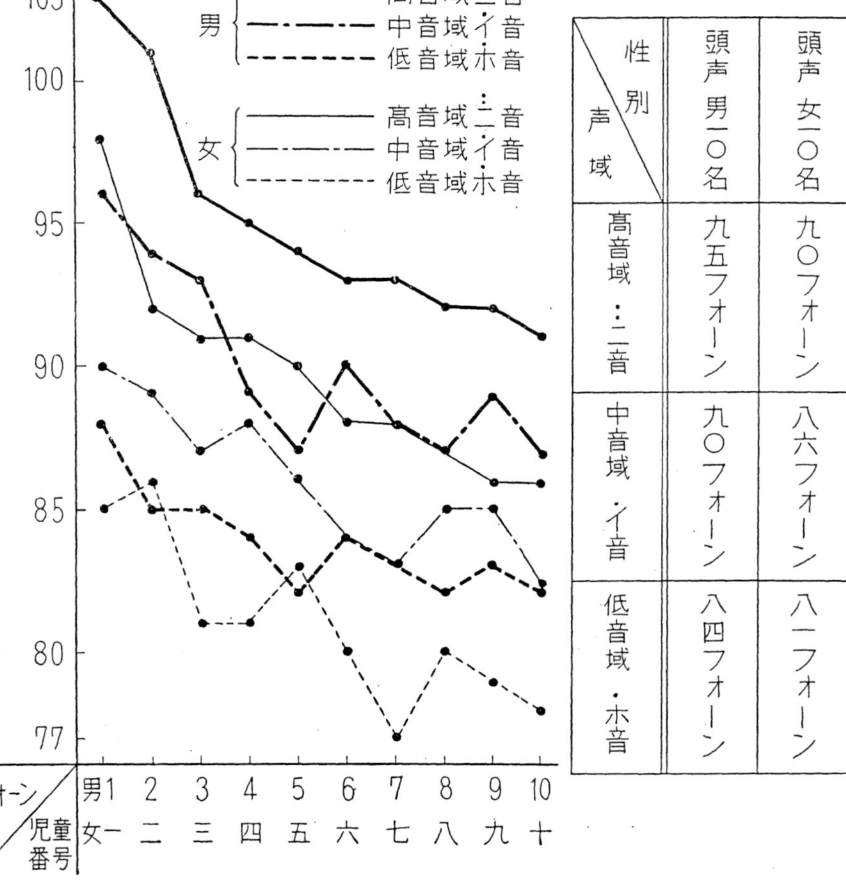

音量調査平均表
室内音60フォーン

性別 / 声域	頭声男一〇名	頭声女一〇名
高音域・ニ音	九五フォーン	九〇フォーン
中音域・イ音	九〇フォーン	八六フォーン
低音域・ホ音	八四フォーン	八一フォーン

声を吹き込ませる要領で，肺活量測定器により呼気量を測定した。

この調査の結果は図 10.2.7.のようになった。

(2) この調査でわかったこと

この音量調査から次のようなことが言える。

○多少の個人差はあるが，一般的に男児は女児よりも音量が大きい。

○高音域から低音域へと移動するに従って，音量も低下することが個人ごとにはっきり出ている。

○音量平均表から見ても，男児の音量のすぐれていることが明らかである。

表10.2.8. 呼気消費量調査

項目／性	呼気量	発声持続時間	1秒間の呼気消費量
頭声男 (15)	$1770cm^3$	10.5秒	$168.5cm^3$
頭声女 (15)	$1710cm^3$	10.2秒	$167.6cm^3$

音量調査の裏づけとして行った呼気消費量の調査（表 10.2.8.）から，次のようなことがわかった。

○頭声男児は，呼気量・持続時間・1秒間の呼気消費のいずれにおいても，わずかながら女児よりも上回っている。

○男児女児の差が僅少で，ここから男女の差を見つけだすのはむずかしい。

このようなわけで，調査の上からは必ずしも，調査の裏づけとなるほどのデータにはならなかった。

しかし，この微妙な差が聴感覚に訴えた場合，男女の音量の違いとなってくるとも見られないことはない。

10.2.7. 歌声と話しことばとの関係について（昭和30.1.調査）

(1) 調査

○調査対象～4年実験学級男女全員。

○調査方法～オルガンのそばで児童と話合いをする。そのときの児童の話声のピッチをオルガンで取る。

このようにしてまとめたものを図にすると次のようになる。（図 10.2.9. 個人別声域表と話し声のピッチ，参照）

(2) この調査からわかったこと

図 10.2.9.によって，次のようなことがわかる。

○女児の話声は，ロ以上に全部固まっている。

○男児の場合は，ロ以下の話声のピッチが，70%強という分布である。

これまで男児の話声の音色は胸声的傾向を帯びており，女児の話声の音色は，頭声的傾向をもつといわれてきた。（聴感覚に訴えた場合）このことと男児の話声のピッチが，女児よりも明らかに低い傾向を示しているということを関連づけて考えてみると，男児発声指導上の手がかりの一つがつかめるように思われる。

(3) 発声と話しことばとの関連を見るためのケース

前述の調査によると，男児の場合，日常の言語生活（話しことば）と発声との間に，なんらかの関連があるように思われる。そこで，5年男児の中から頭声・胸声・声域狭小の各2名を選び，「話声の強さ」,「話声の高さ」,「話すときの状態」,「話しことばの音色」の4項目について調べた。その結果が表 10.2.10. である。

この表によれば，胸声・声域狭小の児童に対しては，頭声発声の指導以前の日常の話しことばの発声のしかたについて，指導する必要があると思われる。

発声指導といっても，音楽の時間だけで固めていくことは困難である。日常の生活指導の中から手がかりを求め，着実に指導を積み上げるのでなければ，胸声や声域狭小の児童を救い得ないようにも思われる。

以上，男児発声を中心として3か年間の諸調査について述べた。

図 10.2.9. 個人別声域表と話し声のピッチ

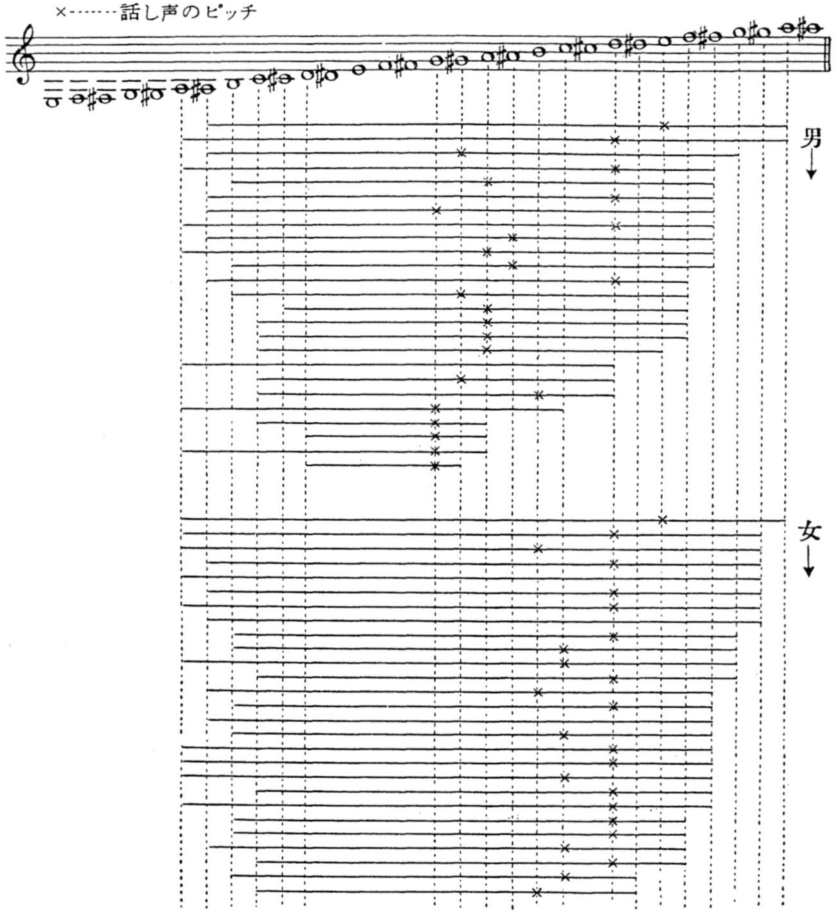

—— 声 域
×……話し声のピッチ

男

女

表10.2.10. 発声と話しことばのケース

発声類型	氏名	歌唱時の声域(◦) 話声のピッチ(•)	話声の強さ	話声の高さ	話すときの状態	話しことばの音色
頭声	A		いくらか弱い感じ。強く話す場合には音が高くなる。	一般に高くイーハぐらい	自然でらくに話す。	美しく，発音もめいりょうである。
	B		いくらか強いが頭部に共鳴しているような感じがする。	普通ヘーイぐらい	だいたい自然である。	美しいほう。
胸声	C		強いほう，いくらかおしつぶした感じがする。	普通ヘーイぐらい	時として首に青すじを立てて話す場合がある。	はりがあって力強いが多少重苦しい感じがする。
	D		断えず強く話す，弱く話すと声がかすれるようになる。	普通ホートぐらい	首に力を入れ，のどをつめたようにして話す場合が多い。	いささか雑音がまじって聞き苦しい
声域狭小	E		いくらか強いほうである。	非常に低く，嬰イーニぐらい	あごを前に出し，苦しそうに話す。	非常に暗い感じがする。
	F		いつも強いほうできばって話し，息もれがする。	普通ヘーイぐらい	のどをおしつぶし，首に青筋を立て，どなるようにして話す	雑音が非常に多くきたない。聞いているほうが苦しくなる。

10.3. 男児発声の特質と指導上の問題点

10.3.1. 男児発声の特質

(1) 諸調査を通してみた男児発声の一般的特質

前項 10.2.で，3か年にわたる諸調査について述べた。ここでは，これらの諸調査を通して明らかにされた男児童の発声上の特質をまとめて述べることとする。

a 男児には，胸声・声域狭小などの類型が，全学年を通じて女児よりも多く現れている。（発声類型調査より）

b 男児の胸声・声域狭小などは，頭声への転換が遅い。（発声類型調査より）

c 男児は女児に比べて，声域の高音域への伸びが，一般的によくない。（声域調査より）

d 男児は一般的に，高音域の発声に困難を感ずるものが多い。（声域調査，意識調査より）

e 男児は女児に比べて，一般的に音量がやや大きい。（音量調査より）

f 男児には歌唱をきらうものがかなりある。（歌唱に対する好ききらいの調査）

g 男児は一般的に女児との比較において，発声についての劣等感を持っているものが多い。

（意識調査より）

h 男児の話声の音色は，一般的に胸声的な傾向をもっている。（話声の調査）

以上は，調査に現れたものの中から，特に傾向のはっきりしたものだけを抜き出したものである。このように，数量的なものを根拠としての男児発声の特色のほかに，聴感覚に訴えての男女差の判別ということがある。

(2) 頭声男児・女児の発声の特色の比較

頭声の男児と頭声の女児との発声を耳で聞いて，その感じを比較してみると，次のようなことがいえる。

○頭声男児の発声の特色

「充実感があるが，直線的で，やや堅く感じられ丸味に乏しい。」

○頭声女児の発声の特色

「やわらかで丸味があるが，ややしんの弱さが感じられる。」

文で表現すれば，このようなことになってしまうが，けっきょくは児童の現実の声を聞き分け，その差異をはあくする教師の感覚がたいせつになってくる。前に述べた8項目が，分析的観念に立っての男児発声の特質とするならば，これは総合的観点に立つ頭声男女児発声の特色といえよう。発声指導の完成段階にある男女児のこのような特質は，歌唱，特に合唱の指導の場合に有力な手がかりを与えるものである。

10.3.2. 男児発声指導上の問題点

調査に現れた8項目の男児発声の特質は，関連項目ごとに要約すると，だいたい次の三つにまとまる。

a 高音域の発声指導の問題

b 発声についての劣等感の排除の問題

c 男児的傾向としての胸声・声域狭小の指導の問題

たびたび述べたことではあるが，これらはbを除いて，頭声発声指導上の一般的な問題点でもある。したがって，一般的な指導の問題として取り上げるべきで，特に男児にこだわる必要もないとする考え方もあろう。しかし，この一般的な指導の問題を，特に男児発声指導の問題点として考慮を払っていくところに，頭声発声への至近の道が開けてくる。事実，指導の重点をかけなければならないのは男児であり，指導のむずかしいのも男児である。男児指導の問題が解決すれば，頭声発声の指導が成功に近づいていると言える。

10.4. 男児発声の指導

10.4.1. 男児一般に対する指導上の留意点

(1) 男児の歌唱に対する劣等感を排除する

さきに述べたように，男児童は発声や歌唱に対して，根強い劣等意識をもっている。この劣等感をまず取り除いてやることがたいせつである。

このためには，音楽の学習を楽しい時間にするように努めることである。

a 男児がどのような歌い方をしてもしかったり禁止のことばを使ったりしてはいけない。それは，男児をますますいじけさせ，自信をなくさせるだけである。

b 少しでもうまく歌えた場合，ほめることと励ますことを忘れないようにする。男児も，練習によってよく歌えるようになるという希望をもたせてやる。こうして，男児に歌唱に対する自信をつけてやり，音楽学習に興味をもたせるようにする。

c 男児の劣等感については，教師の側にも反省しなければならない点があろう。従来，ともすれば歌唱の場合に，女児のみを重視し，男児を差別的に扱わなかったか。男児は歌えないとする先入観がなかったか。児童はこのようなことにきわめて敏感なものである。

d 男児の歌唱について，世の多くの人々が誤った考えをもっていなかったか。すなわち，大声を張り上げる詩吟や応援歌が男の歌い方であり，美しい歌唱や合唱は女の歌い方であるとする考え方である。そうした考えが，男児の発声にかなり悪い影響を及ぼしているように推測される。

こうした考え方は打破しなければならない。男児と女児の正しい発声について，なまの声や録音であらゆる機会に聞かせ，こどもの場合の男女の発声に大きな違いのないことを，はっきり認識させることに努めなければならない。

(2) 日常の言語生活の指導

男児には，日常の話しことばが，叫び声のような不自然な強い発声のものが多く見られる。このような児童はきまって歌声がよくない。このような児童には，大声や叫び声をやめさせて自然なやわらかな話し方をするように指導する。指導は音楽の時間と限らず，国語・体育などと深く関連させ，生活指導全般にわたって行うようにする。指導の実際にあたっては，

○自然で，やわらかな発声で話す児童の朗読や，話を聞かせる。

○自分の話声のピッチや音量を意識させる。

○特に話声の低い児童については，そのピッチを適当に高めてやる指導をする。それには，ピアノまたはオルガンでその児童の話声の音高を捕え，その音を少しずつ高くして話させるようにしていって，適当なピッチを与えてやる。

○教師の話声のピッチと音量に注意する。

○大声を張り上げなくても話しが通るように，静かな学習環境を作ることに，学校全体が努力する。

○P．T．A．社会学級などの会合を通じて，日常の言語生活における児童の発声について，父母の関心を高めるように努力する。

以上のことが，特に留意すべき事項としてあげられる。

従来の経験によると，男児の発声には安定性が欠けている。女児においては，一定のレベルにまで達した歌曲は，かなり長く定着しているが，男児は練習を休むとくずれてくる。日常の言語生活の影響で，荒れてくるのである。このことは，よい言語習慣の形成の必要なゆえんである。

10.4.2. 類型別グループ指導とその留意点

(1) グループ分け

発声指導にあたっては，類型別グループに分けて行うのがきわめて効果的である。グループ分けは，頭声群・胸声群・声域狭小群などとする。各群にA，B，Cとか，動物名とか，植物名とか，それによって，各群に無用の優劣の意識を与えないような名をつけてやる。（名称は，あくまでも便宜的なものである。）

(2) 指導法

頭声群の歌唱の場合，他の群の児童はよく聞いているようにする。そしてその歌い方，声の響きなどを注意して感じとらせるようにしむける。

胸声群・声域狭小群などの練習の場合は，他の群の児童に，写譜などの作業を与えるようにする。

頭声群～高音。胸声群～中音。声域狭小群～低音として簡単な三部合唱などを行い，合唱を楽しみながらその中に和音の響きを感じ取らせる。

練習によって効果の現れた児童は，上位の群に編入替えする。

このようにすることによって，児童は進んでよい発声を身につけようと努力する。発声下位群の児童に，劣等感を与えないように取り扱うには，愛情と細心の注意が必要である。

10.4.3. 個別指導とその留意点

胸声児・声域狭小児については，グループ指導とともに親切な個別指導が必要である。個別指導にまで徹底しなければ，ほんとうの効果をあげることはできない。次に，個別指導について述べる。

(1) 声域狭小児の指導

a 声域狭小児の特質

○声域が狭いので，ト音以上の高音になると，オクターヴ下げたり，音程をはずしたりして

歌う。

○一般に呼気が浅く，のどをつめてどなるように歌う。

b 指導上の留意点

これまでに述べてきた声域狭小児の指導法のすべてが，この場合も適用される。しかし，特に強調したいのは次のような事項である。

○基礎となる音（その児童の歌いやすい音，または歌うことのできる音）から，最弱声で出発する。一つの音がよくつかめたら，低音域を少しずつ広げて次に高音域に移るようにする。どなるように歌っていた児童に，弱声でやらせると苦痛を感じるものである。しかし，強く歌わせてはいけない。あくまでも弱声でしっかりとその音のつかめるまでやらせる。

○できるだけ簡単なレガートな曲を選び，その児童のもつ声域にまで低く移調し，テンポを落し，最弱声で音程を正しくつかむまで反復練習する。音程が正しくつかめたらそれを限度として，少しずつ高く原調に近づけていくようにする。

こうした場合，ピアノやオルガンの音，範唱の声，話しかけることばなど，すべてできるだけ弱く，小さく，教師の動作もまた静かであることがたいせつな注意である。

○姿勢をらくにさせるということは，ここでも特にたいせつな事がらである。（前述，参照）

○呼気のささえの指導も，前述のとおりたいせつなことである。

○これらの児童は，特に舌の位置に注意して発声させる。舌を堅くしたり，口腔の奥のほうに丸め込んで歌う傾向がある。口を軽く開くようにし，口型図で説明するとともに鏡の前で発声させ，舌の位置をどうするかよく理解させる。

○頭声児の発声を聞かせ，その美しい響きを感じ取らせることは，この場合もたいせつなことである。

(2) 全声域胸声児の指導

a 全声域胸声児の特質

○音高が高くなるにつれてのどをつめ，苦しそうに歌う。

○発声できうるような高音は，ロ〜ニ音止まりである。

b 指導上の留意点

これまでに述べた胸声児に対する指導法は，この場合もすべて適用される。

○胸部で歌えない音を，弱声で静かに発声させる。

○高音への飛躍音階で瞬間的に裏声のような弱声で高音を出させる。（発声練習曲2. B利用）この場合の発声が胸声の場合とは違うことを意識させる。

○発声練習曲2. C. Dなどを利用して，高音を長く延ばして歌う練習をする。

○呼気のささえの指導をする。その方法の一つとして，次のようなやり方がある。

児童を上向きに寝かせ，首・肩・背中・手の力を抜かせ，右足を静かに上げながら息を吸いその足を静かにおろしながら息を吐かせる。次に左足でそれをやらせる。これによって，横隔膜呼吸の要領をつかませることができる。したがって呼気のささえができるようになるわけである。

響きや音量の要求は，高音の音程がつかめ，呼気のささえができるようになってからでないと，もとの胸声に逆もどりする心配があるから注意しなければならない。

以上に述べた指導の方法は実際学級において行う場合，ことさらに男女児を区別することを意味するものではない。女児をも含めて，特に男児に傾斜をかけてというのがその本来のねらいである。

(3) 個別指導のケース（152ページの文部省実験学校発声調査カード参照）

10.5. 男児発声の優位性

男児発声の指導は，女児に比して困難なことはこれまで述べてきたところで明らかである。特に低学年からの指導の積み上げのない場合，高学年男児の発声指導は，教育的愛情に根ざした強い忍耐を必要とする。

頭声発声の指導が，音楽教育界においてまだれい明期を出ていないとするならば，男児発声

文部省実験学校　　ABCⒹ班
No.　発声調査カード　　1952年南材校

児童氏名	B	㊚ 女	昭和16年7月1日生	満 10 才
5年 7組	担任 菅原文吾		保護者名	父
住所	仙台市南材木町	職業 自由労働者	電話 なし	

調査児童の諸条件

身体的	身長 127.4cm	肺活量 1740	栄養 可
	体重 25.1	鼻腔 異常なし	背柱 正　　概評 可
	胸囲 62.0	いん頭 同上	耳疾 耳だれ
	座高 69,5	声帯 同上	歯列 普通
			視力 1.2(右)1.0(左)

家庭環境　家族の趣味　父 つり　母 手芸　兄 なし　姉 なし
　経済状態　扶助を受けている家庭である
音楽的　音楽指導を受けた時間数（週2時間）
　音楽の特別指導の有無（校外）なし　家庭にある楽器 なし　レコード なし
知能的　学業評価 知能指数　中（理数科を好むが国語はきらい）

調査累加記録

第 1 回	第 2 回	第 3 回
7月11日2時	10月16日3時	12月15日3時
所見 1. 地声でのどが張り裂けるように歌い，顔面赤くなる。 2. トからオクターヴ下げて歌うことが普通である。 3. 低い音はよくでる。 4. 姿勢と口形が悪い。 指導 1. 日常の会話のとき非常にきばって話すので，日常の会話を絶えず注意する。 2. 原曲を五度ぐらい移調し，歌い慣れさせるために練習の回数を多くする。 3. 口形には絶えず注意する。 4. 姿勢を正しくして歌う習慣を身につけさせる。ただし堅くならないように注意する。	所見 1. 地声でのどが張り裂けるように歌うことは前回と大差なし。 2. イからオクターヴ下げて歌う。 3. 低い音はよく出る。 4. 姿勢，口形は前回とあまり大差なし。 5. のどが開いていない。 指導 1. 引き続き日常の会話を注意し，きばらないで話すことができるようにする。 2. ヘからハまでの間で下降音階を静かにゆっくり歌わせるように指導する。 3. 歌曲は五度ぐらい移調して歌わせることは前回と同様。 4. 姿勢口形も前回と同様指導する。	所見 1. 高くなるとオクターヴ下げて歌うことはなくなった。 2. また低い音は地声であるが高くなると裏声を出せるようになった。 3. 口形はよくなったが姿勢はまだよくない。 4. 日常の会話を自分から努めてよくしようとしてきた。 5. 歌うことに興味をおぼえてきた。 指導 1. 日常の会話をますます注意する。 2. 下降音階を（ハからハまで）非常に弱くゆっくり歌わせる。 3. 歌曲は移調しないで原曲のまま歌わせる。

調査累加記録

第 4 回	第 5 回	第 6 回
1月20日3時	3月9日3時	月 日 時
所見 1. 音域がだんだん広くなってきている。 2. 1オクターヴ下げて歌うことはない。 3. 裏声を出せるようになったが，かさかさして非常に弱い。 4. 自分から進んで発声をよくしようとしてきた。 指導 1. 声がかさかさして弱いのは呼吸法が悪く，腹力がないからである。 したがって，腹にささえを持たせるために物を持たせて歌わせたり，腹に呼吸するようにと絶えず指導した。 2. 日常の会話には引き続き注意する。 3. 発声練習を少なくし，歌曲を歌わせながら発声の練習をする。	所見 1. 音域が普通の児童となんら異なるところがなくなった。 2. 裏声にいくらか共鳴を伴うようになったが，頭声にはまだまだ遠い。 3. 音楽に対する自信をもつようになった。 4. 日常の会話がだんだんよくなってきているが，完全によくなるまでにはならない。 5. 呼吸はよくなってきている。 6. のどをもっと開くように指導したい。	

の指導にからむこの困難は，当分なおわれわれの上に続くことを覚悟してかからなければならない。

しかし実験3か年の結果からするならば，このように指導上の困難があるということと，成果として現れた頭声男児の発声そのものとは，おのずから別個のものとして論じなければならない。

今，頭声の段階に到達した男児発声に耳を傾けて検討するならば，その音色，その音量，その共鳴，その声域，いずれの点からしても，女児のそれにまさるとも劣らないものであることを認めなければならない。むしろ，その清澄な音色と明るく力強い響きとは，女児では得られない男児発声の優位性を示しているともいえよう。

変声期以前の男女児の扱いは，もともと区別されるものであってはならない。入門期から女児の特質を明確につかんで，無用の先入観を捨てて指導に当るならば，男児の指導にからむこの種の困難はやがて解消し，ことさらに男児発声の指導を取り上げる必要もなくなるであろう。そして，男女児おのおののもつ特色が美しく発揮され，歌唱の指導に新しい世界が開けてくることが確信される。われわれの実験と結果が，そのことを明確に証拠立てている。

11. 嗄声児とその指導

11.1. 嗄声児の分布

11.1.1. 嗄声児の調査

(1) 第1次嗄声児調査（昭和29.2.調査）

嗄声児の嗄は，いわゆるしわがれ声・しゃがれ声・だみ声などといわれる声である。研究第2年度（昭和29年2月），全校生徒を対象として特に難症とみられる嗄声児童だけを選び出した。次に示すのがその数である。

昭和29年2月調査

○在籍児童総数　2662名

○難症嗄声児　36名

○在籍数に対する嗄声児の比率　1.35%

○嗄声児　36名　内訳｛男23名　女13名

○学年別分布

表11.1.1.　学年別分布

1　年	2　年	3　年	4　年	5　年	6　年
8	10	7	3	5	3

以上のような結果となったが，これらはいずれも後に述べるような難症児童のみであった。その後，（昭和30.2.），嗄声児の範囲をさらに拡大して，その実態をはあくするための第2次調査を行うことになった。以上第2次調査について述べる。

(2) 第２次嗄声児調査の方法（昭和30年２月）

a　調査対象

全校児童（１年を除く）　1746名

*（第１次調査に比し，在籍数の減小が目だつのは，１年を含まないこと昭和29年９月に分校が落成し児童の一部が移転したことなどによる。）

b　調査方法

○全校児童のひとりひとりについて，話声・朗読・歌声の発声状態を調査し，特に歌声の状態に重点をかけて該当児童を選び出した。

c　判定の基準

○話声・郎読の場合は，発声が正常と思われるものでも，歌声の場合に息もれがして音声の響きが弱く濁りのあるものは，嗄声児の中に含めることにした。ここに線を引いて，それより嗄声度の進んでいるもののすべてを選び出した。したがって，結果的には「息もれ」→「軽症嗄声」→「難症嗄声」のすべてが含まれることになった。

11.1.2.　調査の結果

(1)　結果

調査の結果は，表 11.1.2.のようになる。これを息もれ・軽症嗄声・難症嗄声の三つに分類し，整理したものが図 11.1.3.・図 11.1.4.・図 11.1.5.である。

表11.1.2.　嗄声児の分布（昭和30.2.調査）

性　種別	息もれ	軽度嗄声	難症嗄声	合計	嗄声総数との比
男児	83	184	16	283	65.2%
女児	84	62	5	151	34.8%
計	167	246	21	434	

*調査人員　総数　1746名
*調査人員に対する嗄声児全員の比　24.8%強

図 11.1.3. 嗄声児学年別類型別調査表

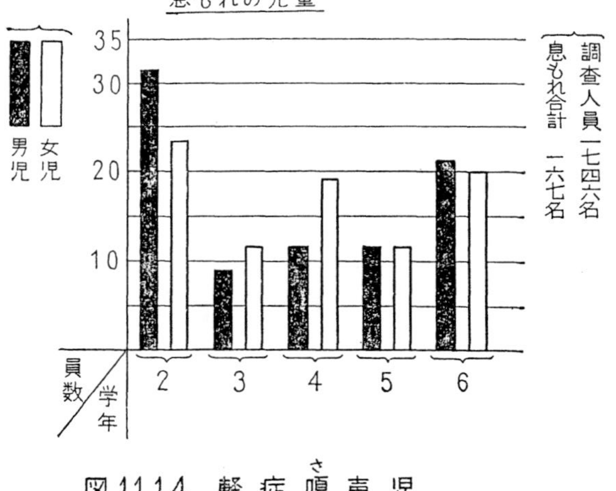

図 11.1.4. 軽症嗄声児

(2)　調査によってわかること。

a　表 11.1.2. 嗄声児の分布によると，

○息もれの児童を含めると，嗄声児の総数は，調査人員の24.8%という高率になる。

○難症嗄声児は，調査人員の1.2%に過ぎない。

図 11.1.5. 難症嗄声児

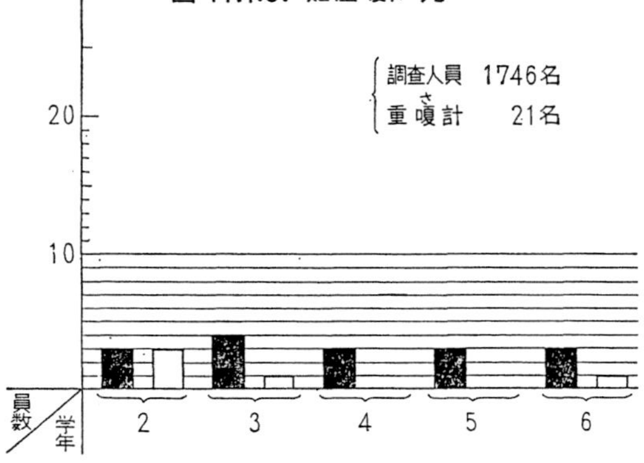

調査人員 1746名
重嗄計 21名

○嗄声児全員に対する嗄声男，女の比は，男児のほうが高率である。

65.2 %（ 283名）

○嗄声児全員に対する「息もれ」・「軽症」・「難症」の比をみると，軽症嗄声が最高率を示している。

56.6 %（ 246名）

○嗄声児全員に対する「息もれ」・「軽症」・「難症」の男女別を見ると，軽症嗄声男児が最高率を示している。

42.4 %（ 184名）

b 図 11.1.3. によって，息もれ児童の分布を見ると，

○ 2年男児が最高である。 32名

○ 3年男児が最低である。 8名

○ 2年女児の 23名

○ 4年女児の 19名

○ 6年女児の 20名

が注目される。

c 図 11.1.4. によって，軽症嗄声児の分布を見ると.

○どの学年でも，男児が女児の2倍以上となっているのが注目される。

○ 2年男児の50名， 6年男児の42名が目だっている。

○女児総数62名で息もれの84名よりも少ない。

d 図 11.1.5. によって，難症嗄声児の分布を見ると，

○数は少ないが，男児はどの学年にも分布が見られる。

○女児は総数5名で， 4年， 5年にはひとりもいない。

○総数21名は調査人員の1.2 %

第1次調査では，

総数36名，調査人員の1.35%

となっていて，両調者の間に開きがきわめて少ない。

以上のことから，息もれを除く軽症・難症嗄声が，胸声・声域狭小と同様に男児的傾向の強いことを読みとることができよう。

11.2. 嗄声の特質とその原因

11.2.1. 嗄声児の一般的特質

(1) 声がかすれていて，音色は正常発声児のようにうるおいがない。

ある曲を原調より低く移調して歌わせた場合，息もれ・軽症嗄声の児童は，比較的楽に発声し，嗄声度は話声よりも少し増す程度である。これを短二度ずつ高く移調していくにつれて，発声は苦しそうになり，音色は聞き苦しく圧しつぶされたような声になって，嗄声度は増し，声はとぎれる。

(2) 歌唱時，長く音を保って発声できない。

音作製に多量の呼気を必要とするので，一つのフレーズを一息に歌うことができない。これに関連して，頭声群と嗄声群との呼気持続時間，および1秒間の呼気消費量を比較して見ると表 11.2.1. のようになる。

これによると，

○嗄声群は呼気消費量が著しく多く，呼気持続時間がきわめて短いことがわかる。

すなわち，呼気保持ができないので，音作製に多量の呼気が必要になってくるわけである。

表11.2.1. 呼気保持比較（昭和 29.2. 調査）

項目 / 類型	呼吸持続時間		1秒間の呼気消費量	
	最高	最低	最高	最低
頭声群 (10名)	14秒	7秒	246cc	130cc
嗄声群 (難症30名)	5秒	2秒	655cc	200cc

＊ボリューム，ピッチ，一定，ホ音で測定

(3) 声域が狭い

昭和29年２月，当時の調査による難症嗄声児30名について調べた声域は，図 11.2.2.のとおりである。

この図によれば，ホの高音を出せる児童はわずかに３名で，うち１名は声域狭小である。そのほかのほとんどの児童は，歌唱に必要なだけの声域をもっていないことがわかる。

また一般に，低音域に広がりをもっている傾向が注目される。

(4) 複雑な波型

オシログラフに現れた難症嗄声児の波型を図に示すと，図 11.2.3.のようになる。

このような複雑な波型となっているのは，基音に対する振動数の整数倍でない部分音，つまり非調和部分音（雑音）を多く含んでいることを示している。

11.2.2. 症状の軽重による嗄声児の分類

すでに述べたように，嗄声児といってもその症状（嗄声度）の軽重によって，「息もれ」・「軽症嗄声」・「難症嗄声」の三つに分けることができる。この分類は，指導上の便宜という点からみても妥当と思われる。以下分類に基いて，その特色と原因について述べる。

(1) 息もれ

図 11.2.2. 難症嗄声児童声域調査表

30 名

昭和29年２月 調査

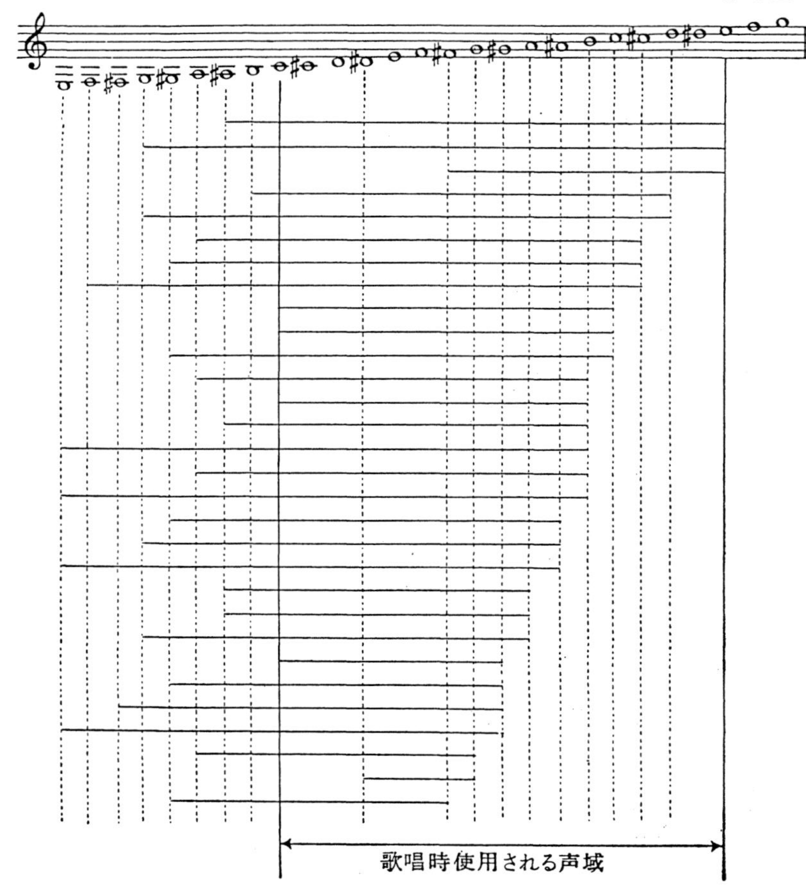

a　音声の特色

図 11.2.3.

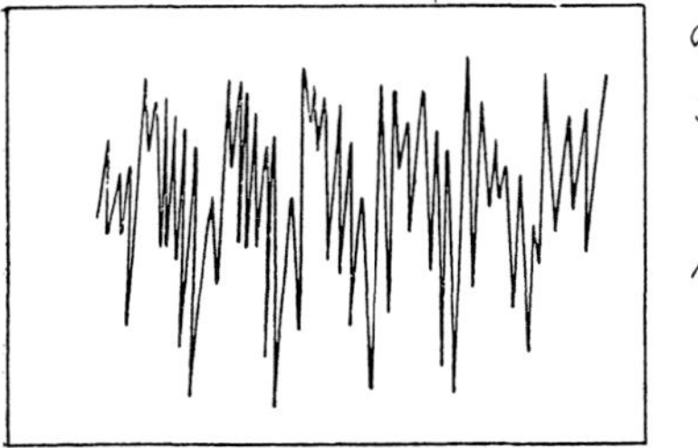

A音・220サイクル

話声・朗読における　声の響きは正常であるが，歌声の場合，息もれがして音声の響きが弱くて濁りがある。このような児童を「息もれ」とした。

これらの児童は，声域において正常発声の児童とほとんど差がなく，発声器管の医学的疾患も認められない。

b　原因

息もれの原因としては，呼吸がほとんど胸式で，声帯下の呼気量の調節がうまくできない。発声時には発声器管に異常な緊張を与えるため，その巡動の円滑を欠き，呼気が浪費されるなどのことがあげられる。

このような児童の出した声は，現象面か ら だ け 判断すると医学的疾患（発声時声帯間隙形成）による嗄声児の息もれと誤まられる場合がある。

(2)　軽症嗄声（一時的嗄声）

a　音声の特色

話声・朗読・歌唱のいずれにも嗄声が認められ，音声は息もれよりも響きが弱く，かすれて濁りが多い。

b　原因

これは風邪・気管支炎および大声を出したあとなどにみられる症状である。診断によると，発声器管または深部気道に炎症が認められる。しかし，その多くは一時的で治療が可能である。

(3)　難症嗄声

a　音声の特色

これは，前者よりも嗄声度の著しいものである。音声の響は非常に弱い。特に難症のものになると，響きはまったくなく，いわゆるつぶれた声である。息もれの音だけしか聞えないものもある。

b　原因

これらの児童のほとんどは，発声器管に医学的疾患をもち，発声器管に器質的病変・炎症・発赤などが認められる。

以下，難症嗄声児30名について，東北大学医学部耳鼻科教室の協力を得て検診した結果について述べる。（昭和29. 2. 検診）

検診人員　30名

○喉頭鏡検査可能だったもの　20名

○喉頭鏡検査不可能だったもの　10名

検診結果（症状の重複があるから累計は30名を越える）

○声帯に謡人結節の認められたもの　2名

○声帯に炎症・発赤の認められたもの　7名

○喉頭粘膜に炎症の認められたもの　3名

○発声時間隙形成の認められたもの　7名

○扁桃腺肥大・耳炎・アデノイド・咽頭粘膜発赤等　39名

以上のようであるが，扁桃腺炎・アデノイド・声帯発赤・発声時間隙形成などの多いのが注目される。

また，図 11.2.6. でわかるように，医学的疾患のほかに音声酷使（大声を出す）13名（内2名女児）という数が目だっている。この事から，嗄声の原因の一つとして，声帯の酷使があげられる。嗄声に男児が多というのは，この声帯酷使と関連があると考えられる。

ほかに，親・兄弟に嗄声の認められる児童が9名となっている。

＊謡人結節

歌手結節ともいう音声の酷使によって，声帯にこぶ状の結節ができるもの。これによって，声帯の正常な振動が妨げられて嗄声になる。

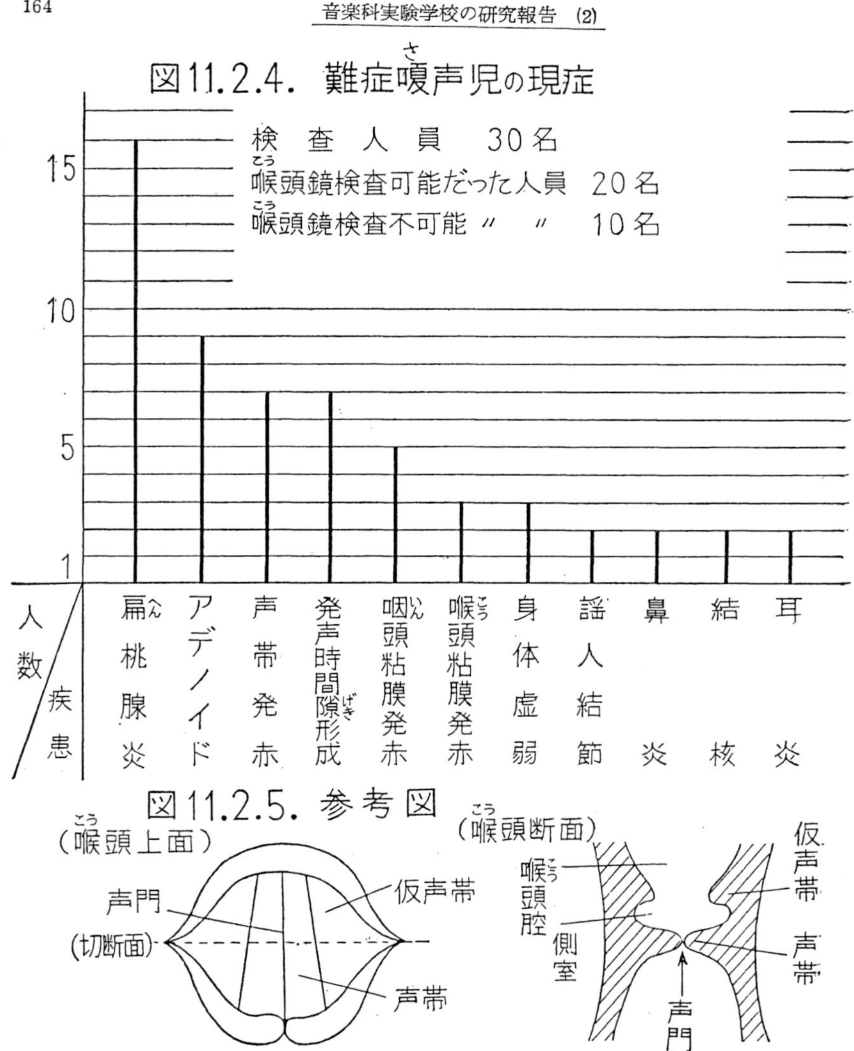

図11.2.4. 難症嗄声児の現症

図11.2.5. 参考図

図11.2.6. 難症嗄声児童肺活量・発声持続時間・呼気消費量の関係および現症

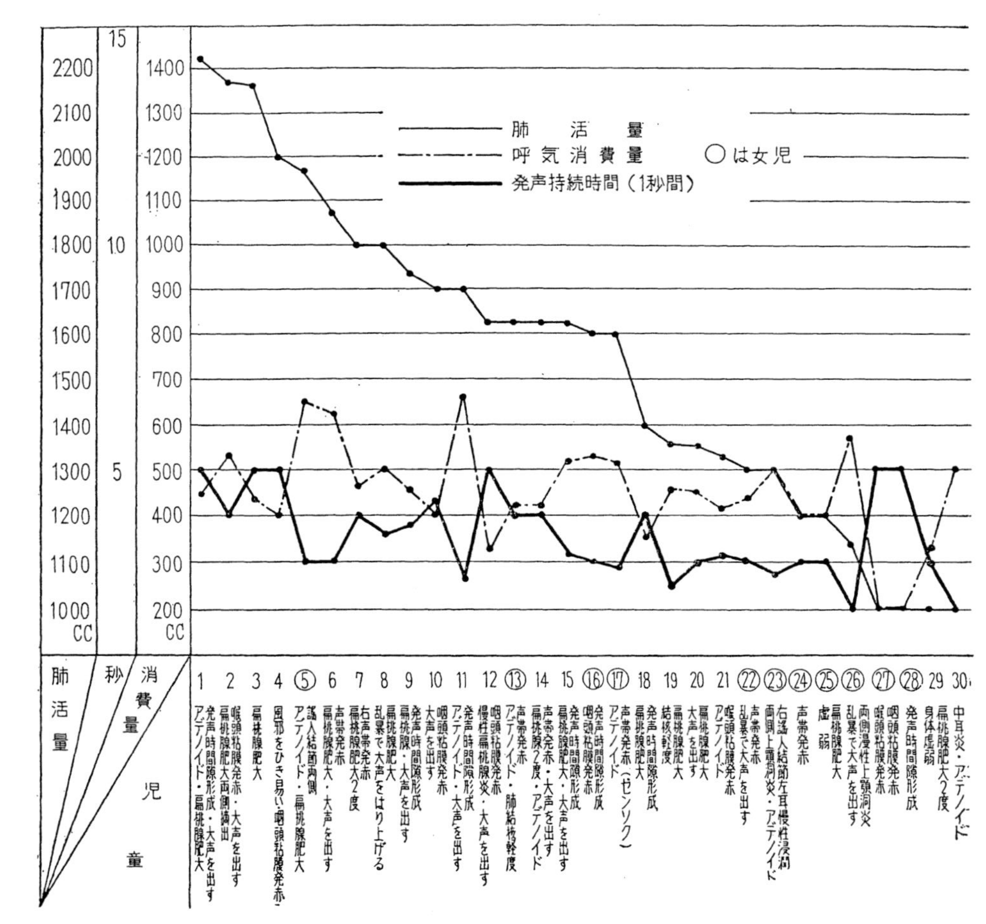

* 発声時間隙形成

発帯括約筋のゆるみのため，声門が完全に閉じることができない。息もれがひどく，音声がかすれる。

11.3. 嗄声児の指導

11.3.1. 「息もれの児童」の指導

(1) 発声

できるだけ発声器管をゆるめて発声させる。高音域になるほど息もれが多くなるから，中音域から練習を始め，濁らない声を感じとらせる。

(2) 呼吸

息もれの児童の呼吸は，ほとんどが胸式である。したがって呼吸についての指導がたいせつである。特に呼気のささえの指導が第一である。

A 正しい横隔膜呼吸の練習

まず初歩の段階として，発声の伴わない機械的な呼吸練習をする。

○立ってやる場合

両腕を静かに上方に上げながら息を吸い，おろしながら息を吐く。この場合，横隔膜呼吸を意識的に行わせる。

○すわってやる場合

上体をまっすぐにして片手を上腹部にあて，指導者の合図に従ってゆっくり横隔膜呼吸の練習をする。

B ピアノに合わせて母音唱する

児童の出しやすい音高で，ピアノのドレミファソの上行形で息を吸い，いったんささえてソファミレドの下行形を母音で発声する。この場合の吸気も発声も，メゾスタカートの気持でやらせるとよい。呼気のささえが意識的にできるように注意する。

これができてからメサディボーチェを指導すれば，さらに効果が期待できる。

11.3.2. 「軽症嗄声児」の指導

(1) 発声

A できるだけ小さい声で発声させる

これは発声器管に対する刺激を少なくし，嗄声度を増さないようにするためにもたいせつなことである。

B 歌唱可能声域に低く移調して歌わせる

嗄声度を少なくし，歌える喜びと自信を与えることができる。

C 日常生活における音声の使い方に注意する

日常の言語生活に注意し，特に大声を出さないように自制させる。

D 合唱に参加させる

声域を考慮して合唱のパートを与える。この場合，合唱の音楽的完成というよりは合唱に参加した喜びと自信を，これらの児童に与えるようにする。

E すぐれた範唱を聞かせる

教師や児童のすぐれた発声による範唱を聞かせ，美しい歌声を感覚的に捕えさせる。

(2) 呼吸（ 11.3.1.の(2)呼吸の項，参照）

発声のとき，手の甲を口もとにもってきて，手の甲に感じる息ができるだけ少なくなるような状態で発声させるのも効果がある。

11.3.3. 「難症嗄声児」の指導

息もれ・軽症嗄声については，以上のような指導法と医学的対策を必要とするものについての治療とによって，おおむね正常に返すことができた。しかし，難症嗄声を正常発声に返すことは，ほとんど不可能といわなければならない。

難症嗄声児は，さきに述べたように，謡人結節・声帯発赤・発声時間隙形成などのように，声帯に故障を起している。しかも，これらの疾患の回復は一朝一夕にはなしがたい。したがって，医師と相談して治療に努める一方，日常生活の面でよい発声習慣を形成するように絶えず指導と助言を与えることがたいせつである。

難症嗄声の中でも，結節のあるものや声帯に炎症のあるものなどは，消極的ではあるが歌うことは避け，症状の悪化を防ぐことに努めなければならない。

謡人結節のある難症嗄声児で，結節が小さくなり，息もれ程度に嗄声が軽度になったものがある。しかしこれは，きわめて特殊な事例である。

11.3.4.　嗄声児指導上の留意点

以上述べてきた嗄声児は，歌唱活動におけるいわゆる問題の児童たちである。これらの児童の指導にあたっては，教師の深い愛情が最も重要な意味をもつ。したがって，効果をあせることなく指導にあたるとともに，歌唱活動以外の器楽・鑑賞・創造的表現などの面に，嗄声児の音楽的喜びを発見させ，その才能を伸ばしてやるように親切な配慮が必要である。

また，さらに考えねばならぬことは，入門期から各発声類型に応じた適切な指導を加えるということである。これによって，嗄声児を１名でも少なくするということに役だつことも考えられるからである。教師は常に家庭とその連絡を緊密にし，よい発声習慣に父母兄弟の協力を求めるということも，これらの児童のたいせつな指導の一つと考えられる。

12.　音感異常児の実態とその指導

12.1.　対象児童の調査

12.1.1.　対　　象

いわゆる「音痴」の範囲は，考え方（尺度の決め方）によって異なると思う。本校においては「音程がとれないか，あるいは不安定であるかのために，普通児童といっしょに歌うことができない者，あるいは困難な者」（嗄声児を除く）を調査の対象とした。

本校では，これらの児童を（感覚力と表現力の両面から考えた音感という意味において）仮に「音感異常児」と名づけた。

12.1.2.　調　　査

(1)　第１次調査

各学年ごとに，一定の既習曲で個別に全校の児童（１年を除く）を調査した。（曲は規定の調子）上記の条件によって音程の不安定なもの，あるいは，音程の全然とれないものを全部この範囲に入れた。結果は図 12.1.1. のようになった。

(2)　第２次調査

次に第２次調査として，上記児童について個別に，声質・話声のピッチなどを調べた。結果は，その大部分が嗄声児であった。それで図 12.1.1. からこれらの児童を除外したところ，図 12.1.2. となった。

したがって，図 12.1.2. の児童がこの研究の直接の対象となるわけである。図 12.1.1.・図 12.1.2. ともに性別の分布状態が，男児に比べて女児がはるかに少ないということと，高学年に比べて低学年に多いということは，興味ある問題と考えられるが，今後の研究にまつ点が多い。なお，これらの音感異常児の言語活動は，一般的傾向として声質がこもっていてことばがふめいりょうである。これは発音の際の口形が狭いということにも関係しているようである。

図12.1.1. 音感異常児分布状態

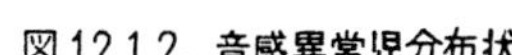

図12.1.2. 音感異常児分布状態

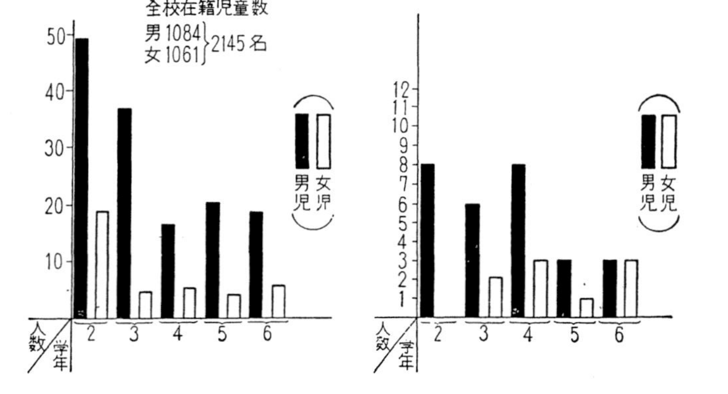

12.2. 音感異常の原因

音感異常のよってくる原因は，大別すると次のようになる。

(1) 発声器管または発声附属器管の疾患と異常

(2) 聴感覚の故障

(3) 遺伝

12.2.1. 発声器管または発声附属器管の異常

専門医の診断の結果（可視範囲における診断）

○声帯に炎症を起しているもの 13名

○慢性扁桃腺炎 12名

○慢性穿孔性中耳炎（＊1） 1名

○両側耳管狭窄症（＊2） 3名

○不明（＊3） 13名

以上の５種類であるが，この中に疾患の重複している児童が数名いる。

＊1 鼓膜に穴があき，常にそこからうみが出る。

＊2 中耳と鼻こうをつなぐ腺（旧称O氏管）が，中耳炎などのあと狭くなり，中耳の空膜の新陳代謝が不良となるため，中耳と外耳の圧力のバランスを失い，鼓膜が中耳側に彎曲するために感度が低下する。

＊3 被験者が幼小のため，軟口蓋が咽喉内の検診を妨げ，正確に診断を下すことができなかった。したがって，その中にも疾患をもつ児童がいることも当然推測できる。

12.2.2. 聴感覚の故障

聴感覚の異常の有無についての検査に際しては「純音聴力測定器」を使用した。この測定器は雑音を除いた純粋の音を，低音は64サイクルあたりから，高音は 11,584 サイクルまで，一定のボリュームで被験者に聞かせ，その感度を左右の耳について測定するものである。

この場合，測定位をデシベルで表わしている。すなわち，デシベルと感度の鋭敏さは反比例する。（表 12.2.1.参照）

表12.2.1. 純音聴力測定器による結果（平均値によるグラフ）

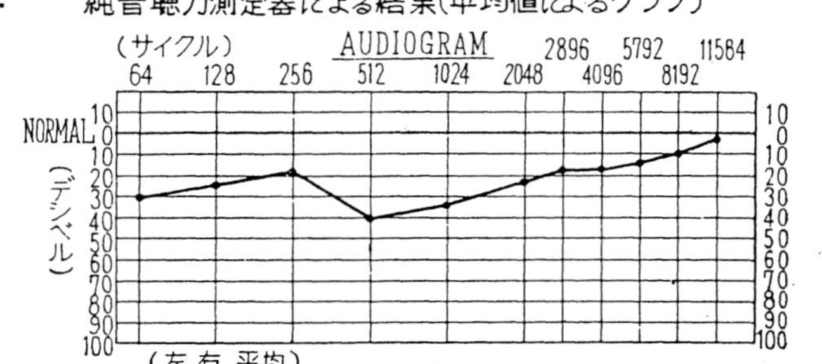

表の見方は0において正常であり，平均して50デシベルは軽度の難聴とされ，さらに進めば難聴とされている。

この測定の結果，全般的傾向として特に目立つことは，ほとんどの児童が512 サイクルの音に対して最も感度の鋭敏さを欠き（平均デシベル40），高音になるに従って感度が良好になっているということである。この傾向は音楽学習に際して相当の障害となるものである。なぜならば，512 サイクル附近の音は，音名でいえばハ附近の音で，このへんの音は音楽，特に唱歌において最も重要な音高であるからである。これらの音に対して鈍感であるということは，音楽学習にあたって致命的欠陥ともいえよう。この調査によって，音感異常の本質的原因が明らかになったように思われる。

* この調査で非常に興味深く，また疑問に思う現象がある。それは全般的に音感が良好であるが，あるサイクルの音に対してのみ，はなはだしく感度が鈍く，全然その音をキャッチできないものがいるということである。これを「脱落」と呼んでいる。（仙台T校のケース）

12.2.3. 遺　伝

音楽の全般にわたって遺伝的要素があるようにいわれている。しかし，この音感異常が遺伝によるものかどうかは明らかにすることができなかった。本校においては3年と6年に2組の兄弟（姉弟）の音感異常児がある。

12.3. 音感異常児の指導

前項に述べた種々の疾患をもつ児童は，現在，保健部・校医・家庭3者の協力で治療に力を注ぎ，その約60%は直っている。それと併行して，歌唱の面も次のような指導法を試みてよい成果をあげている。そのおもな指導法について述べる。

12.3.1. 呼 吸 法

歌唱における呼吸法の重要さとその基本的練習法については，すでに前項までに詳しく述べた。しかし，音感異常児の一般的特徴としては，呼吸が浅く，呼気をささえる力が足りないという傾向があるから，特にその呼吸法の指導について述べておく。

(1) 横隔膜呼吸の要領を会得させる。

この方法は，まず教師が模範を示す。（やや極端に誇張して）教師の腹部に手を当てさせ，（児童に）息を吸いこんだときと吐いた時との感じをつかませる。次に各自にくり返しこれを練習させる。（この場合，児童自身で腹部に手を当てさせ，慎重に意識させながら行う。）

また他の方法としては，初め胸式呼吸でいっぱい吸い込んで（このとき自然に肩が上がる。）一時やめ，次に肩をおろすと，ぐっと腹部（横隔膜）に吸気が突き当る感じがする。これを反覆練習させて，横隔膜呼吸の要領をつかむ糸口にすることも非常に有効である。

(2) 呼気のささえを指導する

呼気のささえが足りないために音声に安定感のない児童には，次のような指導をする。

重いものを持たせて歌わせたり，教師の手の甲に児童の腹部を当て，それを支柱としながら歌わせたりして横隔膜の安定を保たせることにより，効果をあげることができる。

12.3.2. 歌 唱 練 習

(1) 可能範囲の声域に移調して

音感異常児の発声は一般に低いピッチであるから，ある曲を原調のまま歌わせることは不可能である。このような児童を対象として原調のままの練習では労多く効果は少ない。

まずその児童の話声のピッチなどから推して，その児童の最も発声しやすい音をさがしてやる。あったときにはそれを自覚させてほめてやる。（こうすることによって，いくぶんでも児童に自信をつけてやる。）次に，半音ずつ上げて声域の拡張を図る。（上行の場合は，腹筋力を使うので前項(1)の方法を応用する。）

(2) 最弱声発声で

可能範囲の声域に適合するよう移調して暗唱歌を歌わせる。この場合，完全に歌えないのが普通であるから，2小節でも3小節もも部分的に，可能なところを歌わせて自信をつけ，次に半音ずつ高音に移調して練習する。

指導の初期の段階においては最弱声発声で，口形もあまり気にさせないで発声させることが（オの小さい口形がよいようである。）一般的に効果がある。必要以上に f で，しかも口形をめいりょうにして歌った場合，かえって音程がくずれることもあるから，注意しなければならない。

(3)　あせらず気長に

普通に歌わせるには，少なくとも1オクターヴの声域をもってからでないと，かえって逆行するおそれがある。あせらずにゆっくりと気長にかかることである。

＊嗄声的声質の音感異常児が，頭声発声の要領を覚えたことによって，普通児と大差のないところまで伸びたケースがある。

以上述べてきた指導法は，もちろん一つの手段でありそれがすべてではない。要するに，教師の正しい豊かな指導力とあたたかい教育愛，それに強固な意思とがあれば，音感異常児であっても特殊の場合を除き，普通のところまで伸ばすことができるということが，実験学級としての結論である。

(附)　発 声 練 習 曲

1.　練習曲のねらい

この練習曲は本校のいろいろな実験の場において，児童に頭声発声法を会得させるために使用してきた曲のうち，おもなものを指導の段階に順じて整理したものである。

この練習曲の配列構成のねらいは，次のとおりである。

まず，胸声を頭声に切り換える要領を会得させることから出発し，それを定着させてから順次低音へとその発声法を移行させ，また一方，より以上に高い音域へも広げてゆき，声域全体を明るく伸びのある豊かな音色に統一しようとするものである。

2.　練習曲の使い方

〔1番〕　発声の基本を指導する

児童の声域に応じて音高を考え，最も出しやすい音で始める。歌い出しの指導がたいせつである。歌い出しの準備として注意することは，のど・あご・くちびるなどに不必要な力を入れないで，らくな姿勢でじゅうぶん息を吸い，出そうとする音の高さを考えておき，やわらかにオ母音で発声させる。

実験の結果，発声練習でオは丸くやわらかい響きを持ち，また共鳴をつけるために最も適しているようである。しかし反面暗くなりやすいので，のみ込むような発声にならないように注意する。アは明るい響きをつけるのに効果があり，同時に個人的な発声法上の欠陥を見つけるためにも適当な母音である。しかし，口形が広いので音声が散りやすく，そのため共鳴をつける練習としてはオ母音より不利な点もある。

以下の練習曲はすべてオ母音で練習する。

こうして出された音声は，全音符の歴時全般にわたって不変でなければならない。

〔2番〕 頭声発声への第1段階

1番で無理のない自然な発声の基礎ができたら，2番は頭声発声でなければ出せない高音への飛躍練習によって，基礎的頭声発声法をつかませるに効果がある。

児童の声域に応じて調子は半音下の変イですることもある。

最初から高音ホや変ホを発声させると，特に男児にオクターヴを下げて発声するものがあるから，飛躍の土台となる音をそのままの高さで発声できるものを使った。ＡＢＣのテンポはやや速めに練習する。速めにすると高音の発声時間が瞬間的になるので，比較的らくに出せるようである。

ここで重要なことは，高音ホ音（変ホ）はイ音（変イ）に比較して，発声状態も，出された音声も，異なることを意識させることである。何べんも範唱して聞かせるとよい。（男教師の場合は，高音を極端な裏声にして範唱と模唱とを平行して *mp* で練習させる。）

ＡＢＣで高音発声の要領をつかんだら，次にＤで高音の発声時間を前より長くし，最後にＥにおいて最初から高音（ホ音あるいは変ホ音）をきれいに，そして1番と同じように発声できるように指導する。

こうして作られた音声は，初めのうちは頼りない弱々しいものである。だからといってボリュームとか共鳴とかを要求してはいけない。そうすることによって，かえってどなり声に逆行する危険性があるからである。

〔3番～6番〕

2番の　習で高音の発声が一応固まったなら，次にその発声法によって，順次進行でハ音へと広げていく。

指導にあたって注意することは，下行形の場合は声帯の緊張度がとけていくので，ともすると —— で胸声になりがちである。やわらかに軽く発声させるようにすることがたいせつである。低音へ半音ずつ移調しながら広げる方法もよい。

〔7番〕

三度音程で下行形を練習すると同時に，使用声域を変ロまで広げる。

〔8番～9番〕

高音域が頭声で発声できるようになったら，今度は中音域を中心にして高低両音域に広げていく。ここで注意すべきことはアタック（歌い出し）を柔らかにすることである。上行形はともすると，りきむ傾向があるので，アタックが胸声にならないよう特に留意して指導する。

〔10番〕

使用声域をさらに広げ，オクターヴにわたって同一の発声法で音質の統一をねらったのがこの練習曲である。イ音以下の音は比較的発声しやすいので，特に男児は叫び声を出しやすく，せっかくここまで練習してきた発声法がくずれてしまうおそれがある。したがって，へ，変ホ音あたりの発声もやはり高音発声のときの要領で，常に頭部への共鳴をも　せるように暗示を与え，高音と低音の音色を統一することに注意しながら指導する。

〔11番～12番〕

三度，四度音程を分散和音として扱い跳躍音程における音質の統一をはかるように練習する。

〔13番〕 上行形，下行形を用いてさらにスムースな発声をするための練習曲。

これは今まで行った練習の総合的練習曲といえよう。全体が最初の音と同じ音色をもって統一されることが理想である。初めは全体をレガートに，それができたらスタカートで歌う。

〔14番〕 高音域を広げるための練習曲

ＡＢＣとも最初はやや速めにメゾスタカート（あるいはスタカート）で軽やかに練習する。これができたら次に，テンポをゆるめてレガートで行い，高音域を定着させる。また，さらにこれを半音ずつ上に移調して声域の拡張をはかる。

〔15番〕 低音域拡張のための練習曲

テンポはゆっくりレガートで，順次調子を下に移調していく。あくまでもやわらかく，しかも頭部共鳴をねらって練習させる。

発声練習曲

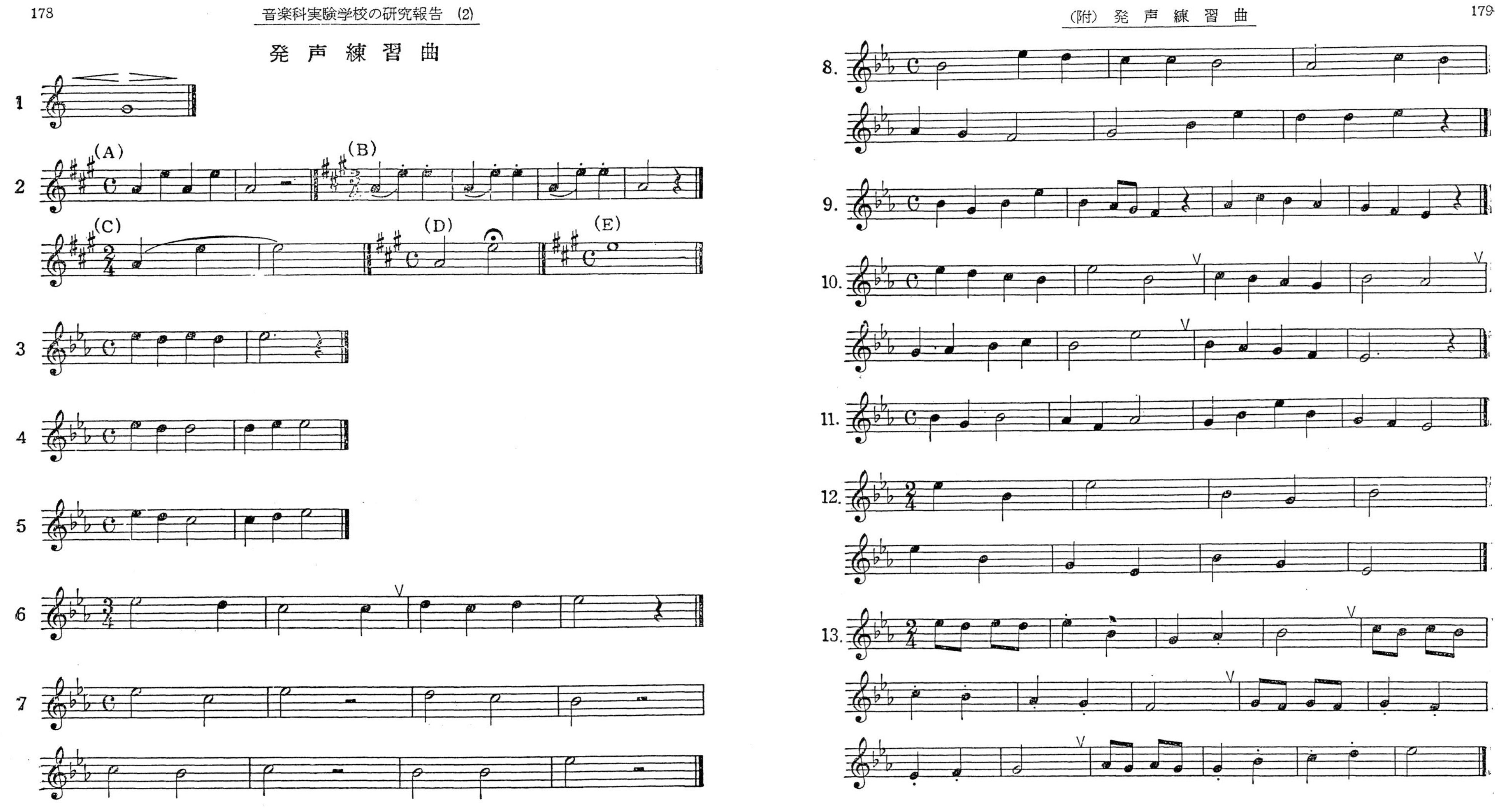
1
2
(A)
(B)
(C)
(D)
(E)
3
4
5
6
7
8.
9.
10.
11.
12.
13.

各調における和音合唱（関係短調も含む）

初等教育研究資料　第XIV集
音楽科実験学校の研究報告（2）

MEJ 2587

昭和31年7月10日　印刷
昭和31年7月20日　発行

著作権所有　文部省

東京都千代田区神田神保町2の10
発行者　教育出版株式会社
代表者　小坂佐久馬

東京都新宿区市ケ谷加賀町1の12
印刷者　大日本印刷株式会社
代表者　北島織衛

東京都千代田区神田神保町2の10
発行所　教育出版株式会社
電話(33)0191～5　振替東京107340

定価 220円

A面　児童発声の類型

(1)単音の場合

- a．声域狭小児　イ
- b．嗄声女児　イ
- c．胸声男児　ハ
- d．胸声女児　ハ
- e．頭声男児　ハ
- f．頭声女児　ハ

(2)旋律独唱の場合
（みどりのそよ風）

- a．声域狭小男児
- b．嗄声女児
- c．胸声男児
- d．胸声女児
- e．頭声男児
- f．頭声女児

(3)旋律斉唱の場合
（みどりのそよ風）

- a．声域狭小グループ
- b．嗄声グループ
- c．胸声グループ
- d．頭声グループ

B面　各学年の歌唱

第1学年「くつがなる」
指導　柳田かほる
（入学2か月後，男女普通学級）

第2学年「かっこう」
指揮　吉田　幸子
伴奏　柳田かほる（男女斉唱）

第3学年「野　菊」
指揮　三浦　節夫
伴奏　曽我　道雄（男女斉唱）

第4学年「おまつり」
指揮　朴沢　あき
伴奏　三浦　節夫（男女二部合唱）

第5，6学年男児「ふるさと」
指揮　菅原　文吾
（三部和音伴唱）

第5，6学年女児
「みどりのそよ風」
指揮　曽我　道雄
伴奏　三浦　節夫（二部合唱）

第5，6学年男女児
「なかよしの歌」
指揮　菅原　文吾
伴奏　曽我　道雄（二部合唱）

（仙台市立南材木町小学校児童）

〔注〕このレコードはEP盤レコードである。
したがって，長時間盤用宝石針のついたピックアップを使用し，正しく1分間 45 回転にしなければならない。
78回転や33⅓回転では正しく再生できないし，ことに普通のレコード（SP盤）に使用する鋼鉄針を用いることはレコードの溝をいちどに摩滅し，使用にたえなくしてしまうから，じゅうぶんに注意しなければならない。

教育出版株式会社　発行

定価　220円

初等教育研究資料第XV集

算　数
実験学校の研究報告
(7)

文　部　省

算数実験学校の研究報告

(7)

(1956年度)

文　部　省

まえがき

この研究報告(7)は，第1部と第2部とに分れている。

第1部は，千葉市立検見川小学校における研究の結果をまとめたものである。これは，昭和25年以来6カ年間継続してきている研究で，その昭和29年度までの成果は，すでに研究報告(1)～(5)によって，順次発表されてきているので，ここには，昭和30年度に研究したことを主としてのせた。

この研究は，第4学年における「二位数×基数」の指導を中心にして，ひとりの残されたこどももつくらないような指導法を確立することをねらって始められたものである。昨年度までの研究において，このためには，(1)基礎になっている事がらの理解をじゅうぶんに得させること，(2)こどもの能力に応じてどのこどもにも学習に参加できる方法を考えること，(3)こどもの考えを伸ばす助けとして，教具を用いることなどが必要であることが明らかにされ，それを骨子として毎年改善しながらいくつかの指導計画を作ってきたが，これについては，だいたい成功していると考えられる。

本年は主として低学年での素地がじゅうぶんにできた場合に，その指導計画がどれだけ短縮されるかということ，および，この指導計画によって指導されたこどもについて，事実問題を解く場合に抵抗として残るのはどんな点かということを明らかにしようとした。これらについては，後述のとおり，だいたい予想されたような結果を得たように思うが，後者については，問題の性質上，まだ研究すべき点が多い。

この研究は，とにかく，算数を現場で指導する場合に，また，その研究をする場合に，非常に参考になる点が多いと思うので，広くこれを利用されることを望んでやまない。

また，学校に対しては，非常に長期間の研究で相当な御迷惑をかけていると思うが，これは現場における実践を通して，ほんとうにだれにでも利用できるようなものを作ろうとしたからにほかならない。幸い，よい成果をあげ，各方面から期待されているので，先生がたの御苦労も報いられていると考え，この研究のまとめに当り，大いに敬意と感謝を表する次第である。

第2部は，昭和26，27，28の3年間，当時，算数の実験学校であった信州大学付属長野小学校において研究した結果をまとめたものである。

これは，文章で表わされた問題を解くにあたって，こどものつまづきとなる要素を調査研究したものである。これは，算数の指導において重要な問題であるが，それだけに研究に当っていろいろ困難な面がおおい。ここにあげたものは，その一部につき短期間に研究したものであって，まだ多くの解決すべき問題が残されている。しかし，この問題は，最近，各地においてとりあげられているので，その際の資料として意義のあるものと考える。

当方のつごうで，発表がたいへん遅れた。この点についておわびするとともに，この研究に関係された先生がたに対して，深く感謝の意を表したいと思う。

昭和31年3月

初等・特殊教育課長　上野芳太郎

も く じ

も く じ

第 Ⅰ 部

千葉市立検見川小学校の研究

はじめに

本校の研究は，30年度ですでに6か年を経過したことになる。このように長く継続して研究できたのは，多くのかたがたの御援助のおかげであると考え，この報告書の最初に述べて深い敬意を表わすものである。

この間，特に気をつけてやってきたことをふりかえってみると，次のようなことをあげることができる。

(1)　研究を累積的にすること

学習が累積的でなければならないように，教育研究も累積的でなければならないと考え，功をあせるということをつとめて避けて，少しずつ研究を進めていくことにした。

一つの年の研究で，わかったことは何か，また，問題として残されることはどんな点かをはっきりとさせ，毎年少しずつでも，解決の方向に結果が累積されていくように心掛けた。これは，報告をまとめるにあたって，必ず本年度の結論と今後の問題点という章を設けて，自分たちの歩みを冷静に反省するようにしたことや，結論という文字を用いても，それはいつも，本年度までの一応の結論という意味で考えていたことなどにも表われている。いわば研究に終りはないということを根本の態度としたのである。

(2)　具体的な事例をもとにして研究を進めるようにしたこと

指導にあたっては，できるだけ先入感をもたないようにし，こどもの反応をすなおにみることに努めた。

こどもの動きをみて，全職員でその対策を考えていくという学習指導の進め方は，時間的にも能率的にも，まわりくどい方法であるように思えることもあったが，ひとりびとりの遅れているこどもを伸ばす対策としては，これ以外に方法が見つからなかったことも事実である。

これらの点は，普通の教師が，どの学校，どの教室においても歩まねばならなかった道であると考えている。

ただ，われわれとして喜ばしく思うことは，毎年こどもの成績や計画の上で，進歩とみられる点を見いだすことのできたことである。

継続的な研究をするとき，いつも考えてきたことは，職員の和と協力ということである。このような研究が，ひとりやふたりの力でできるものではない。幸いに，協力において力の出し惜しみをしない多くの職員をもてたことは，この研究が多少とも成果をおさめることのできた最大の原因であると考えている。また，算数の実験学校ではあるが，算数の研究だけに終らずに，他教科の指導にもその成果を及ぼして考えられるようにとの念願は，絶えず心掛けていたことである。

それで，算数科においても，他教材の指導に，この研究によって得た考え方が適用できないものかどうかということと，算数以外の教科の指導にも及ぼして研究を進めてみようとすることを考え，実践にうつしてきた。

また，これらの研究については，どんなことが同じに考えられるか，また違う点はどうかということについては，確実に報告する段階にまで至っていないが，少しずつ成果があげられていることもあわせて報告したい。

Ⅰ 本研究のねらい

§1. 研究主題と経過

研究主題は，「こどもは二位数に一位数をかけるかけ算の計算において，どんなつまずきをするか。また，それはどのようにして救うことができるか」である。これについて，昭和29年度までどのように研究してきたかは，次の研究報告によって明らかにされている。

昭和25年度の研究……算数実験学校の研究報告(1)
昭和26年度の研究……算数実験学校の研究報告(2)
昭和27年度の研究……算数実験学校の研究報告(3)
昭和28，29年度の研究……算数実験学校の研究報告(5)

ここでは，それらの報告からその要点をまとめ，本30年度の研究の位置がわかるように，その概略を述べてみたいと思う。

（昭和28年度の協力学校での研究成果は同上の研究報告(4)に，昭和29年度の協力学校の分は研究報告(5)に付記されている。）

25年度	26年度	27年度	28年度	29年度
(1)誤算の調査 (2)誤算型の分類 ・原因別に ・A型～L型まで (3) かけ算に必要な数学的素地（仮説） ・数の大きさ ・かけ算九九の意味 ・よせ算九九 ・かけ算九九 (4) 試行指導 ・数学の解説（失敗） ・色カードで創造（成功） (5) 結論 ○○×○の理解事項 ・数の大きさ ・かけ算の意味	第一次験証指導 5月失敗 ◎ひとり残らずのこどもに理解できるように ◎能力のとらえ方指導の機会 第二次験証指導 12月成功 ◎具体的な学習の場で計画（リアルな行動の思考） ◎計画の系統 演算，式，計算 発達段階	験証指導 5月成功 結論 ◎発達差に応じた能力別指導 ◎数学的理解事項 （数の大きさ かけ算の意味） ◎指導計画 ・具体的な思考をのばして創造させる ・ひとつずつ確実に 理解の永続性適用性の調査 無意識に生活で使えるように（条件と反応）	一般性の験証 協力学校の依頼 結論の験証と学習の能率化の研究 ◎験証指導 5月…13時間（J K型残る） ◎能率化 ○○×○… 13時間 ○○○×○… 2時間 ○○×○○… 5時間 残された問題 ◎学習の能率化 ◎進んだこどもの指導 ◎J K型の指導 ◎人間性を伸ばすための教科指導の研究 ◎他教材(算)他教科における適用	一般性の験証 協力学校の依頼 験証指導 ◎5月…11時間（J 1人残る） ◎指導案修正 学習の場，進んだこどもの対策 かけ算学習の素地の指導 ◎かけ算九九の実験指導（3年） ◎加法の指導（2年） ◎記数法の指導（1年） 分数の試行指導 ・分数±分数（5年） ・分数×÷整数（6年） 理科，国語の験証指導

各年度のかんたんな説明

A　昭和25年度

(1)　二位数×一位数の学習の終った5，6年（380名）にテストを行った。

(2)　誤算の原因を調べ原因別に誤答型を分類した。

(3)　原因を除去するための治療指導を，試行的に二回行った。

①　数学を懇切ていねいに解説してみたが失敗した。

②　こどもの考えられる問題で，教具によって思考を進めるようにして成功した。

(4)　一応の結論（仮説）は，次の事項である。

①　数の大きさについての理解を得させること。

②　かけ算やその計算方法の意味の理解を得させること。

B　昭和26年度

(1)　4年全員を対象としての理解事項（上の(4)）が正しいかどうかの験証指導を行った。

(2)　しかし，6月の指導では失敗した。その原因は，

①　特に遅れているこどもの対策がたてられていなかった。

②　能力の考え方と，具体的な対策が考えられていなかった。

(3)　(2)を考慮しての12月の指導では成功した。ここでわかったことは，理解事項は正しくても，こどもの能力についての考え方およびその対策がないと遅れたこどもを伸ばすことはできない。

C　昭和27年度

(1)　対象児童4年全員，5月に指導した。

(2)　遅れているこどもにも応じられるように理解事項を考えて指導計画を立案することの必要性と具体的な指導法の改善についての目安とが明らかになった。

(3) 一応成功したとみられる。

D 昭和28年度

(1) 前年度に得た結果について引続いて験証指導を行う。

(2) 本校の研究に一般性があるかどうかをみるために，約90校に実験協力学校を依嘱して実験指導をした。

(3) 算数科指導で得た考え方を他教科の指導にもあてはめて考えてみた。

E 昭和29年度

(1) 本校と協力学校（50校）で験証指導を行った。

§2. 指導計画の骨子とその重点

A 指導計画についての考え方

本校の実験で主としてとりあげた二位数に一位数をかけるかけ算の指導計画について，昭和26年度から，どのように改善されて現在のようになったかについて述べてみたいと思う。

昭和25年度の試行指導の結果考えられたことは，できあがった結果を，いかほどていねいに指導しても，そこまでに至っていないこどもはその説明さえ消化できないで，やがては誤算者になり，遅れていくということであった。

このことは何を物語るかというと，今までの指導案が，どうかすると，教師の一方的な計画であり，こどもの進歩や，困難を知って，それに応ずるような指導の対策がなかったということである。そのため，こども個人を伸ばす指導計画ではなかったということであるといえる。

昭和26年度の第１次指導で失敗したことは，今述べてきたことが，頭の中で考えられていたこともあるが，実際の計画の場合に，具体的な形で示されなかったということもあげられると思う。

要約していうと，指導案は単に教師のための計画でなく，こどもの学習および，それの援助が確実にできる対策が考えられている計画でありたいということである。昭和26年度の第２次指導の計画は，その意味においては一歩進歩したと考えられる。

今のような立場で，指導計画を考えていくのであるが，現実にはなかなかよい対策は生れてこないものである。そこで考えられたことは，いつもこどもの進歩を評価しながら，こどもの進歩に合わせて飛躍があるかどうかを考え，指導計画を修正していくという態度をとることにしたことである。

実際の指導には，こどもの障害を診断して，あらかじめ計画をたてる場合に，ひとりびとりのこどもの障害点は予想して考えているのであるが，実際に学習指導を展開すると，必ずしも，そのとおりにこどもが反応しない場合が多い。そこで，どのような場合に，この指導計画で，毎時の学習を進めてよいかどうかの評価規準として，毎時のテストの結果，誤算率10％を目あてとし，それ以上誤算者が多い場合には，次の学習に進むのに困難があるものとして，指導計画を修正して，その時間の学習を，もう１時限行うようにした。

このようにすると，案外毎時限の借金を残したまま，次時の学習にはいっていることが発見され，遅れたこどもを救う手がかりが得られた。

誤算者１割というのは，特別に根拠のある数字ではなく，ひとりのこども見のがさない対策として考えられた初期的な指導の態度であって，その後はたとえ20％ぐらいの誤算者があった場合にも，次の時間で救える見通しがたった場合には，そのまま次時の学習にはいるということにした。ただし，20％以上の場合には，どこかに指導計画が無理であるということもいえると思う。

次にこの実験指導を通して，しみじみと身にしみて考えさせられたことは，ほんとうにこどもの学習の問題となりうるものをとりあげるということである。今まで一般に，学習問題とかこどもの問題ということがいわれているが，その場合の問題というのは，できるだけ，こどもの生活経験のあるような問題を取りあげるというような意味で考えられていたようである。本校でも，初期には，そのような意味で，問題ということばをとらえていたのであるが，それだけでは，問題にならないということがわかった。すなわち，こどもにとって，何が困難であるか，どこに思考を進めていく上に障害があるかがはっきりしないことには，それはよい学習問題にならないということである。

このようなことから，こどもが現に行っているものをとりあげて，学習の場とし，そこでの困難点を，どのように解決していったらよいかを学習問題としたわけである。この考え方は，27年以降の指導計画で，特に強調されたところであり，学習問題についての考え方が現在のようになったのは，28年以後である。

最後に昭和26年度から本年度までの指導計画をみて，大きな問題は，学習の時間が毎年短縮されてきたことである。結果からいえば，26年27年は14，13時限の指導であったが，29年度は11時限に短縮した。その結果は，正答率において，後者がむしろ上廻っている。

本年度はさらに6時限の指導計画になったのであるが，これについては後にのべる。

11時限に短縮され，さらに6時限に短縮されると，往々にして，前学年までの素地のないこどもは見のがされがちになるので，特に，予備調査の完全な実施とその結果についての評価が重要になってくる。

B　指導計画の骨子

先にも述べたように，指導計画では，こどもの生活にとってのどんな問題

をとりあげたらよいか，いわば，こどもの実際生活の上に現れるトラブルは何かをはっきり押えることが必要である。そこで，こどもの実際生活のどんな点で，二位数に一位数をかける学習内容が考えられるかを考えてみた。その結果，一般には「お金を集める」あるいは「買もの」という事例が，いちばんこどもの生活に合っているように考えられるので，その場をとりあげて，こどもはどのような手ぎわで集金をしているかを見ようとした。

一般には，こどもにお金を集めさせると，ひとりいくらで何人分集めるということが，最初に行われ，次に，集まったお金をいくらになったか数えるであろう。さらに，お金と，人数が合っているかを計算によって確かめるであろう。

このような手順は，意識するしないにかかわらず，たいていは行っているところである。ところが，必ずしも手ぎわよく処理しているとはいえない。たとえば，35円ずつ4人集金したとすれば，それほど数えることに困難やまちがいはきたさないかもしれないが，もっと個数が多くなった場合には，お札の数え方や，はたしてそれで金高が合っているかのたしかめなどに多分にまちがいが出てくるわけである。同数を累加する場合に「＋」から「×」が使われるようになったのは，そんなところも必要や意味があると考えられる。

今述べてきたように，こどもにとって生活的な内容と数学的な意味とが一致するならば，こどもは，意欲をもって問題解決の学習にはいっていけると思う。

この指導計画は，こどもの日常において処理していることをとりあげて，もっとうまく処理するには，どうしたらよいかという学習問題をもとにして考えることにした。いずれにしても全体を通している考え方は，こどもにとって全然問題にならないことでなく，行ってはいるが，あまり処理がうまくないということをとりあげて，もっと高い方法（数学的にみて）を身につけ

させようとしたものである。

こどもの生活と，数学的な内容とを考え合わせて，この指導計画の骨子は次のようになっている。

① 買った品物の単価と個数がすぐわかる表わし方をくふうする。

② お札を手ぎわよく数えて，支払う金高を求める。

③ 金高を計算で求めるくふうをする。（くり上りのない場合）

④ 同じお札がたくさんになったとき，金高をわかりやすくするくふうをする。

⑤ 金高を計算で求める。

この指導計画の意味を，数学的な内容の面から説明すると，①では，演算の意味についてじゅうぶん理解させるようにする。理解事項として考えられた「数の大きさ」と「演算の意味」について理解させれば，どんなこどもでも誤算をするものがいないという考えから，それぞれの数量間にある関係を判断し，記号を使って式に書き表わすまでの学習に，特に，じゅうぶんな時間をかけることをねらっている。しかも，演算の意味を理解させるにも，具体的な場で，具体的な行動を通して，考えられるように配慮した。

②と④では，こどもが現に行ってできるお金の数え方で，くりあがりのない場合，ある場合の処理のしかたを考えさせるようにした。お札を用いると十進記数法の意味のわからないこどもでも，容易に考えを進める上に便利であるからである。

以上述べた点は，この指導計画における最も重要な部分で，この指導がじゅうぶんに行われないと，計算へいって，つまずくこどもができるわけである。いわば，形式を支えている考え方を，具体的な行動を通して理解させることによって，新しい形式にまで考えつかせようとするねらいがあるわけである。すなわち，こどもがものを考えたり，考えを進めていったりする上の

バックボーンになる考え方の育成を重視したところに，この指導計画の特長があるといえると思う。

次に，学習の問題と指導内容について述べる。

(1) 次の買物をしました。一つの値段と買った個数がよくわかるようにお金を出してみましょう。

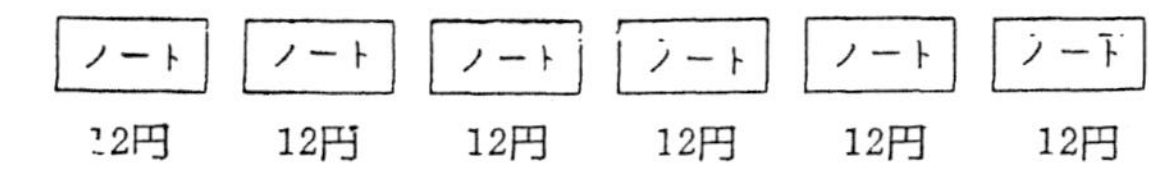

… ま　と　め …

▨□□ を1冊分として，これを6かい並べる。（▨は黄カードで10，□は赤で1）

(2) 1さつ12円のノート，6さつぶんのお金を出すには，どんな式にかけばよいでしょう。

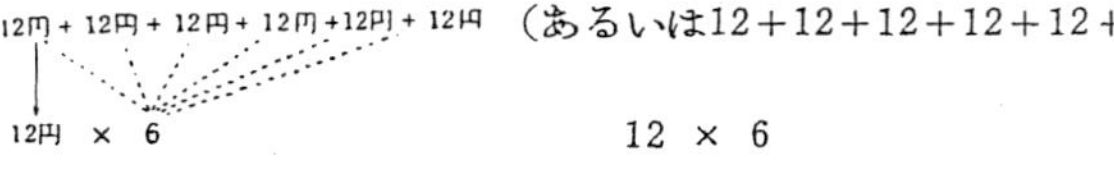

（あるいは12＋12＋12＋12＋12＋12）

12 × 6

… ま　と　め …

① 同じ数をいくつもよせるときは，「×」をつかうとかんたんでよい。

② 12×6 の6は12を6回（6こ）よせることを表わしている。

(1)と(2)は，26，27，28年度では，単価が基数の場合で考えさせることにした。それは３年のかけ算九九の復習である。基数の場合についての演算の意味が理解されれば，すぐに単価が10以上（10円以上）の場合で考えられるわけである。ここで(1)のように，具体的に並べたり，(2)のように数字を使って累加の形に書いたことは，３年のかけ算九九の意味の理解ができていれば，10以上の場合でも考えられるわけであるが，遅れているこどももいるので，10円以上の場合でも考えられないかということを学習問題としたのである。

(3) 同じ値段の品を，いくつも買ったときのお札は，どのように数えると早くわか

るでしょう。

12円のノート4さつ買ったとして，くふうしてみよう。

数え方　i）1円札を数えるのに

(a)　1，2，3，4と1枚ずつ数える。

(b)　2，4，6，8と二つずつとんで数える。

(c)　「二四が八」とかけ算九九を使う。

(a)(b)(c)どれも正しいが，かけ算九九を使うと速くわかる。

ii）10円札を数えるのに…… i）と同じに

… ま　と　め …

①　1円札と10円札は，ねうち（単位）がちがうので，別々に数える。

②　いくつかずつとんで数えたり．かけ算九九を使うと速く数えることができる。

(4)　支払う金高が，いくらになるかを，速くだすにはどのようにしたらよいでしょう。23円のクレパスを3こ買ったとして計算してみよう。

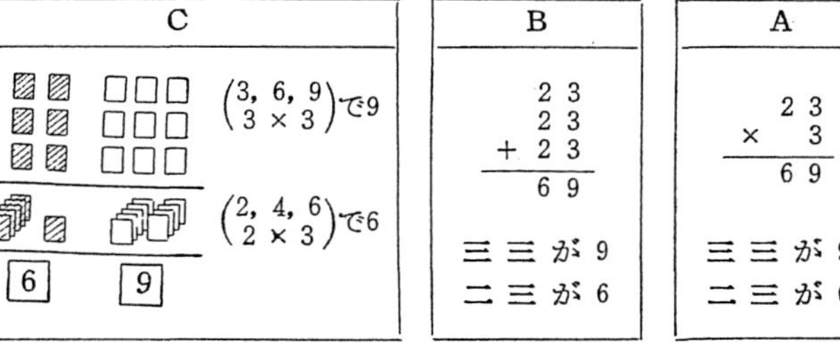

A

23
× 3
69

三三が9
二三が6

ABCはそれぞれどんなところが似ていますか。

AはCとBの，どこをくふうしてあるでしょう。

… ま　と　め …

①　かけ算は同じ数を，いくつかよせるときの計算を，手ぎわよくする方法である。

②　かけ算でも，よせ算や，お札を数えると同じように，単位毎に別々に計算する。

(3)(4)の学習は，この指導での中心である。すなわち，(3)では，お金を数える場合には，金種別に分けることから，分けられた同じ種類のお札をそれぞれ数えるという行動は，計算において，同じ単位にわけて，単位の同じものについて，その個数を数えるという計算の原理の基礎になる考え方を理解させる。

(4)は，その場合の個数の数え方である。ここでは，くりあがりのない場合について考えさせることにしている。A～Cの三とおりの数え方は，こどもの能力に応じての，みずからの解決のしかたが出てくる。すなわち，金種別にしたあとで，数字の上でかけ算九九を使ってできるが，そこまで伸びないで，累加あるいは色カードで解決するなど，教師の指導において予想されるこどもの手ぎわが関係してくる。10円以上の品ものを，何個か買った場合でも，かけ算九九が使えることの理解は，遅れているこどもには，むりな場合もあるので，特に念を入れて指導する必要がある。

(5)　おさつがたくさんになったとき，おさつの出し方をどのようにくふうすると，かねだかがいくらあるか，すぐわかるでしょう。

12円のえんぴつを，7本買ったとして，おさつの出し方をくふうしよう。

• 1円札10枚を，10円札1枚ととりかえる。

… ま　と　め …

①10枚以上になったら，大きいおさつととりかえると金高がわかりやすい。

②くりあがりのよせざんと同じ考えである。

(6)　いくつも買ったときの金高を，早くみつけるには，どうしたらよいでしょう。

12円のノートを8さつ買ったとしてくふうしましょう。

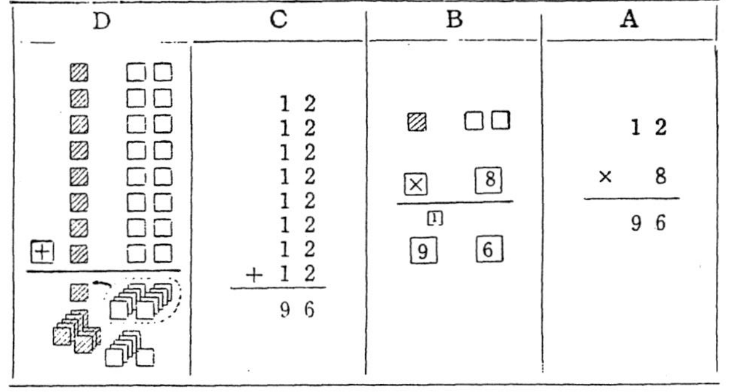

A，B，C，Dは，それぞれどんな点についての考え方が同じでしょう。

どんなくふうがしてあるでしょう。

…ま　と　め…

おさつを出すと同じように，大きい単位になったらくり上げる。

ここでは，くりあがりのある場合について，おさつの数え方と同じにできることを，計算によってまとめる。(3)，(4)で金種別に分けて数えられるようになれば，一つの位が10こ以上になった場合も考えられるはずであるし，この学習は，むしろ低学年で，じゅうぶん学習してきたのであるが，数字で計算する場合などには，使えないという欠点が出てくる。それは，数の大きさについての理解が成立していないこどもに特にいわれることであるが，現実には，かなり誤算する傾向も見える。

以上は，本指導計画のだいたいの流れであり，骨子である。しかし，考え方については，まだ，低学年で身についていないことが多いために，すぐに10以上の場合で考えられないという指導上の問題もある。

次に，この指導計画で特に強調してきた点について述べる。

(1)　どんなに遅れているこどもでも，学習に参加して自分で解決することができるような対策を考えた。

それには，計画の中に，予想されるいくつかの方法（素朴な方法から高い方法まで）をあげて，そのいずれかの方法で考えられるようにした。いわば解決の方法を一つに限定しなかったことである。

また，遅れているこどもでも，むりなく一段ずつ進歩できるように考慮した。いつもこどもの進歩と合わせて学習に飛躍がないように考えて立案したということである。

(2)　こどもの思考が一段ずつ累積されるように考えた。

それには，いつも前の段階の学習と関連づけ，今日は，昨日の学習と違うところはどこか，また，違うことでも，どんなことを考えれば解決できそうかということを考えて，たとえ少しずつでも考え方が累積されるようにした。

おさつの数え方と計算の方法を関係づけて考えさせたり，累加とかけ算の関係を考えさせたりしたのは，そのようなところにあったわけである。

いずれにしても，共通的にいえることは，こどもが，ひとりでできないことには，全部のこどもが意欲をもって学習に参加したり，みずからの力で解決したりすることはできないと考えるので，いつもこどものやれること，そしてできることを学習の出発とするように立案した。

(3)　進んでいるこどもの思考を妨げないようにしたい。

遅れているこどもを中心に考えて，進んでいるこどもが，あきるようであっては，すべてのこどもを伸ばす学習指導の計画であるとはいえない。本指導計画では，特別に進んでいるこどもへの対策を，積極的に考えているとはいえない。しかし，指導中に，「よりうまい方法をくふうしよう」としたことや，具体的なものを操作することを通して，より確実に身についた考え方にするように配慮したなどのことが対策としてあげられる。

C　指導計画立案にあたっての考慮点

毎年度の失敗や成功をもとにして考えられた，指導計画立案にあたっての留意点について，まとめて述べてみる。

このことについては，既に27年度の研究報告として報告されているので，要点だけ抜き書きをすることにした。（研究報告(3)のP.165～170）

(1) こどもの側に立って考え，こどもの進歩が累積的発展的であるような指導計画でありたい。

(a) 一段一段と踏みかためて，学習が累積されるようにし，こどもがその段階にまで伸びていないのに，しいることがないようにする。

(b) 具体的な行動を通して考えさせることによって，どのこどもも理解できるように立案する。

(2) 算数をうまく使って，生活改善や問題解決ができるように立案する。

(a) こどもの身近に起るもので，算数のよさがよくわかるようなものを題材として取りあげる。

(b) 学習したことを，広く類似の生活事例に適用させて，その考え方やはたらきが，一般化できるようにする。

(3) めいめいが，自分の力をせいいっぱいに発揮して，成功の喜びを味わえるようにしたい。

(a) ひとりびとりの障害を評価して，なるべく早く障害や進歩を発見する余裕をつくる。

(b) 次に，ひとりびとりのこどもの障害を除去するための時間を，多くとれるように計画する。

以上述べたことは，学習指導をより改善していくための方策と合致すると考える。立案にあたっての数学的内容としては，あくまでの演算の意味と計算方法の意味の理解を強調してきた。

以上のような指導計画のたて方が，よいかわるいかは，一概には論じられ

ないと思うが，次のような点で，一応は成功しており，多少とも妥当性があるのではないかと考えている。

(1) 昭和26年度から29年度までの実験指導の結果，毎年正答率90～99%を保持することができた。＜(5)P.120参照＞

(2) この指導に要した指導時数は多くて14時限，少ないときは11時限ですんだ。（なお，30年度は6時限である）学習の効果と，指導の能率から考えても，そんなに不満足ではないと考える。

(3) ほとんどのこどもは，学習に浮動性を示さない。その後のテスト結果でも，正答率に，ほとんど変化を示さない。＜(5)のP.27および123参照＞＜(3)のP.148参照＞

(4) 三位数に一位数をかける計算は，指導前に100点が70～80%，75点以上は95%以上になっている。いわば，自力解決の力がついたことになり，基礎になる力が理解されれば，他の同じ計算に適用できることを物語っていると考えられる。＜(5)のP.29および125参照＞

(5) 二位数×二位数の指導は，だいたい5時限で85%以上の正答率を生むことができた。ただし，この場合には，他の要素がはいってくるので，今までの計算と同列には考えられない点もある。＜(5)のP.33および128参照＞

Ⅱ　昭和30年度の研究

§1.　本年度の研究の目標

（1）　**験証実験の内容**

今までの実験研究を通して考えられた数学的な内容（理解事項）や，指導法について結論については，今までに引続いて験証することにした。

その内容については，すでに報告されている＜(5)のP.5および194参照＞ので，ここでは項目だけについて述べる。

ⓐ　数学的内容についての理解事項としてあげたことが適当かどうか。

ⓑ　能力差のあるひとりびとりのこどもを，能力に応じて進歩させるにはこどもの能力をどのようにとらえればよいかについて，今までに考えられた考え方やとらえ方は，妥当かどうか。

ⓒ　こどもがみずからの問題として，積極的に学習に参加できるようにするための学習の場として，今までに設定したものが適切かどうか。

（2）　**本年度新たに考えた研究問題**

ⓐ　指導計画の時数をさらに短縮できないか。

指導計画の時数を短縮することは，28年から考えられてきたことである。しかし本年度の4年は，昭和27年4月に入学したので，教師の考え方や指導の方法に，一応の成果を認められる段階にまで研究が進んでいた年である。したがって，どの教師も，低学年において素地になる考え方を伸ばしておくとか，おくれているこどもへの対策とかいう点で，はっきりした考えをもって学習に臨むことができている。このような考え方をもって，1～2年の学習を積み，さらに昨3年では，かけ算九九を実験指導として取りあげたわけであるから，いつも指導後に問題になっている低学年

での素地が，こどもには相当についたと考えられる。この4年生には，今までの考え方からみて相当程度時間の短縮ができると予想されるので，時間を短縮してどの程度学習効果があがるかを本年度の研究として考えた。

ⓑ　ほかの教材についても学習の能率を上げることができないか。

二位数×一位数の指導は，それ自体の学習効果があがるだけでなく，この指導を通して考えられた教材の見方や考え方，あるいは指導上の留意点を，他教材や他教科の指導の上にも生かされないか，そして学習の能率をあげることができないかという研究にも進んできた。

すなわち，二位数×二位数の指導は当然としても，わり算の指導などの場合に，いっそう学習能率を考えることができるならば，逆にいって，二位数×一位数の指導を通して考えられた考え方の一般性を確認することにもなるわけである。

ⓒ　書かれた問題の解決についてどんな問題が残るか。

今までのことでもわかるように，本校の指導計画で強調していることは，学習の場であり，演算の意味である。一口に，本校の研究が「誤算の研究」といわれているために，何か誤算指導のみに限定されているかのように考えれられがちであるが，決してそうではなく，演算の意味がわかり，計算方法の意味についても理解を強調してきている。それは単に計算方法を知るためというだけではなく，こどもの中にある素朴な考え方を手がかりとして，それを新しい方法にまで高めること，すなわち，その間の過程を通して新しいものを生み出すようにする考え方をとっている。このような見地から，こどもに単に計算ができるということを期待するだけでなく，自主的に問題をとらえ，それを解決する力もじゅうぶんつくものと期待しているわけである。これを実証してみることがこの指導計画での最終目的の一つにもなるわけであるが，その評価の方法にも相当の問題が予想

されるので，本年はとりあえず，書かれた問題の解決についてその手がかりを得ようとした。すなわち，書れた問題の解決において示されることもの結果をみて，はたして予想したとおりの能力や考え方ができているか，また，指導上にどんな点で問題が残っているかを明らかにすることを考えた。

§2. 昭和30年5月の実験指導とその成果

(本実験指導および調査の年間計画は，(5)のP.51に殆ど同じである)

A 予備調査の結果

予備調査〔調査人員46人〕(30年5月4日～11日実施)

予備調査の内容，方法，集計等についてはここでは省略する。(4)のP.47から，P.74参照。

〔第1表〕加法とかけ算九九について

判定	数の大きさ(A)							Aの判定	かけ算のいみ(B)			Bの判定	A判とBの定
	Aの(1)	Aの(2)	Aの(3)	Aの(4)	Aの(5)	Aの(6)	Aの(7)		Bの(1)	Bの(2)	Bの(3)		
◎	44	40	45	36	41	45	28	Aクラス 24	39	39	44	Aクラス 34	23
○	0	0	0	10	0	0	18	Bクラス 14	7	7	0	Bクラス 10	15
△	1	4	0	0	2	0	0	×のこども	0	0	0	×のこども	5
×	1	2	1	0	3	1	0	8	0	0	2	2	3

◎完全にできたこども　○だいたいできたこども
△正誤相半することも　×誤ったこども

〔第2表〕加法とかけ算九九について(調査人員46人)

20問中誤答数	加法(C)		100問中誤答数	かけ算九九(D)	
0～1	44人	95%	0～2	43人	93%
2～5	1	2	3～5	2	4
6～9	1	2	6～19	0	0
10以上	0	0	20以上	1	2

〔第3表〕能力段階の実態

能力段階(A)(B)(C)(D)		
A	23人	50%
B	15	33
C	5	11
D	3	6

〔第4表〕かけ算九九について　指導前と指導後の比較(調査人員46人)

	誤答者数	誤答数	全児に対して1人当り誤答数
指導前	12人	48問	1.02問
指導後	5	29	0.63

〔第5表〕かけ算九九の調査　(調査人員46人)

かける＼かけられる	0	1	2	3	4	5	6	7	8	9
0				(157)						
1										
2										
3					(118)				(157)	
4				(153)		(168)		(101)		
5									(108)	
6				(168)	(171)				(158)	
7					(168)(168)		(158)	(168)(157)(108)	(119)	(168)
8							(164)		(118)(102)	
9								(118)		
30題以上誤算児(161)番　直後32問，指導後21問誤る。										

(註)・(　)は予備調査の誤算者　・太字の数字は指導後の誤算者

B 予備調査の結果の考察

第1表から第5表までの結果を見ると，数の大きさと，かけ算の意味については，ほとんどのこどもができている。特に今までの調査では，Bについての判定が，Aよりもわるかったのに，本年は完全なこどもが34人になって，むしろ，Aの判定のAクラスより多くなっているのは特筆すべきことである。

なお，加法やかけ算九九についても，90%以上のこどもは完全にできている。かけ算九九については，女児1人を除いては，12人のこどもが，1～2題の誤りをしている程度である。それゆえ能力別にしてみても，CDグループのこどもが非常に少なく，ABグループのこどもが多いことに気づく。これは，過去5カ年間を通じて，最もよい結果である。ことばをかえていえば「二位数×一位数」の学習をするための基礎である3年までの素地が非常によくできているといえる。これは次のように考えて，学習を進めてきたためである。

すなわち，1年の学習においては，同じもの，あるいは同じと考えられるものについてでなければ数えられないという，数えるときの考え方や，ものに即して，2とび，5とびの数え方を確実に身につけ，さらに，10以上になったら，上の単位にまとめて表わすと，簡単に大きさを表わすことができるということをわからせること，およびこれをもとにして，記数法の素地をじゅうぶんに養っておいたことである。

また，2年の学習では，加法九九をすらすらできるように伸ばすことをねらい，遅れているこどもにも，具体物で操作させながら，そぼくな数え方から，加法九九に至るまでの段階を確実にふませて，誤りなくできるようにしておいたことである。

また，3年での学習では，かけ算九九についての意味や，それを用いる能力が確実に身につくようにしたことである。

このような考え方をもって，3年までの学習を累積的発展的に進めて，こどもの考え方を伸ばしてきたために，予備調査の結果が，非常によくできたと思われる。

これは，4年での実験指導を長くやってきたことが，教師の学習指導についての考え方を伸ばし，その結果が1，2，3年においても表われてきたものと考えられる。

以上述べてきたように，3年までの学習を，ほとんどのこどもが身につけているので，あとでのべるように4年の「二位数×一位数」の学習が，7～8時間でもできるだろうという予想をもつことができた。

◎学習指導の計画とその修正点

従来の指導計画の修正にあたって，本年特に考慮したことは，ほとんどのこどもが，自主的に，みずからの力で学習を進めることができると考えられることから，毎時間の初めのいっせい学習をなるべく少なくして，まずこどもにやらせてみて，障害のあるこども（誤るこども）だけについて，指導援助をしていくことにしたことである。

◎学習指導計画の骨子（修正したもの）

全単元のうちで，昨年度の11時限よりも，さらに5時限の短縮をはかることを考えた。その修正した指導計画が，昨年度のものと，どのようにかわっているかをはっきりするために比較表にしてみると，次のようになる。

昨年の指導計画（毎時の学習問題）	本年の指導計画（毎時の学習問題）
第1時　単価が10円以上になったときのお札の並べ方，いい方 第2時　単価が10円以上になったときの書き方	第1時　単元が10円以上になったときのお札の並べ方，いい方，書き方
第3時　お札の数え方（1円と10円，つまり1の位と10の位を別々に）	第2時　同　左

第4時　計算（数字の上での）金高を求める（筆算のしかた） 第5時　計算練習	第3時　同　左
第6時　同じお札が10枚以上になったとき，わかりやすくするくふう（両替え） 第7時　数字の上での計算で金高を調べる（筆算のしかた）	第4時　同じお札が10枚以上になったときわかりやすくする工夫をしよう このことから計算のしかたを考えてみよう
第8時　練習（1の位のくりあがり） 第9時　練習（10の位のくりあがり） 第10時　練習（1位，10位ともくりあがる）	第5時　練習（1の位．10の位のくりあがり　1位，10位ともくりあがる）
第11時　練習（積に0のつく場合　特殊なくりあがりの場合　いろいろな問題）	第6時（積に0のつく場合　特殊な場合） Dグループのこどもは，5時までの問題にぬけている点をする

上のように修正した理由は，次のような事がらである。

(a)　第1，2時をあわせて第1時にした。

これは，今までの指導計画は，前学年までの素地がじゅうぶんでなかったために，3年の復習を中心としていれた。ところが本年度は，ほとんどその必要がないので，あわせて1時限に行ってもよいとの見通しをもつことができるからである。

(b)　中間で練習の時間をいれなくてもよい。

前年までの第5時までには，くりあがりのない計算を中心にした。これは二位数のかけ算であっても，かけ算九九と同じに考えられるわけである。そこで，本年度のようにほとんどのこどもが九九ができる状態では，特別に練習の時間を必要としないという見通しをもった。

(c)　くりあがりのある計算でも，もっと短縮できる。

今まではくりあがりのある計算は，順序よく指導を進めることにした。ところが，そのような学習の進め方よりも，一時間でゆっくりくりあがる

場合の考え方を，具体的な行動を通して理解させれば，その力をもって，あらゆる場合の計算に適用できるのではないかと考え，昨年の第6時を中心として，7，8時は特別にとりあげないことにした。

C　修正した指導計画

1. 単元　買いもの　同じねだんの品物をいくつも買ったとき，支払う金高はどのようにすると，早くわかるでしょう。

2. 指導の目標

1　実際の場において，二位数に一位数をかける計算をする能力を伸ばす。

a. 同じ二位数をいくつか加えるときには，基数（一位数）をいくつか加えたときと同じように「×」を使って書くことができる。

b. 計算は，その同じ数を被乗数とし，加える個数を乗数として，十位の数と一位の数を別々にすると，今までと同じように，かけ算九九を使って計算できる。

c. よせ算と比べて，乗数は，被乗数の一の位や，十の位の数字を何回加えればよいかを示したものである。

d. 二位数に一位数をかけて，くりあがりのない計算ができる。

e. 二位数に一位数をかけて，一の位のくりあがる計算や，十の位のくりあがる計算ができる。

2　具体的な経験を通して，被乗数と乗数とを交換して計算しても，積は変らないことがわかる。

3　お札は，渡すときも，受け取るときも，お札の種類ごとに数えて，まとめるとよい。計算の考え方もこれと同じである。

4　お札の枚数を少なくするようにくふうすると，金高を知るのにつご

うがよい。

5　かけ算のたしかめは，よせ算でもできるし，もう一度九九を使って計算しなおしてもよい。

6　お金を出すときには，おつりのいらないようにつとめる。

3. 学 習 の 展 開

第１時の問題…「同じねだんの品を，たくさん買ったとき，一つのねだんや，買った数が，すぐわかるような，お札の並べ方，言い方，書き方はどのようにしたらよいだろう。

様式時間	学　習　問　題	学　習　活　動	指導のねらい	個人の留意点
いっせい学習（二十分）	• 同じねだんの品をいくつも買ったとき，１このねだんや，買った数がすぐわかるようなお札の並べ方や言い方，書き方はどのようにしましたか。 • ３年生で勉強したことを，この絵で思い出してみましょう。 • 今までの勉強は，１このねだんが，10円よりすくないときでした。ところが１こが10円より高いものがたくさんあるでしょう。次のものは，１こどれほどでしょう。 　• りんご・なつみかん・クレヨン • このように，10円より高いものを，いくつも買ったとき，今までと同じようにできるでしょうか。 • 1こ12円のりんごを7こ買いました。今までのように，１このねだんと買った数がよくわかるような，お札の並べ方，言い方，書き方ができますか。 ①並べ方は………… ②言い方は………… ③書き方（式）をノートに書いてごらんなさい。 • どちらの式が，１この値段や買った数がよくわかって，しかも便利なのは，どちらでしょう。 • では，こんな場合はどうでしょう。 ①この絵は，どういえばよいでしょう。 ②21m＋21m＋21mの長さはどう書けばよいでしょう。 ③３日は何時間ですか。式はどう書くか。 ④ある品物のねだんは13円の７倍です。いくらでしょう。 ⑤11＋11＋11＋10 • やり終ったようですから，先生といっしょにまとめてみましょう。	• 絵をみて考える。 板書 {1このねだん / 買ったかず} よくわかる {並べ方 / いい方 / 書き方} ① 10円 1円 {12円と12と…… / 12円が7} {12円＋12円＋…… / 12×7} •「×」で書いたほうが便利である。 ①16×6 ②21m×3 ③24時間×3 ④13×7 ⑤11×4－1 10×4＋3 11×3＋10	• 学習の場を簡明に板書して，考える内容を明らかにする。 • 模造紙に書いた絵を正面に出して，今までの学習経験を想起させる。 （３年のかけ算の学習における，ならべ方言い方，書き方である） ① • １この値段と何こ分かが，よく分る並べ方（あらかじめ点布板にはっておくとよい） • 10円と１円は，はっきりと区別する。 ②どちらの言い方がはっきりしてよいかを比較させる。 ③同数累加のときは「×」算を使ったが便利でよいことをはっきりする。 • あらかじめ小黒板に絵を書いて用意しておく。 • いろいろな場合について考えてみる。	
	• では今までのことをプリントで練習してみましょう。			

個人別指導（二十分）	Aグループ 異なる数がまじっているときも，うまいやり方でやるように，よく考えてやりなさい。	• プリントの問題(1)枚目が終ったら，(2)枚目をやる。(2)にはいったころ，指導する。	• 異数がまじっている場合は，異数を同数とみなしてやるとよい。	
	Bグループ プリントの(1)が終ったら，たしかめをやりなさい。たしかめは，色カードを並べてやりなさい。		• 抽象数の上でできたら，たしかめを色カードでやらせて，乗法の意味をはっきりする。	
	CDグループ 1番を読んであげます………			
	• できますか。色カードで並べてください			
	• よせ算の式にかいてごらんなさい。	• 5＋5＋5		
	• かけ算の式にかけますか。	• 5×3		
	• どちらが速いでしょう。			
	• ②番は一つの山はいく俵ですか。そしてそれがいく山ありますか。	• 15俵です。 • 4つの山	• まずグループの大きさをはっきりし，次に，グループの個数をみる。	
	• かけ算でかけますか			
	• みんな大変よくできました。では今のように，③番をやってみましょう。一つのかたまりは，何羽ですか。それがわかればすぐできますね。	• 12羽×4		
	• (2)番をよみますよ。「もっと早いやり方」というと，どんなやり方ですか。そうですね。かけ算でやればよいですね。ではやってください。 （できた子に○をつけてほめてやる）	• かけ算でやればよい	• 「＋」より「×」のほうが早いことに気づかせる。	

いっせい指導（五分）	• 途中でもよいから鉛筆をおいてくださいどこまでできましたか。どの問題がむずかしかったでしょう。			
	• ではきょうのお勉強をはっきりとまとめましょう。			
	• (2)枚目の練習問題の最後に「絵本を4さつ買いました。どれも36円です。いくらはらえばよいでしょう」という問題がありますね。	• 特に，本時の学習で誤りやすかった問題について，はっきりする。		
	• 4さつ買って…… 1さつ56円ですね。さあどうでしょう。式に書いてごらんなさい。	• 36円×4		
	• 4さつ×36ではどうでしょう。なぜいけませんか。	• 36円が4であって，4さつが36でないから，4さつ×36 ではいけない。	「4さつ×36」と誤る子どもが何人かいることが予想されるので，いけない理由について，はっきりする。	
	• 56円×4 これをどういいますか。	• 36円が4 という。		
	• 色カードで並べられますね。並べるとき注意することはどんな点ですか。	• 黄と赤を別々にする • 1冊分をはっきりする。		
	• これを，よせ算で書けますか。			
	• 「×4」という意味がわかりましたね。			
	• では明日は，このように，同じねだんの品物をいくつも買ったときの。お札の数え方について勉強しましょう。			

月　日　**れんしゅうもんだい**〔1の1〕　組　番　なまえ

(1) はやくぜんたいの数を知るには，どのようにしたらよいでしょう。

① 式＿＿＿＿＿＿

② 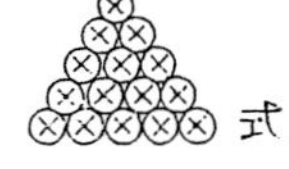 式＿＿＿＿＿＿

③ 式＿＿＿＿＿＿

(2) 次の式を，もっと早いやり方になおしなさい。

① 3m＋3m＋3m＋3m＋3m　② 101＋101＋101＋101

③ 23こ＋23こ＋23こ＋23こ＋23こ＋23こ

④ 45人＋45人＋45人＋45人＋45人

⑤ 18円＋18円＋18円＋18円＋18円＋18円＋18円＋18円＋18円

(3) ひろ子さんは，鉛筆を5ダース買いました。何本あるか早く計算するには，どんなやり方でしたらよいでしょう。　式＿＿＿＿＿＿

(4) 次の式を，よせ算になおしなさい。

① 9m×3　② 13枚×5　③ 25本×4　④ 50匹×9　⑤ 68g×7

月　日　**れんしゅうもんだい**〔1の2〕　組　番　なまえ

(1) 次のカードのてんすうは，みんなで何点になるでしょう。やり方を書きなさい。

17 てん	17 てん	17 てん	17 てん	17 てん	17 てん	17 てん

式＿＿＿＿＿＿

(2) 次の □ の中に，ちょどよい数を入れなさい。

① 12時間＋12時間＋12時間＋12時間＋12時間＝□×□

② 251＋251＋251＋251＋251＋251＋251＝□×□

③ 43本＋43本＋43本＋43本＋43本＋43本＝□×6

④ 87kg×3＝□＋□＋□

⑤ 24m×5＝□＋□＋□＋□＋□

(3) さだ子さんたちは，てんとり遊びをして，下のような表にまとめました。だれが勝ったか，どのようにしたら早く点すうがわかるでしょう。

なまえ	て	ん		す		う			やり方(式)
ゆり子	15	15	15	20	15	20	20	15	
かず子	15	20	20	15	15	15	15	15	
ひさ子	15	15	15	20	15	15	20	20	
さだ子	20	15	15	20	15	20	20	20	

(4) 次の式を計算するには，どんなにするとかんたんにわかりやすくなりますか。

① 23円＋23円＋23円＋23円

② 58人＋58人＋58人＋58人＋58人＋60人

③ 15cm＋15cm＋15cm＋15cm＋20cm

④ 12こ＋12こ＋12こ＋12こ＋24こ

⑤ 40g＋40g＋40g＋41g＋40g

(5) 絵本を4さつ買いました。どれも36円です。いくらはらえばよいでしょう。　式＿＿＿＿＿＿

月　日　**算数テスト(1)**　組　番　なまえ

(1) お金が下のように並んでいます。これをわかりやすく式に書くには，どのように書いたらよいでしょう。

式＿＿＿＿＿＿

(2) りんご1こ12円です。四郎君は7こ買いました。はらうお金は　どんな式で書きますか。　　式＿＿＿＿＿＿

(3) 25人＋25人＋25人＋25人を，もっとかんたんにわかりよく書くと，どのように書いたらよいでしょう。　　式＿＿＿＿＿＿

(4) 13人×3はよせ算の式で書いたらどのように書いたらよいでしょう。

(5) 次の式をかけ算で書きなさい。

47円＋47円＋47円＋47円＋47円＋47円＋47円＋47円

第2時の問題……支払うお金は，どのように数えると，金高が早くわかるでしょう。

様式 時間	学習問題	学習活動	指導のねらい	個人の 留意点
いっせい指導（十五分）	① 昨日お勉強したことは，どんなことでしたか。 • そうですね。1こ分の値段と，買った数がよくわかるお札の並べ方，言い方，書き方でしたね。 • では「32円が3」で考えてみましょう。 ｛並べ方は…… 言い方は…… 書き方は……｝	• お札の並べ方 言い方 書き方(式) ① 並べ方 ② 言い方　32が3 ③ 書き方(式) 32円×3 32円＋32円＋32円	• 昨日の学習についてはっきりする。 • 並べ方は，たてと横の二とおりあることをはっきりしておく（数えるためには，たてのほうがよい）	
	② 今日のお勉強は，今並べたお札を，どのように数えるとよいでしょう。ということです。 • 何枚か数えてください。 • どのように数えたらよいでしょう。 • そうですね。1円と10円は別々に数えなければいけませんね	32 32 ＋32	• わけて並べることをはっきりする。 ｛黄が3枚 赤が2枚｝が3 で，すなわち ｛30が3 2が3｝である ことをはっきりする • 数えるときは，下のお札から。	

様式 時間	学習問題	学習活動	指導のねらい	個人の 留意点
いっせい指導（十五分）	• どちらのお札から数えましたか。 • どんな数え方があるか，数えてもらいましょう。 • いろいろなやり方がありますが，どのやり方がいちばんはやくて，よいでしょう • 数えた答は，どこに書いておけばよいでしょう。 （• 赤(1の位)はどこに書きましたか。 • 黄(10の位)はどこに書きましたか。）	• 赤カード（1の位）から数える。 ｛1枚ずつ数える。 2とび3とびに九 九を使って数える｝ • 1円札は，1円札の下に10円札は10円の上に書けばよい。	• 数え方の進歩は，つぎのようである。 ① 1，2，3……6 ② 2，4，6……6 3，6，9……9 ③ $\binom{2\times3=6}{3\times3=9}$ • ひとりびとりがどんな手際で数えるか，よく観察する。そして早い方法に進歩させるように留意する。もとのやり方も正しいことを認めてやることがたいせつである。	
個人別指導（三分）	• では，今まで勉強したことをよく考えて練習問題をやってみよう。	• AB，は自分でやってみる。 • CDは，色カードを並べて考えてから，数字でやるようにする。	• 特にCDグループは32×3 は 32 32 ＋32 と同じ ことをはっきりする。	
いっせい指導（五分）	まとめ • 23×3はよせ算でたてに書くと，どうなるか。ノートに書いて，計算して答をだしなさい。 • どんなにして答を出しましたか。 ｛数え方は……… 答はどこに……｝ • 明日は，数字で，しかも早い計算のしかけについて，お勉強しましょうね。	• ノートに書いてから話合いをする。 2 3 2 3 ＋2 3 6 9 数え方｛1つずつ とんで 九九で｝ • 答は，1位は1位の下に，10位は10位の下に • 明日の学習の見当をつける。	• 「×」→「＋」のたて書きにするときは，位取りをそろえることに特に留意する。 • 数え方は，能力別でよいが，かけ算九九を使うと早いことに気づかせる。 • 次時への発展を図る	

月　日　**れんしゅうもんだい**〔2の1〕　組　番　なまえ

(1) 下のように色カードで計算しました。答の □ の中に，ちょうどよい数を入れなさい。

① ② ③

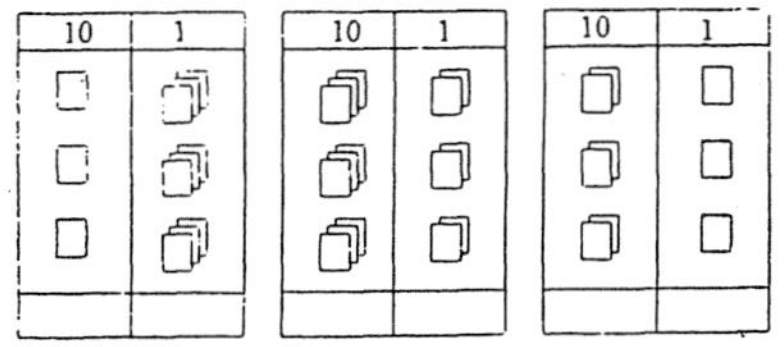

10	1	10	1	10	1

答(赤カード□まい 黄カード□まい)です　答(赤カード□まい 黄カード□まい)です　答(赤カード□まい 黄カード□まい)です

(2) 69は(黄カード□まい 赤カード□まい)です　138は(みどりカード□まいと 黄カード □まいと 赤カード □まい)です

(3) つぎのかけ算は，よせ算の計算では，どのように書きますか。

① 24×2 □　② 12×4 □　③ 31×3 □

(4) つぎの計算は，×を使うと，どうなりますか。

① 13 13 +13 □　② 32 +32 □　③ 21 21 +21 □

(5) つぎのもののねだんは，いくらになるでしょう。

① えんぴつ１本３円です。

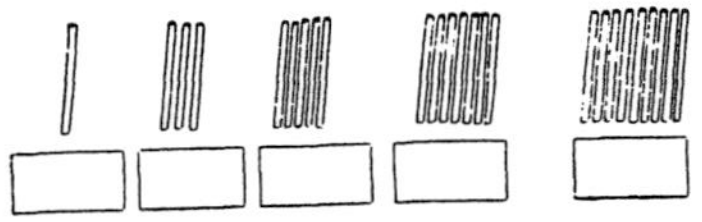

□ □ □ □ □

② はがき１枚５円です。

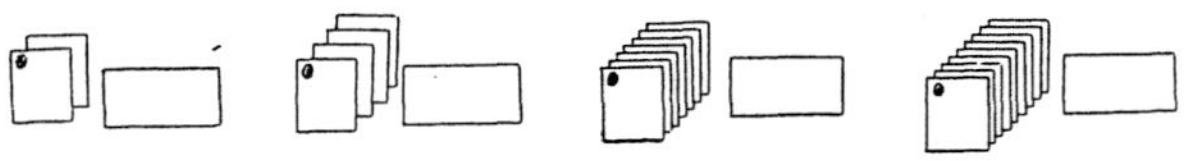

□ □ □ □

月　日　**れんしゅうもんだい**〔2の2〕　組　番　なまえ

(1) つぎのかずを，色カードで出してみなさい。

①　②

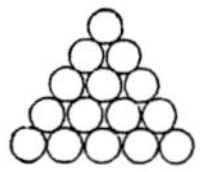

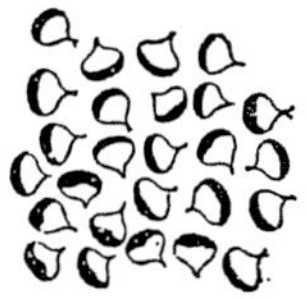

答(赤カード□まいと 黄カード□まい)です　答(赤カード□まいと 黄カード□まい)です

(2) ① 赤カード７枚と，黄カード９枚を，すうじで書いてごらんなさい。 □

② 赤カード８枚，黄カード３枚，緑カード４枚を，数字でかきなさい。 □

(3) つぎのかけ算は，よせ算の計算では，どのように書きますか。

① 14円×2　② 20枚×4　③ 31本×3　④ 42m×2

□ □ □ □

⑤ 40×2　⑥ 11×7　⑦ 12×4　⑧32×2

□ □ □ □

• 色カードで上のよせ算を計算して，こたえを書きなさい。

(4) つぎの計算は × をつかうとどうなりますか。

① 11 11 11 11 +11　② 21 21 21 +21　③ 33 33 +33　④ 43 +43　⑤ 24 +24　⑥ 41 +41　⑦ 12 12 12 +12　⑧ 20 20 20 +20

□ □ □ □ □ □ □ □

⑨ 30 30 +30　⑩ 13 13 +13

□ □

月　日　**算数テスト(2)**　組　番　なまえ

(1) お金が下のように並んでいます。どんなかぞえかたをしますか。じょうずな数え方をかきなさい。

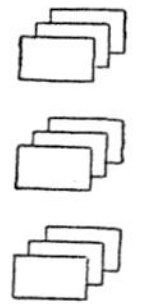

かぞえかた＿＿＿＿＿＿

(2) 下のよせざんは，どんなかぞえかたをしたら，はやくこたえがでるでしょう。

```
   6
   6
   6
+  6
```

かぞえかた＿＿＿＿＿＿

```
  32
  32
 +32
```

かぞえかた
①＿＿＿＿＿＿
②＿＿＿＿＿＿

(3) つぎのかけ算を，よせ算でたてに書きなさい。

12× 4 □

(4) つぎのよせ算を，たてに計算してみよう。

14＋25＋3 □

第3時の問題……金高を計算でたしかめるには，どのようにしたらよいでしょう。（くりあがらぬ場合の筆算形式と順序）

様式時間	学習問題	学習活動	指導のねらい	個人の留意点
いっせい指導（十五分）	(1) 復習(5分) • 昨日のお勉強は，カードのうまい並べ方と，その数え方についてでしたね。 • 「32円が3」と色カードで並べてみなさい • うまく数えて答を出してください。 • どんな方法が早いで	式 32円＋32円＋32円 32円×3 計算 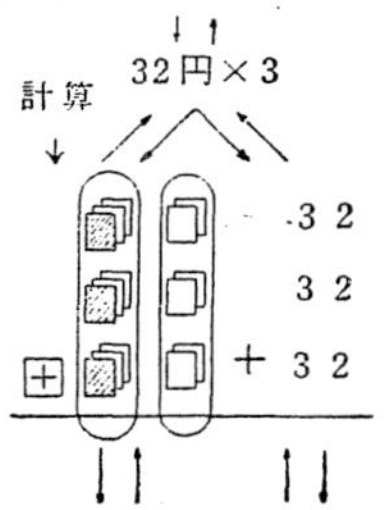 32 32 ＋32	• 10は10，1は1にわけてはっきりと並べる。 • 抽象数と色カードの結びつきを常に考える。 • 乗数と被乗数の関係をはっきりさせる。 • 計算は，九九を使うのがいちばん早いことをはっきりする。	

様式時間	学習問題	学習活動	指導のねらい
いっせい指導（十五分）	しょう。 そうですね，かけ算九九を使うと，早くてよいですね。 • 数えた数は，どこに書きますか。 (2) きょうは，数字でじょうずに計算してごらんなさい。 • 計算も「×」でできないでしょうか。 • 32×3 をノートに「×」で計算してみよう。 • 式は，32円×3 計算は 32 ×3 と，式と計算をはっきりできますね。 • 計算の順序をもう一度はっきりしましょう。	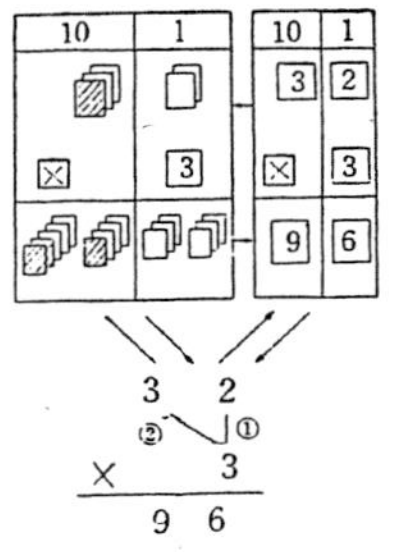 10 1 / 10 1 3 2 / 3 3 / 9 6 3 2 × 3 9 6 計算の順序 ① 2×3＝6 ② 3×3＝9	• 答を書く位置をはっきりする。 • 「×」の意味をはっきりする。 • 32が3だから，1位にも，10位にも3をかければよいことに気づかせる。 • 本時のめあてである筆算形式と，計算の順序について，もう一度はっきりする。
個人別指導（二十五分）	• プリントの問題で計算の練習をしましょう。 • 1枚目が終ったら，よくたしかめをして2枚目をやりなさいそれでも時間があったら，終った者同志で答をあわせて，あっていたら，○をつけなさい。	• Aは，主として自習する。 • Bは，色カードを並べてたしかめる。 • Cは，色カードを並べて計算して，次に数字で計算して答を書く。	• CDグループに特に注意して，障害ごとの指導援助を適切にするようにする。 • CDグループは九九の予備テストで個人ごとの誤りやすい九九をあらかじめ，各人にはっきりとさせておくことがたいせつである。
いっせい指導（五分）	• 鉛筆をおきなさい。きょうの勉強をまとめましょう。 • 23人のれつが3れつあります。みんなで何人いるでしょう。 • 式はどのように書きますか。ノートに書いてみなさい。	• 次のことについてはっきりとまとめる。 「×」の意味 計算の順序 答の書く位置	• 本時の指導のねらいをはっきりとまとめる。

いっせい指導（五分）	• 計算は，どのようにやりますか。計算の順序は………… • 答は，どこに書きますか。 • では，あしたは，同じお札が10枚以上になったとき，どのようにしたらよいかについてお勉強しょう。	• 式23円×3 2 3 ② ① × 3 6 9	• 計算は，かけ算九九でやるとよい。 • 次時の発展を図る。

月　日　**れんしゅうもんだい**〔3の1〕　組　番　なまえ

(1) つぎのカードを，計算のかたちに書いてごらんなさい。

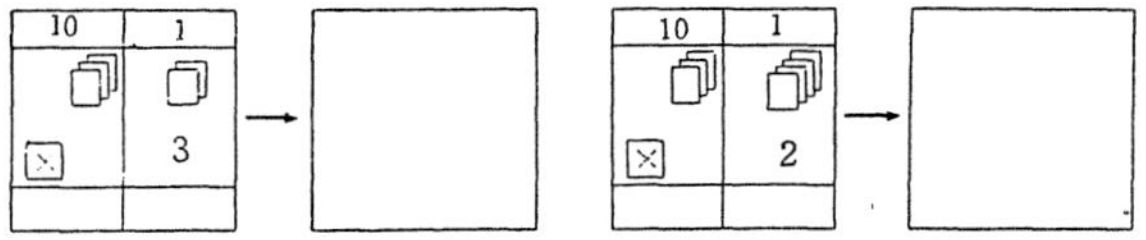

10	1
×	3

→ □

10	1
×	2

→ □

◉できたら答も書きなさい。

(2) つぎのよせ算を，かけ算になおしなさい。

31
31
+31

21
21
21
+21

34
+34

◉できたら答も書きなさい。

(3) つぎのカードの数を書き入れなさい。

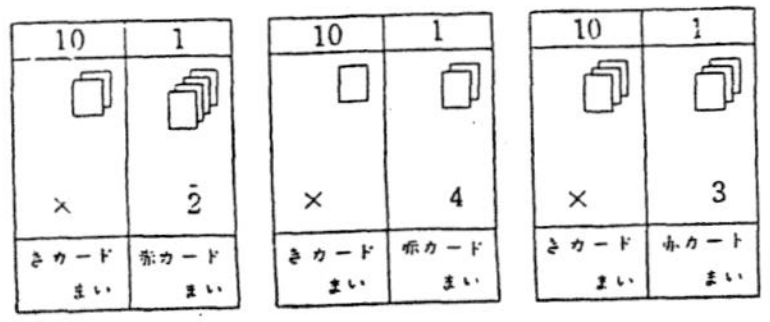

10	1
×	2
きカード まい	赤カード まい

10	1
×	4
きカード まい	赤カード まい

10	1
×	3
きカード まい	赤カード まい

(4) つぎの式を，かけ算の計算で書いてごらんなさい。

23×3　44×2　32×2　41×2　40×2

◉答も入れなさい。

(5) つぎの計算のじゅんじょを書いてごらんなさい。

31 ×3 (①____ ②____)	13 ×3 (①____ ②____)	42 ×2 (①____ ②____)
12 ×4 (①____ ②____)	23 ×3 (①____ ②____)	20 ×3 (①____ ②____)

◉答も書きなさい。

月　日　**れんしゅうもんだい**〔3の2〕　組　番、なまえ

(1) つぎの計算をしなさい。できたらカードでたしかめなさい。

11 ×5	13 ×3	22 ×3	24 ×2	40 ×2	20 ×3	10 ×4
11 ×3	43 ×2	33 ×2	22 ×4	23 ×3	31 ×2	34 ×2
11 ×8	20 ×4	30 ×2	31 ×3	42 ×2	17 ×1	

(2) 春男君は，つぎの買物をしましたお。金をいくらはらえばよいでしょう。

① 1さつ13円のノートを2さつ買いました。

しき________　計算________

② なつみかんを4こ買いました。1こ12円です。

しき________　計算________

(3) よし子さんの買った本は，一郎君の本の3ばいだそうです。一郎君の本が30円であると，よし子さんの本はいくらでしょう。

しき________　計算________

(4) 山からまきをはこんでいます。牛に43たばつけて，牛を追う人が3たばせおってはこびます。きょう1日に3かいはこびました。何たばはこべたでしょう。

色カードで計算しなさい。　しき________　________

月　日　**算数テスト(3)**　組　番　なまえ

(1) りんご1こ12円です。よし男君は7こ買いました。いくらお金をはらったらよいでしょう。どんな式に書きますか。

しき＿＿＿＿＿＿＿＿

(2) 14人×6をよせ算の式になおしなさい。

しき＿＿＿＿＿＿＿＿

(3) 下のかけ算を，よせ算でたてに書きなさい。

$$\begin{array}{r} 23 \\ \times\ \ 3 \\ \hline \end{array}$$

(4) $\begin{array}{r} 12 \\ \times 4 \\ \hline \end{array}$ の答をカードで書きなさい。（赤カード□まいと 黄カード□まいです）

(5) つぎの計算を $\begin{array}{r} 23 \\ \times\ \ 3 \\ \hline \end{array}$ しなさい。

第4時の問題……同じお札が10板以上になったとき，わかりやすくするくふうをしよう。このことから，計算のしかたを考えてみよう。

時間様式	学習問題	学習活動	指導のねらい	個人の留意点
いっせい指導（十五分）	(1) 1本23円のふでを4本買いました。お金をいくら払えばよいでしょう。 ① 台紙の上で，計算してみよう。1円札が10枚以上になったら，どのようにするとよいでしょう。 • お答をノートに書きなさい。 始め（赤カード何枚 黄カード何枚	[図: 10 / 1 の位の台紙、□× □4 □9 □2] • お札の数え方 • 同じお札が10枚以上になったら，上のお札ととりかえるとよ	• 赤カードと黄カードは別々に計算する。（九九やとびかぞえ） • 10枚以上になったら上の単位ととりかえる。 • くりあがりの意識を強く持たせ，次の計算の場合と結びつける。	

時間様式	学習問題	学習活動	指導のねらい	個人の留意点
いっせい指導（十五分）	とりかえると，（赤カード何枚 黄カード何枚 ② 今のとりかえたことを考えて数字でノートに計算してみましょう。 色数字カードで，先生がやりましたので，これをみてください。 ③ 今のことを考えてもう一度ノートに計算してみよう。 1人分14円で，6人分では，いくらになるでしょう。 （式は……… 計算は……	い。とりかえたお札は，上の位の右肩におく。 ② [図: 10 / 1 の位、□2 □3 □× □4 □9 □1 □2] $\begin{array}{r} 23 \\ \times\ \ 4 \\ \hline 9^{1}2 \end{array}$ 式　14×6 計算 $\begin{array}{r} 14 \\ \times\ \ 6 \\ \hline 8^{2}4 \end{array}$	• 色つきの数字カードで，計算の意味や，くりあがりをはっきりするようにする。 • 計算の順序 部分積の書く場所などをはっきりする。	
個別指導（二十五分）	• ではプリントで今までのことを練習しましょう。もしも，九九がはっきりしないときは，色カードを並べるか，数字を書いて，とび数えでまちがわないようにやりましょう。	• ABグループは，いつものように，自主的にやる。 • CDグループは，教師とともに，やる。（誤りやすい九九については，累加の形で答を出せるようにする）	• くりあがりをはっきりする。 • 個人毎の誤りやすいかけ算九九について教師は特に留意する	
いっせい指導（五分）	• くりあがりのある計算は，どんなことに気をつけると，まちがいなくできるでしょう。 • 17×4 を計算してみよう。	① 1位がくりあがったら，10位の下に，くりあがった数を書いておく。 ② 10位の答とくりあがった数を加えて，10位に書く。 $\begin{array}{r} 17 \\ \times\ \ 4 \\ \hline 6^{2}8 \end{array}$	• 部分積が，10よりも大きい場合は，1位は，10位に，10位は100位にくりあげることをはっきりする	

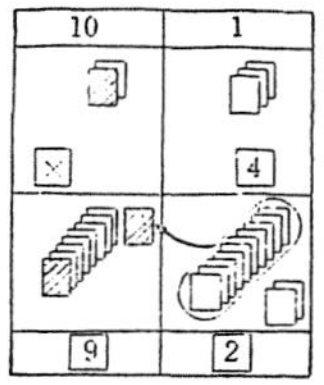

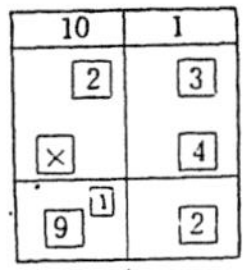

月　　日　**れんしゅうもんだい**〔4の1〕　組　番　なまえ

(1) つぎの答を入れなさい。

(2) つぎの計算をしなさい。終ったら必ずたしかめてみなさい。

14 × 4	27 × 3	13 × 4	14 × 6	14 × 5	17 × 4	13 × 7
17 × 6	24 × 3	18 × 4	19 × 3	13 × 7	24 × 4	12 × 6
18 × 5	14 × 7	15 × 2	28 × 3	25 × 2	15 × 6	26 × 3

月　　日　**れんしゅうもんだい**〔4の2〕　組　番　なまえ

(1) えんそくのお金集めをしました。しん分32円です。いくら集まったらよいでしょう。

① よし子さんの班は４人です。　しき＿＿＿＿　けいさん　こたえ＿＿＿＿

② かず夫君の班は，７人です。

しき＿＿＿＿　計算＿＿＿＿　こたえ＿＿＿＿

(2) 次の計算をしなさい。色カードでよく考えながらしましょう。

17 × 7	38 × 2	34 × 6	36 × 2	17 × 5	27 × 5	43 × 6
56 × 3	59 × 5	32 × 8	91 × 9	27 × 8	58 × 7	88 × 8
92 × 7	74 × 8	86 × 5	28 × 9	54 × 4	99 × 6	77 × 6

月　　日　**れんしゅうもんだい**〔4の3〕　組　番　なまえ

(1) 次のカードをとりかえてわかりやすくしなさい。

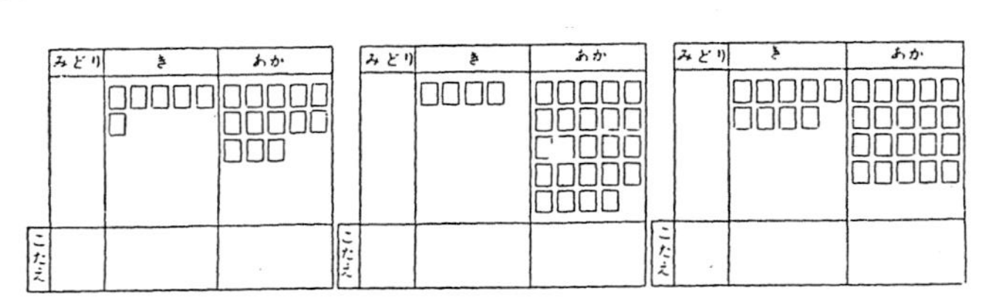

(2) 次の計算をしなさい。

15 × 3	18 × 2	15 × 6	25 × 3	18 × 2	13 × 6	24 × 3
19 × 5	17 × 4	27 × 3	18 × 4	28 × 3	36 × 3	48 × 2
23 × 4	19 × 3	16 × 5	14 × 4	29 × 2	16 × 4	36 × 2
17 × 5	37 × 2	12 × 7	38 × 2	14 × 7	17 × 2	14 × 5

※たしかめは，かならずやりましょう。

月　　日　**算数テスト(4)**　組　番　なまえ

(1) 次のカードをとりかえてわかりやすくしなさい。

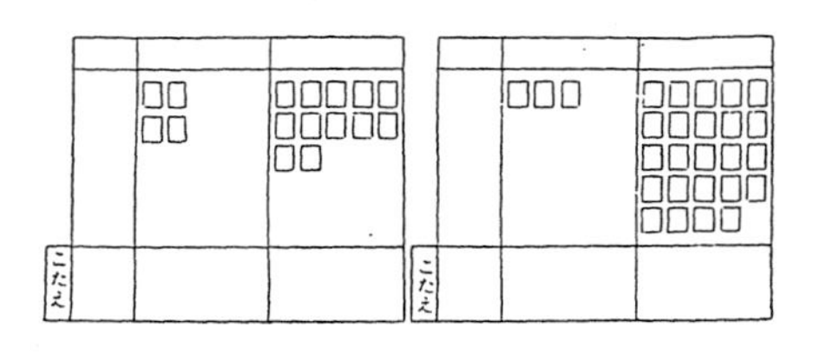

つぎの計算をしなさい。

① 26 × 3　② 14 × 6　③ 18 × 4

第５時の問題……支払った金高をたしかめるには，どのようにしたらよいでしょう。(10位のくりあがり，1，10位ともにくりあがる)

時間様式	学習問題	学習活動	指導のねらい	個人の留意点
いっせい指導（一五分）	(1) きのうのテスト問題で，$\begin{array}{r}19\\ \times\ 4\end{array}$ というのがあったが，ちがった人があったのでノートにやってごらんなさい。	$\begin{array}{r}1\ 9\\ \times\ 4\\ \hline 7^{3}6\end{array}$	• くりあがった数を必ず右肩に書くことを忘れないようにする	
	(2) では，きょは10円札，すなわち，10位が，10以上になったときの計算についてお勉強しましょう。			
	(3) 1足62円のくつしたを４足買いました。いくらお金を払えばよいでしょう。計算ですぐできますか。	• 式　62円×3 • 計算 $\begin{array}{r}6\ 2\\ \times\ \ 3\\ \hline 1\ 8\ 6\end{array}$	• 計算の場合の10位のくりあがりは，大きく書いてよいことをはっきりする。	
	• できましたか。10位のくりあがった数はそのまま大きく書いてもよいですね。 • では，色カードで答をたしかめてみよう。終ったら，よせ算でたしかめてみなさい。	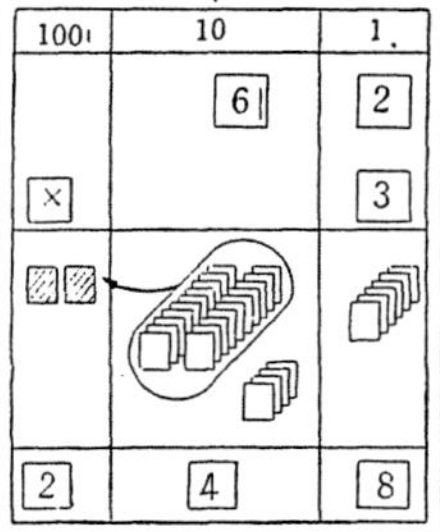	• 赤カード10枚は黄カード１枚と，黄カード10枚は，緑カード１枚ととりかえることをはっきりする。	
	(4) では，もう一題やってみよう。１人分52円ずつ３人集めました。みんなでいくらでしょう。	• 式　52円×3 計算 $\begin{array}{r}5\ 2\\ \times\ \ 3\\ \hline 1\ 5\ 6\end{array}$ たしかめ $\begin{array}{r}5\ 2\\ 5\ 2\\ +5\ 2\\ \hline 1\ 5\ 6\end{array}$	• かけ算九九がはっきりしない場合などは，よせざんでたしかめをすることがよい。	

個人別指導（二十五分）	では，プリントの問題で，よくできるように練習しよう。 九九やくりあがりがはっきりしないときは，色カードを使ってやりなさい。 • ＣＤグループ 32円ずつ４人分ではいくらでしょう。数字カードか，色カードでやってごらんなさい。 （１人分は…… ４人分は…… • いっしょに，とんで数えてみよう。 • 10枚以上になったら……どうしますか。そうです。上のお札ととりかえますね。 • れんしゅうもんだいに，答を書いてください。 • 次の問題を自分のやりよい方法でやってください。わからなかったら手をあげなさい。先生がみてあげますから……	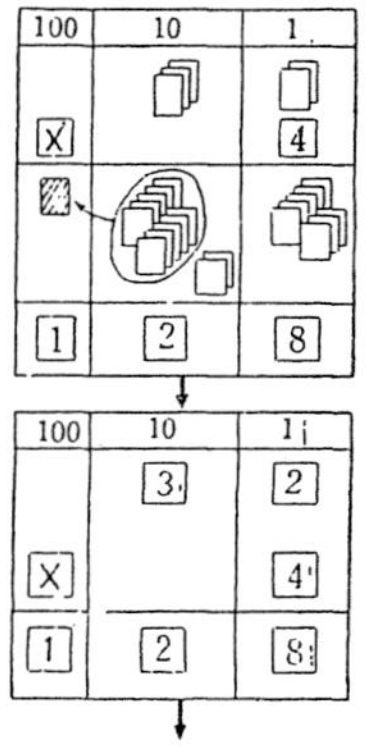 $\begin{array}{r}3\ 2\\ \times\ \ 4\\ \hline 1\ 2\ 8\end{array}$ たしかめ $\begin{array}{r}3\ 2\\ 3\ 2\\ 3\ 2\\ \times 3\ 2\\ \hline 1\ 2\ 8\end{array}$	• 数字とカードの関係をはっきりさせる。 • できたこども，進んだこどもを賞揚して学習意欲を起させることが，このころになると特にたいせつである。 • ＣＤグループは，特に誤りやすいかけ算九九について，カードを並べたり，累加の形式に書いたりしてまちがわないようにすると同時に，かけ算九九をはっきり覚えるようにすることがたいせつである。	
いっせい指導（五分）	• 鉛筆をおきなさい。今までのお勉強をまとめましょう。 • くりあがりのある計算は，どんなことに気をつければよいでしょう。 • 大変よくできるようです。あしたは，特別誤りやすいような問題について，練習してみましょう。	① 赤カードのくりあがった数は，黄カードの所に印をつけておく。 ② 黄カードの答を，赤からくりあがった数を加えて，黄カードの所に書く。 ③ 黄カードのくりあった数は，緑カードの所に，すぐに書いてよい。	① 部分積が10よりも大きい場合は，１位は10位に10位は，100位にとくりあげる。 ② くりあげることとは，お札をとりかえることと同じである。	

月　　日　**れんしゅうもんだい** 〔5の1〕　組　番　なまえ

(1) つぎの計算をしなさい。

84×2	62×3	94×2	52×4	41×7	51×6	92×4
83×3	40×5	85×1	53×3	41×6	72×3	52×3
60×3	92×4	71×7	43×3	82×4	93×3	74×3
52×7	31×5	50×4	42×4	93×3	41×6	81×7
64×2	63×3	81×8	93×7	65×3	74×8	32×6

※答はかならずたしかめよう。

月　　日　**れんしゅうもんだい** 〔5の2〕　組　番　なまえ

(1) えんそくのお金集めをしました。1人分85円です。

① 1ぱんは6人です。いくらあればよいでしょう。

しき＿＿＿＿＿　計算＿＿＿＿＿　答＿＿＿＿＿

② 2はんは5人です。いくらあればよいでしょう。

(2) 次の計算をしなさい。

22×6	32×5	42×7	53×5	66×4	82×6	92×5
34×3	93×4	73×4	62×7	65×4	74×3	37×4
39×5	24×5	29×6	33×9	38×7	47×6	43×5
52×9	64×5	29×6	83×9	38×7	47×6	68×4
69×5	63×9	78×4	85×6	37×6	58×9	66×8

49×7	68×9	76×7	88×7	38×7	28×6	44×7

月　　日　**算数テスト** (5)　組　番　なまえ

(1) 次のカードをとりかえてお答をかきなさい。

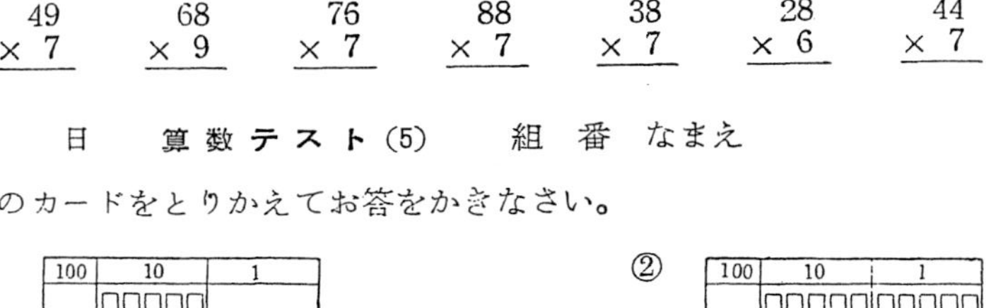

(2) 次の計算をしなさい。

① 82×4　② 93×3　③ 36×4

第6時の問題……特に誤りやすい場合など気をつけて，計算が正しくできるように練習しよう。(積に0のつく場合や，ぴったりくりあがる場合など)

時間様式	学習問題	学習活動	指導のねらい	個人の留意点
いっせい指導(十分)	• いろいろなかけ算が正しくできるようにするには，どんなことに気をつけたらよいだろう。 • 特に誤りやすい問題について，やってみよう。 • 67円ずつ8人分では	① 数が大きくなっても，位ごとに分けて計算するとよい。 ② 位取りを見てきちんと書く。 ③ 10以上になったらくりあげる。 ④ くりあがりは，必ず小さく書くようにする。 ⑤ たしかめを必ずするようにする。 • 式　67×8 • 計算　67×8＝5 3[4]6	• かけ算の計算について，気をつけなければならないことをはっきりする。 • たしかめは，誤算しないためには，特に重要であることを強調する。 • くりあがりを誤らないよう必ず書くことがたいせつである。	

	いくらになるでしょう。 式は…………… 計算は………… 答は…………… たしかめは……	• たしかめ ① 九九をはんたいに唱えてやる。 ② よせざんでやる。	• たしかめを必ずすることがたいせつである。	
個人別指導（三十分）	• きょうはさいごですから，特にまちがわないように，どんな場合でも，できるように練習しましょう。特に，九九を誤る人は，気をつけてください。 • 終ったら，必ず答をたしかめてください。 • 時間があったら，できたもの同志で答をあわせてください。	ABグループは，正確さとともに速さもみる。 CDグループは，誤りやすい九九は，累加でやるようにする。	• 教師はあらかじめ困難な問題を，ひとりびとりについて予想しておいて，ひとりも目こぼしのないように，することがたいせつである。もし誤算していたら，累加で答をたしかめさせるようにする。 どの子は，どの九九を誤りやすいから……とはっきりおさえておくことがたいせつ。	
いっせい指導（五分）	• 65mの8倍はいくらでしょう。 • たいへんよくできるようです。あすから毎日10題ずつ9日間テストをしますから今まで勉強したことをよく考えておいてください。	• 式　65m×8 • 計算　65 × 8 = 520 • たしかめ もう一度九九を反対に唱えてやるか，よせ算でやる。	• 計算をまちがわないようにするためには，どんなことに気をつければよいかについて，具体的に，はっきりとまとめることが必要である。	

月　　日　**れんしゅうもんだい**〔6の1〕　組　番　なまえ

26 × 8	44 × 9	35 × 4	67 × 7	99 × 9	73 × 8	75 × 5
36 × 7	78 × 6	23 × 8	77 × 6	95 × 5	34 × 8	69 × 7
67 × 7	46 × 4	89 × 4	68 × 7	54 × 7	46 × 8	27 × 7
74 × 7	75 × 3	29 × 8	39 × 7	68 × 9	76 × 7	88 × 7

87 × 6	35 × 8	79 × 3	82 × 6	36 × 4	78 × 8	99 × 4
38 × 4	47 × 6	72 × 6	92 × 6	96 × 7	86 × 3	74 × 4

※たしかめをしてからつぎに進みましょう。

月　　日　**れんしゅうもんだい**〔6の2〕　組　番　なまえ

25 × 9	76 × 6	37 × 9	65 × 8	57 × 9	73 × 7	84 × 6
69 × 8	47 × 9	88 × 7	38 × 8	79 × 7	69 × 9	78 × 8
45 × 5	26 × 8	86 × 9	48 × 9	75 × 7	49 × 9	43 × 7
56 × 9	28 × 8	89 × 6	72 × 2	58 × 9	27 × 8	79 × 9
29 × 8	87 × 6	67 × 9	77 × 7	58 × 9	72 × 6	65 × 5
84 × 7	78 × 3	88 × 4	96 × 7	78 × 9	36 × 6	66 × 4

月　　日　**れんしゅうもんだい**〔6の3〕　組　番　なまえ

32 × 2	24 × 4	13 × 7	25 × 4	14 × 6	30 × 4	62 × 2
20 × 5	73 × 3	85 × 2	27 × 8	46 × 5	69 × 3	35 × 6
37 × 9	25 × 7	46 × 3	59 × 8	79 × 4	27 × 6	68 × 6
89 × 3	47 × 7	75 × 4	58 × 8	48 × 8	55 × 5	89 × 7
68 × 9	75 × 8	99 × 4	85 × 4	26 × 7	50 × 6	80 × 5
79 × 5	36 × 8	70 × 5	24 × 9	29 × 8	44 × 5	90 × 7

D 指導後のテスト結果と浮動状況の調査

6時限の指導時間は5月30日で終ったので，翌日からテストを行った。その問題・方法は今まで述べたとおりである。

個人別誤算の型　(直後と9月の調査)

番号	氏名	A	B	C	D	E	F	G	H	I	J	K	L	M	誤答数	指導中欠	IQ	予備テストのかけ算九九の誤答	指導後の〃	指導中のグループ
1	161	1 ②		1		1 ③					1 ①	4 ⑧	3 ②		11 ⑯			32	21	D
2	168										①	②			③			0	3	D

(注) ○でかこんだのは9月の誤答数である。

結果の考察

在籍児童46名中指導直後の誤算者は1名，9月の浮動調査は2名である。

誤算者を個別にみると，161番の子どもは女児で，予備調査の結果はDグループであり，1，2，3年までに欠席がちで3年までの素地がじゅうぶんでなかったこどもである。表のように予備テストのかけ算九九の誤答数32，指導後のかけ算九九のテストでも21題も誤答している。

このこどもは，指を折って数えることが最後までぬけなかったので，このような結果を得ただけでも非常によい結果であると思う。

168番のこどもは，指導直後のテストでは誤答しなかったのであるが，9月の浮動調査で3題の誤算をした。この子の原因は，かけ算九九が身についていなかったためである。Dグループであり，IQも低いのにかけ算九九を暗唱的に記憶していて，自分では正しいと信じていたための誤答である。

◎適用性をみるための，三位数×一位数の指導前の調査 (30年11月14，15日実施)

①　　在籍46人　調査人員46人

演算のいみ				数の大きさ				数え方		
◎	○	△	×	◎	○	△	×	かけ算九九で	とびかぞえで	一つずつ
28人	7人	11人	0人	33	9	4	0	42	3	1

(2) 計算について (20題)

誤答数	-0	-1	-2	-3	-4	-5	-6	-7	-8	-9	-10	-11	-12	-13	-14	-15	-16	-17	-18	-19	-20	誤答者計
人員	18	10	3	3	2	2		1	2	1	0	1	1	0	1	1	0	0	0	0	0	28

大部分のこどもができるので，この指導は1時間でよいと考えて指導計画をたてて指導した。

§3. 二位数×二位数の指導 (30.12.6～30.12.13，5時限)

A 指導計画の骨子

時間	学習の問題	数学的な内容
第1時	同じ値段の品をたくさん (10円以上のものを10以上) 買ったときの計算はどんなことについて調べるとうまくできるでしょう。	• 買った個数が10以上になってもかけ算でできる。 • 計算で今までと違う点はどうか。
第2時	10円以上のものを，10個以上買ったときの計算のしかたについて色カードでくふうしてみよう。	• 二位数に二位数をかける計算の順序や，十位の乗数についての部分積の書く位置を色カードを使ってはっきりする。
第3時	10円以上のものを10個以上買ったときの計算のしかたを数字で考えよう。	• 二位数に二位数をかける計算の順序や，十位の乗数についての部分積を書く位置についてはっきりする。

第 4 時	ねだんのやすいものをたくさん買ったときや，ぴったりと買ったときの計算を簡単にする方法はないだろうか。	• 一位数×二位数の計算は，二位数×一位として計算すればよい。 • 乗数や被乗数の一位が0であるときの簡便な計算の方法をくふうする。
第 5 時	かけ算はどんなときに使えるでしょう。	• 同数累加のときや，近似な数を寄せるとき，また，何倍などというときにかけ算が使える。

B 指導の結果（12月12日より5日間，100問を1日20題ずつ実施）

調査人員45人，誤算者5人

番号＼型	A	E	J	K	L	M	N	Q	R	誤答数	指導中の欠	○○×○誤算数	IQ
161			9	28	4	8				49		11 ⑯	
168			2	18			1			21		0 ③	
174				7						7		0 ⓪	
173	1	3	1	2				1	1	9		1 ⓪	
176				11	1					12		0 ⓪	

（注）• テスト問題100題　• 男子19人女子26人中誤算者は全員女児である。

C 結果の考察

• 在籍46人中指導中の欠席が1人あるので，45人についてである。

45人中，誤算者が5人いる，これは決してよい結果ではない。

• 161番のこどもは二位数×一位数の計算での，ただひとりの誤算者である。かけ算九九ができないために，とびかぞえや累加をして答をだしているので，数が多くなるための誤算であり，100題中51題できたことは，このこにとっては上乗であると考える。テストの結果をみると，その日その日に

よって，成績のよい日と悪い日がある。すなわち，累加の方法でやるために非常にほねがおれるので，「いやだ」と思ってやる気のない日は，でたらめの誤算が多いわけである。

• 168番と176番のこどもはDグループであり，計算の手際が161番のこどもと同様に遅れているために，累加による方法でするために誤算したこどもである。累加でやったり，とび数えや指を使って数えたりするなどの方法は，二位数×二位数の計算では無理である。

ここでは，少なくとも基礎の力として九九ができることが望まれる。

• 174番と173番のこどもは，性格からのものと思われる。174番のこどもは気まぐれであり，落ち着きがなく，熱心さ，努力する態度の少ないこどもであり，173番のこどもは，Aグループであり，そろばんは級中第一位であるが，そそっかしいこどもで，できたと思うと，たしかめなどは全然しようとしないこどもである。

このように誤算者が出たことは，指導における個々のこどもの障害の発見や除去の対策，あるいは教材研究に手落ちがあったという反省をもっている。また，指導計画において，

76×8 → 12×10 → 12×23 → 36×78

の順序をふんだほうがよいとの考え方も出されている。すなわち，10位の部分積を書く位置をはっきりしてから，乗数の10位と1位の部分積をかく位置の関係をはっきりとすることもよい方法であると考えられる。

§4. 書かれた問題についての調査

さきにも述べたように，書かれた問題を解決する場合に期待された成果が

あるかどうか，また，どんな点に問題が残るかを調べるために，次のような問題を作製して調査を実施した。

期　日　　昭30.12.23～30.12.24

調査方法　調査は，２日間行った。第１日目は，(1)～(6)まで，第２日目は(7)～(10)までに分けて行った。さら紙１枚に印刷に配布し，時間は，それぞれ20分間を原則とした。ただし，できる見込のこどもに対しては，若干の時間を与えてやらせた。個人ごとの評価を，その日のうちに行って学級としての集計をした。評価は，次表のように，立式が正しくできているか，計算の誤りはあるか，答は名数が正しくつけられているかを見たが，特に，立式については注意して評価することにした。

A　書かれた問題の調査結果

調査問題	解答の判定				
式	○	○	○	×	×
計算	○	○	×	○	×
答	○	×	×	○	×
(1) ①　75の４ばいはいくつですか。	45人	0人	1人	0人	0人
②　18が26回ではいくつですか。	42	0	3	0	1
(2)　１さつ９円のノートを６さつ買いました。おかねをいくらはらえばよいでしょう。	42	0	2	0	2
(3)　こどもが８れつ並んでいます。１れつに15人です。みんなで何人ですか。	31	0	0	11	4
(4)　えいが代を５円ずつ12人のこどもが持ってきました。みんなでいくらお金が集まったでしょう。	38	0	0	6	2
(5)　太郎さんは，お金を35円持っています。お姉さんは，太郎さんの10倍もっています。お姉さんはいくら持っているでしょう。	37	6	0	0	6
(6)　山本君は１日に計算練習を40題ずつすることにきめました。１週間では何題練習することになりますか。	37	6	0	0	3
(7)　よし子さんは毎月の小づかいの中から50円ずつ貯金をしています。１年間するといくら貯金したことになりますか。	36	4	4	2	0
(8)　一郎君のからだの重さは，お父さんのからだの重さのちょうど半分です。一郎君の重さは25kgです。お父さんの重さはどれほどでしょう。（25＋25＝50とやった子ども　2人）	36	0	0	0	10
(9)　とし子さんの学校でレントゲン写真をとりました。ひ用は１人分15円だそうです。次の各組のひ用を計算しなさい。（半数以上できたときは○，半数以上ちがったときは×とした）［表：１くみ・２くみ・３くみ・４くみ・合計／人数 9人・10人・7人・13人・49人／ひ用（空欄）］	38	3	0	1	4
(10)　みち子さんの小づかいは95円あります。姉さんはみち子さんの小づかいの４倍よりもまだ20円多いそうです。姉さんの小づかいはいくらですか　95×4＋20　とやったもの　33人　（95×4＝380　380＋20＝400）とやったもの　0人	33	1	0	1	3

(9)の問題中の表：

	１くみ	２くみ	３くみ	４くみ	合計
人数	9人	10人	7人	13人	49人
ひ用					

（注）解答の判定は，たてに１行ずつみる。すなわち，式，計算，答について，それぞれが正しくできたものは○○○になっている。×○○は，式がちがって計算と答が合っているということである。

B　調査結果の考察

①　立式と計算と答が合っているものが60％以上である。大多数のものはこの程度の書かれた問題を解決する力はついているとみられる。

②　問題番号(5)(6)(7)について，式と計算ができて，答の単位の誤まってい

るものが，それぞれ，6人，6人，4人とでている。その原因は，(4)のように「いくらお金が集まったか」という問題と，「いくら持っているでしょう」という質問との差でみられるように，答の単位についての意識が関係していると思われる。

③ (3)の問題で約1/3の誤算者を出している。これは8×15としたものを式の誤とした結果であるが，意味がわからないで，形式的に数を並べたものかどうかはわからない。

④ (5)の問題では，全部が誤っているこどもが6人いた。これは，文章が割合に長いことと，10倍という両者の関係がつかめないことに原因があるようである。

⑤ (10)の問題では，同じように8人の誤算者が出た。これも，(5)と同じような意味の原因があるようである。文章が二段形式になっていることも障害点であろう。

Ⅲ 本年度の結論と今後の問題

§1. 本年度の結論

本年度のおもな研究は，4年における二位数に一位数をかける計算について，今までに得られた結果を検討することと，その当然の結果として予想される指導時数の短縮が計画どおりうまくいったかどうか，また，ほかの教材について，能率を上げることができたかどうかということ。さらに，このような考えで指導したこどもについて，書かれた問題を解く場合にどの程度できるか，どんな点に問題が残ったかを調べることである。

A 指導時数の短縮ならびに指導の能率化

学習指導一般にいわれる反省点として，こどもができるようになる（すなわち，学習の効果があがる）ことと，指導時間が少なくてすむ（すなわち，指導の能率があがる）こととは，相反する場合が多いようである。いわば，こどもができるようになるには，指導時間を多くかけるという形がとられているようである。

しかし，ここになんらかの打つ手を見つけることによって，指導時間を少なくして，しかも，こどもの学習の効果があがるという対策がうてないものかということを研究してみる必要がある。この問題については，27年ごろから，意図的に考えてきた。

こどもに実際に指導する数学的な内容は多いようであっても，それを分析してみると，たとえば，二位数×一位数と，三位数×一位数の計算は，表面上はちがった数材でも，数学的には前者から後者へ行くのにほとんど新しいことはないわけである。いわば，前者でその計算の意味が一般的に理解されていれば，当然，後者についても適用できるわけである。この意味で後者は前者における理解がほんとうに一般化されているかどうかをみるのによい内容であるともいえる。したがって，この見地に立って前者での指導をよくしておけば，こどもはみずからの力で解決しうる力が生れてくるようになる。

このようになってくれば，本校の今までの研究調査でもわかるように，学習時間の短縮ができるということがいえるのである。すなわち，学習指導の能率をあげるには，根本になる考え方を理解させて，他の同じ系統の学習において，自主的にそれを解決していくような力が生れてくるようになることが一つのねらいである。

これについて，本年度は，3年の学習が充実した関係もあって，二位数×一位数の指導は，6時限で，しかも，誤算者1名という結果であった。この結果，今まで考えられてきた理解事項や，低学年の素地が累積されてくれば，その学年での指導にはさほど時間を要しないということがわかったわけである。

B 書かれた問題の調査について

先の結果の考案でもわかるように，この調査の結果は，かなりの好結果を示しているといえる。この結果から結論的に考えられる問題を述べてみる。

(1) 演算の意味の指導は，特にたいせつである。

計算の指導にあたって，演算の意味の理解を強調してきたことは，今までの本校の研究で述べられてきたところである。その結果，かなりの程度まで書かれた問題を解決する力がついたといえる。

それゆえに，以上の調査から，書かれた問題を解く力の1つの条件として，演算の意味の指導と立式の指導をじゅうぶんすることがたいせつ

であるといえる。

演算の意味をよく理解させ，それがどうして用られるようになったかがわかっていると，新らしい問題にぶつかった場合にも，それをうまく適用できないかを考えることができる。また，もっとよい方法を考えてみようとすることもできやすいと考えられる。

(2) 残った問題として考えられることは，どんなことか。

① 演算の意味の指導の場合に，もっと具体的な行動でやることが必要である。それができれば，文章に書かれた問題を読んでも，具体的な行動に表現して，解決することができるであろうと思う。

② 答に単位をぬいてあるこどもが多かった。これは，とかく計算だけにとらわれて，問題に合う答を出すという意識が足りないことが原因していると思われる。

これは，他教材の場合にもよく考えて指導に当らなくてはならないことでもある。

③ 文章が複雑であると，困難を感ずるこどもが多い。もっと長い文章の場合も練習問題の中にいれて適宜に練習しておくこともよいと考えられる。

§2. 今 後 の 問 題

A 数学的な内容に関連しての問題

二位数×一位数の計算における理解事項についての験証は，一応終ったと考えてもさしつかえはないと考えられる。

そこで問題点としては，

(1) 指導計画については，3年のかけ算九九の指導にも関連するが，同数

累加だけでなく，倍を考える場合や近似的にみなければならないようなときにも，演算の決定ができるかどうかをみることが望まれるわけである。30年度では，若干意図的には取り扱ったが，それらを内容として正式にいれることが指導計画立案にあたっての今後の問題である。

次に，今までの研究から，二位数×一位数の学習で，理解が成立していれば三位数×一位数の学習は，ほとんど必要がないとも考えられることが明らかになっている。このことから，二位数と三位数の計算を同時に，指導計画の中に折り込んでいくことも考えられる。この場合に，何時間ぐらいの指導計画が可能であるか，また，何時間目から三位数の場合をいれるかなどについての実験研究が残されている。

(2) 計算についての理解事項は，「数の大きさ」と「演算の意味」でうまくいくことは，昨年度の4年以外の他学級の指導の結果からも実証された。一応正しいとみとめられるわけであるが，これらについての研究を一歩進めて，計算一般についての理解事項として，この考え方は妥当性があることかどうかは，今後に待つもの大であると考える。

これについては，本校だけでなく，多くの学校でも研究が行われ，それを討議しあうようにすればよいということも考えている。

(3) 書かれた問題の研究については，本年度の調査によって，一応本校で予想された演算の意味の指導をしておけば，相当できるという見通しをもつことができることはわかったが，これについての験証は今後の問題になる。すなわち，書かれた問題を解く力は，演算の意味の理解だけではないと考えられるので，他のどのような条件が，この問題を解決するのに必要であるかの研究が必要になってくる。現在予想されるものとしては，文章を読んで，その内容を読みとっていく力を，国語科の学習でつけることも，たいせつな仕事になると思う。そのような意味で，国語

科の学習は，どのような点をどのように改善していったらよいかが，算数の実験指導と平行して，本校では昭和28年から行っている。

さらに，今までの実験指導でとった考え方のように，理解を通してやる学習で，こどもに創造的な精神がどこまでついてくるか，また，新しいものを生み出していく力が身についてきたかの調査や研究も必要である。この調査や研究は，4年以上の学年での指導や，他教材の指導で，どこまで学習が能率的にできるかなどの調査とあいまってなされると考えている。それらの研究とあいまって，問題を解決する能力をのばす上に一つの道が開拓できるならば，収獲は大きいと考えている。

B 指導法に関連しての問題

(1) 教具について

教具特に色カードを使用しての学習は，あらゆる場面に使えてかなり便利であったといえる。しかし，今までの研究では，いかにして教具を有効に使うかという面が強かった。それゆえ，極端にいうと色カードを使わなくては，おくれているこどもの指導はできないと，誤解される向きもでているようである。これでは，使うべき色カードに，人間が使われているといった形になるおそれがあるが，これはじゅうぶんに気をつけてきたことではある。

そこで，いつとったらよいか，また，色カードを使わないと，どんなときに，どんな点で不便かなどの研究も必要である。できるだけ使わない立場をとって，しかも，現在まで得られた結果と同じ程度までこどもを伸ばすことはできないものかという点からも考えてみる必要があろう。

(2) 能力別に指導するやり方については，現状としては特別の問題は出ていないが，これにも研究の必要のあることも事実である。

たとえば，グループにわけるとき，もっと簡単でしかもはっきりとらえる方法がないか，能力についての考え方に，どこかに理解しにくい点があるのではないかということなどである。

端的にいえば，能力別指導の方法は，必要であるし，しなくてはならないことであるが，とらえ方や方法をもっと簡潔なものにすることである。ただ前学年までの素地が，じゅうぶんでないということから起る能力差については，相当軽減されうる方向にあることは確かである。

さらには，本校のような段階を作るまでの過程をもう一度歩んでみるという方法も考えられる。すなわち，本校では，こどもの現にやってできることを手がかりとして考えてきたのである。それと同じように，教師はこどもの手ぎわにきくという態度で，こどもに自由にやらせて，できた方法を記録したり，賞賛したりしていって，それを整理する方法である。

このような歩みは，迂遠であるかもしれないが，最も堅実な歩みであると考えている。また，このようにすることによって，能力段階は，教材ごとに考えるのでなく，少なくとも計算に関しては，どの教材にもあてはまる一つの段階が，自然と生れてくるのではないかとの見通しをもっている。

二位数×基数以外の教材について同じ考えを用いることは，現在他の学年で用いて相当の好結果を得ている。また，他教科の指導に当っても同じに考えられる点が相当に見つけられた。しかし，これも，むしろ今後残された問題である。

第 Ⅱ 部

信州大学付属長野小学校の研究

I　事実問題におけるつまずきの原因と記述形式

§1. 研究問題とその意味

研究主題は，〔こどもが問題解決をするときに，どんな所でつまずくか，また，どんなことが原因となっているか。〕ということであったが，これを書かれた問題について研究することにした。その理由は次のようである。

A　算数科においては，児童が日常生活で，数量的な判断によって，児童の意見や行動を決定していくことを指導するものであるが，この判断は児童が問題の場をいかにはあくするかということによって，その成否が決定される。この場のはあくを明らかにしないかぎり，算数科の学習指導において，その目標をじゅうぶんに果すことは困難であると考えられる。

これを具体的に例をあげると，われわれは日ごろの学習指導において，個々の計算はできるが，生活問題は解けず，算数を実際の生活に役だてることのできない子どもによく出会うのである。なぜこどもは計算問題ができても，生活問題は解けないのであろうか。このようなこどもを作ったのでは算数科の本来の目標をまったく果し得ないのである。この点を明らかにする最初の手がかりとして，まず書かれた問題について研究することが意味があると考えたからである。

B　もう一つの理由としては，書かれた問題の解決においてこどもの論理的思考を伸ばす機会をとらえ，その指導の体系を明らかにすることを考えたからである。

以上のような観点からこの問題を取り上げ，実験的な研究をしようとしたわけである。

§2. つまずきの主な原因の推定

子どもが問題の場をはあくするのに影響を与え，つまずきの原因となるものにはどんなものがあるか，それを予想してみると，次のようなものが考えられる。

A　取り上げる生活素材

生活素材それ自身についての経験の有無や生活素材のあり方について経験の有無によって，場のはあくに影響を与えるように考えられる。

なお，生活素材に対する興味の有無によっても影響があるものと考えられる。

B　取り上げる数範囲

数について具体的な意味をもたせることができるかどうかが，場のはあくに影響があるであろう。すなわち児童の経験する範囲外の大きな数がある場合には，場のはあくが困難と思われる。

C　記述形式（既知事項と未知事項との配列のしかた）

既知事項と未知事項の配列のしかたによっても，問題のはあくに影響があるものと考えられる。

D　条件の過多および不備によるつまずき

数理的な要素が必要以上に多い場合，解決の方法の多い場合，連続的に解決を要する場合，あるいは解決条件が不備である場合などにつまずきを起すものと考えられる。

§3. 記述形式についての実験研究

A　研究のねらい

記述の形式が場のはあくに相当大きな影響を与えるかどうか。この研究では，記述の形式としては既知事項と未知事項とに着目し，前者については固定的な事がらと関係を表わす事がらに分けて，それらの配列から六つの組合せを考えてみた。

その中で基本的なものとして次の三つをあげた。

(イ)　固定的事項—関係的事項—求答事項

(ロ)　関係的事項—求答事項—固定的事項

(ハ)　求答事項—固定的事項—関係的事項

この三つの場合について

(a)　どこでつまずくか

(d)　どうしてつまずくか

(c)　つまずきを除くにはどうしたらよいか

を明らかにしようとしたのである。

（備考）　固定的事項，関係的事項，求答事項ということばは，この研究でかりに使ったものである。その意味は，次の例によって理解されたい。

◦記述形式の種類（一例）

A　三つの要素がはいっている場合

①
1. 甲は a である。……………………（固定的事項）
2. 乙は甲より d だけ多い。…………（関係的事項）
3. 乙はいくらか。……………………（求答事項）

② 2. 乙は甲よりもbだけ多い。
3. 乙はいくらか。
1. 甲はaである。

③ 3. 乙はいくらか。
1. 甲はaである。
2. 乙は甲よりもbだけ多い。

④ 3. 乙はいくらか。
2. 乙は甲よりもbだけ多い。
1. 甲はaである。

⑤ 2. 乙は甲よりもbだけ多い。
1. 甲はaである。
3. 乙はいくらか。

⑥ 1. 甲はaである。
3. 乙はいくらか。
2. 乙は甲よりもbだけ多い。

B　二つの要素がはいっている場合

① 1.が抜けている場合

(a) 2. 乙は甲よりもbだけ多い。
3. 乙はいくらか。

(b) 3. 乙はいくらか。
2. 乙は甲よりもbだけ多い。

② 2.が抜けている場合

(a) 1. 甲はaである。
3. 乙はいくらか。

(b) 3. 乙はいくらか。
1. 甲はaである。

③ 3.が抜けている場合

(a) 1. 甲はaである。
2. 乙は甲よりもbだけ多い。

(b) 2. 乙は甲よりもbだけ多い。
1. 甲はaである。

C　要素が一つ多くはいっている場合

• できる場合の一例

甲はaである。
乙はbである。
丙は甲よりもcだけ多い。
丙はいくらか。

• できない場合の一例

甲はaである。
乙は丙よりもbだけ多い。
丁は戊(ぼ)よりもcだけ多い。
丁はいくらか。

D　三つの要素があって，できない場合の一例

甲はaである。
乙は丙よりbだけ多い。
乙はいくらか。

B　研究素材の決定

次のような予備調査による児童の実態に即して，加法の4つの場合のうち，最もつまずきの多い場合について，その一段階で簡単なものをとりあげ，数範囲は10以下，生活素材はくだもので行うことにした。

◎加法の一段階での四つの場合のうちで，いちばんつまずきの多いものの調査

1.　テスト問題

(1)　Aの場合（ここでは，求和加法と仮称する）

（　）ねん（　）くみなまえ（　）

いさむさんは，つくしを　5ほん　とりました。あきこさんは　2ほん　とりました。ふたりで　なんぼん　とったでしょう。

こたえ（　　）

。どんなやりかたで　こたえを　だしたか　ここへかきなさい。

。つぎのなかで　じぶんのやり方と　おなじのがあったら　○をつけなさい。
なかったら　かきたしなさい。

1. ふたりでとあるので　ひきざんをしました。
2. 5と2があったから　たしざんをした。
3. すぐ7とわかりました。
4. ふたりでとあるから　よせざんを　しました。
5. 「2ほん　とりました」とあるから　ひきざんを　しました。
6. 5ほんと　2ほん　とりましたから　よせざんをしました。
7. 5と2であるから　かんがえないで　たしざんを　しました。
8. 「とったでしょう」とあるから　ひきざんをしました。
9.

(2)　Bの場合（ここでは，追加加法と仮称する）

でんせんに　つばめが　6わ　とまっています。そこへ　よそから　3ば
まってきて　とまりました。みんなで　なんばに　なったでしょう。
こたえ（　　　）

以下(1)問に準ずる。

(3)　Cの場合（ここでは，求大加法と仮称する）

あきこさんの　くみは5にんやすみました。てるこさんのくみは　あきこさんのくみより　3にんおおくやすみました。てるこさんのくみはなんにんやすんだでしょう。
こたえ（　　　）

以下(1)間に準ずる。

(4)　Dの場合（ここでは，逆減加法と仮称する）

まさおさんは　おはじきを　はなこさんに　七つあげました。まだ　二つのこっています。はじめに　いくつあったでしょう。
こたえ（　　　）

以下(1)問に準ずる。

2.　テスト学年　　2年，3年・4年

3.　テスト日時　　4月27日（金）第2時

4.　テスト方法

(1)　まず問題を裏返しにして配り，配り終ったときに全部いっせいに表をださせて解答させる。

(2)　答が出たらもう一度できているか調べさせる。

。以上の場合，教師が答を暗示したり，正否について示唆を与えたりすることのないように注意した。

。児童が口で答を言ったり，人の答案を見たりしないように注意した。

。教師の指示のあるまでは線から下は見ないように注意を与えた。

。時間はじゅうぶんに与えた。

(3)　全員が答をかいたところで，線から下の考え方の選択にはいる。

この際，全部読み終ってから自分の考え方に該当するところに○印をするように注意する。

(4)　一応できたらもう一度読んでみて，自分の答を確かめる。

。自分のがないときは，その他のところへ文で書かせる。

。全員のものがかき終ったところで，男女別に答案を集めて出させる。

(5)　次の問題(2)(3)(4)の順に順次にテストをする。

(6)　全部やり終ったら，児童の解答に従って，問題別型別にまとめて整

理表にかく。

5. テスト結果

○テストのまとめ

問題 (1) 判断類型	人数			
	2年	3年	4年	計
(1) すぐ7とわかりました。	15	32	20	67
(2) 5ほんと2ほんとりましたから よせざんをしました。	22	14	16	52
(3) 5と2があったから たしざんしました。	41	64	84	189
(4) ふたりでと あるから よせざんしました。	1	4	1	6
(5) 5と2であるから かんがえないで たしざんしました。	11	8	7	26
(6) 「ふたりで」とあるから ひきざんしました。	1	2	0	3
(7) 「とったでしょう」とあるから ひきざんをしました。	1	1	0	2
(8) 「2ほんとりました」とあるから ひきざんをしました。	1	1	0	2
(9) そ の 他	41	4	5	50

問題 (2) 判断類型	人数			
	2年	3年	4年	計
(1) すぐ9とわかりました。	18	24	27	79
(2) 6わとまっているところへ3ばきたからたしました。	5	7	16	28
(3) 6と3があったから たしざんしました。	30	60	72	162
(4) 「よそから3ばきてとまりました」とあるから たしざんしました。	13	8	15	36
(5) 「みんなで」とあるから たしざんしました。	4	0	4	8
(6) 6と3があったから かんがえないで たしざんしました。	1	3	2	6
(7) 6と3があったからかんがえないで ひきざんしました。	9	15	0	24
(8) 6わいたところから よそへ3ばいったのでひきざんしました。	3	7	0	10

(9) よそへ3ばいったので ひきざんしました。	3	0	0	3
(10) そ の 他	47	4	1	52

問題 (3) 判断類型	人数			
	2年	3年	4年	計
(1) すぐ8にんとわかりました。	46	29	27	102
(2) 5にんより3にん おおくやすんだのでたしざんしました。	10	24	28	62
(3) あきこさんのくみより 3にん おおいからたしざんしました。	8	23	32	63
(4) 5と3があったから たしざんしました。	11	34	34	79
(5) 5と3があったから かんがえないで ひきざんしました。	10	5	1	16
(6) 5にんより 3にん おおくやすんだので ひきざんしました。	8	4	3	15
(7) あきこさんのくみより3にんおおいからひきざんしました。	1	0	1	2
(8) あきこさんのくみと てるこさんのくみとくらべて ひきざんしました。	7	5	0	12
(9) そ の 他	33	2	0	35

問題 (4) 判断類型	人数			
	2年	3年	4年	計
(1) すぐ九つとわかりました。	37	26	19	82
(2) 七つあげて まだ二つのこっているから たしざんしました。	14	23	56	92
(3) 7と2があるからたしざんしました。	10	22	35	67
(4) 「はじめに」とあるから たしざんしました。	7	7	0	14
(5) 7と2があるから かんがえないで たしざんしました。	8	25	15	48
(6) 7に2があるから かんがえないで ひきざんしました。	5	11	2	18
(7) 「はじめに」とあるから 7をたしました。	1	1	1	3
(8) 七つあげて 二つのこっているから ひきざんしました。	14	12	0	43

(9) 「はじめに」とあるから ひきざんをしました。	1	0	1	2
(10) そ の 他	37	3	0	40

○テストのまとめ　　　　　　　　　　(加法の誤答率)

加法の類型 / 学年	求和加法	追加加法	求大法減	逆加法
2 年	2/135	2/135	25/135	10/135
3 年	0/132	0/132	10/132	3/132
4 年	1/138	0/138	3/138	0/138
計	3/405	2/405	38/405	13/405

6. **テスト結果の考察**

(1) 上の表によってみると，つまずきの最も多かったのは求大加法で，次に減逆加法である。求和加法，追加加法はほとんどつまずきにならない。これは，1年生，2年生での指導が求和加法や，追加加法の場合に限られ，こどもの加法についての理解がそのような場合に限られている結果ではないかと思われる。

(2) 求大加法と減逆加法について

求大加法は，たとえば「弟は三つ，兄はそれよりも二つ多い。兄はいくつかの場合，半具体物を用いて操作実験をしてみると弟の三つに二つよせても，すぐに兄のにはならない。別に三つをとりよせて二つよせて，五つとすることは興味深いことで，このころに求大加法のむずかしさがあるわけである。

これに比べて，逆減加法の場合は，逆思考のむずかしさはあっても生活上経験されることが多いので，考えやすいようである。

(3) このことから，加法の初期の指導においては数理と生活上の体験との結び付きをよく考えて場を構成する必要があると考えられる。とにかく，ここでは，最もつまずきの多い求大加法について実験することにした。

C 研究結果の予想

求大加法の一段階の簡単な問題でテストするのであるが，果して上述のような記述形式の相異によって，こどもの場のはあくに影響が出てくるかどうか，これを予備テストをして，調べてみることにした。

1. **テストのねらい**

六つの記述形式による差異が認められるかどうか。

2. **テ ス ト 問 題**

・数範囲　10以下

・生活素材　りんご・かき・くり・みかん・もも・なし・あんず・トマト

・出てくる人物

　男　まさお・よしお・しげる・ゆきお・あきら・ただし・きよし・みのる

　女　はなこ・はるこ・ひろこ・あきこ・みつこ・かずこ・しげこ・ちよこ

(1)

まさおさんと　はなこさんは　おかあさんから　りんごを　もらいました。
まさおさんは5こもらいました　はなこさんは，まさおさんよりも　3こおおくもらいました。はなこさんは　いくらもらいましたか。

(1) よみかたや　わけのわからない　ことばがありますか。それは　どのようなことばですか。

(2) なんのもんだいですか。

(3) わかっていることをみんなかきなさい。

(4) なにをだせばよいですか。

(5) どうすれば　こたえがでますか。

(6) こたえを　だしなさい。

(2)

ゆきこさんと　ただしさんは，あんずとりしています。ゆきこさんは　いくつとったでしょう。ゆきこさんは　ただしさんよりも6こすくないそうです。ただしさんのとったのは8こです。

(以下(1)問に準ず)

(3)

あきこさんは　よしおさんと　どんぐりひろいにいって　よしおさんよりも　5こおおくひろいました。あきこさんは，いくつひろったでしょう。
よしおさんの　ひろったのは　4こでした。

(以下(1)問に準ず)

(4)

みつこさんは　みかんを　いくつもっているでしょう。ああきおさんは，4こもつています。あきらさんよりも　3こおおくもっているのです。

(以下(1)問に準ず)

(5)

かずこさんは　ももをいくつもっているでしょう。かずこさんは，ゆきこさんよりも2こだけおおくもっています。ゆきこさんは6こもっているのです。

(以下(1)問に準ず)

(6)

ちよこさんと　みのるさんは　なしとりをしました。ちよこさんは　なしを7ことりました。みのるさんは　いくつとったでしょう。みのるさんは　ちよこさんよりも3こだけおおくとったのです。

(以下(1)問に準ず)

(7)

としおさんのうちの　はたけには　とまとが8こあかくなっています。はなこさんのうちの　あかくなった　とまとは　よしおさんのうちの　とまとよりも3こすくないそうです。はなこさんのうちのとまとは　いくつ　あかくなっていたでしょう。

以下(1)問に準ず)

(8)

ひろこさんと　しげるさんは　おじさんから　かきをもらいました。
ひろこさんは　しげるさんよりも5こおおくもらいました。しげるさんは4こもらいました。ひろこさんはいくらもらったでしょう。

(以下(1)問に準ず)

(第2問，第7問は条件反射を防ぐための減法)

3. **テスト学年**　2年，3年，4年，各1学級

4. **テスト日時**　7月11日第2時

5. **テスト方法**　問題の自由読み後に，各発問ごとにいっせいに筆答させる。

6. **テスト結果**　テスト結果の誤ったもののみを示すと，次のようである。

（第２学年テスト結果）

児童	問題	1	②	3	4	5	6	⑦	8
1	M_1	○	○	×	○	○	○	○	○
2	H_1	○	○	×	○	○	○	○	○
3	I_1	×	○	×	○	○	○	○	○
4	I_2	○	×	○	×	×	○	×	○
5	M_2	○	○	×	×	○	○	○	○
6	H_2	×	○	○	○	○	○	○	○
7	M_3	○	×	○	○	○	○	○	×
8	A_1	×	×	○	○	○	×	○	○
9	O_1	○	×	×	○	○	○	○	○
10	T_1	×	○	×	○	○	○	×	○
11	K_1	○	×	○	○	×	×	×	○
12	K_2	○	○	○	○	×	○	○	○
13	I_3	×	○	○	○	○	×	○	○
14	H_3	×	×	×	○	○	○	○	○
15	T_2	×	○	×	○	○	○	○	○
16	I_4	○	×	○	○	○	○	×	×
17	H_4	×	×	○	×	○	○	○	○
18	A_2	○	×	○	○	○	○	○	○
19	A_3	○	×	×	○	○	○	○	○
20	N	×	×	○	○	○	×	○	○
21	S	○	○	×	○	○	○	○	○
22	V	○	×	○	○	○	○	○	○
23	M_4	○	×	○	×	○	○	○	○
24	K_3	○	×	○	×	×	×	×	○
25	K_4	○	×	○	○	○	○	○	○
26	K_5	○	×	○	○	○	○	○	○
27	M_5	○	×	○	×	○	○	○	○
28	T_3	○	○	×	○	○	○	○	○
29	O_2	×	×	×	○	○	○	○	○
30	T_4	×	×	×	×	×	×	×	×
	×計	11	19	13	7	5	6	6	3

誤　答　30名
正　答　15名　45名

（第３学年テスト結果）

児童	問題	1	②	3	4	5	6	⑦	8
1	YO	×	×	○	○	×	×	×	×
2	YY	○	×	○	○	○	○	○	○
3	MY	×	×	×	×	×	×	×	×
4	MM	○	×	○	○	○	○	○	○
5	YM	×	×	×	×	×	×	×	×
6	SK	×	×	×	×	×	×	×	○
7	TM	○	×	○	○	○	○	×	×
8	SM	×	×	×	×	×	×	×	×
9	FS	×	×	×	×	×	×	×	×
10	AA	×	×	×	×	×	×	×	×
	×計	7	10	6	6	7	7	8	7

誤　答　10名
正　答　34名　44名

（第４学年テスト結果）

児童	問題	1	②	3	4	5	6	⑦	8
1	N_1	×	×	○	○	○	○	○	○
2	T_1	×	×	×	×	×	×	○	○
3	I_1	×	×	×	×	×	×	×	×
4	T_2	×	○	○	○	○	○	○	○
5	T_3	×	×	×	×	○	○	○	○
6	T_4	×	×	×	×	○	×	×	×
7	M_1	×	×	×	×	×	×	×	×
8	T_5	×	×	○	○	×	○	×	○
9	M_2	○	○	○	○	×	○	○	○
10	K_1	○	○	○	○	○	○	×	○
11	O_1	○	○	×	○	○	×	○	○
12	T_2	○	×	○	○	○	○	×	○
13	H_1	○	×	○	×	○	○	○	×
14	O_2	○	○	○	○	○	×	×	×
15	A	○	○	×	○	○	○	○	○
16	H_2	○	○	×	○	○	○	×	×

17	W	○	○	○	○	○	○	×	○
18	N_2	○	×	○	×	○	○	×	○
19	K_2	○	○	×	○	○	○	○	○
20	M_3	○	×	×	×	×	×	○	×
	計	8	11	10	8	6	6	10	6

誤答　20名）
正答　23名）43名

以上３学年の誤答をまとめると，次の表のとおりである。

学年＼問題	1	②	3	4	5	6	⑦	8
二　年	11	20	13	7	5	6	6	8
三　年	7	10	6	6	7	7	8	7
四　年	8	11	10	8	6	6	10	6
計	26	41	29	21	18	19	24	21

7. テスト結果の考察

(1) 記述形式の違いがこどもの場の把握に対してつまずきの原因になると思われる結果は明確には出てこない。ただ，(2)(7)の減法の問題を除くと，(3)（問答形式，第２類型）の誤答が多いことがわかる。

(2) テストの結果，次のようなことが反省され，再実験の計画に役だたないことにした。

(a) 問題の内容がやさし過ぎたようである。

(b) 減法の問題を入れ，条件反射でやるのを防いだつもりであったがほかは求大加法の問題ばかりで，しかも短い時間で行ったので，指向性を免れ得なかった。そのため今後は条件反射を防ぐための問題をもっと多く入れる必要がある。

(c) 児童の読む力や判断力をみるのに，このような１回ばかりのいっせいテストでは結論はでるものはない。これらをテストするには，児童のつまずきの箇所がめいりょうになるような評価の方法（発問

段階）をもっとよく研究する必要がある。面接などによってやることも考える必要がある。

(d) 面接法で行う場合は，被験児童はテストの目的にかなったものを的確にとらえておかなければならないであろう。

D　テスト問題の決定

前の予備テストの結果の反省に基ずき，児童の能力の程度に合わせるため数範囲を20以下に拡大し，また，条件反射を防ぐため，各テスト問題の前後に２問をつけた。

○テスト問題

(一)　　　　ねん　　くみ　　なまえ

(1) たろうさんと　さぶろうさんは　さかなつりにいきました。たろうさんは　17ひきっりました。さぶろうさんは　たろうさんよりも４ひき　すくないそうです。さぶろうさんは　なんびき　つりましたか。

(2) まさおさんは　りんごを15こ　もっています。まさおさんは　はなこさんよりも　３こすくなくもっています。はなこさんは　いくつもっていますか。

(3) ８ぴきのうまが　かわで　みずをのんでいました。そのうち６ぴき　いってしまいました。あとまだ　なんびきのこっていますか。

（以下前後の問題は省略する）

(二)

(2) あきこさは　どんぐりを　よしおさんよりも　７こすくなくもっています。よしおさんは　いくつもっていますか。あきこさんは　12こもっています。

㈢

(2) みつこさんは　みかんをいくつもっているでしょう。あきらさんは 14こもっています。あきらさんは　みつこさんよりも　3こすくなくもっています。

㈣

(2) かずこさんは　ももをいくつもっているでしょう。ゆきこさんは　かずこさんよりも6こすくなくもっています。ゆきこさんは　12こもっています。

㈤

(2) ちよこさんは　なしを15こもっています。みのるさんは　なしをいくつもっているでしょう。ちよこさんは　みのるさんよりも　3こだけすくなくもっています。

㈥

(2) しげるさんは　かきを　ひろこさんよりも　5こすくなくもっています。しげるさんは14こもっています。ひろこさんはいくつもっているでしょう。

E 記述形式によるつまずきを測る発問項目の決定

前述の予備テストの結果の反省に基いて児童の問題解決の過程を7段階に分析して，できないこどもはその過程のどこでつまづいているかを明らかにする発問項目を設定した。

算数科でとりあげる際は，まずその問題を数量的にはあくすることと，必要な計算や測定などの適用を考え，それに基ずいて解決することの二つの段階に大別することができる。

前者をさらに三つにわけてみると，次のようなことになる。(i)これは何についての問題であるか，問題の場を全体としてつかむこと。(ii)どんな事実が与えられているかを知る。(iii)この問題は何を聞いているかを知る。このように分けて考えた場合，この三つがはっきりとらえられてはじめて問題がはあくされたということができるのである。

後者は，前者ではあくされた事がらについて，まず(i)どんな演算を用いたらよいかを考察し，それについての判断を下したり，(ii)どのくらいの答がでたらよいかを予想したりする。つぎに(iii)それにもとずいて計算したり，(iv)出た結果が答として適当かどうか確認したりする。これらの四段階にわけて考えることができる。

問題解決の過程を以上の七段階と考え，できないこどもがいた場合にそのいずれの段階でつまづいているかを診断することにした。そのための発問項目を次の表のように設定した。

発問のしかた	発問の観点
① 何の問題ですか	問題の直観
② どんなことがわかっていますか	資料の摘出，条件の吟味
③ 何を出せばよいですか	問題の把握
④ どうやったら答がでますか	解決方法の考察判断
⑤ どのくらいの答が出ますか	結果の予想
⑥ 答を出しなさい	計算の実施
⑦ この答でよいですか	結果の確認

F 被験児童の選定

2年生の児童を対象とし，次の条件を満足するものに限定した。

① 加法の意味がわかっているが，問題のできないもの。

② 加法の計算のできないこどもは除外。

③ できたりできなかったりするこどもは除外。

1. テスト問題

これらの条件を，満足するものを次のような調査に基いて選定した。

（第1次予備テスト問題）

(1) よしこさんと　かずこさんは　おかあさんから　おはじきをもらいました。よしこさんは11もらいました。かずこさんは　よしこさんよりも5こおおくもらいました。かずこさんは　いくつもらいましたか。

やり方｛　　　　｝　こたえ（　　　）

(2) にいさんは　くりを16こもらいました。おとうさんに10こやりました。にいさんはいくつになりましたか。

やり方｛　　　　｝　こたえ（　　　）

(3) まさおさんの　うちでは　だいこんを16ぽん　かいました。3ぽんたべてしまいました。まだなんぼんのこっていますか。

やり方｛　　　　｝　こたえ（　　　）

(4) はなこさんの　うちでは　しろいにわとりと　くろいにわとりを　かっています。しろいにわとりは　くろいにわとりよりも　5わよけいです。しろいにわとりはなんばですか。くろいにわとりは13ばです。

やり方｛　　　　｝　こたえ（　　　）

(5) おみせやさんに　せっけんが18こならべてありましたが　おきゃくさんがきて3こかっていました。まだいくつのこっているでしょう。

やり方｛　　　　｝　こたえ（　　　）

(6) あきこさんの　まちは　2ねんせいはなにんでしょう。ひろこさんの　まちには　2ねんせいが13にんいるそうです。あきこさんの　まちの　2ねんせいは　ひろこさんの2ねんせいより4にんおおいそうです。

やり方｛　　　　｝　こたえ（　　　）

（第2次予備テスト問題）

(1) ひろこさんは　いちょうのはを　はなこさんよりも5まいすくなく　ひろいました。はなこさんは　なんまいひろったでしょう。ひろこさんは　12まいひろいました。

やり方｛　　　　｝　こたえ（　　　）

(2) でんせんに　つばめが　18わとまっていました。そのうち6わ　とんでいきました。あとなんばのこっていますか。

やり方｛　　　　｝　こたえ（　　　）

(3) あかいこすもすは　いくつでしょう。しろいこすもすは13こさいています。しろいこすもすは　あかいこすもすよりも　5こすくなくさいています。

やり方｛　　　　｝　こたえ（　　　）

(4) まさおさんは　さかなを14ひきつりました。まさおさんは　はるおさんより4ひきすくないそうです。はるおさんは　なんびきつりましたか。

やり方｛　　　　｝　こたえ（　　　）

(5) よしこさんは　くりを17こ　ひろいました。かずこさんは　5こすくなくひろいました。かずこさんはいくつひろったでしょう。

やり方｛　　　　｝　こたえ（　　　）

(6) まさおさんの　うちでは　まるいだいこんを　11ぽん　かいました。ながいのは6ぽんです。あわせて　なんぼんかったでしょう。

やり方｛　　　　｝　こたえ（　　　）

2. テスト学年　2年生

3. テスト月日　11月5日　11月12日

4. テスト方法

- 問題ごとに「やり方（式)」「こたえ」を書かせる。
- 男子にA，女子にBを同時に，一問ずつ時間をじゅぶんかけて，実施する。

配列順をA，Bとわけたのは，並んでいる男女がお互に答をみないようにするためである。

5. テスト結果

第1次予備テストの(1)(4)(6)がみんなできて，第2次テスト(1)(3)(4)がみんなできなかった児童が23名で，その中から被験児童として適当と思われる15名を決定した。

G 被験児童についての実験指導

Fで選定した被験児童に対して，Dで設定したテスト問題を，Eで設定した発問項目に従って，次のような具体的方法で実験指導をした。

1. **第1次実験指導**――発問項目でおさえる。

(1) テスト月日　11月20より6日間

(2) テスト方法

- 7段階の発問項目でおさえて，どこまで助言を与えたら答がだせるかを調べる。
- 条件反射を防ぐための問題のおさえかたは，テスト問題のそれに準ずる。
- 時間はじゅうぶんにかける。
- テストの期間は1日1問として6問6日とする。
- 具体例（△は教師，○は児童）

△さあ，きょうは先生といっしょに，算数のおべんきょうをしよう。
おもしろい算数ですから，よく考えて，先生といっしょにやりましょう。
なんかいでもわかるまでよんでお答をだしなさい。
それでは，この問題をよんでごらんなさい。
わからなかったら「わかりません」といってください。
○よんでやる。

△わかりましたか。
○わかりません。（この場合，わかってできてしまったらテストをやめる）
△それでは，先生といっしょにお話をしましょ。
(発問1)△なにについての，問題ですか。
（わからなかったら〔もう一度よんでごらんなさい〕という）
○まさおさんと，はなこさんが，おかあさんから，りんごをもらった問題です。
（この場合，しどろもどろの返事だったら，上記のようにまとめておしえてやる）
△お答がでますか。だしてごらんなさい。
○答がだせない。（答がでたら，テストをやめる）
(発問2)△わかっていることは，なんですか。
○よんで考えている。（わかっていることがいえたら，〔答をだしてごらん〕という）
△もう一度よんでごらん。
○よんでもわからない。）教師の考えたわかっていることを言って教える）
△お答がだせますか。だしてごらん。（答がでたらテストをやめる）
○答がだせない。
(発問3)△なにをだせばよいですか。
（この場合，発問がむずかしいと思ったら，次のように言ってもよい。〔なんのことをきいているのですか〕または〔わからないことはなんですか〕
○問題を見ながら考えている。
（何をだせばよいかが，はっきり言えたときは，答をだせる。
△もう一度よんでごらんなさい。
○よんで考えてもわからない。
△（何をだせばよいかを教える）
答がだせますか。だしてごらん。

（答がでたらテストをやめる）

○答がでない。

（発問4）△どうやれば答がでますか。

○問題を見ながら考えている。（この場合，はっきりとしたときは答をだせる）

△もう一度よんでごらん。

○よくよんで考えてもわからない。

△（発問1，発問2，発問3を順序よく，くり返してまとめる）

お答がだせますか。だしてごらん。（答がでたらテストをやめる）

（発問5） 以下これに準ずる。

(3) テスト結果

児童名	第一日	第二日	第三日	第四日	第五日	第六日
K	①—7	②—7	⑤—0	③—0	④—0	⑥—0
O	①—4	③—0	②—4	④—0	⑤—0	⑥—0
k	①—4	③—0	②—4	④—0	⑤—0	⑥—0
[illegible]	①—0	③—0	⑤—0	④—0	②—0	⑥—0
M	①—5	②—0	④—0	⑥—0	⑤—0	③—0

(イ) ①②は問題番号

(ロ) その下の 0. 7 は助言の番号を示す。0 は助言指導がない場合を示し，5. 7 などは発問項目の番号を示したものである。

(4) テスト結果の考察

- 上の表から，②の類型が最も抵抗がありそうなことがわかる。
- 問題の前後には，条件反射を防ぐための問題を入れたのであるが，指導助言を与えたために，学習交果が日がたつにつれて現われているように思われる。
- (2)の困難な理由は，発問の位置による差異だけでなしに，既知条件のいい方の影響によるのではないだろうか。
- 発問目でおさえるだけでなく.速度でもおさえられないであろうか。

2, **第2次実験指導**——時間でおさえる。

(1) テストのねらい

- 記述の形式が場のはあくに影響を与えるかどうかを時間を調べることによってテストする。
- 前回に同じ

(3) テスト月日　1月17日～22日

(4) テスト方法

- 第2次予備テスト問題についつて，全部できたこどもに，毎日1問ずつ解答させ，その解答時間を測定する。

(5) テスト結果

児童名＼問題	1	2	3	4	5	6
K_1	30秒	39秒	36秒	20秒	20秒	35秒
k	15秒	69秒	18秒	30秒	22秒	18秒
I_1	63秒	90秒	80秒	37秒	70秒	50秒
I_2	22秒	38秒	25秒	28秒	58秒	32秒
K_2	12秒	43秒	23秒	22秒	25秒	20秒
平　均	28. 4秒	50. 4秒	36秒	27. 4秒	32. 0秒	31. 0秒

(6) テスト結果の考察

- 第4類型以下は日数が重なるに従って，学習効果や条件反射の影響が現れてくると思われるので，それらは次の機会にして，第1類型（記述形式1，2，3）第2類型（記述形式2， 3， 1）第3類型記述形式3，1，2）の三つの類型について考察を加えることにする。
- 表で見ると，第2類型が最も多くの時間を費し，第3類型がこれに次ぎ，第1類型が最も短時間でできている。

この関係を下に示すと，

① 内容の順…固定的事項→関係的事項→求答事項

② 〃 …求答事項→固定的事項→関係的事項

③ 〃 …関係的事項→求答事項→が固定的事項

①が最も速くできるのは，固定された基準となるものをもとにして次にそれと関係ある数理が出てき，求答事項の意味がわかりやすいことにあると考えられる。

②は「この畑は何坪か」のように，求答事項がさきに出るのは，生活上起る問題の形に近いのであるが，このような思考順序はこどもにはまだ困難と思われる。これは，問題の場がわからいうちに，求答事項だけさきに書かれても，それが理解を助けることにはならないことを示しているともみられる。

③は「配給米5kgではいくらか」などの場合であって，②に近い形であるが，固定した条件が最もあとにあるということは，こどもに理解する上に不便であり，困難であることを示している。

以上の事から②③は，生活問題に近いものであり，問題解決の力を伸ばすには，②や③のような考え方ができるように高めてやることが必要であると思われる。②や③ができないということは，記述

形式によることを示すものであるが，そのような思考ができるようにすることの必要性を示すものであるということができる。

第1類型

① ②③

15 甲 3乙 x

第2類型

③ ①.②

12 甲 7乙 x

第3類型

② ③①

14 甲 3乙 x

- この3類型の困難さを，こどもの声よって調べてみるとつぎのようである。

問題＼児童	I_1	K	I	Y_1	T	K_2	Y	I_4	K_4	S_1	S	S_3
I 類 型	B			C	C	C			C	A		
II 類 型	A		A	A	A	A	A	A	A	A	A	A
III 類 型	C	A		B	B	B			B	A		

(注) Aはいちばんむずかしい。

Bは中位にむずかしい。

Cは容易である。

これを見ると，実験の結果とほとんど一致している。しかし，この事がらについては，他の学年，ほかの数学的内容についても研究してみる必要があると思われる。

§4. 今後に残されている研究事項

A 記述形式について

1. 記述形式の6類型の困難さおよびつまづきについて，もっと明確にあくすることを行う。
2. 記述形式によるつまづきを除くにはどんな指導をすればよいか。実験

研究を行う。

B　とりあげる生活素材について

C　とりあげる数範囲について

D　解決条件の過多および不備によるつまづきについて

§5. 本研究から指導上示唆される点

A　書かれた問題の指導過程について

書かれた事実問題によって，児童の論理的思考力を伸ばし，問題解決の能力を養うためには，前述のような7段階の指導段階を考えて指導すれば，つまずきの箇所がはっきりするから，その指導を能率的にすることができよう。

B　論理的思考を伸ばすのに，記述形式による抵抗を調べてみることが有効である。記述形式をいろいろ変えて指導することにより，普通では抵抗しないような思考形式の場合についても指導できるから，児童の論理的思考を一般的に伸ばすのに都合がよい。

Ⅱ　生活素材とこどもの難易との関係

§1. 生活素材を研究課題として取り上げた立場

新しい教育は問題解決の学習であるといわれてきたが，そこでは問題解決の場を構成することが最も重要であり，算数学習の成否は，この場の構成いかんにかかっているともいえる。その場の構成要素である生活素材の研究がその一つの課題である。

われわれは，生活素材を研究課題として取り上げたのであるが，それを実際の指導計画において，次のような場合に配慮することを考えている。

A　理解事項を導入する場合における生活素材の適否

どんな生活素材により導入したならば，理解が容易であるか。すなわち，場を構成しやすい生活素材により導入すれば，理解が容易にされやすい。

B　一般化する過程における生活素材の適否

たとえば，一つのりんごを二つに同じようにわけた一つは二分の一と答えられても，ようかんになると二分の一と答えられないようでは一般化されていないわけである。どんなものをもってきても，二分の一の判断ができるようにするには，どんな順序に配列して指導したらよいか。すなわち一般化の過程と素材の配列の関係を考えるのである。

§2. 生活素材の意味

素材の種類としては，次のように分けて考えた 。

A 生 活 素 材

1. りんご・みかん――生活素材それ自身
2. りんごがどのような場に置かれているか――生活素材のあり方

B 数学的素材……加法・分数など

学習の素材としては，ただ単にりんごがあるというだけでは意味がないのであって，りんごがどのような場にあるかということが主要であり，これによって場が構成されるのである。たとえば，りんごをわけるとか，りんごを食べるとか，さらにもう一歩進んで，お客さんごっこでおきゃくさんにわけるのにりんごをとりあげるとか，このような場にあるものを生活素材と考えたのである。

りんごをわける場合でも，わけるというだけでは教育の場としては望ましくない。目的に合うようにわけることに苦労するようになっていてはじめて生活の進歩が認められるのであり，そこに数学的な進歩がなされるようになっていて，はじめて，算数科として望ましい生活素材を提供しているといえよう。

§3. 数量的判断に影響を与えると思われる生活素材の要素的なもの

算数科の問題解決の場において，こどもの数量的な判断に影響を与えると

予想されるものに，次の諸要素があると考えられる。

A 生活素材の経験・未経験

問題解決の場においては，生活素材それ自身の経験未経験および，生活素材のあり方の経験・未経験が，その場の構成に影響を与えるものと考えられる。それを類型的にあげると，次のようになる。

1. **単純なあり方の場合**

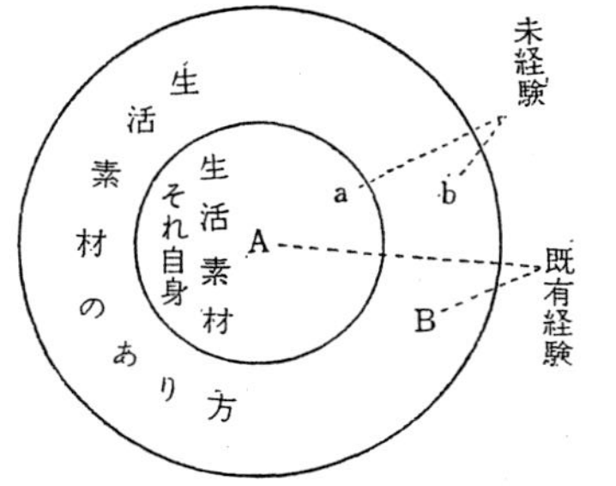

(1) 生活素材それ自身が経験されていて，そのあり方が未経験の場合

(2) 生活素材それ自身が未経験で，そのあり方が経験されている場合

(3) 生活素材それ自身未経験で，そのあり方も未経験の場合

（理解事項を導入する場合は，両者が経験さている場合が理解が容易であると考えられれる。）

予想される難易の順

易――→難

(2)――→(1)――→(3)

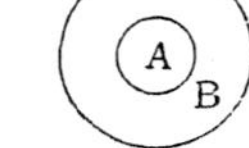

2. 複雑なあり方の場合（調査参照）

(1) 余分な生活素材とその位置的なあり方の場合（生活素材それ自身が同じ場合）

(2) 余分な生活素材の質的な差異による場合（りんごとうさぎ）

(3) 条件が不足している場合（解答不能）

B 生活素材の操作の難易

児童が問題解決に際して，生活素材を実際に操作することが容易である場合と，操作が直接的でない場合とが考えられる。これによって難易の別が生じてくることも予想される。たとえば，色紙などでは二等分する場合は直接折ることができるが，ようかんのようなものでは，そのような操作ができない。

このような操作からくる影響は，特に抽象化の低い低学年においては，大きいと考えられる。

C 生活素材の形と質

生活素材の形や質は切り離すことのできないものであるが，特に両者のいずれかが強い場合が考えられる。このような場合には形と質が判断に影響を与えると予想される。点であるか線や面であるか，また，立体にしても固体・液体・気体などの別により判断に影響を与えるだろうし，また三角形・四角形・円形などの区別から，規則的なもの，不規則的なものなどによって差異が生ずるだろう。

D 生活素材の興味関心

この点はいまさら述べるまでもないことであり，特に低学年においては著

しい影響があると考えられる。この点を分析して研究することも，学習指導上また重要なことである。

§4. 生活素材によるつまずき（難易）の調査

A 生活素材の経験・未経験

◦第1回予備テスト

(1) 調査目的

◦生活素材それ自身の経験の有無が場の構成に影響を与えるかどうかの見通しをつける。

(2) 被験児童

1 年 生

◦1年生は経験領域が狭いと予想されるので生活素材を選択するによい

◦生活素材に対して，経験の有無（直接経験・間接経験・未経験の別）それぞれに該当する児童を選ぶ。（個々面接）……別表

◦調査者が1年生の受持の関係上評価が個々面接により可能であること。

◦３年生の上中位生はほとんど正答と予想され，下位生の数名が調査の対象児童と思われたが，１年生の上位生ならばどうかと考えた。

(3) 調査問題

◦魚を素材とする求大加法

（条件を一定にするために魚を選ぶ）

(4) 調査方法

◦傾向性を排除するために，減法をまぜて２問題（うち調査問題１問ずつを課す。）

○調査問題は経験の深いものから未経験のものへと毎日1問ずつ課す。

○毎日個々面接により結果を確認する。

○該当児童中第1問に正答だったものにのみ第2問以下を実施する。

(5) 調 査 結 果

○実施した結果では，素材の経験・未経験による影響がなくて，できてしまった。これは，加法についての理解がじゅうぶん一般化されてしまった児童であったためではないかとも考えられる。

(別 表)

○素材に対する経験の調査

13	12	11	10	9	8	7	6	5	4	3	2	1	生活素材	
あじ	やまめ	あゆ	きす	すずき	わかさぎ	いわな	なまず	かじか	とびうお	かれい	ひらめ	ふぐ	それ自身	
		AK			A.T H.O S.I. K		N	IS NI			TK		見た いじった 食べた	直接経験
		A IS NI			N		OT S K		H KT			AK I	絵または映画で見た	間接経験
		O I			AK NI	A		NT KH TK	IS			S	お話などにより聞いた	間接経験
				ANT OAKH ISTK ISNIK									全然未知	未経験
			ANT OAKH ISTK ISNIK										全然未知	未経験

※表が複雑になるため，A児・T児・S児の3名のみを……で結び順序と素材を示した。

※調査該当児童は12名で個々面接により選ぶ。

○**第2回予備テスト**

(1) 調 査 目 的

余分な生活素材がある場合に，それがこどもの場の構成に影響を与えるかどうか。また，条件の不足がどのように影響を与えるかの見通しを立てる。

(2) 被 験 児 童　1年～4年までの全児童

(3) 調 査 問 題

（そ の 1）

(1) まさおさんは，なしを5こもっています。あきこさんは6こもっています。はなこさんは，あきこさんよりも，なしを2こおおくもっています。はなこさんは，いくつもっていますか。

(やり方　　　　　) こたえ (　　　　　)

(2) しげるさんは，みかんを10こにいさんからもらいました。いもうとのさちこさんに4こあげました。しげるさんは，いくつもっているでしょう。

(やり方　　　　　) こたえ (　　　　　)

(3) まさおさんは，りんごを4こもっています。あきこさんは，りんごを6こもっています。はなこさんは，よしこさんよりも2こおおくもっています。はなこさんはいくつもっていますか。

(やり方　　　　　) こたえ (　　　　　)

(4) よしこさんは，おてだまを9こもっています。はるこさんは，7こもっています。はるこさんは，いくつすくなくもっているでしょう。

(やり方　　　　　　) こたえ (　　　　　)

(5) きよしさんは，ももを3こもっています。あきこさんは，みかんを5こもっています。はなこさんはきよしさんよりも，ももを3こおおくもっています。はなこさんは，いくつもっていますか。

(やり方　　　　　　) こたえ (　　　　　)

(6) ふみおさんは，りんごを7こもっています。のぶこさんは，うさぎを2ひきかっています。はるこさんは，ふみおさんよりも，りんごを1こおおくもっています。はるこさんは，いくつもっていますか。

(やり方　　　　　　) こたえ (　　　　　)

(その 2)

(1) まさおさんは，りんごを5こもっています。あきこさんは，7こもっています。はなこさんは，まさおさんよりも，3こおおくもっています。はなこさんは，いくつもっていますか。

(やり方　　　　　　) こたえ (　　　　　)

(2) よしこさんは，おおきいどんぐり8こと，ちいさいどんぐり5ことをもっています。あきこさんはよしこよんよりも，おおきいどんぐりを2こすくなくもっています。あきこさんは，いくつもっていますか。

(やり方　　　　　　) こたえ (　　　　　)

(3) しげるさんは，なしを6こもっています。はるこさんは，だいこんを4ほんもっています。はなこさんは，しげるさんよりもなしを3こおおくもっています。はなこさんはいくつもっていますか。

(やり方　　　　　　) こたえ (　　　　　)

(4) くにおさんは，あかいおはじきを5こと，あおいおはじき7ことをもっています。ただしさんは，くにおさんよりも，あおいおはじきを3こすくなくもっています。ただしさんは，いくつもっていますか。

(やり方　　　　　　) こたえ (　　　　　)

(5) ひろしさんは，くりを7こもっています。きよしさんは，ひろしさんよりも，くりを3こおおくもっています。きよしさんは，いくつもっていますか。かずおさんは，5こもっています。

(やり方　　　　　　) こたえ (　　　　　)

(6) みちこさんは，りんご3こと，かき5ことをもっています。のぶこさんは，りんごをみちこさんよりも，3こおおくもっています。のぶこさんは，いくつもっていますか。

(やり方　　　　　　) こたえ (　　　　　)

(備考)　調査問題のその1，その2とも，(2)(4)は傾向性を排除するための問題である。

(4) 調査方法

。調査問題をその1，その2に分け，2日間にわたり質問紙法によって，いっせいに筆答させた。

(5) 調査結果

(調査問題)		1年	2年	3年	4年	計	(おもな誤りのタイプ)
		(調査児童数)					
[I] 1)まさおさんはりんごを5こもっています。あきこさんは7こもっています。はなこさんはまさおさんよりも3こおおくもっています。はなこさんはいくつもっていますか。	まさお ①りんご 5 ↓ 0+3 ③はなこ あきこ ②りんご 7	105	126	138	135	504	
		(誤答生徒数)					
		39	28	8	9	84	

問題	図					
(2)まさおさんはなしを5こもっています。あきこさんは6こもっています。はなこさんはあきこさんよりもなしを2こおおくもっています。はなこさんはいくつもっていますか。	①まさお②あきこ なし　なし ↓ ③0＋2 はなこ	27	24	13	9	73
(3)ひろしさんはくりを7こもっています。きよしさんはひろしさんよりもくりを3こおおくもっています。きよしさんはいくつもっていますか。かずおさんは5こもっています。	ひろし　かずお ①くり　②くり 7　　5 ↓ ③0＋3 きよこ	55	27	21	26	129

〔Ⅱ〕

問題	図					
(1)まさおさんはりんごを5こもっています。あきこさんは7こもっています。はなこさんはまさおさんよりも3こおおくもっています。はなこさんはいくつもっていますか。	まさお　あきこ ①りんご②りんご 5　　7 ↓ 0＋3 ③はなこ	39	28	8	9	94
(2)きよしさんはももを3こもっています。あきこさんはみかんを5こもっています。はなこさんはきよしさんよりももを3こおおくもっています。はなこさんはいくつもっていますか。	①きよし②あきこ もも　みかん 3　　5 ↓ 0＋3 ③はなこ	61	36	33	11	(5＋3) 141 (3＋5＋3)
(3)しげるさんはなしを6こもっています。はるこさんはだいこんを4ほんもっています。はなこさんはいくつもっていますか。	①しげる③はるこ なし　だいこん 6　　4 ↓ 0＋3 ③はなこ	59	26	16	11	112 (6＋4)

問題	図					
(4)ふみおさんはりんごを7こもっています。のぶこさんはうさぎを2ひきかっています。はるこさんはふみおさんよりもりんご1こおおくもっています。はるこさんはいくつもっていますか。	①ふみお②のぶこ りんご　うさぎ 7　　2 ↓ 0＋1 はるこ	62	37	22	22	150 (5＋3)

〔Ⅲ〕

問題	図					
(1)みちこさんはりんご3ことかき5ことをもっています。のぶこさんはりんごをみちこさんよりも3こおおくもっています。のぶこさんはいくつもっていますか。	みちこ ①りんご②かき 3　　5 ↓ 0＋3 ③のぶこ	69	37	22	22	150 (5＋3)

〔Ⅳ〕

問題	図					
(1)さおさんはりんごま4こもっています。をきこさんはりんごあを6こもっています。はなこはよしこより2こおおい，はなこさんはいくつもっていますか。	まさお　あきこ ①りんご②りんご 4　　6	64	104	100	60	324 (6＋2)

(6)　結果の考察

(イ)　Ⅰの余分な生活素材の位置的なあり方によるつまづきは，上掲のようであって，予想とはだいぶ異なっており，原因の推定も容易でなく今後の研究にまつことにした。

(ロ)　Ⅱにおいても，余分の生活素材の類似性によるつまづきの困難度は明らかにならなかった。

(ハ)　ⅢとⅡの比較では，余分な生活素材のあり方，たとえば人物などが同一であるときのほうが単純で，場のはあくも容易であると思われたが，予想に反した結果であった。

(ニ) ⅠとⅡの比較では，余分な生活素材で同一のものがはいったほうが混乱しやすいように予想したが，結果は異なった生活素材がはいったほうがつまづきの原因となることがおおかった。

(ホ) Ⅳの不能問題のできはよくなかった。これは児童が答を出さなければならないというような形式的な考えにとらわれて，無理をして答を出した結果とみられる。

(ヘ) よく問題を読まずに，なんでもある数を全部よせるか引くかしてしまったものもある。

(ト) 誤りのおもなものについては，以後治療指導を後述のように実施した。その結果ほとんどできるようになった。

○診断テスト

(1) テスト目的

○第2回の予備調査において起った誤りのおもなるものについて，はたしてそのような誤りがくり返されるものかどうかを確認する。

(2) テスト児童

○次の問題について，同じような誤りをした児童

①Ⅱ(2)　5＋3

②Ⅱ(3)　6＋4

③Ⅲ(1)　5＋3

④Ⅳ(1)　6＋2

⑤どの問題も2段階にやった児童

⑥でたらめに答を出している児童

(3) テスト問題の1例

〔5＋3および2段階で計算した児童に対するもの〕

診断テスト　　ねん　くみ　なまえ

(1) くにおさんは，あかいおはじき5ことあおいおはじき7ことをもっています。ただしさんは，くにおさんよりも，あおいおはじきを3こすくなくもっています。ただしさんは，いくつもっていますか。

やり方（　　　　）こたえ（　　　　）

(2) みちこさんは，りんご4ことかき5ことをもっています。のぶこさんは，りんごを，みちこさんよりも3こおおくもっています。のぶこさんはいくつもっていますか。

やり方（　　　　）こたえ（　　　　）

(3) はるこさんは，なし2こともも3ことをもっています。なつこさんはなしをはるこさんよりも6こおおくもっています。なつこさんはいくつもっていますか。

やり方（　　　　）こたえ（　　　　）

(4) テスト方法

○該当問題を該当児童に与え，時間はじゅうぶんとる。

(5) テスト結果

○テストの目的で述べたように，同じ誤りがくり返し起ることが確認できた。

○診断テストの結果についての指導

(1) 指導の目標

○誤った問題をできるようにする。

(2) 指導方法

○固定的事項と関係的事項の関係および求答事項との関係の指導

○用語「多い」ということばの意味についての指導

。余分な事項のはいっていることについての指導

○結果のテスト

(1) テスト目的

。指導の目標に照らして，その方法が適確にできるようになったかどうか，すなわち問題ができるようになったかどうか調査する。

(2) テスト児童

。指導した児童

(3) テスト問題の１例

治療テスト　　ねん　くみ　なまえ

(1) ひろしさんは，おかあさんから，みかんを７こもらいました。としこさんは10こもらいました。どちらがどれだけおおくもらいましたか。

やり方（　　　）こたえ（　　　）

(2) はるおさんは，かき５こと，りんご６こをもっています。なつこさんは，かきを，はるおさんよりも４こおおくもっています。なつこさんは，かきをいくつもっているでしょう。

やり方（　　　）こたえ（　　　）

(3) あきこさんは，どんぐりを13こひろいました。おとうとに７こわけてやりました。まだなんこのこっているでしょう。

やり方（　　　）こたえ（　　　）

(4) ただしさんは，ももを７こと，なしを９ことをもっています。きよこさんはももをただしさんよりも，５こおおくもっています。きよこさんはいくつもっていますか。

やり方（　　　）こたえ（　　　）

(4) テスト方法

。該当児童に，該当問題を与えてテストした。

(5) テスト結果

。問題の誤りも少なくなって，みんなできるようになった。

。問題を読みとる指導がたいせつである。

。問題の場を構成するような指導が必要である。

B 生活素材の操作の難易（直接・間接）

○予備調査

(1) 調査目的

。本調査をする場合の被験児童を選ぶため。

(2) 被験児童

。３年，４年，５年，６年の各１学級の全児童

(3) 調査問題

予備調査　　ねん　くみ　なまえ

(1) ななめのせんをひいたところは，ぜんたいのどれだけですか。

（2年）　こたえ（　　）かんがえ方〔　　　〕

(2)

（3年）　の$\frac{1}{3}$だけ，えんぴつで，くろくぬりなさい。

こたえ（　　）　やり方〔　　　〕

(3)

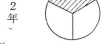

（4年）　の$\frac{1}{4}$だけ，えんぴつで，くろくぬりなさい。ぬったところは，どれだけですか。

こたえ（　　）　やり方〔　　　〕

(4) （5年） ◯◯◯◯◯ の$\frac{4}{4}$だけえんぴつでくろくぬりなさい。

こたえ（　　　）　やり方〔　　　　　〕

(4) 調査方法

○質問紙法によるいっせい調査により，各学年での分数の理解ができているかどうかを調べる。

(5) 調査結果

○理解できたと思われる児童を下記の表のように選出した。

調査学年＼調査問題	2年の内容	3年の内容	4年の内容	5年の内容
3　年	44	28		
4　年		22	6	
5　年			25	19
6　年				9

○本調査

(1) 調査目的

○分数の理解ができているが，生活素材によってつまづきが起る児童を選出し，その児童のつまづきの原因を究明するため

(2) 被験児童

○予備調査の結果分数の理解事項が理解できていると思われる児童

(3) 調査問題

A（2年）**本調査問題**　（　年　組）　なまえ

(1)　1まいのいろがみを，たろうさんと，はなこさんと，よし子さんの3にんでおなじようにわけました。たろうさんのとったのは，ぜんたいのどれだけでしょう。

こたえ（　　　）　やり方〔　　　　　〕

(2)　かずおさんは，くりを4こもっています。かずおさんのもっているくりは，とみこさんのもっているくりのどれだけといったらよいでしょう。

こたえ（　　　）　やり方〔　　　　　〕

(3)　1ぼんのようかんを，ただしさんと，あきこさんと，くにこさんの3人でおなじようにわけました。ただしさんのとったのは，ぜんたいのどれだけでしょう。

こたえ（　　　）　やり方〔　　　　　〕

(4)　2このパンを，4人でおなじようにわけました。1人ぶんは1このパンのどれだけでしょう。

こたえ（　　　）　やり方〔　　　　　〕

(5)　1このりんごを，たかおさんと，ようこさんと，まさこさんの3人でおなじようにわけました。たかおさんのとったのは，ぜんたいのどれだけですか。

こたえ（　　　）　やり方〔　　　　　〕

B（3年）**本調査問題**　（　年　組）　なまえ＿＿＿＿＿＿＿＿

(1)　りんごを三つにわけました。よしこさんは$\frac{1}{3}$とり，のこりをようこさんがとりました。ようこさんのもらったぶんは，どれだけですか。

こたえ（　　　）　やり方〔　　　　　〕

(2)　8このりんごを，かずおさんとすみこさんでわけました。かずおさんは$\frac{3}{4}$とり，のこりをすみこさんがとりました。かずおさんのとったのはどれだけですか。

こたえ（　　　）　やり方〔　　　　　〕

(3)　1ダースのえんぴつの$\frac{1}{6}$をはるおさんがもらいました。はるおさん

のもらったのは，なんぼんですか。

こたえ（　　　）　やり方〔　　　　　〕

(4)　8kgのさとうを，おとうさんと，おじさんでわけました。おとうさんは$\frac{1}{4}$とり，のこりをおじさんがとりました。おとうさんのとったのはどれだけですか。

こたえ（　　　）　やり方〔　　　　　〕

C（4年）本調査問題　　（　年　組）　なまえ＿＿＿＿＿＿＿＿

(1)　にいさんが，おかねを36円もっています。おとうとは，にいさんの$\frac{1}{4}$もっているそうです。おとうとは，いくらもっているでしょう。

こたえ（　　　）　やり方〔　　　　　〕

(2)　3まいのいろがみを，4人でわけました。あき子さんは，ぜんたいの$\frac{1}{4}$とりました。あき子さんのとったのは，どれだけですか。

こたえ（　　　）　やり方〔　　　　　〕

(3)　1まいのいろがみを，四つにわけました。はな子さんが$\frac{1}{4}$とり，のこりをまさおさんがとりました。まさおさんのもらったのは，どれだけですか。

こたえ（　　　）　やり方〔　　　　　〕

(4)　3このりんごを4人でわけました。たろうさんは，ぜんたいの$\frac{1}{4}$とりました。たろうさんのとったのは，どんだけですか。

こたえ（　　　）　やり方〔　　　　　〕

D（5年）本調査問題　　（　年　組）　なまえ

(1)　2このりんごを4人でわけました。ひろ子さんは，ぜんたいの$\frac{1}{4}$とりました。ひろ子さんのとったのは，どれだけですか。

こたえ（　　　）　やり方〔　　　　　〕

(2)　5まいのいろがみを，3人でわけました。はる子さんは，ぜんたい

の$\frac{1}{3}$とりました。はる子さんのとったのは，どれだけですか。

こたえ（　　　）　やり方〔　　　　　〕

(3)　ひろしさんは9このりんごを，おとうとと2人でわけました。ひろしさんは$\frac{1}{3}$とりました。おとうとのとったのはなんこですか。

こたえ（　　　）　やり方〔　　　　　〕

(4)　5本のようかんを，3人でわけました。まさおさんは，ぜんたいの$\frac{1}{3}$とりました。まさおさんのとったのは，どれだけですか。

こたえ（　　　）　やり方〔　　　　　〕

(4)　調　査　方　法

○質問紙法によるいっせい調査

(5)　調　査　結　果

いっせい調査の結果を表にすると，次のようである。

第1表（第3学年）

3年	2年の問題				3年の問題			3年	2年の問題				3年の問題		
児童名	予備テスト	本テスト 直接	本テスト 間接	本テスト 間接	予備テスト	本テスト 直接	本テスト 間接	児童名	予備テスト	本テスト 直接	本テスト 間接	本テスト 間接	予備テスト	本テスト 直接	本テスト 間接
1	○	○	○	○				13	○	×	×	×	○	×	×
2	○	○	○	○	○	×	×	14	○	×	○	○	○	×	×
3	○	○	○	○	○	×	○	15	○	○	○	○			
4	○	○	○	○				16	○	○	○	○			
5	○	○	○	○	○	○	○	17	○	○	○	○			
6	○	○	○	○	○	×	×	18	○	○	○	○	○	○	○
7	○	○	○	○				19	○	○	○	○			
8	○	○	○	○	○	×	×	20	○	×	×	×	○	×	×
9	○	○	○	○	○	×	×	21	○	×	×	×	○	×	
10	○	○	○	○	○	×	×	22	○	○	○	○	○	×	○
11	○	○	○	○	○	×	×	23	○	○	○	○			
12	○	○	○	○				24	○	○	○	○			

25	○	○	○	○	○	×	○	36	○	○	○	○	○	×	○
26	○	○	○	○				37	○	○	○	×	○	○	○
27	○	○	○	○	○	×	○	38	○	○	○	○	○	×	×
28	○	○	×	○	○	×	×	30	○	○	○	○			
29	○	○	○	○	○	×	×	40	○	○	○	○	○	×	×
30	○	○	○	○	○	×	○	41	○	○	○	○			
31	○	○	○	○	○	×	×	42	○	○	○	○	○	×	×
32	○	○	○	○	○	×	×	43	○	○	○	○			
33	○	×	×	×				44	○	○	○	○	○	×	×
34	○	×	×	×	○	×	×								
35	○	○	○	○				計	44	39	39	39	28	3	9

第2表（第4学年）

4 年	3年の問題			4年の問題			4 年	3年の問題			4年の問題		
児童名	予備テスト	本テスト		予備テスト	本テスト		児童名	予備テスト	本テスト		予備テスト	本テスト	
		直接	間接		直接	間接			直接	間接		直接	間接
1	○	×	×	○	○	○	13	○	○	○	○	○	○
2				○	○	○	14	○	×	×			
3	○	×	×	○	×	×	15	○	×	×			
4	○	×	×				16	○	○	○			
5	○	×	×				17	○	○	×			
6	○	×	×				18	○	×	×			
7	○	×	×				19	○	○	×	○	×	○
8	○	○	○	○	×	×	20	○	○	○			
9	○	×	×				21	○	×	×			
10	○	×	×				22	○	○	×			
11	○	×	×				23	○	○	×			
12	○	○	○				計	22	9	5	6	3	4

第3表（第5学年）

5 年	4年の問題			5年の問題			5 年	4年の問題			5年の問題		
児童名	予備テスト	本テスト		予備テスト	本テスト		児童名	予備テスト	本テスト		予備テスト	本テスト	
		直接	間接		直接	間接			直接	間接		直接	間接
1				○	×	×	17	○	○	○	○	×	×
2				○	×	×	18	○	×	×			
3				○	×	×	19	○	×	○			
4	○	○	○				20	○	×	×	○	×	×
5	○	×	×				21	○	○	○	○	×	×
6	○	○	×				22	○	×	×	○	×	×
7	○	○	○	○	○	×	23	○	×	×			
8	○	×	○	○	×	×	24	○	×	×			
9	○	×	×	○	×	×	25	○	○	○			
10	○	×	×	○	×	×	26	○	×	×	○	×	×
11	○	×	×				27	○	×	×	○	×	×
12	○	×	×	○	○	○	28	○	×	×			
13				○	×	×	29	○	×	×	○	×	×
14	○	×	×				30				○	×	×
15	○	○	○	○	×	○							
16	○	×	×	○	○	○	計	25	7	8	19	3	3

第4表（第6学年）

6 年	5 年 の 問 題		
児 童 名	予備テスト	本 テ ス ト	
		直 接	間 接
1	○	×	×
2	○	○	○
3	○	○	○
4	○	○	○
5	○	×	×
6	○	×	×
7	○	○	○
8	○	○	○
9	○	×	×
計	9	5	5

○以上の結果をまとめると，次の表のとおりである。

	2年（内容）				3年			4年			5年		
	調査人員	正答数			調査人員	正答数		調査人員	正答数		調査人員	正答数	
		1	2	3		1	2		1	2		1	2
3年	44	39	38	38	28	3	9						
4年					22	9	5	6	3	4			
5年								25	7	8	19	3	3
6年											9	5	5

(6) 調査結果の考察

○予備テストによって，図形について調べた結果，分数の理解ができていると思われる児童に，書かれた問題の形で分数の問題を出した場合，その正答数は非常に減少している。これは，生活素材によるつまづきが，その原因の1つでないかと思われる。

○操作による難易（直接・間接）は，この調査の結果からは今のところめいりょうにはでてきていない。これは，判断に影響が少ないので，その影響はほとんどないのではないかとも思われる。

C 生活素材の形と質による難易

1. 図形の形および配列による難易

(1) 調査目的

○図形の形や，図形の配列により，判断に影響を及ぼすかどうかをみる。

(2) 被験児童

3年，4年，5年の児童で，それぞれの学年の分数の指導内容が理解できている児童を選ぶ。

(3) 調査問題

（3年）（2年の学習内容）

1 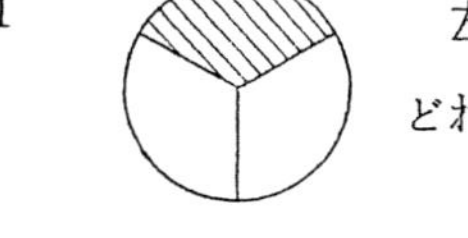 左のななめのせんをひいあるところは，ぜんたいのどれだけですか。

2 左のななめのせんをひいてあるところは，ぜんたいのどれだけですか。

（3年，4年）（3年の学習内容）

1 の $\frac{1}{3}$ はどれだけですか。えんぴつでいろをぬりなさい。

2 の $\frac{1}{3}$ はどれだけですか。えんぴつでいろをぬりなさい。

（4年，5年）（4年の学習内容）

1 の $\frac{1}{4}$ はどれだけですか。えんぴつでいろをぬりなさい。

2 の $\frac{1}{2}$ はどれだけですか。えんぴつでいろをぬりなさい。

(4) 調査方法

該当児童にいっせいに筆答させる。

(5) 調査結果

問題 / 学年	2 年 の 問 題		3 年 の 問 題		4 年 の 問 題	
			○○○ ○○○ の$\frac{1}{3}$	○○○○○○ の$\frac{1}{3}$	○○○の$\frac{1}{4}$	の$\frac{1}{4}$
3 年	44	42	28	25		
4 年			22	10	6	0
5 年					25	6

- 図形における形および配列の違いによって，以上のような差異が認められる。これは，表のように高学年においても起っている。
- 3年生が4年生より結果がよいのは，学習経験が新しいためと思われる。

2. **質による難易**

前述のように，形と質は切り離して，考えることのできないものであるが，特に質的な影響が強くないかと思われるものが，§7実際指導例の資料の項の中にうかがわれる。未分化の低学年においては，学習指導上かかる属性について考慮を要すると考えられる。

§5. 望ましい生活素材の配列

A 望ましい配列の基準

以上のような調査から考えて，学習指導計画における望ましい配列はどうしなければならないか。すなわち場に対する児童の興味関心，経験の有無，操作の難易（分数の場合は除く）形・質などを考慮して立案しなければならない。

B 配列の一例

分数指導における配列を示す表である。

学年	1	2	3		4		5		6		
単元	たなばた	おきゃくさんごっこ	すごろくあそび		かべ新聞		お正月 ものののわけ方（分節）	新年会の準備	分数の研究 学級新聞	そうじ分担	欠席者調べ
主要指導内容	○半分 半分の半分（四半分）	○$\frac{1}{2}$ $\frac{1}{3}$ $\frac{1}{4}$	○$\frac{2}{3}$, $\frac{3}{4}$ …	○27の$\frac{1}{3}$（27÷3） ○3が$\frac{1}{3}$（3×3）	○分数の大小 ○単位分数	○整数小数との関係	○分数の相等関係 ○2つの量の大きさの割合 ○真分数 仮分数 帯分数	○分数の加減（同分母分数）	○約分通分共通な分母 ○分数の加減（異分母分数）	○分数の乗除（分数×(÷)整数）	○比 ○比の値
生活素材（それ自身）	色紙 円 長四角 すいか ○なわ ○パン ○図形	画紙 糸 はし 色紙 厚紙 ようかん テープ りんご 牛乳 ○図形	キャラメル（箱） ようかん りんご	人数 画面の数 えんぴつ みかん ○砂糖（kg） ○しょうゆ（l） ○睡眠（時間）	模造紙 ○ようかん ○牛乳 ○仕事 ○時間（日数）	模造紙（m, cm） ○水（l, dl）	ごちそう ようかん りんご みかん ケーキ ○紙 ○ひも ○炭（kg） ○しょうゆ ○図形	1. 学級園 植つけの仕事 仕事の分担 2. 生活設計 ○日課表	紙面 ○砂糖（kg） しょうゆ（l） ○日課表（時間）	草取り（仕事） ○水槽の水（風呂水） ○道のり ○お手伝い（時間）	欠席者 ○身体異常者（トラホーム） ○プールの水

- 1年生の例では，学習内容が容易であって形による影響はほとんどないと認められるので□から○へと配列した。
- 4年生の例で，模造紙で導入してあるのは，調査の結果と反するも，3年生までに指導されているので理解に影響がないものと思われ

る。

∘一般に低学年から高学年に進むにつれて，具体的なものから抽象的なものへ，規則的なものから不規則的なものへと配列すべきである。

§6. 実際指導例

本実際指導は，以上の調査を考慮し，特に操作の難易の実験を兼ねた実験的な指導計画に基いた指導である。

A 単元計画

単元名	設定の理由	観察調査事項
おきゃくさんごっこ 11月上旬 7 時間	秋も深まり色形さまざまな木の葉が美しく色どられ自然に対する親しみも深くなってくるこのごろである。また一方児童の活動はしだいに内に向き落ち着きを示してくるころであろう。この期をとらえて，児童の好む遊びの一つである。ままごと遊びをして，いろいろなごちそうなどをよって分け合ったりすることは意義のあることである。この場合にものを公平に分配することができず口論などがしばしばおこり困惑を感ずるであろう。このとき$\frac{1}{2}\frac{1}{3}\frac{1}{4}$などの用語記号を理解させることになり，この困惑を解決させて，ものを比べてみたり公平に分配しようとする態度習慣を養う。	∘おきゃくさんごっこの経験の有無 ∘おきゃくさんごっこに対する関心 ∘半分，四半分の理解 ∘分数に対する学習意欲 ∘$\frac{1}{2}\frac{1}{3}\frac{1}{4}$の用語記号の既有能力

目標	学習問題	学習活動 過程	学習活動 資料	評価	備考
理解 1.三分の一の用語を知る ∘「…の半分」「…を二つに	∘おきゃくさんごっこをやったことがあるだろうか	1.おきゃくさんごっこの絵について話し合う 2.おきゃくさんごっこの経験について話し合う	おきゃくさんごっこの絵		
分けた一つ」であること 2.三分の一の用語を知る ∘「…を三つにわけた一つ」であること	∘おきゃくさんごっこをやろう ∘どのようにやったらよいでしょう	3.おきょくさんごっこをすることに決める 4.どのようにわかれてやったらよいか話合う ∘グループの人数 ∘お客と招待する人の数 ∘構成人員の関係			
3.四分の一の用語を知る ∘「…の半分の半分」「四つにわけた一つ」であること 4.「二分の一」「三分の一」「四分の一」をそれぞれ$\frac{1}{2}$ $\frac{1}{3}$ $\frac{1}{4}$と表わすことを知る	∘どんなものを用意したらよいでしょう	5.どんなものを用意したらよいか話合う ∘招待状…画紙 ∘遊び用具…おはじき 糸 ∘ごちそう…はし，石 魚，色紙，厚紙 木の葉，牛乳 ようかん，ねんど りんご			
5.二つずつ，三つずつ，四つずつのグループに分ける方法を理解する 6.1ダースは12であることを知る 能力 1.$\frac{1}{2}$，$\frac{1}{3}$，$\frac{1}{4}$にわけることができる 2.$\frac{1}{2}$，$\frac{1}{3}$，$\frac{1}{4}$の用語を正しく使ったり，記号を書くことができる	∘ごちそうはどのように分けたらよいでしょう ∘分けられたものの大きさはどういい表わしたらよいでしょう	6.ごちそうの分け方とわけられたものの大きさの表わし方について話合う (イ)招待状を書く葉書を作る 画紙…$\frac{1}{2}$ (ロ)遊び道具をわける 糸…$\frac{1}{2}$ おはじき…ずつ (ハ)用具を作る はし…$\frac{1}{2}$　さら（色紙）$\frac{1}{2}\frac{1}{3}\frac{1}{4}$　木の葉…ずつ　厚紙…$\frac{1}{2}$ (ニ)ごちそうを分ける 石魚…ずつ　ようかん$\frac{1}{2}\frac{1}{3}\frac{1}{4}$　りんご…$\frac{1}{3}$　牛乳…$\frac{1}{3}$ ●分数問題練習をする	画紙 糸 おはじき はし 色紙 厚紙 木の葉 小石 魚 模型時計 ねんど 牛乳ビン コップ	∘二等分ができ$\frac{1}{2}$の理解ができたか ∘ものを比べてみようとする態度 ∘四等分ができ$\frac{1}{4}$の理解ができたか ∘除法の素地ができたか ∘三等分ができ$\frac{1}{3}$の理解ができたか ∘公平に分配しようとする態度 ∘それぞれの表現の便利さを知る	
3.分けたものをはじめの大きさと比較することができる 4.二つずつ，三つずつ，四つずつのグループに分けることができる 態度 1.ものを比べてみようとする	∘おきょくさんごっこをたのしくやろう	7.おきゃくさんごっこをたのしくやる方法について話合う 8.おきゃくと接待者に分かれる 9.おきゃくさんごっこをする ∘招待状を出す ∘遊び道具で遊ぶ ∘ごちそうを出す ∘料理の作り方をお話しする ∘おみやげをおくる	鉛筆（はし）	∘1ダースがわかったか	

2. 公平に分配しようとする 3. 表現の便利さを知って簡単な分数を有効に使用しようとする	◦おきゃくさんごっこがたのしくできたか	10. おきゃくさんごっこがたのしくできたか反省する ◦挨拶◦遊び方◦食事の作法◦料理の作り方のお話◦みやげの分け方			
	◦どうすればおきゃくさんごっこがたのしくできるか	11. どうすればおきゃくさんごっこがおもしろくできるか話合う			
	◦おなじように分けたものの大きさを表わすことができるようにしよう	12. 分数の問題を練習する（倍を含む）			◦表現の便利さを知って簡単な分数を有効に使用しようとする態度

B 指導の具体例

1. 指　導　案

算数科単元「おきゃくさんごっこ」学習指導案

指導者　2年○組　○○○○

(1) 目　　標

理　解　① 二分の一の用語を知る。

「……の半分」「……を二つにわけた一つ」であること。

② 三分の一の用語を知る。

「……を三つにわけた一つ」であること。

③ 四分の一の用語を知る。

「……の半分」「……の半分の四半分」「四つにわけた一つ」であること。

④ 「二分の一」「三分の一」「四分の一」をそれぞれ½，⅓，¼と表わすことを知る。

⑤ 二つずつ三つずつ四つずつのグループに分ける方法を理解する。

⑥ 1ダースは12であること。

能　力　① ½，⅓，¼にわけることができる。

② ½，⅓，¼の用語を正しく使ったり，記号を書くことができる。

③ 分けたものを初めの大きさと比較することができる。

④ 二つずつ，三つずつ，四つずつのグループに分けることができる。

態　度　① ものを比べてみようとする。

② 公正に分配しようとする。

③ 表現の便利さを知って簡単な分数を有効に使用しようとする。

(2) 展　　開

過程	学習問題	学習活動	評価	時間	関連
動機づけ	◦おきゃくさんごっこをやったことがあるだろうか	1. おきゃくさんごっこの絵について話合う 2. おきゃくさんごっこの経験について話合う		↑	
問題把握	◦おきゃくさんごっこをやろう	3. おきゃくさんごっこをすることにきめる			
	◦どのようにわかれてやったらよいでしょう	4. どのようにわかれてやったらよいか話合う ◦グループの人数 ◦お客と接待者の数 ◦構成人員の関係		50分	
	◦どんなものを用意したらよいでしょう	5. どんなものを用意したらよいか話合う ◦招 待 状…画紙			

計画樹立		∘遊び道具…おはじき，糸 ∘用　　具…はし，ナイフ さら（色紙厚紙 木の葉）コップ ∘ごちそう…菓子（石）魚（厚紙）ようかん（ねん土）りんご（ねん土）牛乳（白水） ∘みやげ…鉛筆（はし）		↓	
	∘ごちそうはどのように分けたらよいでしょう ∘分けたものの大きさはどのようにいい表わしたらよいでしょう	6. ごちそうなどの分け方と分けたものの大きさはどのようにいい表わしたらよいか ∘招待状を書くはがきを作る 画紙…½ ∘遊び道具を分ける 糸…½　おはじき…ずつ ∘用具を作る はし…½　さら（色紙）…½，¼ 木の葉…ずつ　（厚紙）…½ ∘ごちそうをわける 石魚…ずつ　ようかん…½，⅓，¼　りんご…½ 牛乳…⅓ • 分数問題の練習をする	∘二等分ができ½が理解できたか ∘ものを比べてみようとする態度 ∘四等分ができ¼が理解できたか ∘除法の素地ができたか ∘公平に分配しようとする態度 ∘三等分ができ⅓が理解できたか	↑ 170 ↓	
実施調査研究	∘おきゃくさんごっこをたのしくやろう	7. おきゃくさんごっこをたのしくやる方法について話合う 8. おきゃくさんと接待者にわかれる 9. おきゃくさんごっこをする ∘招待状を出す ∘遊び道具で遊ぶ ∘ごちそうをだす ∘料理の作り方などお話する ∘みやげをおくる	∘１ダースの理解ができたか	↑ 50	
発表討議	∘おきゃくさんごっこがたのしくできたか	10. おきゃくさんごっこがたのしくできたか反省する ∘挨拶　∘遊び方　∘食事の作法　∘料理の作り方のお話　∘みやげの分け方		↓	

解決発展	∘どうすればおきゃくさんごっこがうまくできるか ∘比べたりおなじように分けたものの大きさを表わすことができるようにしよう	11. どうすればおきゃくさんごっこがたのしくできるかについて話合う 12. 分数の問題（倍を含む）を練習する	∘表現の便利さを知って単な分数を有効に使用しようとする態度	↑ 45 ↓	

(3) 資　　料

児童の実態

① 経　　験

(イ) ごっこ遊びをやったことの有無（略）

(ロ) ものを同じように分けたことの有無（39名）

種類	りんご	紙（画色紙）	菓子	鉛筆	花	みかん	くり	消ゴム	いちじく	本	かぼちゃ	パン	へちま	魚	かき	どんぐり	キャラメル	棒	ひも	金銭	ねんど	ぶどう	きゅうり
人	33	21	14	12	11	7	6	5	5	4	4	4	4	3	3	3	3	2	2	2	2	2	2
%	85	54	36	36	31	28	18	15	13	13	10	10	10	10	8	8	8	8	5	5	5	5	5
種類	ほおずき	こんにゃく	くれよん	ようかん	おもち	トマト	びわ	竹	もも	いか	洋なし	まくわうり	板	木	黒板	ふえ	まめ	チョコレート	たわし	地豆	水	牛乳	もろこし
人	2	2	2	2	2	2	2	1	1	1	1	1	1	1	1	1	1	1	1	1	1	1	1
%	5	5	5	5	5	5	5	5	3	3	3	3	3	3	3	3	3	3	3	3	3	3	3
種類	ハンカチ	はがき	なんてん	羽	すいか	さつまいも	さしみ	肉	あげ	さくらんぼ	うさぎ	人	机	石	木の葉	マッチ	ゴム	白星	まんじゅう	いちご	とんぼ	せみ	ひこうき
人	1	1	1	1	1	1	1	1	1	1	1	1	1	1	1	1	1	1	1	1	1	1	1
%	3	3	3	3	3	3	3	3	3	3	3	3	3	3	3	3	3	3	3	3	3	3	3

種類	種	はし	くるみ	おやつ	たまご	おにぎり	いなご	布	せんべい	糸	いす
人	1	1	1	1	1	1	1	1	1	1	1
%	3	3	3	3	3	3	3	3	3	3	3

（考察）児童はいろいろなものを分けた経験をもっている。またこのほかにも気づかないものがあると考えられる。この中には一つのものを分けた場合と数個のものを分けた場合とが含まれている。

(ハ) 分数ということばを聞いたことの有無（38名）

あ る	%	な い	%
3	8	35	92

(ニ) 「二分の一」「三分の一」「四分の一」ということばを聞いたことの有無

	あ る	%	な い	%
二分の一	4	11	34	90
三分の一	3	8	35	92
四分の一	2	5	36	95

(ホ) ½, ⅓, ¼の数を見たことの有無（見たことのあるものはない。）

（考 察）

• 分数については大部分の児童はまったく未知なものと考えられる。

• ½, ⅓……などの記号は見たことが皆無である。したがって書くことも読むことも全然できないのである。

② 興 味 関 心

(イ) やりたいごっこ遊び（略）

(ロ) 算数で勉強したいこと（略）

③ 能 力

(イ) 分数の意味がわかり表現できるか。（38名

1 二等分した一つをなんというか。

(A) いろがみ			(B) りんご		
答	人数	%	答	人数	%
半 分	0	0	半 分	3	8
二分の一	8	21	二分の一	5	13
誤答無答	30	79	誤答無答	30	79

2 四等分した一つをなんというか。

( ) いろがみ			( ) りんご		
答	人数	%	答	人数	%
四 半 分	2	5	四 半 分	4	11
四分の一	2	5	四分の一	5	13
誤答無答	34	90	誤答無答	29	76

（考 察）

∘ ABの場合の正答は各8人のものは全部が同一のものではない。したがって，意味が必ずしも理解されているとはいえない。

∘ 能力の高い児童はあまり簡単すぎて答がわからないと思われた児童もあった。

∘ C．Dの場合も，正答者はA．Bの正答者と必ずしも同一でない。A．Bの場合と同じようなことが考えられる。

3 ▭▨ ななめのせんのところは，ぜんたいのどれだけですか。

4 ▭▭▭ ▨ 右のななめのせんのところは左のどれだけですか。

正　　答		%	誤答無答	%
半　分	13	34	25	65
二分の一	0	0		

正　　答		%	誤答無答	%
四半分	0	0	38	100
四分の一	0	0		

5　◑ ななめのせんのところは，ぜんたいのどれだけですか。

正　　答		%	誤答無答	%
半　分	15	39	23	60
二分の一	0	0		

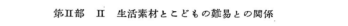

6　□□▨ ななめのせんのところは，ぜんたいのどれだけですか。

正　　答		%	誤答無答	%
三分の一	0	0	38	100

7　⊕ ◺ 右のななめのせんのところは左のどれだけですか。

正　　答		%	誤答無答	%
四半分	7	18	30	79
四分の一	1	3		

8　ここのせんまで水がはいっている。ななめのせんのところの水は，水ぜんたいのどれだけですか。

正　　答		%	誤答無答	%
半　分	6	16	32	84

9　○○ は ○○○○○○ のどれくらいですか。

正　　答		%	誤答無答	%
	0	0	38	100

10　4は8のどれだけですか。

正　　答		%	誤答無答	%
半　分	2	5	36	95

（考　察）

- 分数の記法は全然知らない。
- 誤答無答の中には倍指導直後の調査のためか，能力の低い児童は倍で答を出しているものが多い。
- 3と5および4と7の結果の差異は分けたものがもとの形と相似的であるかないかによってではなかろうか。
- 8は3.5などと比べて結果がよくないのは形（質）などからの影響ではないだろうか。

(ロ) □ の等分の方法　（35名）

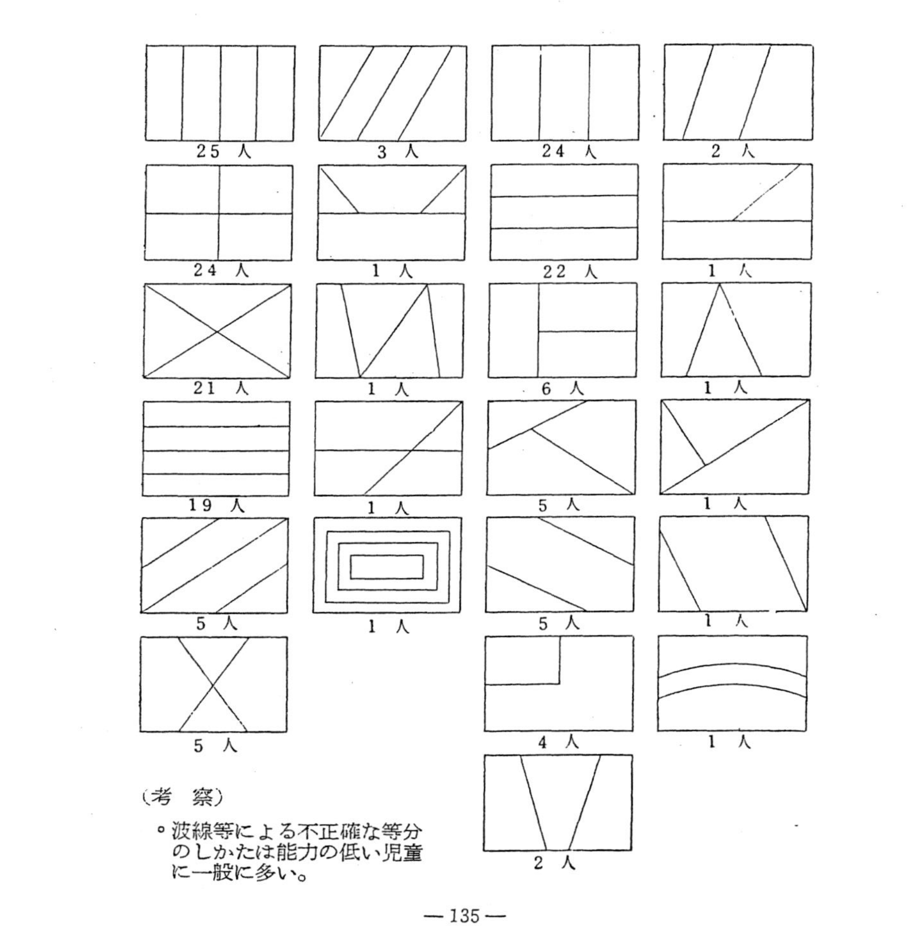

（考　察）

- 波線等による不正確な等分のしかたは能力の低い児童に一般に多い。

◎ 等分の操作についての調査

	児童氏名	色紙 はさみ 二等分	色紙 鉛筆 三等分	厚紙 ものさし鉛筆 二等分	厚紙 ひも鉛筆 二等分	厚紙 (20cm×3cm) ひも鉛筆 三等分	りんご ナイフ 三等分	フラスコの水 コップ3こ 二等分	フラスコの水 しゅうきびんにリットルます(三種) 三等分
1	A	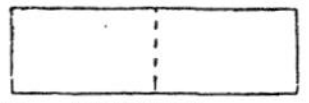	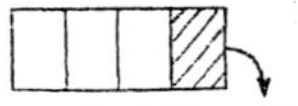 除外	／	鉛筆により目分量で印をつけ助言以前に処理す	目分量で三等分する	／	同じコップ二個をえらんで等分す	コップが三個の場合はできるが二個の場合は他の物をつかって目分量でわける
2	M	同上	同上 除外	／	(イ)の助言後ひもを使って等分する	できない	／	同上	同上
3	Y	同上	同上	／	目分量で等分する	目分量で三等分する	／	／	／
4	YK	同上	同上	／	指巾により大体切半す	同上	わからない	／	／
5	MT	同上	同上	／	でたらめに切半す	できない	／	同じコップ二個をえらんで等分す	 同上
6	MY	同上	同上	／	(イ)の助言後使用して切半す	ひもを四等分して厚紙を四等分す	 ひろくならないようとに考えている	／	／
7	K	同上	技術適確	ものさしを使用しつめで印をつけて二等分する	同上	／	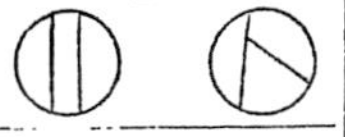	同じコップ二個をえらんで等分す	同上
8	U	 折り重ねて点線のように切る	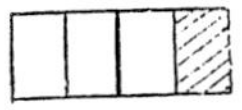	折れない厚紙と説明するも不徹底か折って切る	(ロ)の助言をしても不可	／	／	同上	同上
9	YA	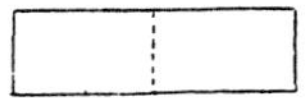	同上	ものさしを使用するも印をつけず切ったため不正確	同上	／		／	／
10	T	同上	できない	同上	同上	／		同じコップ二個をえらんで等分す	同上
11	H	同上	できない	ものさしを使用せず目分量で切る	同上	／		／	／
12	HK	同上	できない	指巾ではかり二等分する	(イ)の助言後ひもを使って等分す	／	／	同じコップ二個をえらんで等分す	同上
	考察 方法反省	(1)わけるということは等分に考えている (2)  のわけ方はなくU児をのぞき 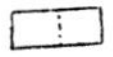　である (3)三等分しようとする意志はうかがえるが総体は困難で先端は除外する傾向がみられる 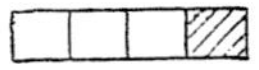 △調査は1～6までの児童と，7～12までの児童とは別々行う △上中下の層の児童をえらぶ		(1)ものさしを使用しない児童はものさしの使用法を知らないためと思われる能力のひくい児童である (2)鉛筆で印をつけて等分したものはない	(1)できないので次の助言をあたえる (イ)ひもを使ってもよい (ロ)ひもをまげてもよい (2)1～6の児童の調査の調査に於てはよく考えて操作させるべきであった (3)助言の時期が不適確であった	(1)操作の上の三等分はできない。これは三等分の操作は困難であるからである	(1)Y児は，はじめ二等分のとき形のことを考え他児童のように簡単に二等分しなかった (2)一等分の場合　はなかった このようら分け方の方が困難であることがわかる	(1)操作ができるような条件を与えれば等分できる (2)コップを二個に限定した場合は他の容器を用いるが，その高さで等分を考えて容器の大小を考えない児童は能力の低い児童である (3)等分しようとする意志は認められる (4)醤酒屋さんへ行った経験を聞いて，他の方法が考えられるか聞いてみたが，リットルますではかろうとするものはなかった。A児のみコップ二個の場合この二つのコップに1:2の割合に入れて，その2のほうを二等分して三等分した。	

前記単元（2年の分数）の生活素材の配列は下記の表のとおりである。
（○の中の数字は指導の順序である。）

	生活素材	直接・間接	数学的内容 $\frac{1}{2}$	$\frac{1}{4}$	$\frac{1}{3}$
1	画紙	導入 直	①		
2	糸	直	②		
3	はし	間	③		
4	色紙	導入 直		①	
5	厚紙	間	④		
6	ようかん	間	⑤	②	②
7	テープ	導入 直			①
8	りんご	間			③
9	牛乳	間			④

2. 指導過程とその結果

2. 指導過程とその結果

順序	1	2	3	4	5	6	7	8	9	10	11
素材内容／児童名	画紙導入（直）$\frac{1}{2}$	糸（直）$\frac{1}{2}$	はし（間）$\frac{1}{2}$	色紙導入（直）$\frac{1}{4}$	厚紙（間）$\frac{1}{2}$	ようかん（間）$\frac{1}{2}$	ようかん（間）$\frac{1}{4}$	テープ導入（直）$\frac{1}{3}$	ようかん（間）$\frac{1}{3}$	りんご（間）$\frac{1}{3}$	牛乳（間）$\frac{1}{3}$
1	（×）	二分の一	（三分の一）	$\frac{1}{4}$	$\frac{1}{2}$	$(\frac{1}{3}$	$\frac{1}{4}$	$\frac{1}{3}$	$\frac{1}{3}$	$\frac{1}{3}$	$\frac{1}{3}$
2	（一枚）	$\frac{1}{2}$、二分の一	$\frac{1}{2}$ 二分の一	$\frac{1}{4}$	$\frac{1}{2}$	$\frac{1}{2}$	$\frac{1}{4}$	$\frac{1}{3}$	$\frac{1}{3}$	$\frac{1}{3}$	$\frac{1}{3}$
3	半分	$\frac{1}{2}$	$\frac{1}{2}$	$\frac{1}{4}$	$\frac{1}{2}$	$\frac{1}{2}$	$\frac{1}{4}$	$\frac{1}{3}$	$\frac{1}{3}$	$\frac{1}{3}$	$\frac{1}{3}$
4	半分	二分の一	$\frac{1}{2}$	$\frac{1}{4}$	$\frac{1}{2}$	$\frac{1}{2}$	$\frac{1}{4}$	（○不明）	$\frac{1}{3}$	$\frac{1}{3}$	$\frac{1}{3}$
5	半分	$\frac{1}{2}$半分	$\frac{1}{2}$	$\frac{1}{4}$	$\frac{1}{2}$	$\frac{1}{2}$	$\frac{1}{4}$	$\frac{1}{3}$	$\frac{1}{3}$	$\frac{1}{3}$	$\frac{1}{3}$
6	半分	半分	半分	（×）	$\frac{1}{2}$	$\frac{1}{2}$	$(\frac{1}{2})$	$\frac{1}{3}$	$\frac{1}{3}$	$\frac{1}{3}$	$\frac{1}{3}$
7	半分	$\frac{1}{2}$	$\frac{1}{2}$	$\frac{1}{4}$	$\frac{1}{3}$	$\frac{1}{2}$	$\frac{1}{4}$	$\frac{1}{3}$	$\frac{1}{3}$	$\frac{1}{3}$	$\frac{1}{3}$
8	（一枚）	（1m）	（二半分）	$(\frac{1}{2})$	いりません	（半分）	$\frac{1}{4}$	$\frac{1}{3}$	$\frac{1}{3}$	$\frac{1}{3}$	$\frac{1}{3}$
9	半分	$\frac{1}{2}$	$\frac{1}{2}$	$\frac{1}{4}$	$(\frac{2}{1})$	$\frac{1}{2}$	$\frac{1}{4}$	$\frac{1}{3}$	$\frac{1}{3}$	$\frac{1}{3}$	$\frac{1}{3}$
10	半分	$\frac{1}{2}$	$\frac{1}{2}$	$\frac{1}{4}$	$\frac{1}{2}$	$\frac{1}{2}$	$\frac{1}{4}$	$\frac{1}{3}$	$\frac{1}{3}$	$\frac{1}{3}$	$\frac{1}{3}$
11	半分	$\frac{1}{2}$	$\frac{1}{2}$	$\frac{1}{4}$	$\frac{1}{2}$	$\frac{1}{2}$	$\frac{1}{4}$	$\frac{1}{3}$	$\frac{1}{3}$	$\frac{1}{3}$	$\frac{1}{3}$
12	半分	$\frac{1}{2}$	二分の一	$\frac{1}{4}$	$\frac{1}{2}$	$\frac{1}{2}$	$\frac{1}{4}$	$\frac{1}{3}$	$\frac{1}{3}$	$\frac{1}{3}$	$\frac{1}{3}$
13	半分	$\frac{1}{2}$	$\frac{1}{2}$	$\frac{1}{4}$	$\frac{1}{2}$	$\frac{1}{2}$	$\frac{1}{4}$	$\frac{1}{3}$	$\frac{1}{3}$	$\frac{1}{3}$	$\frac{1}{3}$
14	（一枚）	二分の一	二分の一	$(\frac{1}{2})$	$\frac{1}{2}$	$\frac{1}{2}$	$(\frac{4}{1})$	$\frac{1}{3}$	$(\frac{3}{1})$	$\frac{1}{3}$	$\frac{1}{3}$
15	半分	$\frac{1}{2}$	二分の一	$\frac{1}{4}$	$\frac{1}{2}$	$\frac{1}{2}$	$\frac{1}{4}$	$\frac{1}{3}$	$\frac{1}{3}$	$(\frac{3}{1})$	$(\frac{3}{1})$
16	半分	$\frac{1}{2}$	半分	$\frac{1}{4}$	$\frac{1}{2}$	$\frac{1}{2}$	$\frac{1}{4}$	$\frac{1}{3}$	$\frac{1}{3}$	$\frac{1}{3}$	$\frac{1}{3}$

17	半　分	$\frac{1}{2}$	$\frac{1}{2}$	$\frac{1}{4}$	$\frac{1}{2}$	$\frac{1}{2}$	$\frac{1}{4}$	$\frac{1}{3}$	$\frac{1}{3}$	$\frac{1}{3}$	$\frac{1}{3}$
18	(長四角)	$\frac{1}{2}$	$\frac{1}{2}$	$\frac{1}{4}$	$\frac{1}{2}$	$\frac{1}{2}$	$\frac{1}{4}$	$\frac{1}{3}$	$\frac{1}{3}$	$\frac{1}{3}$	$\frac{1}{3}$
19	(×)	二分の一	二分の一	$\frac{1}{4}$	$\frac{1}{2}$	$\frac{1}{2}$	$\frac{1}{4}$	$\frac{1}{3}$	$\frac{1}{3}$	$\frac{1}{3}$	$\frac{1}{3}$
20	半　分	$\frac{1}{2}$	$\frac{1}{2}$	$\frac{1}{2}$	$\frac{1}{2}$	$\frac{1}{2}$	$\frac{1}{4}$	$\frac{1}{3}$	$\frac{1}{3}$	$\frac{1}{3}$	$\frac{1}{3}$
21	半　分	$\frac{1}{2}$	$\frac{1}{2}$	四半分	$\frac{1}{2}$	$\frac{1}{2}$	$\frac{1}{4}$	$\frac{1}{3}$	$\frac{1}{3}$	$\frac{1}{3}$	$\frac{1}{3}$
22	(×)	$\frac{1}{2}$	二分の一	$\frac{1}{4}$	$\frac{1}{4}$	$\frac{1}{2}$	$\frac{1}{4}$	$\left(\frac{1}{2}\right)$	$\frac{1}{3}$	$\frac{1}{3}$	$\frac{1}{3}$
23	(×)	$\frac{1}{2}$	二分の一	(×)	$\frac{1}{2}$	$\frac{1}{2}$	$\frac{1}{4}$	$\left(\frac{1}{2}\right)$	$\frac{1}{3}$	$\frac{1}{3}$	$\frac{1}{3}$
24	(×)	$\frac{1}{2}$	$\frac{1}{2}$	$\frac{1}{2}$	$\frac{1}{2}$	$\frac{1}{2}$	$\frac{1}{4}$	$\left(\frac{1}{2}\right)$	$\frac{1}{3}$	$\frac{1}{3}$	$\frac{1}{3}$
25	(×)	$\frac{1}{2}$	$\frac{1}{2}$	(×)	$\frac{1}{2}$	$\frac{1}{2}$	$\frac{1}{4}$	$\frac{1}{3}$	$\frac{1}{3}$	$\frac{1}{3}$	$\frac{1}{3}$
26	(×)	$\frac{1}{2}$二分の一	(2倍)	$\frac{1}{4}$	$\frac{1}{2}$ $\frac{1}{2}$	$\frac{1}{2}$ $\frac{1}{2}$	$\frac{1}{4}$ $\frac{1}{4}$	$\frac{1}{3}$ $\frac{1}{3}$	$\frac{1}{3}$ $\frac{1}{3}$	$\frac{1}{3}$ $\frac{1}{3}$	$\frac{1}{3}$ $\frac{1}{3}$
27	(×)	$\frac{1}{2}$	$\frac{1}{1}$	$\frac{1}{4}$	$\frac{1}{2}$	$\frac{1}{2}$	$\frac{1}{4}$	$\frac{1}{3}$	$\frac{1}{3}$	$\frac{1}{3}$	$\frac{1}{3}$
28	(×)	二分の一	$\frac{1}{2}$	$\frac{1}{2}$	$\frac{1}{2}$	$\frac{1}{2}$	$\frac{1}{4}$	$\left(\frac{1}{2}\right)$	$\frac{1}{3}$	$\frac{1}{3}$	$\frac{1}{3}$
29	半　分	$\frac{1}{2}$	$\frac{1}{2}$	$\frac{1}{4}$	$\frac{1}{2}$	$\frac{1}{2}$	$\frac{1}{4}$	(半分)	$\frac{1}{3}$	$\frac{1}{3}$	$\frac{1}{3}$
30	半　分	$\frac{1}{2}$	$\frac{1}{2}$ 二分の一	$\frac{1}{4}$ $\frac{1}{4}$	$\frac{1}{2}$ $\frac{1}{2}$	$\frac{1}{2}$ $\frac{1}{2}$	$\frac{1}{4}$ $\frac{1}{4}$	$\frac{1}{3}$ $\frac{1}{3}$	$\frac{1}{3}$ $\frac{1}{3}$	$\frac{1}{3}$ $\frac{1}{3}$	$\frac{1}{3}$ $\frac{1}{3}$
31	半　分	二分の一	$\frac{1}{2}$	$\frac{1}{4}$	$\frac{1}{2}$	$\frac{1}{2}$	$\frac{1}{4}$	$\frac{1}{3}$	$\frac{1}{3}$	$\frac{1}{3}$	$\frac{1}{3}$
32	半　分	$\frac{1}{2}$	(×)	(×)	$\frac{1}{2}$	$\left(\frac{1}{4}\right)$	$\frac{1}{4}$	$\frac{1}{3}$	$\frac{1}{3}$	$\left(\frac{3}{1}\right)$	$\left(\frac{3}{1}\right)$
33	(×)	二分の一	二分の一	(×)	$\frac{1}{2}$	$\frac{1}{2}$	$\frac{1}{4}$	$\frac{1}{3}$	$\frac{1}{3}$	$\frac{1}{3}$	$\frac{1}{3}$
34	半　分	半　分	(2倍)	$\frac{1}{4}$	$\frac{1}{2}$	$\frac{1}{2}$	$\frac{1}{4}$	$\frac{1}{3}$	$\frac{1}{3}$	$\frac{1}{3}$	$\frac{1}{3}$
35	半　分	二分の一									
36	半　分	$\frac{1}{2}$	$\frac{1}{2}$	$\frac{1}{4}$	$\frac{1}{2}$	$\frac{1}{2}$	$\frac{1}{4}$	$\frac{1}{3}$	$\frac{1}{3}$	$\frac{1}{3}$	一本のぎゅうにゅうにゅうのぎゅうにゅうの $\frac{1}{3}$
37	(一枚)	(一ぽん)	(きる)	(半分)	$\frac{1}{2}$	$\left(\frac{4}{2}\right)$	$\frac{1}{4}$	$\frac{1}{3}$	$\frac{1}{3}$	$\frac{1}{3}$	$\frac{1}{3}$
	挙手口答	筆答	筆答	挙手口答	筆答	筆答	筆答	筆答	筆答	筆答	筆答

§7. 今後に残された問題

生活素材が場の構成に影響を与えるかどうか，与えるとしたらどんな要素が考えられるか。その仮説に基き予備調査として，それぞれの要素につき，さらにその代表的なものについての難易の傾向性を見いだし，足がかりを得たわけであるが，今後は個々の児童に対して個々面接を行い，診断ならびに治療実験を行うとともに，どんな数学的内容に対してはどんな生活素材の配列が必要であるかを究明して，指導計画の上に役だたせたいと念願している。

あ と が き

「問題解決学習におけることものつまづきの原因とその排除はどうしたらよいか」という課題を，書かれた問題について研究した。まことにつたない研究ではあるが，以上は研究の過程を簡単に書きまとめたものである。まだ幾多の未解決の難問題が山積しているので，今後の研究にまつことが多いが，これについてお気づきの点を御批正・御指導いただければ，幸と思っている。

初等教育研究資料第XV集
算数実験学校の研究報告
（7）

MEJ 2586

昭和31年 9月1日 印刷
昭和31年 9月5日 発行

著作権所有　文部省

東京都中央区入船町3の3
発行者　藤原政雄

東京都台東区上根岸72
印刷所　株式会社第一印刷所東京工場

東京都中央区入船町3の3
発行所　明治図書出版株式会社
電話築地867.4351.4970 振替東京 151318

定価 135円

明治図書出版株式会社
定価 135円

MEJ 2592

初等教育研究資料第XVI集

小学校社会科における単元の展開と評価の研究

——実験学校の研究報告——

文部省

小学校社会科における単元の展開と評価の研究

—実験学校の研究報告—

文部省

ま　え　が　き

本書は，文部省が昭和 28，29 年度の2か年にわたって，「社会科の学習過程と結びついた評価のしかた」という主題で東京都文京区立窪町小学校に実験研究を委嘱して得た成果をまとめたものである。

社会科教育には，今日なお多くの問題が残されているが，評価の研究もその中の重要なものの一つである。全国の小学校教師諸君が本書を一つの手がかりとして今後この方面に関する研究を進められることを期待してやまない。

なお，本実験研究に心からの協力を惜しまれなかった窪町小学校の職員各位に深く感謝する次第である。

昭和31年10月10日

初等・特殊教育課長　上　野　芳　太　郎

もくじ

第　1　章

社会科の評価（実験研究の立場）

社会科の指導における評価の重要性は，ここで改めて述べるまでもないことであり，社会科の指導を真剣に考える人なら，だれでもがその重要性を深く認識しているはずである。

すべての指導計画，指導法の改善は正確な評価を出発点とするものだからである。

しかし，実際にこの方面の具体的研究は，著しく立ち遅れているのが現状である。たとえば，従来市販されている標準学力検査のたぐいでは，社会科でいう学力のすべてが評価できるとは，おそらくだれも考えていないであろう。にもかかわらず，これらを実施し，採点することでお茶を濁している場合も少なくない。

けっきょくは，評価の重要性に対する認識が足りないからではなくて，そのための具体的な適切な方法がじゅうぶん解明されていないからであると考えられる。

われわれは，以上のような認識の上に立って，まず社会科における評価のしかたそのものを研究することが急務であると考えたのである。

しかし評価のしかたといっても，その範囲はなかなか広いのである。それは，社会科の目標が，児童の獲得すべき知識や技能も含んでいれば，社会的関心や思考力，判断力等の発達も含んでおり，各種の態度や習慣の形成も含んでいるので，これらのうち主として何を対象としての評価であるかによって，問題が異なってくるからである。

また，ある時期に総括的に評価を行おうとする場合と，学習の発展とともに継続的に指導の成果を確かめようとする場合とでも，問題が異なってくるのが普通である。

われわれの限られた能力と2年間の時日に，これら評価の問題をすべて取り上げることは不可能なので，実験研究の範囲を次のように限定した。

(1)　評価の対象を主として知的な理解の面に限定する。

(2)　単元終了後や学期末などに行う評価ではなく，学習過程と結びついた評価のしかたはどうあるべきかを実験研究する。

これは，いうまでもなく，理解以外の評価はあまり重要ではないとか，ある時間をおいて児童の学習成果を評価することはあまり意味がないと考えたからのことではない。あくまで研究の範囲を限定することによって，立ち遅れた社会科の評価の研究を一歩前進させるだけの研究成果を得たいと考えたからである。

われわれがこの実験研究を取り上げた意図およびその範囲は以上のとおりであるが，その方法と立場についてさらに若干解説してみよう。

実験研究の第1年度は，1，3，6年の3学級を実験学級とし，1学期中に関係者の間で2学期に実施すべき単元計画案と，これに基いて何を，いつ，どのような方法で評価するかという計画を作成し，2学期に担任教師の手によってこの計画を実施し，その後を実施結果の整理や検討にあてたのである。

第2年度は，前年の経験を基礎にさらに実験学級を1年から6年までの6学級に増加して，ほぼ同じような手続で研究を進めたのである。次章の各単元の資料は，おおむねこの時の結果をまとめたものである。

ところで，研究の立場としてあらかじめ留意したのは，特に次のような諸

点である。

(1)　たとえ，学習成果を主として理解の面を中心に評価するにしても，その方法は単元としての指導計画と密接不離な関係があることはいうまでもない。かりに単元としての目標にあいまいな点が多ければ，評価のねらいも不明確になるであろうし，学習活動の展開過程に無理があれば，評価のしかたをくふうしても，その実施から得られた成果は一般性の乏しいものになるであろう。

したがって，この実験研究の直接の目的は決して単元の作り方や指導計画の適否を吟味することにあるのではないが，その性格上どうしても評価のしかたを研究する前提としての単元計画にも，じゅうぶん検討を加えた上で研究を実施する必要があるのである。

この点，実験研究に当ってはじゅうぶん留意したつもりである。次章の各単元の資料に見られるように，単元の目標もできるだけ重点的に数を少なくして指導の眼目をはっきりさせるように努めたり——従来の指導計画には目標が十数項目も列挙されているような例もあったが，それではいきおい指導の焦点があいまいになりやすい——，学習のめやすとなる問題を設定組織し，その学習段階ごとに具体的な目標を明らかにしておくように努めたのである。

要するに，従来の指導経験をできるだけ生かすとともに，指導の目標とその発展の見通しが明確で，全体としてなるべく簡潔な単元計画を作成するよう留意した。

(2)　この実験研究では，主として理解を対象とする評価のしかたを問題として取り上げたことは前述のとおりである。しかし，社会科の教科としての性格から，この理解というものをさらに検討しておく必要を感じたのである。

なぜなら，社会科の各単元学習で児童が習得すべき理解とひと口にいっても，そこにはかなり性格の異なるものが考えられる。

たとえば，「工業の発達」という単元を学習していく過程で，児童の身につける理解の中には，

- 京浜工業地帯は，日本の四大工業地帯の一つで，ここにあるおもな工業都市は東京・横浜・川崎等である。

という理解もあれば，

- 機械生産の普及発達は，人々の生活に多くの利便をもたらした反面，工場に働く人々の安全その他昔には見られなかった新しい社会の問題を発生させた。

という理解も含まれなければならないであろう。そして，ここにあげた事例でも明らかなように，前者は比較的単純な事実に関するものであり，後者は，たとえば，ある事実と事実との関連をたどったり，その社会的意味を分析したりすることによってはじめて形成される理解である。

社会科の評価として，前者のような類型の理解を全然無視してならないことはいうまでもないが，その教科としての性格から考えて，後者のような類型の理解が，はたしてどの程度養われたかどうかを確かめることのほうがより重要な問題といえよう。

また，その理解は，単に書物の記述などをそのまま機械的に受け入れたものよりも，自分たちの生活との具体的なつながりにおいて受け入れられていることが望ましいのである。

このような社会科として特に重要な理解が何であるかを決めるものさしは，具体的には個々の単元の目標ということになるが，このことは実験研究にあたって，何を，いつ，どのように評価するかという場合の，「何を」の問題に相当する。

この点，時間と能力に制約もあるので，実験研究に際しては，前述の事例の場合の後者のような類型の理解，いわば社会科として，その目標から特に重要と考えられる理解が，具体的生活に結びついた理解として，形成されているかどうかに重点をおいて評価しようと努めたのである。

したがって，次章の各単元で取り扱つた評価は，それぞれの単元学習として評価すべき理解事項をすべてもうらしているというものでは決してない。

(3)　前述したようにこの実験研究では，ある時期にまとめて行う評価ではなく，単元の展開に即しながら行う評価，学習過程に結びついた評価のしかたに問題を限定した。しかし，それでもこのことを厳密に解釈すれば，社会科の指導の1時間1時間ごとにその成果を評価することが必要なのであるから，そのような評価のしかたを数多く研究しなければならないことになる。

しかし，この研究では，実際上の条件も考えて，それぞれの単元学習のおもな発展段階——学習のめやすとなる問題（次章の指導計画案参照）——ごとに，重点的に評価のしかたをくふうし，実施することにした。

それは，たとえこのような方法をとるにしても，その学習の発展段階として最も本質的な側面から評価すべき理解内容を選択し，その時期を考えて実施するならば，それまでの数時間の学習活動の成果をその一つの評価結果からある程度さぐりあて，必ずしもその評価を実施した時間の指導だけでなく，前時あるいは前々時の指導の適否までも検討しうると考えたからである。

たとえば，次章にあげた3年の「町の暮しと交通」という単元で

は，「道や乗物の集まっている所はどうなっているか」という問題のもとに，約10時間にわたって，「池袋駅に集まっている乗物を交通図を見て調べる」,「池袋駅やその周辺はどのように利用されているか話し合う」など各種の学習活動を行うことになっている。したがって，そこでは池袋駅に集まっている私鉄電車の名称やその起点，終点などについても学習するであろうし，池袋駅に働く職員の数とか池袋駅の１日の乗降客数なども調べられるであろう。しかし，この学習の段階として最も重要なねらいは，池袋のような交通の要地は他の場所と違って，町の人々の暮しと深い関係を持っていることを児童に理解させることにあるのだから，そのような理解ができたかどうか確かめれば，その10時間の指導の成果もおのずから明らかになるものと考えたのである。そこで，この学習の段階として他の評価は省略して，「池袋駅の果している機能をいろいろな面から理解しているかどうか確かめる」という評価だけを行うことにしたのである。

(4) 以上のような立場でそれぞれの評価のしかたをくふうした場合，ある時は，児童に質問紙への記入という作業が要求されるであろうし，時には児童の作文や描図が評価の手がかりとして利用されるであろう。また話し合いの観察という方法もとられることがあろう。しかし，どんな方法で評価が行われるにしても，特に評価のために児童に特別な作業を課して単元学習としての自然な発展を中断して，児童がそれまで持っていた学習のめやす（目的意識）を消失してしまうことのないように留意した。

このことは，ことばを換えて言えば，児童に自分たちが評価されているという意識をなるべく与えないで，評価のための作業も，それが単元の一つの学習活動として有機的な位置づけができるような方法をくふう

することに努力したということである。

児童の間に評価されるという強い意識が働くことは，生き生きとした単元学習としての妙味を発揮できずに終る原因になりやすいし，評価の結果得られた資料そのものも，相当条件をつけて解釈しなければならないからである。

このような研究の立場を，実際にすべて貫き通し得たとはいえないが，少なくとも評価のしかたを立案するに際してはじゅうぶん留意した点である。

(5) 評価のしかたをくふうするにあたって，その結果が教師の主観によって著しく左右されるような余地のある方法は，つとめて避けなければならないことはいうまでもない。しかし，この点をあまり厳密に考えると，けっきょく従来の学力標準検査と称されている形式以外のものはあまり使えないことになって，(2)で述べたような研究の立場を実現し得なくなってしまうおそれがある。

そこで，次章にみられるように，必ずしも客観的なテスト形式ばかりにこうでいせず，その他の話合いの観察とか作品の評価等の方法を適宜取り入れて，社会科として本質的に重要な理解をなるべく確かめうるように努めた。

もちろん，評価の結果が明確に数量的に処理し得ないような方法を使う場合にも，あらかじめ予想される反応とその評定のめやすについては，なるべく具体的に研究しておくよう留意した。

たとえば，６年の「わたくしたちの生活と政治」という単元で最初に行った評価は周囲の公共施設（公園と区立図書館）についてどんな点を改善したいか話し合いをさせ，その発言によって公共施設の公共性をどの程度理解しているかを確かめようとするものであった。

この場合においても，ただ発言の状況が活発であるかないかというような基準でなく，発言の内容をあらかじめ想定し，自分以外の利用者の立場も考えて改善の要求を出しているものは，公共施設の公共性をよりよく理解したもの，自分のつごうからだけしか述べていないものは，公共施設の公共性についての理解が，なおふじゅうぶんなものとして取り扱うように計画しておいたのである。

以上述べたような諸点を，実験研究の立場としながら，個々の具体的単元を通して評価のしかたをくふうしてみたのが，次章の資料である。

第　2　章

各学年の単元と評価の記録

1年の単元『おうちの人たち』　15時間

実施期日　11月

A　単元の基本的構想について

（a）単 元 の 目 標

1. うちには，いろいろな人がおり，みんながじょうぶで楽しく暮すことができるよう，いろいろな仕事を分担し，手ぎわよく行うように努めている。

(1) うちの仕事は，おもにおとうさんやおかあさんが分担して行うが，それらはみんなの生活にとってたいせつなものである。

(2) うちの人たちは，いろいろなものや道具を作ったり，使ったりして暮し，仕事をしている。

(3) うちには，うれしいこと，悲しいことなどがおきるが，ものの使い方や仕事のしかたをじょうずにすれば，うちの人たちが楽しみ合う時間を多くすることができる。

2. うちの中では，自分のしたこと，思うことを何でも伝え，みんなと協力して楽しいうちにしようと努める。

単元名	おうちの人たち	時間数	15時間
目標	1. うちには，いろいろな人があり，みんながじょうぶで楽しく暮すことができるよう，いろいろな仕事を分担し，手際よく行うよう努めている。 (1) うちの仕事は，おもにおとうさんやおかあさんが分担して行うが，それらはみんなの生活にとってたいせつなものである。 (2) うちの人たちは，いろいろなものや道具を作ったり，使ったりして暮し，仕事をしている。 (3) うちにはうれしいこと，悲しいことなどがおきるが，ものの使い方や仕事のしかたをじょうずにすれば，うちの人たちが楽しみ合う時間を多くすることができる。 2. うちの中では，自分のしたこと，思うことを何でも伝え，みんなと協力して楽しいうちにしようと努める。		

学習のめやすとなる問題	具体的目標	学習活動（内容）	評価番号
自分のうちはどこにあり，どんな人たちがいるか。	うちによって人数や家屋のようすが違う。 自分のうちは，学校からきまった方角にある。	(1) 日曜日の外出の経験について話し合う。 どこへ　だれと (2) 家にいる人の絵をかき，友だちの絵と比べてその違いを話し合う。 (3) 自分のうちの場所について，学校を中心にし，その方角，距離や自分の家を中心にして近くの友人の家などについて話し合う。	1 2
うちでは毎日，だれがどんな仕事をしているか。	おとうさんやおかあさんはそれぞれうちのためになる仕事をしている。 うちでは，みんなが毎日きまった仕事を手際よくするように努めている。 仕事は手分けしたり，いろいろな道具を使ったりしている。 自分でできる仕事は終りまでやりとげるように努めなければならない。	(1) 前日の経験を想起して，朝食までの家人の仕事や様子，下校時の家人の様子，夕食後の様子等について話し合い，めいめいカードに記入する。 (2) 家の仕事を衣・食・住やこどもの世話等にわけて，だれがどんなやり方でしているか話し合う。 (3) それらの仕事をする人が病気になったり，留守にした時は，どのように困るか，また実際にどうしているか話し合う。 (4) 自分がうちでしている仕事について話し合う。	3
うちでうれしいことや悲しいことがおきた時には，どのようにしているか。	よろこびの時には，家中で楽しくするように気を配ってくれる。 悲しい時には，家中で心配してくれる。 ものの使い方や仕事のしかたで家の中が楽しくなる。	(1) 家族の誕生日の時の様子を話し合い，絵にかき，もっと楽しくする方法についても話し合う。 (2) 自分が病気になった時の家族の態度，家族が病気になった時自分のとるべき態度等について話し合う。	4
うちを楽しくするにはどうしたらよいか。	うちの人には，自分のしたこと，思うことを話すことがよい。 うちのことには進んで協力し，楽しいうちになるように努めなければならない。	(1) 両親にほめられたことを話し合う。 何をして，　その時の気持。 (2) しかられたことを話し合う。 何をして，　その時の気持。 (3) 自分のしたことや思っていることは，何でも話した方がよいことを，具体的事例に基いて話し合う。	5

（ｂ） 学習のめやすとなる問題の発展

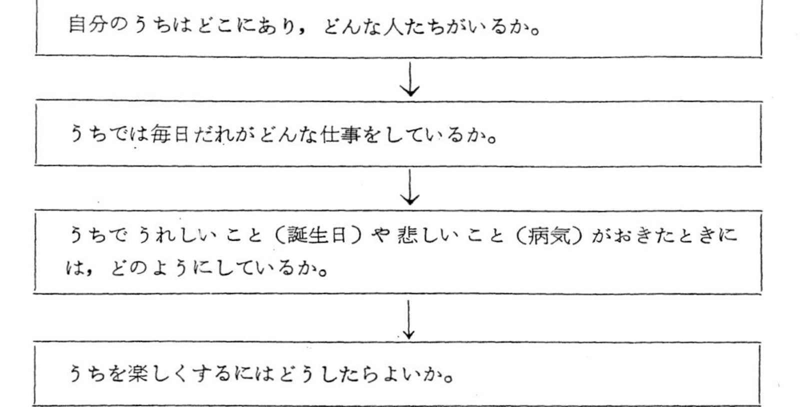
自分のうちはどこにあり，どんな人たちがいるか。
うちでは毎日だれがどんな仕事をしているか。
うちでうれしいこと（誕生日）や悲しいこと（病気）がおきたときには，どのようにしているか。
うちを楽しくするにはどうしたらよいか。

（ｃ） 基本的構想についての解説

この単元が，家族の仕事や自分たちに対する両親の配慮等に目を開かせつつ，１年生なりに家庭生活の意義を理解させ，家族との望ましい協力ができるようになることを期待していることはいうまでもない。しかし，１年生であるから，家庭生活の意義をどの程度にはあくさせ，家族との協力をどの程度に期待するかが問題である。そこで，この単元では，目標からも読みとれるように，家族の仕事とその分担のしかた，その際における道具の利用や物資の活用など，なるべく具体的学習事項を通して，それらの諸活動が家庭をみんなが健康で楽しく暮せる場にしようということを目的にして営まれていることに着目させ，しかも家庭にはいつもよいことばかりあるとは限らないが，自分たちのくふう次第で，より楽しい家庭にもしうるのだという点まで考え及ぼさせようと意図したのである。目標１の(3)で「………じょうずにすれば，うちの人たちが楽しみあう時間を多くすることができる」という表現をしているのは，

このような基本的構想の一端が現れたものである。

それから，家庭での協力という問題については，まだ被保護者的立場の強い１年生であるから，あまり高度なことを要求せず，家庭の外と内で何も裏表のない，両親や兄姉の前で何でも言えるこども，そういうことによって家庭によけいな心配をかけることのないこどもにすることが，何よりも重要なことと考えて，目標の２を設定したのである。

なお，家族の仕事について学習させるにしても，その意義とか使う道具の種類などを知らせることだけに終らないで，おとなの人たちは，仕事の軽重緩急を考えてなるべく手順よく仕事を運ぼうと努めている点に気づかせ，そのような考え方を自分たちの日常生活の上に応用しようという気持をもたせることが重要だと考えたので，特に目標の１で「……いろいろな仕事を分担し，手ぎわよく行うよう努めている」ということを表現したのである。

以上のような目標のもとで，前掲の学習のめやすとなる問題の発展過程を考えたのであるが，まず最初に各自の家の位置と家族構成を確認させながら，あわせて家族や家の様子にもいろいろな違いがあることに気づかせ，次には平日の家庭生活の１日の流れを跡づけながら，だれがどんな仕事をしているか，その仕事をする家族の人に支障がおきたらどんなに困るかを考えさせながら，いろいろな仕事の重要性とその相互の関連を理解させようと意図したのである。そしてこのような学習過程によって，当初は断片的であった児童の家庭生活についての理解が，かなり組織化されてくるものと予想されるので，さらに次には，うちでうれしいこと，悲しいことがおきたときはどうしているかという問題の中で，家庭が喜びや悲しみをわかち合う生活の場であることを理解させ，最後に自分たちのくふうで，もっと家庭を楽しくする道が残されているこ

とに気づかせ，その方法をみんなで研究してみるという学習の発展を計画したのである。

B　学習活動の展開

（ゴチックで表記したものは，前掲の学習のめやすとなる問題である）

1.　自分のうちはどこにあり，どんな人たちがいるか。

(1)　日曜日の外出の経験について話し合う。

どこへ　　だれと

(2)　家にいる人の絵をかき，友だちの絵と比べてその違いを話し合う。

(3)　自分のうちの場所について，学校を中心にしての方角・距離や，自分の家を中心にして近くの友人の家などについて話し合う。

2.　うちでは毎日だれがどんな仕事をしているか。

(1)　前日の経験を想起し，朝食までの家人の仕事や様子，下校時の家人の様子，夕食後の様子などについて話し合い，めいめいカードに記入する。

(2)　家の仕事を，衣・食・住やこどもの世話等に分けて，だれがどんなやり方でしているか話し合う。

(3)　それらの仕事をする人が病気になったり，留守にしたときには，どのように困るか，また実際にどうしているかを話し合う。

(4)　自分がうちでしている仕事について話し合う。

3.　うちでうれしいことや悲しいことがおきたときには，どのようにしているか。

(1)　家族の誕生日の時の様子を話し合い，絵にかき，もっと楽しくする方法についても話し合う。

(2)　自分が病気になったときの家族の態度，家族が病気になったとき自分

のとるべき態度などについて話し合う。

4.　うちを楽しくするにはどうしたらよいか。

(1)　両親にほめられたことを話し合う。

何をして，　その時の気持。

(2)　しかられたことを話し合う。

何をして，　その時の気持。

(3)　自分のしたことや思っていることは，何でも話したほうがよいことを，具体的事例に基いて話し合う。

C　評価しようとした事がらとその方法，時期および結果について

1.　自分のうちの家族構成を組織的に理解したかどうかを確かめる。

すなわち，前掲1の「自分のうちはどこにあり，どんな人たちがいるか」という問題について，(1)から(3)までの学習活動を展開していくわけであるが，特に(2)で自分の家族を絵にかき，友だちと比較してその違いを話し合った結果，ただ家にいる人の名まえや人数を確認したにとどまったか，さらに進んで家族のひとりひとりについて自分とのつながりをとらえ，家族構成の中での自分の地位を理解するようになったかを確かめることが重要だと考えたのである。もちろん，児童は日常父母とか兄弟ということばを使い慣れているであろうが，このような学習を機会に，単なることばとしての使用から，前述のような具体的な家族関係としての理解に深められていかなければ意味がないと考えたのである。

そこで，(2)の学習活動が終った時期に，教師が次ページのようなプリントを用意して全員に記入させたのである。

すなわち，このプリントの○印の中に自分を含めてそれぞれの家族の名

まえを記入させるのであるが，その記入場所がこの○印の位置に応じて祖父母・父母・兄弟という系列に正しくなっているか，それとも自分の名まえをいちばん上に書くとか，ただ思いついた順序に書いているという状態であるかなどによって，前述のような家族構成についての理解度を確かめうると考えたのである。

(1)
父母と兄弟のいるもの

(2)
祖父母
父母
および兄弟のいるもの

なお，このプリントを児童に渡して記入させる場合の教師の発言指示が，結果に微妙な影響を与えると予想されたが，

『この前は，家の人の絵を書いてみんなで話し合いましたが，今度は絵で書かないで，おとうさんとかおかあさんなどのなまえで書いてみましょう。今，渡した紙の○の中にひとりずつ書いてください。○はあまってもかまいません』

という程度の発言をして，各自に記入させたのである。

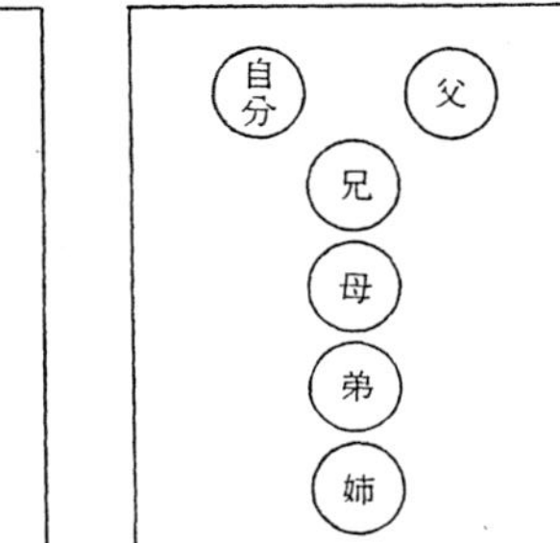

(1)の例　(2)の例　(3)の例

記入のために与えた時間は15分間である。この結果を整理すると，下記のとおりである。

まず，理解の段階すなわち回答の類型とその比率は，

(1)　父母と自分たち兄弟の区別，兄弟の中での自分の位置を明確にして記入をしているもの（前図(1)参照）

37パーセント（22人）

(2)　父母と自分たち兄弟の区別はできているが，兄弟の中での自分の位置についてはむとんちゃくな記入をしているもの（前図(2)参照）

31パーセント（18人）

(3)　まったく無系列な記入をしているもの（前図(3)参照）

32パーセント（19人）

であった。

もちろん，この方法それ自体に限界があるから，上記(2)，(3)の回答をしたもの全員が，家族構成を組織的に理解していないと断定することは誤りである。しかし，少なくともこの種の形式で家族の名を記入しなさいといわれたとき，家族構成を組織的に考えて記入しようという関心のない児童が全体の63パーセントに及ぶという事実は明らかであるし，この事実について，(2)，(3)の類型に属する回答をした児童の多くのものは，家族構成を組織的に理解するという点で，なおふじゅうぶんなものであると解釈することは許されよう。

この結果は，この単元学習以前に同じような調査をしたときの数字，(1)が10パーセント（6人），(2)が18パーセント（11人），(3)が72パーセント（42人）と比較してみれば，著しく向上しており，この単元で，家の日曜日の様子を話し合い，家族の絵を書いたり，その話し合いをした2時間の学習活動が，児童が家族構成を組織的に理解する上にかなり有効に役だっ

たということは明らかである。たとえば，父母と自分たち兄弟の区別，兄弟の中での自己の位置づけのできる児童が学級の約1割しかなかったのが，4割近くにふえたのだから。

同時に，この評価の結果は，教師の予想をやや下回り，学級の6割以上の児童がまだ家族構成を完全に組織的に考える段階になっていないことを示しているので，この点については本単元の今後の指導で，教師が絶えず留意しなければならない課題として残されたわけである。

2. 自分の家の位置，住所を具体的に理解したかどうか確かめる。

これは，「自分のうちはどこにあり，どんな人たちがいるか」という問題についての(3)の学習活動，すなわち学校を中心にして自分の家の方角や距離，目あてになる建物や道順などについて話し合い，また自分の家を中心にして付近の様子や友だちの家などについて話し合う活動が進んだ適当な時期に，自分の家の位置というものについての理解がどの程度具体的になったかを確かめようとしたのである。

すなわち，自分の家の位置を他との関係において，ただばく然と，遠い，近いとか，あっちのほう，こっちのほうという程度の指摘しかできないようでは，前記1の(3)の学習活動を行った意味がほとんどないと考えたのである。

そこで，学校を中心にした簡単な地図を示し，十数人の児童にそれぞれ自分の家の所在地を，地図を見ながら説明させたのである。指名する児童については，教師があらかじめ能力別に3段階のA・B・Cのグループを考え，その中から平均に選んだ。

この結果を整理すると，児童が自分の家の所在地を説明するしかたには，

(1) たとえば，どの道を通り，何々のわきを通ってどこ………というように具体的な道順や目じるしになる地形地物を利用しているもの

(2) 単に公園のところ，○○寺のほうというようにかなりばく然と指示しているもの

の二つの類型があり，(1)のような回答が能力の高いAグループ5人中3人の児童にみられ，他のふたりと中位のBグループ5人中4人およびCグループのひとりの回答は，だいたい(2)の類型に属するものであった。しかも，このほかにほとんど説明のできない児童が，Bグループにひとり，Cグループに4人あった。すなわち，下記のとおりである。

(1)…………………3人…………20.0パーセント
(2)…………………7　…………46.7
説明不能…………5　…………33.3

以上の結果については，地図を使っての説明ということが，1年生の児童にはかなりの抵抗になったということも考慮しなければならない。しかし，全然説明のできない児童が，なおかなりあるという事実は，前記の学習活動の指導過程になお研究すべき点が少なくないことを示すものであった。

3. 家族の仕事の特性をどの程度具体的に理解したか確かめる。

この単元学習では，自分の家の家族構成や家の位置についての学習がすむと，家庭生活が維持されていくには各種の仕事が必要であり，その仕事が両親はじめ家の人によって分担して行われている事実についての学習にはいるしくみになっている。(Bの，2以降参照)

そこで，そうした学習の結果，家族の仕事について，たとえば，おとうさんやおかあさんの仕事はいろいろあってたいへんだという程度の認識をもつにとどまっているか，それとも，たとえば両親はこういう仕事をしているが，それにはこういう用具(道具)がどうしても必要なのだとか，仕

事をしながらこういう点で不便を感じているといった程度に，その仕事の特性を具体的（現実的）に理解しうるようになっているかどうかを確かめてみることが重要だと考えたのである。

すなわち，学習活動の２の(3)，家の大事な仕事をしている人が病気になったり，留守にしたときは，どんなに困るか，実際どうしているかについての話し合いがほぼまとまりかけた時期を見はからって，教師が次のような発問をしたのである。

「おとうさんやおかあさんが，家のためにいろいろ大事なお仕事をしていることはよくわかったね。それじゃ，おとうさんやおかあさんの誕生日に，おとうさんやおかあさんの喜びそうなものを，何かお祝いに買って上げるとしたら，君たちだったら何を買って上げるかね。よく考えて，先生に教えてくれないかな。」（品物を買う費用のことは考えなくともよい旨補足してやった。）

この発問に対して児童があげた品物およびその品物を最もよいと思う理由について記録した。指名して答えさせた児童は，能力別の３段階のグループからそれぞれ８名を選んだ。それぞれ父親に対してと，母親に対してと区分して発言させた。

その結果の主要な傾向を整理したのが下表である。

	Aグループ		Bグループ		Cグループ	
	品物	選んだ理由	品物	選んだ理由	品物	選んだ理由
おとうさんに対して	かばん	会社へいくときつかう	おさけ	すきだから	おかし	わからない
	つりどうぐ	つりがすきだから	くつ	会社へいくときはく	おさけ	すきだから
	万年筆	いつも字をかくから	ぼうし	あるといいといっている	くつ	なくてこまっている
	わからない	——	時計	こわれて朝こまっている	ふく	ほしがっている
おかあさんに対して	洋服	ほしがっている	えぷろん	ないから	きもの	よそいきがなくてほしがっている
	わからない	——	女中さん	ほしがっている	おかし	すきだから
	ねむれるくすり	病気でこまっている	げた	ほしがっている	かいものかご	ほしがっている
	でんきせんたくき	べんりだから	くつ	ほしがっている	げた	きれたから

この中から，一般的傾向として指摘できることは，児童の答えの中にやはり各自の家庭の経済的条件が微妙に反映しているということである。Ａ・Ｂ・Ｃ三つのグループは，児童の能力による分類であるが，これが多分に家庭の経済的条件と関係していて，比較的貧しい家庭の児童がＣグループに多いのである。そこで，この回答でもＣグループの児童のあげた品物は概してつつましいものになっており，逆にＡグループにわからないという答をした児童があるのは，日常生活であまり困っていないという家庭環境のため，こういう問題が切実さを欠いていたためではないかと考えられる。

教師はあらかじめ発問にあたって，費用の点は考えなくてよいのだという注意を与えたわけであるが，結果にはこのようにかれらのおかれている経済的環境の影響が現れている。そこでこの評価の解釈は，まずこのような点を考慮に入れた上で行う必要があるわけである。

品物をあげた理由については，１年生の児童であるから表現がやや不適確なうらみがあるが，その品物と理由とを結びつけて考察してみると，次の三つの段階が認められる。

(1)　父親に対して，会社へいくとき使うので「かばん」「くつ」，いつも字を書くので「万年筆」，こわれて朝困っているので「時計」等をあげ，母親に対して，病気で困っているので「睡眠薬」，便利な「電気洗濯機」などを贈ろうという児童たちは，両親の仕事や日常の行動をかなりよく考えながら品物を選択しているといえよう。またひとりの児童が「女中さん」をと答えているのは，教師も予想しなかった発言で品物とはいいかねるが，いかにも母親の家事に追われている姿をこどもなりにとらえ，ふだんの母親のことばを非常に印象強く記憶していたものであろう。

(2) 各種の品物（洋服・帽子・げたなど）をあげていても，困っているからとか，ほしがっているとかいうばく然とした理由をあげるにとどまっている児童がかなりあるが，これらは(1)のような類型の答をしている児童に比較して，両親の具体的な仕事との関係を考えて品物を選択しようとする意識がやや稀薄のように思われる。中には，思いついた適当な品物をあげたら，さらに教師にその理由を問われたので，あとから理由づけをした児童もあったかもしれない。

(3) 酒・菓子・つり道具のように，両親のし好や趣味を考えて品物を選んだ児童も二，三ある。ふだん苦労している両親にこういう種類のものを贈って大いに喜ばせたいという児童の心情は，別の意味では大いに尊重されるべきである。しかし，これらの児童が，両親のしている仕事というものを考慮の外において品物を選択しているという事実は，やはり注目しなければならない。

以上の結果を総合して，評価の方法そのものにある種の限界があったにしても，学習活動２の(3)が，かなりの程度まで両親の仕事の特性を，たとえば，その仕事に必要な用具と結びつけて考え，理解しようとする児童の傾向を助長したといえよう。単に，きれいなもの，高価なものを贈って両親を喜ばそうというのでなく，前掲の表に見られる程度にそれぞれの仕事に役だつ品物を考えうるようになっているということは，１年生としてはかなり満足すべき成果と考えてよいのではないか。

なお，この場合，家族の仕事をどの程度理解したかを確かめる方法とし

て，たとえば，一方に家族の顔をかき，他方にいろいろな仕事をあげ，その両者を，線で結ばせるというたぐいのペーパーテストなどが，すぐ思いつくのであるが，このような方法では，家庭における仕事の種類と，それを行う人との関係についての平板な理解を確かめうるだけで，家族の仕事というものがどれだけの具体性をもって児童の意識にくい入っているかを確かめるには，ここに用いた評価法などのほうがより効果的なものといえよう。

4. 家族に喜びや悲しみがある場合の，自己の望ましい行動についての判断力を確かめる。

前述Ｂの学習活動の展開で明らかなように，家庭にはしばしばうれしいこと，悲しいことが起るものであり，そうしたときに家族の一員としてどんな気持でその喜びや悲しみをわかち合うべきであるかを考えさせるため，３の(1)―家族の誕生日のときの様子を話し合い，絵にかき，もっと楽しくする方法について話し合う活動と，３の(2)―自分が病気になったときの家族の態度，家族が病気になったとき自分のとるべき態度などについて話し合う活動を行うことになっている。教師が，このようなねらいと学習活動を計画している以上，児童に対してこれらの学習活動がどの程度成果をあげ，家庭の喜びや悲しみに対して自分のとるべき行動についての判断がいっそう確実なものになったかどうか，視野の広いものになったかどうかを確かめることが重要である。

すなわち，３の(1)，(2)で話し合われる素材は，あくまでひとりひとりの児童がこれまでの経験として持つ個々の具体的ケースに即した行動事例であるが，この話し合いと教師の指導の結果が，児童にただそういう個々の事例を数多く知らせるに終ったか，それとも，そのような事例の中から一般的な望ましい行動のしかた（家庭の喜びや悲しみに対しての）をある程

度つかみ，理解しうるようにまでなったかどうかを確かめようとしたものである。

そこで，3の(2)の学習活動のまとめに際し，教師があらかじめ用意した下記のような例図を児童全員に渡し，a，b それぞれどの行いがよいか選択させたのである。

もちろん，a　うれしい場合の例図中

(1)　は，ごちそうを食べて喜び合う。

(2)　は，仲よく親切にし合う。

といういずれも望ましい行動を示したものではあるが，(1)はやや物質的な面，(2)はかなり精神的な面を表現したものであり，(3)はきょうだいげんかという望ましくない行動場面を示したものである。

b　悲しい場面の例図についても同様，

(1)　は，ラジオのスイッチを切って静かにする。

(3)　は，自分自身静かにして本を読む。

といういずれも望ましい行動例であるが，(1)は家庭内を静かにしようとい

a うれしい場合の例図

b 悲しい場合の例図

う気持の表現であり，(3)は自己の行動そのものを示したものであり，望ましい行動といってもそこに多少の意味の違いがあると考えたのである。

この a，b それぞれの絵図を全児童に渡し，15分の間に○印を記入させた結果は下記のとおりである。

	(1)と(2)を選択したもの	(2)のみを選択したもの	(1)のみを選択したもの	そ の 他
a の場合	52人（86%）	6人（10%）	2人（4%）	0

	(1)と(3)を選択したもの	(1)のみを選択したもの	(3)のみを選択したもの	そ の 他
b の場合	43人（71%）	13人（22%）	4人（7%）	0

この数字で明らかなように，a，b いずれの場合でも，誤った選択をした児童は1名もなく，また a の場合で(1)のみ，b の場合で(3)のみを選択した児童の数も，それぞれわずかに4パーセント，7パーセントである。したがってこの数字のみからいえば，家庭に喜びや悲しみがあった場合の自己の望ましい行動のしかたについて，ほとんど全員の児童が正しい判断ができるようになったとも考えられる。しかし，この場合はむしろ，ここで用いた評価の方法そのものが1年の児童には容易に過ぎ，評価としての意味があったかどうかという点を反省すべきであろう。すなわち，前述のような時期とねらいのもとに一つの評価を計画したこと自体は正しかったとしても，こうした絵図を用いて判断力を確かめようとする方法では，教師の期待したような判断の基礎になる理解の深さというような点は，なかなかとらえ得ないことが明らかになったわけである。したがって，この評価は，教師の所期の目的をじゅうぶん果し得なかったうらみが多く，その意味では，失敗の事例に属するかもしれない。ただ低学年児童を対象にし

たテストにこのような形式のものを多く見受けるのであるが，その利用のしかたについてはよほど慎重でなければならないことを痛感した次第である。

5. 家の中を楽しくすることと，自分の行動とのつながりをどのようなかたちで理解したかを確かめる。

この単元学習が進行していくとともに，家庭生活の目的や家人の仕事の分担に関する理解を基礎に，家の生活を楽しくする方法を考えさせるため，これまで両親にほめられたこと，しかられたことなどの話し合いから，最後の学習活動として自分のしたこと，考えていることを素直に家の人に話すことの大事な点に話し合いをまとめていくわけである。（Bの4参照）。しかも，そのように話し合いの焦点をしぼってこの単元のまとめとしようとしたのは，Aの（c）で説明したとほり，家庭を楽しくするという面での協力のしかたにはいろいろ考えられるが，1年生にあまり高度なことを要求したり，雑然としたお説教になったりすることのないよう，何かかくしだてをして両親によけいな心配をかけないことが，何よりの協力であることに気づかせるべきだと考えたからである。

教師にこのような意図があるかぎり，自分たちのどのような言動が家族に安心を与え，どのような言動がよけいな心配をかけることになるかの具体的理解が，はたしてじゅうぶん身についたかどうか確かめる必要があるのは当然であろう。そこで，Bに述べた4の(3)の学習活動が進められた時期に，次のような教師の作成した例文を示し，その良否を選択させたのである。

（例文）

しゃかいのおべんきょうのとき，みんなでおうちをたのしくすることをはなしました。

おおかわくんは「おうちの人にはよいことをしたことだけはなすのがよい」といいました。

たかだくんは「おうちの人にはよいこともこまったこともみんなはなすのがよい」といいました。

みなさんはどちらがよいとおもいますか。よいとおもうほうの□の中に○をつけなさい。

おおかわくんがよい□　　たかだくんがよい□

もちろん，この問題のねらいは，児童の選択によって

① よいことだけを話すことが家の中を楽しくする

という理解にとどまっているか，それとも，

② 何でも話すことが家の中を楽しくする

という理解がはっきり確立しているかを見ようとするものである。教師は，この例文を1回だけゆっくり読んでやり，15分で回答させた。

その結果は，

② の理解を示したもの…………33人…………56パーセント

① の理解を示したもの…………13　…………22

無　　　答…………13　…………22

であり，よいことだけを話すと答えたものと，回答のないものを含めて学級の44パーセントに及んだということは，教師の予想とやや反するものであった。結果的に見れば，評価法の適・不適もかなり影響しているにしても，4の(3)の「自分のしたことや思っていることは，何でも自由に話したほうがよいことを，具体的事例に基いて話し合う」という学習活動の中で，前述のような教師の意図をじゅうぶん児童に考えさせる指導が不徹底だったとも反省されるのである。そして，このことから，このような場合の学習活動としては，話し合いなどより，あるこどもが何でも家人に話

さなかったためまちがいを起したり，両親によけいな心配をかけたというような主題の紙しばいなどを見せて考えさせるという活動のほうが，効果的ではなかろうかという問題，すなわち指導計画における学習活動の選択という問題の重要性が浮び上がってきたのである。

なお，この時の結果を，学級児童の知能をA，B，C３段階に分けて整理してみたのが下表である。

理解度区分	知能区分			計
	A	B	C	
a ②の理解を示したもの	15人	8人	10人	33人
b ①の理解を示したもの	1	3	9	13
c 無答	3	9	1	13

２年の単元『お医者さん』　16時間

実施期日　11月

A　単元の基本的構想について

（ａ）単元の目標

1. お医者さんのようにみんなの生命を守ってくれる人がわたくしたちの生活に欠くことはできないが，自分たちでも進んで健康を守るくふうをすることがたいせつである。

(1) お医者さん・病院・保健所などの働きで，人々は病気やけがをしても，その生命を守ることができる。

(2) これらの人々や施設は，病気やけがの治療にあたるばかりでなく，ふだんから人々が病気にかからず健康でいられるように，いろいろな活動をしている。

(3) 病気やけがは自分を不幸にするばかりでなく，他人にも迷惑や心配をかけるので，みんなが互に病気やけがをしないように気を配ることが必要である。

2. 身のまわりの清潔や自己の健康に関心をもち，公衆衛生のために行われる諸活動や行事に進んで協力する。

（ｂ）学習のめやすとなる問題の発展

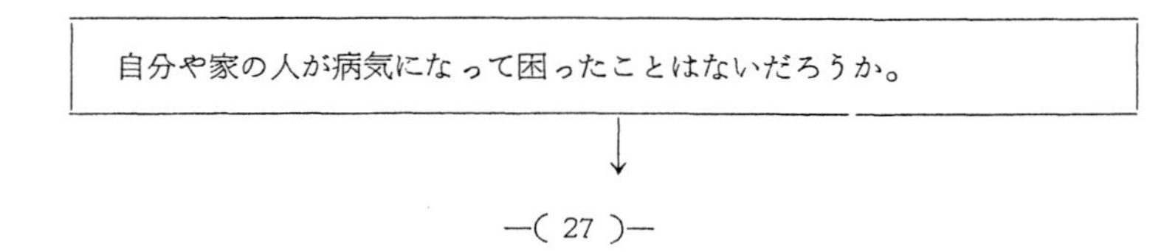
自分や家の人が病気になって困ったことはないだろうか。

単元名	お医者さん	時間数	16時間

目標	1. お医者さんのように，みんなの生命を守ってくれる人がわたくしたちの生活に欠くことはできないが，自分たちでも進んで健康を守るくふうをすることがたいせつである。 (1) お医者さん，病院，保健所などの働きで，人々は病気やけがをしても，その生命を守ることができる。 (2) これらの人々や施設は，病気やけがの治療にあたるばかりでなく，ふだんから人々が病気にかからず健康でいられるように，いろいろな活動をしている。 (3) 病気やけがは自分を不幸にするばかりでなく，他人にも迷惑や心配をかけるので，みんなが互に病気やけがをしないように気を配ることが必要である。 2. 身のまわりの清潔や自己の健康に関心をもち，公衆衛生のために行われる諸活動や行事に進んで参加する。

学習のめやすとなる問題	具体的目標	学習活動（内容）	評価番号
自分や家の人が病気になって困ったことはないだろうか。	自分たちは健康でも，周囲にはだれか病気やけがで苦しんでいる人がいる。 病気にはいろいろな種類があるが，自分が困り家の人が心配することは，どの病気でも同じである。 病気やけがは自分たちの不注意でかかることが多い。	(1) 友だちの欠席状況，その理由などについて調べる。 (2) 病気のことを書いた前学年の児童の作文（教師があらかじめ用意しておく）を聞く。 (3) 各自病気になった時の経験について，病名，症状，原因，受けた治療や看護，特に困ったことなどを話し合う。	1 2
どんなお医者さんにかかったか，お医者さんは病気やけがをなおすためにどんなことをするか。	お医者さんの仕事は，人の生命に関する大事なことなので，いろいろな専門に分かれてまちがいの起らないようにしている。 お医者さんには，ほかの人の仕事にはみられないいろいろの苦労がある。 お医者さんはみんなの病気やけがをなおすためばかりでなく，病気のでないようにいろいろな働きをしている。	(1) 自分たちがかかったお医者さんや町にある医院，病院などについて，お医者さんにもいろいろな専門があることを話し合う。 (2) お医者さんの仕事についてスライドを見，教師の話を聞き，お医者さんがいろいろな専門にわかれている理由について話し合う。 (3) お医者さんが手を洗ったり，器具を消毒する理由，ほかの職業にみられない苦労（夜中の急患など）などについて話し合う。 (4) 身体検査その他お医者さんにかかった時，お医者さんに言われたことをまとめてみる。 治療上の指示。 ふだんから注意すべきこと。	3（a） 3（b）
予防注射や身体検査などは，どうして行うのだろうか。	病気の中でも，ほかの人にうつる伝染病には特に注意して，これを出さないようにしなければならない。 みんなの健康を守るための行事が，いろいろなかたちで行われている。	(1) これまで行った予防注射の種類，その目的などについて話し合い，このような予防法の発見されなかった昔の様子，種痘法を発見したジェンナーの苦心などについて教師の話を聞く。 (2) 身体検査（毎月の体重測定，定期的虫歯予防法などを含めて）で，病気を早目に発見できてよかったことを話し合う。 （教師も二，三の具体的事例を用意しておく）	4
みんなで病気やけがを防ぐには，どんなことに注意したらよいか。	じょうぶな身体をつくり，病気を防ぐには，各人が毎日の生活に注意するばかりでなく，協力して病気になりやすい条件をなくすことがたいせつである。	(1) 各人が日常生活でめいめい注意して実行すべきことをまとめ，グループごとにこれを絵にかく。 (2) 環境衛生の面（たとえば，おおそうじ，下水等の問題を通して）について，スライドを見，いろいろな協力のしかたを話し合う。	5

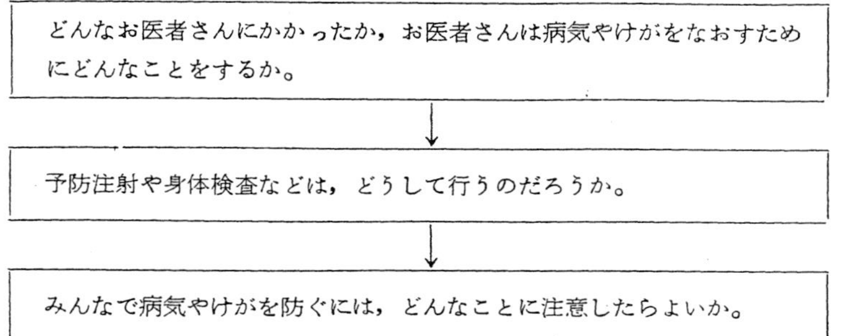
どんなお医者さんにかかったか，お医者さんは病気やけがをなおすためにどんなことをするか。
予防注射や身体検査などは，どうして行うのだろうか。
みんなで病気やけがを防ぐには，どんなことに注意したらよいか。

（c） 基本的構想についての解説

この単元が，医師という職業に代表される人々の健康を守るという社会的機能について，２年生なりの理解を深め，あわせて健康という問題が単なる個人的問題ではなく，その集団全員の生活にかかわることの多い問題であることを考えさせようとしていることはいうまでもない。しかし，１年生の場合と異なって，医師や予防注射などに対する比較的単純な偏見，いわれのない恐怖感などを取り除くというより一歩進んだ段階として，この生活領域についてある程度の組織的理解が身につき，より広い社会的視野で自他の健康に留意できるように指導すべきである。

そこで，医師や保健所の働きも，はっきり治療の面と予防の面との双方から取り扱い，その仕事に対する認識を確実なものにするよう意図し，特に前項の目標１の(2)，「それらの人々や施設は………ふだんから人々が病気にかからず健康でいられるようにいろいろな活動をしている」を設定したのである。また，後に述べる学習活動の展開で明らかなように，学習のめやすとなる問題２の「どんなお医者さんにかかったか………」のところで，医師の仕事がそれぞれ専門的に分化していることを扱うのも，人の生命をあずかるというこの職業の特殊性からくることに着目させ，その社会

的意義をよく理解させようと意図したからである。決して，内科・外科その他医師の種類をただ数多く教えるのが目的で，このような学習活動を選んだのでないことはいうまでもない。

次に，目標の１に「………，自分たちでも進んで健康を守るくふうをすることがたいせつである」とあるが，２年生の段階としてどの程度のくふうができればよいと考えたかという点である。その最も基礎的な段階としては，前述の医師や保健所の活動にも治療と予防の面があるという理解を基にして，そういう人の注意や指示の中から特に予防上必要な事項を聞きわける力を育てることを考えた。健康を守るための各種のくふうといっても，何よりも専門家の意見をたいせつに考えた上でのくふうでなければならないから，そういう人たちが自分たちが病気にかからないようどんなことを注意してくれるか，なぜそういう注意をするのかを，よく落ち着いて考え，聞きわけることがたいせつだと考えたのである。

次には，そういう医師などの仕事のしかた（たとえば手の消毒など）や，友だちが病気になった原因についての話などに示唆をえて，自分の健康を守り，教室その他の環境を清潔にするためのくふうができるようにするという指導の着眼点を考えた。２年生であるから，たとえば日本人に多いといわれる結核を少なくする方法などを考えさせようとしても無理なことはいうまでもないが，こうした学習で他人の話をただ話として聞き，スライドをただ見て終るというのでなく，それらの中から自分たちの日常生活に生かせるくふうのヒントを発見していくことは，決して不可能なことでもないし，指導上特に重要なことと考えたからである。

およそ以上のような基本的な考えで，単元の目標を設定し，学習のめやすとなる問題の発展を見通したのである。

B　学習活動の展開

（ゴチックで表記したものは，前掲の学習のめやすとなる問題である）

1.　自分や家の人が病気になって困ったことはないだろうか。

(1)　友だちの欠席状況，その理由などについて調べる。

(2)　病気のことを書いた前学年児童の作文（教師があらかじめ用意しておく）を聞く。

(3)　各自病気になったときの経験について，病名，症状，原因，受けた治療や看護，特に困ったことなどを話し合う。

2.　どんなお医者さんにかかったか，お医者さんは病気やけがをなおすためにどんなことをするか。

(1)　自分たちがかかったお医者さんや町にある医院・病院などについて，お医者さんにもいろいろな専門があることを話し合う。

(2)　お医者さんの仕事についてスライドを見，教師の話を聞き，お医者さんがいろいろな専門に分れている理由について話し合う。

(3)　お医者さんが手を洗ったり，器具を消毒する理由，ほかの職業にみられない苦労（夜中の急患など）等について話し合う。

(4)　身体検査その他お医者さんにかかったとき，お医者さんに言われたことをまとめてみる。

治療上の指示

ふだんから注意すべきこと

3.　予防注射や身体検査などは，どうして行うのだろうか。

(1)　これまでに行った予防注射の種類，その目的などについて話し合い，このような予防法の発見されなかった昔の様子，種痘法を発見したジェ

ンナーの苦心などについて教師の話を聞く。

(2)　身体検査（毎月の体重測定，定期的虫歯予防などを含めて）で病気を早目に発見できてよかったことを話し合う。

（教師も二，三の具体的事例を用意しておく）

4.　みんなで病気やけがを防ぐには，どんなことに注意したらよいか。

(1)　各人が日常生活でめいめい注意して実行すべきことをまとめ，グループごとにこれを絵にかく。

(2)　環境衛生の面（たとえば大そうじ，下水等の問題を通して）について，スライドを見，いろいろな協力のしかたを話し合う。

C　評価しようとした事がらとその方法，時期，および結果について

1.　病気の原因とその症状がどの程度関連的に理解されたか確かめる。

この単元学習は，前項Bの１で明らかなように，学級における欠席児童の問題を導入として展開されるが，さらにその発展として，病気についていろいろな角度，すなわち原因・症状・治療の様子等から話し合いを進めることになっている。このような学習活動を行う趣旨は，いうまでもなく，病気に対する狭い個人的経験をより広い一般的な理解にまで広げ，病気にもいろいろなケースがあることから，日常の何でもないような不注意が思わぬ不幸の原因になることに目を開かせようとするものである。しかし，この学習活動の結果が，ただ単にいろいろな病名をおぼえさせるだけになったのでは，教師の意図は達せられたとはいいがたい。この学習活動の本旨からいって，病気の原因になるような行動とその結果を関連的に理解するようになったかどうかを評価することがどうしても必要である。

そこで，１の(3)の学習活動（前項B参照）が終った時期に，教師が用意

した下記の質問紙を児童全員に配付し，教師が一読してやった上，各自に記入させたのである。

日曜日のことです。

1. よいお天気だったので，正君は元気よくはらっぱで遊んでいました。あつくなったので，シャツ一つになっていましたが，気がつくと，どこの家にも電気がついていたので，あわててうわぎを着て帰りました。
2. 進君は家の人と豊島園に行き，家の人から，病気になるといわれたのに，りんごやみかんやお菓子をどっさり食べて，とくいになっていました。
3. 花子さんは，夕方おふろにいって帰ってから，まん画の本を読んでいましたが，おそくなって，しゅくだいがあるのを思い出して，寒いのにあわててしゅくだいをはじめました。
4. 和子さんは夜のどがかわいてしようがないので，お水をのんでばかりいました。

◎さあだれがどんな病気になったでしょう。線でつないでごらんなさい。

∘花子	∘たべすぎ	∘頭がいたい
∘正	∘のみすぎ	∘け　　が
∘和子	∘うすぎ	∘おなかがいたい
∘次郎	∘らんぼう	∘頭がいたい
∘進	∘ゆざめ	∘おなかがいたい

この場合，このようなペーパーテストで前述のような理解の程度を確かめようとするのは，方法としてもやや安易な感じがするかもしれないし，結果からみて，問題の内容自体もやさしすぎたことは事実である。しか

し，今まで自分の経験として話し，友だちの経験として聞いてきた各種の病気の原因や徴候，症状等についての理解が，このようなかたちを変えた第三者の行動場面の問題として提供されたとき，どこまで生きて働くかを確かめてみることは，必ずしも無意義ではないと考えたのである。

この問題に対する結果は，下表のとおりであって，全般的に正答率が高く問題がやさしすぎたことを証明しているが，ただ全体を通して原因は正答でも結果が誤った児童が，原因は誤って結果が正答の児童を，わずかながら上回っていることが注目される。

	正	進	花　子	和　子
(1) 正　答	29人 (46.8%)	39人 (62.9%)	36人 (58.1%)	30人 (48.4%)
(2) 原因は正答で結果が誤答	18 (29.0)	11 (17.7)	13 (20.9)	21 (32.9)
(3) 原因が誤答で結果は正答	5 (8.1)	5 (8.1)	5 (8.1)	5 (8.1)
(4) 無　答	10 (16.1)	7 (11.3)	8 (12.9)	6 (9.6)

2. 病気によって受ける影響を多面的に理解できるようになったかどうか確かめる。

前述の評価に引き続いてこの評価を行ったのであるが，病気はいやなものだ，かかったらつまらないという体験上の知識が１の(2)「病気のことを書いた前学年の児童の作文を聞く」という学習活動や，１の(3)「各自病気

になったときの経験について，病名，症状，原因，受けた治療や看護，特に困ったことなどを話し合う」という学習活動を通してどこまで広められたかを確かめようとしたのである。

すなわち，病気によって受ける影響は，その病気の種類によっても異なるであろうし，また特にその個人や家庭の条件によっても異なるのが普通である。児童はこれまでの経験から，それぞれの理由で病気がいやなもの，かかりたくないものと考えるようになっているだろうが，その理由は自分がかかった病気の種類，そのとき強く受けた感情などから一面的に支配されていることが多いであろうし，あくまで自己中心的な考え方が基礎になっていよう。そこで，他人の場合のいろいろな事例や意見を聞くことによって，このような一面的な考え方から脱却し，病気によって受ける影響にもいろいろあり，また単に本人の苦しみだけでなく，周囲の人にもその影響が及んでいくのだという理解，いわば病気がわれわれの生活に何をもたらすかという点についての理解が，どこまで多面的になり，客観化されたかたちになったかを確かめることが重要だと考えたのである。

学習のこの段階で，もし病気というものに対するこのような考え方がある程度できていなければ，あとの学習で医師や保健所の働きを扱っても，それらの働きを真に社会的な広い視野から理解できるかどうか疑問になるからである。

方法としては，前項の評価と同じように教師の用意した下記の質問紙を与えて，これに対する回答を集計したのである。

正君は病気でねていました。

弟の誠君はねているお兄さんのことを，次のようにいってうらやましがっていました。

1. おいしいものが食べられていいなあ。
2. いつもおかあさんたちが，だいじにしてくれていいなあ。

そのほかいろいろなことをいっていました。

正君はねながら，やっぱり弟は小さくてわからないなあ。病気なんかしたらつまらないよ。いやなことがいっぱいあるものと，ふとんの中で指を折ってかんがえていました。

さあどんなことがあるでしょうね。かんがえつくだけ書いてごらんなさい。

もちろん，この評価についても前項の場合と同様な方法的弱点が指摘されるかもしれない。また，この問題では，前述の趣旨にかんがみ，児童の回答の内容と同時にひとりで何項目の回答をしたかという点が，評価の重要なかぎとなるわけである。

まず，ひとりひとりの児童が回答した数をまとめたのが下表である。

全然回答しなかったもの（問題の理解できなかったものを含む）	26人	41.9 %	6項目回答のもの	7人	11.3 %
1項目回答したもの	5	8.1	7項目　〃	2	3.2
2項目　〃	4	6.5	8項目　〃	2	3.2
3項目　〃	4	6.5	9項目　〃	0	0
4項目　〃	5	8.1	10項目　〃	0	0
5項目　〃	7	11.3	10項目以上回答したもの	0	0

また，児童の回答の表現はさまざまであるが，これをその内容によって便宜上四つの類型に整理したのが下表である。（回答によっては二つの類型にまたがると考えられるものがあることはいうまでもない）。

（回答総数136）

(1)　病気そのものから受ける身体的苦痛	51人	（37.5パーセント）
• 食べられない	23	（16.9）
• 気持がすぐれない	16	（11.7）
• 注射がいやだ	7	（5.1）
• にがい薬がいやだ	5	（3.6）
(2)　病気そのものから受ける精神的苦痛	6	（4.4）
• さびしい	3	（2.2）
• なんとなくつまらない	2	（1.4）
• たいくつで困る	1	（0.7）
(3)　病気のために受ける自己の行動的制約	77	（56.6）
• 学校へ行けない	29	（21.3）
• 遊べない	23	（16.9）
• 家の中ばかりでつまらない	14	（10.2）
• 友だちや先生に会えない	8	（5.8）
• 楽しいことができない	2	（1.4）
• お使いに行けない	1	（0.7）
(4)　周囲の人に及ぼす精神的，物質的負担	2	（1.4）
• 家の人，親類，友だちが心配する	2	（1.4）

以上のような結果について注目すべきことは，この問題の意味が理解できず，見当違いの回答をしたものを含めて無答が26人，41.9パーセントに

及んでいることである。この場合，教師は問題提示と同時にこれをゆっくり一読してやったのであるが，文章の読解のための抵抗がなおこれだけ現れているということは，この学年程度の児童を対象として文章テストを作成するときは，よほど慎重に研究しなければならないことを痛感したのである。

次にこうした事実を別にして考えれば，3項目以上回答している児童が27人，46.3パーセントに達していることは，病気によって受ける影響を多面的に考える力を伸ばそうという教師の意図はある程度まで達し得たと考えてよいことであろう。

しかし反面，児童のあげている内容は前ページの表で明らかなように，「食べられない」「遊べない」「学校へ行けない」などの病気のために受ける身体的苦痛もしくは行動的制約が大部分であって（94.1パーセント），精神的苦痛や周囲の人に与える負担に考えを及ぼしている児童はわずか5.8パーセントである。ということは，たとえば4項目，5項目あげている児童でも，前述の(1)，(2)，(3)，(4)各種の類型にわたって多面的に考えているものは少なく，まだ真に多面的に考える状態に立ち至っていないともいえるのである。この点2年生の児童であるから，あまり高度の要求をすることは禁物であるが，この評価の結果から，指導計画の作成や指導法の上でなおくふうの余地があると反省させられたのである。

3.　医師の働きを広い視野で理解できるようになったかどうか確かめる。

医師の働きを前学年よりは一段と広い視野からとらえさせようという意図を持ってこの単元構成にあたったことは，前項Aの（c）で述べたとおりである。したがって，この意図が教師の実際の指導によって，どの程度徹底したか評価しなければならないことは当然である。

そこで，「どんなお医者さんにかかったか，お医者さんは病気やけがを

なおすためにどんなことをするか」という問題について，医師にもいろいろな専門があることを話し合い，医師の仕事の内容をスライドや教師の話で一応理解させた後，次のようなテストを試みたのである。

「ひとりのお医者さんが，どんな病気でもけがでも，みたりなおしてくれないのはなぜでしょう」

教師はこの問題の提示に際し，「今まで勉強したことをよく考えて，この問題についてどう思うか，自分の思ったとおり自由に書いてごらん」と説明した。

もちろん，２年生であるから表現は稚拙なものしか期待し得ないであろうが，医師が人間の生命を預かるたいせつな職業であるという点に着目して，その専門的分化の理由を考えるようになっているかどうかを知ろうとするのが，このテストのねらいである。

結果として現れた児童の表現はさまざまであるが，その意のあるところを教師がとらえ整理してみると，(1)生命を預かる職業だから専門に分れてよく研究する必要がある，(2)個人でいろいろなな設備をするのはたいへんである，(3)ひとりでたくさんの病気を診察することは不可能（困難）である，(4)自分の得意のものをやったほうが効果があがる，の四つの類型があった。

この場合(2)，(3)，(4)のような回答も，これを誤りとすることはできないが，前述の評価のねらいから当然(1)の類型に属する回答に最も価値をおいて考えた。

(1)　生命を預かる職業だから……………………23人（37.1パーセント）
(2)　設備がたいへんだから………………………15　（24.2　　　　　）
(3)　たくさんの病気を診察することは不可能…10　（16.1　　　　　）
(4)　自分の得意なものをやったほうが効果的… 3　（ 4.8　　　　　）

(5)　無　　　　答……………………………………11　（17.7　　　　　）

まず教師の最も期待した(1)の回答が40パーセントを下回っているという事実については，やや予期に反する不満足な状態であって，今後の指導で医師が人の生命を預かるという特殊な職業であること，さかのぼっては生命の尊さという点に児童の再認識を促すような機会をもたなければならないことを痛感したのである。

また，多少問題の投げかけ方が一般的であったにしても，何も理由をあげられなかった児童が20パーセント近くあったという事実についても反省すべき点がある。

しかし，反面２年生として医師が各種の専門に分れていることについて，80パーセント以上の児童が，前項のようなそれぞれ何かの理由をあげている点については，この単元学習をして単に医師の種類や名称の記憶に終らせたくないという教師の意図が，ある程度実現したものと考えてよかろう。

次に医師の働きを広い視野で理解できるようになったかどうか確かめる第二の評価として，さらに上の評価の後，他の職業にみられないお医者さんの苦労について話し合ったり，医師から言われたことばをまとめたりする学習活動（Ｂの２の(3)，(4)）に発展したとき，教師は児童の発言内容をメモし，かれらが医師の働きに直接治療の面と予防の面があることを，どの程度意識するようになってきたか観察することにした。

すなわち，これまで身体検査やお医者さんにかかったとき，どんなことを言われたか，医者から受けた指示や注意をあげるとき，病気の治癒に必要な指示ばかりでなく，ふだんから健康上留意すべき注意を受けたことを述べるかどうか観察記録したのである。

この評価は，その方法上，結果を数量的に示すことはできないが，一般的傾向は次のとおりであった。

児童の発言に多いのは，やはり，「薬を飲みなさい」「静かに寝ていなさい」「注射をすればなおる」「外へ出てはいけない」等治療の上の指示に属するものであったが，人数は少ないながら，「偏食してはいけない」「人の言うことをよく聞きなさい」「お日様にあたりなさい」など，強い身体をつくるために，あるいは病気にかからないために医師の行う指示をあげる児童もあったので（学級の約３分の１の児童がこの発言を行った），教師は これを手がかりに 医師の働き（治療と予防の二面があるという）に，関する学習を深めていったのである。

4. 医学の進歩（新しい予防法の発見）に貢献した人の業績を社会的な立場から評価できるようになったかどうか確かめる。

この評価も，基本的な考え方の上では，前項の「医師の働きを広い視野で理解できるようになったかどうか確かめる」という趣旨につながるものである。

児童は，現在の生活の中での医師の働きを自分たちとの関係を中心にして学習していった後，問題を伝染病の予防ということにしぼり，予防注射の種類，目的について話し合い，一転してそういう進んだ予防法のなかった昔の人々の生活や，こういう予防法を発見した人の苦心等について教師から話を聞き，自分たちの現在の生活の恵まれている点を考えることになった。（Bの３の(1)参照)。

児童は一般的傾向として，発明発見物語を喜ぶので，もちろん，この場合も教師の話（この場合は種痘法を発見したジェンナーの事例）を目を輝かして聞いていたが，これが単におもしろいお話としての印象を残すだけに終ってしまったのでは，あまり意味がない。こういう話の中から，その人の行った新しい予防法の発見が，どのような社会的成果をもたらすもの

であったか（あるいはもたらしたか）を，２年生なりに考え，理解させなければ，教師のねらいを達成したとは言いがたい。

そこで，前項Bの３の(1)の学習活動が終った時期に，種痘法を発見したジェンナーの功績を社会的な立場で評価できるようになったかどうか確かめることが必要であると考え，その方法をくふうしたのである。

ところで，この場合最も常識的な方法は，たとえば，「ジェンナーの話を聞いていちばん偉いと思った点を，次の中から一つ選んで○をつけなさい」というような設問に，

(1)　自分の娘を実験に使ったこと。

(2)　人に馬鹿にされても平気であったこと。

(3)　たくさんの人を救うようなりっぱな仕事をしたこと。

(4)　途中であきらめなかったこと。

などの選択肢でテストを作り，選択肢(3)に○をつけた児童の多少で評価しようとするような方法であろう。

すなわち，教師から聞いたジェンナーの苦心，発見の動機等に関する話を，一度客観化し，改めてかれの業績の持つ意味を考えさせるようなかたちで児童の判断傾向をみるという方法である。

もちろん，こういう方法によっても，この場合の教師の意図した評価は行えるのであるが，問題の性質上，多少児童の答がこしらえられるおそれが予想される。そこで児童のなまな答が表われやすい方法として，児童各自をジェンナーの立場に立たせて研究の完成時におけるその喜びを考えさせるというかたちの問題を作り，その中でかれらの判断のしかたをみるようにしたのである。すなわち，教師の話の直後に次のような質問紙を配って，回答を求めたのである。

エドワード・ジェンナーは，ヒップスが助かり，自分の研究が成功したとき，「うれしい，うれしい」といいましたが，どうしてうれしかったのでしょう。よく読んで一つだけ○で番号をかこみなさい。

1. ヒップスが死なずに助かったから。
2. ほうそうのばい菌をいじっていたが，自分は病気にかからずにすんだから。
3. ジェンナーはりっぱなお医者さんになれたから。
4. これでたくさんの人を助けることができると思ったから。
5. みんなから自分の発明をほめられると思ったから。

当のジェンナー自身の完成時の喜びには，あるいは選択肢(1)とか(3)の要素が含まれていたかもしれない。そんなことは，後世のわれわれにわかることではない。しかし，少なくとも児童がジェンナーの話の中から，その仕事の動機を正しく理解し，かれの業績の社会的意義を考えるようになっていれば，ジェンナーの最大の喜びは選択肢(4)にあっただろうという推測を行うのが当然であろう。そこで，このようなテストを作成し，実施したのである。

ところで，この結果は下表のとおりである。

(1) ヒップスが死なずに助かったから	10人 (59)	15.9% (16.2)
(2) ほうそうのばい菌をいじっていたが，自分は病気にかからずにすんだから	2 (17)	3.2 (4.7)
(3) ジェンナーはりっぱなお医者さんになれたから	1 (16)	1.6 (4.4)
(4) これでたくさんの人を助けることができると思ったから	48 (238)	76.2 (65.3)
(5) みんなから自分の発明をほめられると思ったから	2 (31)	3.2 (8.4)

（かっこ内は同じ評価を学年全部の6学級（361人）について行った場合の数字を参考までに記載したものである）

このような数字から言えることは，前述のような教師の意図に対して，このようなテストが最もよい評価法であるかどうかについては問題があるにしても，7割以上の児童が選択肢(4)を選び，ジェンナーの仕事の社会的意義を考え，かれのヒューマニスティックな心情に同感し得ているのであるから，教師のねらいは相当達し得たということである。指導の成果はじゅうぶんと言えないまでも，かなり顕著なものがあったと判断してよかろう。

選択肢(2)，(3)，(5)のごとき狭い（利己的な）考えを選んだものが，わずか5人（8パーセント）である（全学年では17.5パーセントとこの学級より倍以上の数字を示す）ことも，この判断の妥当性を裏づけるであろうし，また娘が助かったからという選択肢(1)が10人あるが，これは2年生の児童としては無理からぬものと言えよう。

こうして，前項3の評価では，医師の働きを広い（社会的）視野でとらえるという点でなお物足りないところを持っていた児童も，しだいにこの単元学習の進行とともに，成長しつつあると感じられたのである。

5. 環境衛生の社会的意義をよく理解したかどうか確かめる。

前項のA，あるいはBでわかるように，児童は医師の働きや健康保持のために行う予防注射，身体検査等の意義について学んだ後，ふたたび日常生活で自分から注意すべき事項を考え，その一端として環境衛生の問題（大そうじ，下水の問題）を取り上げる。（Bの4の(1)，(2)参照）

ところが周知のように，環境衛生の真の意義は，社会的環境としての衛生条件の向上を問題にするのであり，単に，周囲を清潔にすれば1個人あるいは1家族が気持よく暮せるからという問題に尽きるものではないのである。

したがって，たとえ2年生であっても，環境衛生の問題を取り上げる以上は，それがなぜ必要なのか，重要なのかについて，集団生活におけるみんなの健康維持のための問題であることに着目，理解させようと努めることは当然であろう。

そこで，教師はこのような意図で実際に指導に当ったのであるが，その成果がどの程度あがり，児童が環境衛生の重要性をどういうかたちで認識するようになったかを確かめようとしたのが，この評価である。

つまり，児童たちがスライド「村の衛生，町の衛生」を見た後，なぜ生活環境を清潔にしなければならないのかについて，まわりがきれいになれば気持がよいといった程度の考え方しかできていないか，それとも清潔にしておくと病気がふえないで，世の中の人がみんな楽しく暮せるからというような理解を持つようになったかどうか，確かめようとしたのである。

方法はスライド映写後の話し合いを，教師が上記の点に注意しながら観察し，さらに念のため教師の発問に対する回答を文章記述させたのである。

その結果は，下表のとおりで，学級の7割以上の児童が環境衛生の社会的意義を一応理解したと考えられ，教師の指導の意図はかなり徹底したものといえよう。

清潔にしておくと病気がふえないで世の中の人がみんな楽しく暮らせる。	47人	77.0%
清潔にしておけばいつでもさっぱりして気持がよい。	14	23.0

3年の単元 「町の暮しと交通」 30時間

実施期日 9—10月

A 単元の基本構想について

(a) 単元の目標

1. 道や乗物の働きは，町の人々の暮しと深いつながりを持っている。
   (1) 人によって道や乗物の利用のしかたは違っても，町の人々はみんなこれを利用して他の土地と深いつながりを持って暮している。
   (2) 道や乗物の集まっている所は，町の人々の暮しにとっても，深いつながりのあるたいせつな場所になっている。
   (3) 道や乗物は，人々の力によってしだいに便利になってきたが，町の様子もそれによって変ってきた。
2. 町の交通で不便な点や危険な点に注意し，その改善に協力しようとする。

(b) 学習のめやすとなる問題の発展

わたくしたちの毎日使う道はどんな様子だろうか，また町を走っている乗物にはどんなものがあるだろうか。

↓

乗物が便利になったことによって，わたくしたちの暮しはどんなに変ってきたか。

↓

単　元　名	町の暮しと交通	時　間　数	30　時　間

目標	1. 道や乗物の働きは，町の人々の暮しと深いつながりを持っている。 (1) 人によって道や乗物の利用のしかたは違っても，町の人々はみんなこれを利用して他の土地と深いつながりを持って暮している。 (2) 道や乗物の集まっている所は，町の人々の暮しにとっても，深いつながりのあるたいせつな場所になっている。 (3) 道や乗物は，人々の力によってしだいに便利になってきたが，町の様子もそれによって変ってきた。 2. 町の交通で不便な点や危険な点に注意し，その改善に協力しようとする。

学習のめやすとなる問題	具体的目標	学習活動（内容）	評価番号
わたくしたちの毎日使う道はどんな様子だろうか。また町を走っている乗物にはどんなものがあるだろうか。	町の道にも乗物にも，いろいろな種類がある。 町の人々は毎日これらの道や乗物を利用しているが，その利用のしかたにも違いがある。	(1) 毎日使っている道路の図をみて，その便・不便，危険，道の様子の違い，建物等について話し合う。 (2) 乗物の絵や写真を集めて，その利用のしかたを区別して話し合う。 人を運ぶもの 物を運ぶもの その他	1
乗物が便利になったことによって，わたくしたちの暮らしはどんなに変ってきたか。	新しくできた地下鉄は特に便利で安全なもので，人々によく利用され，これによって町の様子も変った。 町の様子も道や乗物の変化とともに昔の様子とは違ってきている。	(1) 地下鉄の経路図をグループ別に作り利用した経験や各駅と地域とのつながりなどについて話し合う。 (2) 地下鉄，都電，バスについて，その早さ，騒音，安全さ，乗心地等を比較する。（早さなどについては表を作成する） (3) 地下鉄のM駅長に，地下鉄を作る苦心や，M駅の乗降客（利用状況）などについて話を聞く。 (4) 町の様子について話し合う。 都電が通る前とそれ以後の比較，地下鉄ができてから変った点。	2
道や乗物の集まっている所はどうなっているか。	町の所々には，いろいろな乗物や道が集まって連絡し合い，にぎやかな所がある。 そこでは，町の人の必要なものを運んだり，町でできたものをよその土地へ運ぶために，各種の活動が行われている。 そういう場所は，交通事故の起りやすい所でもあるから，注意する必要がある。	(1) 池袋駅に集まっている乗物を交通図をみて調べる。 種類，方向 （駅前広場に集まるバスを含めて） (2) 池袋駅やその周辺はどのように利用されているか話し合う。（利用者数の表などを作成，利用して） (3) 池袋駅について，建物，職員の仕事，小荷物取扱所の働き等をグループ別に調べ，品物が家に来るまでの経路を絵図に書く。 (4) 大塚駅，仲町の交通図をみて，池袋の場合と比較する。	3
町の交通を今より安全なものにするためにはどうしたらよいか。	うるさい乗物，危い乗物，不便な道など，町の人が困っていることも多くある。 町の交通を安全で便利にするために，いろいろな努力が払われているがもっとみんなで協力する必要がある。	(1) 仲町の交差点を見学して，安全な交通のために注意すべき点をまとめる。 横断止の道 都電の方向，信号 商店の様子，坂 (2) 付近の道や乗物で困っている点を話し合う。 狭い道，屈折の多い道，舗装の悪い道，町の騒音，危険な乗物 (3) 交通事故の表をみて，その原因を考え，自分たちの協力すべき点をまとめる。	4

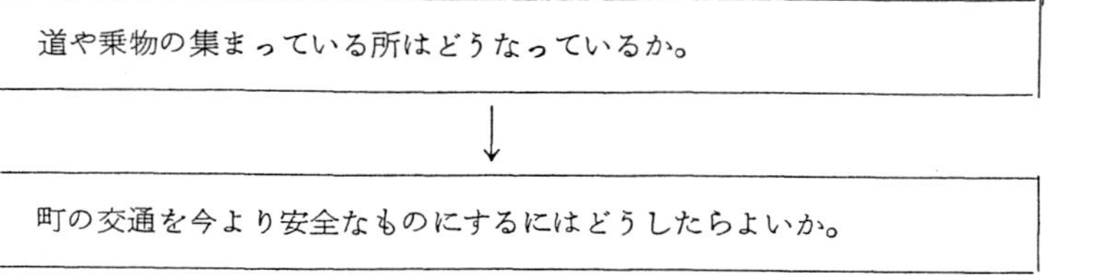
道や乗物の集まっている所はどうなっているか。
↓
町の交通を今より安全なものにするにはどうしたらよいか。

（c）基本的構想についての解説

この単元は，3年生の児童に対して，道や乗物が自分たちの町の人々の暮しの中で，どういう働きをしているかを学習させ，町の生活が他地域の人々との深いつながりの上に成り立っている事実に着目させようとするものであることはいうまでもない。したがって，道や乗物の様子，その利用のしかた（安全教育）などの問題を扱っていく低学年の単元と違って，あくまでも町の人々の生活との関係において地域の交通条件を考えていこうとするのが，3年としてのこの単元の特色である。

ところが，ここで問題になることは，学校の所在地が東京という大都市であり，行政的には区・町などに区分されているが，その実際的生活の面では地域性がはっきりしない環境であるということである。児童が日常生活を送っていても，自分たちの町という意識を持つ機会が少なく，この単元で町の暮しというものを，どういう地域にわたって，どういう面からとらえていけばよいかに，なかなか苦心を要するのである。

この点をどう考えるかによって，単元の構成のしかたが相当異なってくるわけである。たとえば，単元全体の学習範囲を，この学校のある窪町になるべく固定する考え方をとれば，最初に地図などを使って町の範囲・人口・道路や集落の様子などを概観させて，あとはこれを部分的に詳しく調べさせる（グループ学習などで）というような方法も考えられる。しかしこの場合は，前述のようなこの地域の特性を考えて，町の生活というもの

を空間的，地域的にあまり固定して考えないで，単元の初期には学校を中心とした地域の中で道や乗物の様子，その利用のしかたを考え，学習の発展とともに町の人々の生活の上に大きなつながりのある区外の交通の要地（池袋）にも目を広げていくようにしたのである。

すなわち，目標1の(1)「人によって道や乗物の利用のしかたは違っても，町の人々はみんなこれを利用して，他の土地と深いつながりをもって暮している」という趣旨を，単に一般的，概念的理解としてでなく，真に具体的な理解を通して達成するためには，他地域の中でも特に町の人々にとって重要な意味をもつある特定の区域をとりあげることが必要だと考えたのである。したがって，目標1の(2)「道や乗物の集まっている所は，町の人々の暮しにとっても深い関係のあるたいせつな場所になっている」という場所は，自分の町内の場合ではなく，区外の場所を例にとって学習させるようにしたのである。

また，この単元の基本的なねらいが，町の人々の暮しとの関係において道や乗物の働きを理解させる点にあることは，目標1に明らかであるが，3年生として，その道や乗物の働きをどの程度に，どのような観点から考えさせようとしたかというと，

1. 町の人の道や乗物の利用のしかたは，その人の職業（通勤時の利用，品物の仕入れなど）やその時の目的（急ぐ場合とそうでない場合など）などによって違っていること。
2. 町の道の様子には，いろんな違いがあり，走っている乗物にもいろんな種類があるが，どれでもそれがなければ町の人が不便を感ずるものであること。
3. 道や乗物は，町の中の行き来ばかりでなく他の土地との行き来に欠くことができず，町の人々の暮しは他の土地とのつながりなしには成

り立たないこと。

4. 自分たちの周囲には，各種の乗物や道路が集まってにぎやかなところがあるが，そういうところは公共施設や商店などが集まっていて，町の様子もほかとは違っていること。

5. 最近地下鉄が町を通るようになって，町の人々の生活が一段と便利になったが，もっと昔にさかのぼって調べると新しい道路ができたり，便利な乗物が通るようになるにつれて町の様子が変ってきたこと。

などの諸点についてであり，このような理解を根底にして，町の交通でもっと改善したらよいと思う点を考えたり，交通事故を少なくするための協力をしようとする態度を養うように留意したのである。

B 学習活動の展開

（ゴチックで表記したものは，前掲の学習のめやすとなる問題である）

1. わたくしたちの毎日使う道はどんな様子だろうか，また町を走っている乗物にはどんなものがあるだろうか。

(1) 毎日使っている道路の図を見て，その便，不便，危険，道の様子の違い，建物などについて話し合う。

(2) 乗物の絵や写真を集めて，その利用のしかたを区別して話し合う。

• 人を運ぶもの　• 物を運ぶもの　• その他の乗物

2. 乗物が便利になったことによって，わたくしたちの暮しはどんなに変ってきたか。

(1) 地下鉄の経路図をグループ別に作り，利用した経験や各駅と地域とのつながりなどについて話し合う。

(2) 地下鉄・都電・バスについて，その早さ・騒音・安全さ・乗心地等

を比較する。（早さなどについては表を作成する。）

(3) 地下鉄のM駅長に，地下鉄を作る苦心やM駅の乗降客（利用状況）などについて話を聞く。

(4) 町の様子について話し合う。

• 都電が通る前とその以後の比較　• 地下鉄ができてから変った点

3. 道や乗物の集まっている所はどうなっているか。

(1) 池袋駅に集まっている乗物を交通図を見て調べる。

• 種類 • 方向（駅前広場に集まるバスを含めて）

(2) 池袋駅やその周辺はどのように利用されているか話し合う。（利用者数の表などを使って）

(3) 池袋駅について，建物，職員の仕事，小荷物取扱所の働きなどをグループ別に調べ，品物が家に来るまでの経路を絵図に書く。

(4) 大塚駅・仲町の交通図を見て，池袋の場合と比較する。

4. 町の交通を今より安全なものにするためにはどうしたらよいか。

(1) 仲町の交差点を見学して，安全な交通のために注意すべき点をまとめる。

• 横断止の道　• 都電の方向　• 信号　• 商店の様子　• 坂

(2) 付近の道や乗物で困っていることについて話し合う。

• 狭い道，屈折の多い道，舗装の悪い道　• 町の騒音

• 危険な乗物

(3) 交通事故の表を見て，その原因を考え，自分たちの協力すべき点をまとめる。

C 評価しようとした事がらとその方法，時期および結果について

1. 道路の状態やその特色をどの程度多面的（総合的）に理解したか確かめる。

この単元「町の暮しと交通」の学習の導入は，まず自分たちが毎日使っている道路について，道路図を見ながらそれぞれの状態や特色——たとえば，便・不便，危険，道の様子の違いなど——を話し合う活動によって行われる。（Bの2の(1)参照）

いうまでもなく，これは道がわれわれの生活に欠くことのできないものであること，われわれは各種の道路をいろいろなかたちで利用しながら生活を営んでいることに，改めて児童の目を向けさせることがねらいである。しかし，それが抽象的な理解に終らないよう，その道路のもつ特色や状態に即して，個々の道路の果している機能・役割を考えさせていこうというのが，教師の意図である。なぜならば，その道路が町の人々の生活において果している役割の違いは，おのずからその道路の状態の上になんらかの形で反映されているからである。たとえば，二つの道路の間に，もし道幅や舗装状態に違いがあるとすれば，それは必ずそれらの道路の果している機能やその重要性に違いがあるからである。

したがって，上述の導入時の学習活動を通して児童が単にそれぞれの道路の特色なり，状態を個々断片的に記憶するにとどまっているか，または，その特色，状態を多面的にとらえ，これをその道路の果している役割と結びつけて考えるようになっているかどうかを確かめる評価が必要になってくる。

ここで行おうとした評価は，このような意味のもとに行うものであ

り，その時期は学習活動1の(1)「毎日使っている道路の図を見て，その便・不便，危険，道の様子の違い，建物などについて話し合う」活動が終ったときを利用して，この道路図の主要道路に1から9までの番号をつけ，一方各児童に次のような表を配付して，これに該当する道路番号を記入させたのである。

いろいろなみち	あてはまるみちのばんごう				
でんしゃみち					
じどうしゃみち					
いなかみち					
大通り					
なみ木みち					
さかみち					
こみち					
まがりみち					
ろぢ					
ほそみち					
つうがくどうろ					
ほそうどうろ					

すなわち，この表には3年生でもその意味の理解できると思われる道の呼び名が12あげてあるが，たとえばそれぞれの道路の特色や状態を多面的に理解している児童ならば，道路番号1を「でんしゃみち」「大通り」「なみ木みち」「さかみち」「ほそうどうろ」の各欄に記入するが，そうでない児童はこのうちの一箇所だけに1を記入するにすぎないということになるのである。

このようにして，この表に対する道路番号の記入のしかたによって，

児童の理解の状況を確かめようとしたのが，この評価の方法である。

この結果について，道路ごとに正答者の百分率を示したのが下表である。

道路番号	正答のための項目数	正答者の百分率	道路番号	正答のための項目数	正答者の百分率
1	5	55.5	6	4	72.2
2	4	38.8	7	5	61.1
3	4	77.7	8	6	61.1
4	3	66.6	9	3	50.0
5	4	83.3			

〔備考〕　正答のための項目数とは、たとえば道路番号１については、「でんしゃみち」以下五項目をあげれば正答という意味である。

このように道路によって多少その正答率に差があるが，平均は62.9パーセントの正答率となる。この数字はいささか低いように思われるかもしれないが，各道路についての完全な正答者，すなわち５項目なら５項目全部を記入した者のみの数字であるから，学習の成果は必ずしも不良とはいえないであろう。

ただ，ここで注目すべきことは，正答のための項目数の多い道路は，それの少ない道路に比較して，問題としてそれだけむずかしいと考えられるが，結果はそのような問題の難易に比例していないということである。たとえば，道路番号８（正答のための項目数６）の正答率61.1パーセントに対し，道路番号９（正答のための項目数３）の正答率50.0パーセントというのは，その著しい例である。

これは，実際の道路について，その特徴や状態をとらえやすいものとそうでないものとの違いがあり，また児童の日常生活との関係の深さに違いがあるためと考えられる。そして，この評価そのものの結果が，比較的児童の知能や能力に影響されることは少なく，むしろ交友範囲の広

い児童，家の職業がらお使いをよくする児童らが，よい成績をあげている傾向がみられたのである。

2. 新しい交通機関（地下鉄）の開通がもたらした影響を，広い社会的視野から理解したかどうかを確かめる。

この単元学習では，自分の町の道や乗物の現状について改めて児童の認識を深めさせた後，最近開通して，この町にも，その駅ができた地下鉄について，各種の観点から学習を進めることになっている。

これは，この学校の地域の特殊性として地下鉄の問題をとりあげたのであるが，その意図するところは，新しい交通機関の出現——広くいえばその地域の交通条件の変化——が，その土地の人々の生活にどのような影響や変化を与えるものであるかを具体的に理解させ，交通の改善という問題の重要性に着目させることにある。

したがって，教師の意図がこの段階の指導過程によく浸透していれば，児童はこの町に地下鉄が通るようになったことの影響を町の人々全体の生活から考えるようになっているはずであるし，もしその点がふじゅうぶんであるならば，地下鉄が通るようになって便利になったということはわかっても，おもに自分の生活との関係においてしか考えようとしないであろう。

このような点，すなわち地下鉄の開通がもたらした影響，その意義を，じゅうぶん広い社会的視野からとらえるようになっているか，単に個人的観点だけからしか理解しているにすぎないかを確かめようとするのが，この評価である。

前項Ｂの２の(4)「地下鉄ができてからの町の様子について話し合う」活動が終ったとき，教師が用意した次のような質問紙に回答をさせたのである。

〔問題〕

地下鉄ができて，わたくしたちの町のくらしはいろいろかわってきました。下の文の中から，このことをいちばんよくあらわしていると思うもの一つだけに○じるしをつけなさい。

1. 地下鉄は車の中があかるくきれいで，人もたくさん乗れて，都電やバスより気持がよい。
2. 地下鉄ができて，都電やバスのこみ方が少なくなったばかりでなく，池袋へ買いものに行くのにも便利になり，地下鉄の駅のまわりには商店がふえた。
3. 地下鉄は，自動車としょうとつなどすることがないから安心して乗っていられる。

この問題の正答は，いうまでもなく，2であるが，結果を整理してみると，下表のとおりである。

正答		37 人	61.7%
誤答	1を選択したもの	11	18.3
	3を選択したもの	5	8.3
	問題の理解できなかったもの	7	11.7

この結果を考えてみると，設問の意味，その文章表現が多少むずかしかったせいか，正解者すなわち，地下鉄開通の影響を社会的に広い視野からとらえている児童が，学級全体の6割にとどまっていることになる。これは教師の予想を下回る数字であり，選択肢の1および3は単に地下鉄の乗心地や安全性を表現しているにすぎないものであるから，この問題の意味を正しく理解し得なかった7人の児童を別として，選択肢

1と3を選んだ児童が16人あったということは，一つの問題である。

したがって，この評価については，問題の作成技術そのものになお検討の余地があるとしても，この16人の児童に対して交通という問題を町の人々の暮しの中で考えていく態度をいかに養っていくかが，今後の指導過程に残された大きな課題であることが明らかになったのである。

3. 池袋駅の果している機能をいろいろな面から理解しているかどうかを確かめる。

この単元では，「道や乗物の集まっている所は，町の人々の暮しにとっても，深いつながりのあるたいせつな場所になっている」という目標を掲げていることに応じて，前項の地下鉄に関する学習に続いて，池袋駅とその周辺の果している機能を自分たちの町の生活との関係を中心に調べることになっている。

すなわち，「道や乗物の集まっている所はどうなっているか」という学習の問題のもとに，(1)池袋駅に集まっている乗物を交通図を見て調べ，(2)池袋駅やその周辺はどのように利用されているか話し合い，その後さらに池袋駅に働く人たちの仕事などを調べる活動に発展していくのである。（Bの3参照）

そこで，こうした学習活動の結果として，池袋駅とその周辺について，単にその外観的様子が自分たちの町と違っていることに気づいただけで終っているか，それともこのような交通の中心地が自分たちの生活にどんな意味をもっているか，どんな機能を果しているかを，いろいろな面から理解しうるようになったかを確かめる評価が必要である。

なぜならば，池袋はにぎやかだ，自分たちの町にはないデパートが二つもあるといった知識を，ただ断片的に習得しただけなら，この学習成果としてはあまり意味がないからである。

池袋駅やその周辺はどのように利用されているかの話し合いがすんだとき，教師が次のような池袋駅の状景を撮影した4枚の写真を示した。すなわち，

(1)　日曜日の郊外へのピクニック客の様子

(2)　デパートの中の様子

(3)　雨の日の池袋駅の様子

(4)　平日の混雑の様子

を写した大判の写真で，これを黒板にはりつけた。

（1）

（2）

（3）

（4）

一方児童には，「雨の日の池袋」「ふだんの日のこんざつ」「日よう日どこかへ遊びに行く」という3項目の記述をした用紙を与え，写真を見てこれに該当番号をつけさせたのである。

この問題の趣旨は，たとえば4枚の写真を見てその1枚が雨の日の池袋を写したものであることがわかっても，他の1枚が日曜日に郊外へ出かける客で混雑している状景であることを判断できないとしたら，その児童は，池袋駅から多くの郊外電車が出ていること，それを人々は多くどんな時に利用しているかなどについての理解がなおふじゅぶうんなものと考えられるので，3問ともに正解し得た児童ほど，池袋駅の果している機能を広く理解しているものとしたのである。

この結果を整理してみると，

3問全部できた児童……………………15人……27.8パーセント

2問だけできた児童……………………22　……40.7

1問だけできた児童……………………15　……27.8

全部誤答または無答の児童……………… 2　…… 3.7

となるが，さらにその実態を調べてみると，2問だけできた児童 22 人は，

(イ)　写真(1)と(3)は正しく選択したが他を誤ったもの…………10人

(ロ)　写真(3)と(4)は正しく選択したが他を誤ったもの…………12人

であり，1問だけできた児童 15 人のうち，11 人は，写真(1)を選択すべきところを(4)と誤まり，(4)を選択すべきところを(2)と誤っているのである。

これで誤答のおよその傾向がつかめるが，この評価を実施しての問題点は，

(1)　3問全部の正答者が3割弱であったこと。

(2) 4枚の写真中，最も池袋駅の特色を表現していると思われる写真(1)を正しく選択できなかった児童――言いかえれば郊外電車の起点としての池袋についての理解がなおふじゅうぶんである児童――だけに限定しても，その数が29人（53.7パーセント）に達していること

などであり，評価方法それ自体になお研究の余地があるとしても，池袋駅の果している機能を広い視野で理解させる点で欠けるところがあったことが反省されたのである。

4. 交通事故の原因をいろいろな条件を総合して考えられるようになったかどうか確かめる。

この単元の中心は，自分たちの生活から交通事故を少なくするにはどうしたらよいかという問題にあるのではなく，自分たちの町の人々の暮しの中で，道や乗物の果している役割についての基本的な理解を深めていくことにある。しかし，学習の進行とともに，この理解が深められていけば，現在の町の交通にはもっと改善したい点が少なくないこと，そのためにはどうしたらよいかを考えるようになるのは当然である。

「町の交通を今より安全なものにするためにはどうしたらよいか」という問題のもとに，仲町の交差点を見学して安全な交通のために注意すべき点をまとめ，付近の道や乗物で困っていることについて話し合い，さらに交通事故の表を見てその原因を考えるなどの学習活動を行うのも（Bの4参照），この趣旨である。

しかし，これら一連の学習活動の成果が，単に右側通行とか横断信号の遵守がたいせつであるというような交通道徳の強調だけに終ったのではあまり意味がない。町の現在の交通条件の中に，具体的にどういう未整備な点があるか，なぜそうなっているのかなどを考えながら，これらか

らの安全で楽しい交通のための努力が強調されることが必要である。したがって，交通事故の問題を取り上げて，その原因を考えるにも，それが交通規則を守らなかったものの責任追求だけに終るのではなく，その事故の原因をいろいろに分析し，その直接の原因となっているものばかりでなく，いわばその遠因となっている点（たとえば交通量と道路の幅がバランスを失しているなど）をもつきとめ，そうした点に改善すべき点を発見できるようになることが望ましいのである。

ここで意図した評価は，児童がこうした面でどれだけ考え方の深さを示すようになったかを確かめようとするものにほかならない。

そこで，前項Bの4の(3)，交通事故の表を見てその原因を考え，自分たちの協力すべき点をまとめる仕事が終ったあとで，教師は次のような事故の実例を物語式に話し，この話の中の事故はどうして起ったのだろうかという質問に答えさせたのである。

〔教師の話〕

あきおさんは，このごろ勉強がおもしろくて家へ帰ってひとりで勉強をするのが楽しみになりました。今日も「ただいま！」と元気よく帰っていくと，あみものをしていたおかあさんは，「早かったね。お帰り。きょうの雨はずいぶんつめたかったでしょうね。やっとやんだようだけど。早くおあたんなさい。」とやさしく迎えてくださいました。そしてあきおさんのお机の上においしいみかんのおやつをのせてくださいました。甘いおつゆをすうっとすって，「ウヮーッおいしい，ありがとうおかあさん。今日はね，学校でとてもおもしろいお勉強があったよ。冬になると虫や動物は，何にも食べないで，寒くないところでねむってしまうんですって。たべもののかわりに，脂肪をたくさんつくるのでまるまるとふとるんですって。人間も皮下脂肪っていうのがたくさんある人はおデブちゃんで，あまり寒くないんだってさ，おもしろいでしょう。ぼくも

っと本を読んでみよう。いろんなことがわかるよ。」と，あきおさんはさっきの理科の勉強のつづきで頭の中はいっぱいです。「おかあさん，そういうことを書いた本，家にはないの。」とききますと，「そうね，まだ買ってなかったわね。おとうさんのご本ならあるけれど，むずかしいし，それでは，青木堂の本やさんへ行って，おじさんにきいて，あったら買っていらっしゃい。ひとりでいってこられるでしょう。」といわれました。

あきおさんは長男ですから，にいさんのおふるなどもないし，勉強はいつもひとりです。おかあさんに200円いただいて家を出ました。電車で二つ目の停留所ですので，歩いていくことにしました。すぐに電車道を横切って向う側へ渡ろうとしましたが，あいにく電車が来たので，そこで待っていては，暇がとれると思って，左側の歩道をそのままどんどん走っていきました。100メートルばかりいくと，横断歩道があったので，左右を見てサッと渡りました。本やさんについておじさんに聞きますと，「ええ，坊やの気に入りそうな本がありますよ。ホラ。」といってきれいな色ずりの「動物の世界」という本を出してくれました。あきおさんはおつりを20円もらって，うれしくこおどりしてよろこびました。さっそくお店で開いてみました。ちょうやかまきりや，大きいものでは，あった，あった，北極の白くまさんも，などと思いながら，おじさんありがとうをいってお店を出ました。あきおさんはまだ本の絵にすいつけられているように，本から目をはなしません。歩道も車道もはっきりしない，道幅のあまり広くない電車道です。本やのおじさんはよろこんで帰るあきおさんの後姿を見ながら，「あぶないから気をつけてお帰んなさいよ。」と声をかけようとしているところへ，スピードの速いハイヤーが後からビューッと走ってきました。「あっ，あぶない。」と思うまもなく自動車はあきおさんのそばをかすめて，飛ぶように走っていきましたが，気がついたらしく急停車しました。

あきおさんは，うちのめされたように，地面にたおされ，買ったばかりの本は遠くのほうへほうりだされてしまいました。幸いに見たところたいしたけがもしませんが，足が痛くてとても立つことができません。引きそうになった運転手さんも，そばで見ていた人たちも，一応安心しましたが，どこかうちどころの悪いところがありそうなので，すぐその自動車で近くの病院へつれていき，おいしゃさんにすっかり見ていただきました。家へもすぐ使いを走らせて，おかあさんに病院に来ていただくようになりました。おかあさんは，「あんなによろこんでいたから，けがをしなければと思っていたけれどやはり………恐しいことでした。」と涙を流さんばかりにして病院の人たちにお礼をいいました。

あきおさんのからだは，レントゲンですっかりしらべて見ると，足の骨がすうっとひびがはいったので，しばらくそのまま入院することになりました。2，3日の間は痛がって，おかあさんもそばをはなれることができませんでした。でも4，5日たつともう痛みもだいぶなくなり，ベッドの上で静かに，「動物の世界」を読めるようになりました。あんなに楽しみにしていた本，ほんの10分がまんすれば，家でゆっくり読めたのに，けがをしたために1週間も入院してしまって，あきおさんは，ほんとうにいけなかったなあと思いました。そして病院の人々，まわりの人々，おかあさんにも心配をかけてほんとうに悪かったなあと思いました。

さて，この例話の中には，あきおが交通事故にあった原因と思われるものに，少なくとも次の4点がある。

(1)　本を読みながら歩いていた。

(2)　自動車が相当のスピードを出していた。

(3)　車道と歩道の区別のない，道幅のあまり広くない電車道であった。

(4) 雨上がりの日であった。

この4点を全部指摘し得た児童が，最も交通事故の原因を総合的に考えているものと解されるし，また同じ1ないし2項目だけあげた児童にしても，(1)や(2)をあげているものよりは，(3)のような原因を指摘している児童のほうが，この評価のねらいからみて考え方が深まっていると解釈してよいわけである。

まずこの結果を，前述の原因別にこれを指摘した数でまとめてみると，

(1) 本を読みながら歩いていた。……………40人……72.7パーセント
(2) 自動車が相当のスピードを出していた。18 ……32.7
(3) 車道と歩道の区別のない，道幅の狭い電車道であった。……… 7 ……12.7
(4) 雨上がりの日であった。…………………… 4 …… 7.3

となり，(2)以下の原因を指摘した児童はぐっと減り，いずれも50パーセントを下回っている状態であった。また，ひとりの児童が指摘した項目数でまとめてみると，

4項目あげた児童……………………………1人……… 1.8パーセント
3項目あげた児童……………………………6 ………10.9
2項目あげた児童………………………… 12 ………21.8
1項目あげた児童………………………… 22 ………40.0
解答し得なった児童……………………… 14 ………25.5

となり，解答し得なかった児童および1項目しかあげ得なかった児童が全体の6割を占める状態で，その結果は必ずしも良好とはいえなかった。

これは，例話それ自体がかなり長文で，児童に3度聞かせただけでじ

ゅうぶん記憶にとどめる余裕がなかったせいかもしれない。

しかし，このような評価方法の難点をある程度考慮に入れるにしても，この結果によって，交通事故の原因をいろいろな条件を総合して考えるという点で，なお欠けるところがあり，今後この面の指導にじゅうぶん留意する必要が明らかになったといえよう。

4年の単元 「わたくしたちの東京」41時間

実施期日9—11月

A 単元の基本的構想について

(a) 単元の目標

1. 東京は国の政治の中心であるばかりでなく，そこに住むわたくしたちの毎日の生活に深い関係のあることが，おおぜいの人々の働きによって行われている。

(1) 広い地域にまたがり，多くの人口をかかえた東京では，それぞれの地域によって特色のある生活が営まれ，都内はもちろん，他地域との間に各種の交通機関が発達し，他地域の人々の生活と深いつながりをもっている。

(2) 東京は，いろいろな災害を克服してきた先人の努力とともに，日本の首都として今日にまで発展してきた。

(3) 東京に住み，働く人々の生活には，他の地方の人々の生活に比較していろいろな利便もあるが，今後改善すべき点も多い。

2. 都市に生活するものとして，日常の衣食住，身近な環境における衛生・安全などの点についての改善をくふうする。

(b) 学習のめやすとなる問題の発展

東京都はどのくらい広く，どのくらい人が住んでいるか。

↓

東京の生活はどのように便利なのだろうか。

↓

東京は首都として，どのように発展してきたか。

↓

わたくしたち東京都民が困っていることは何か。

(c) 基本的構想についての解説

この単元は，児童たちの住む東京の生活について，特にどのような問題を中心に，どのような角度から考えさせようとするのか，その題名だけからはとらえにくい難点があるかもしれない。

しかし，そのねらいは，3年生として自分の学校のある窪町，あるいは文京区を中心に各種の問題を学習してきた児童に対して，この学年としてさらに視野を広げて，東京都民のひとりとしての意識を養おうとするものであり，この意識を養うために必要と考えられる東京という都市についての基礎的な理解を与えようとするものである。

もちろん，児童も4年ともなれば，自分の住む東京についてなんらかの知識を持っていないはずはない。しかし，それらは特殊な経験から得た一面的知識であるかもしれないし，個々断片的に知識を所有しているにすぎないことも多かろう。

こうした状態にある児童に対して，東京という複雑な機構をもって休みなく動いている都市の生活について，より高度のまとまった理解を与え，この理解を基礎にこれからの都民のひとりとしての生活について考えさせ

単元名	わたくしたちの東京	時間数	41時間

目標	
目標	1. 東京は国の政治の中心であるばかりでなく，そこに住むわたくしたちの毎日の生活に深い関係のあることが，おおぜいの人々の働きによって行われている。 (1) 広い地域にまたがり，多くの人々をかかえた東京では，それぞれの地域によって特色のある生活が営まれ，都内はもちろん，他地域との間に各種の交通機関が発展し，他地域の人々の生活と深いつながりをもっている。 (2) 東京は，いろいろな災害を克服してきた先人の努力とともに，日本の首都として今日にまで発展してきた。 (3) 東京に住み，働く人々の生活には，他の地方の人々の生活に比較していろいろな利便もあるが，今後改善すべき点も多い。 2. 都市に生活するものとして，日常の衣食住，身近な環境における衛生，安全などの点についての改善をくふうする。

学習のめやすとなる問題	具体的目標	学習活動（内容）	評価番号
東京都はどのくらい広く，どのくらい人が住んでいるか。		(1) 地方から届いた手紙を持ち寄り，どうしてまちがいなく届くのか話し合い，各人の所番地を確認する	
	東京は文京区を200近くもあわせた広さをもち，その中には市が7つもあり，島もある。	(2) 白地図と地図帳を使って次の作業を行う。 (イ) 文京区その他23区の位置と名称を調べて白地図に記入する。 (ロ) 東京都には，そのほか3郡，5市，伊豆7島があることを調べ，話し合う。	
	東京は関東平野の西南の方に位置し，東京湾に臨んでいるが日本全体からみるとほぼ中央にある。	(ハ) 日本における東京の位置を確認し，東京の周辺の様子（隣県，関東平野，河川，東京湾等）を調べ，必要事項を白地図に記入する。	
	東京の人口は年々目ざましくふえ，人口の多いことでも日本一の都会である。	(3) 統計資料，スライド「東京の人口」等を利用して次のような事項について調べ，話し合う。（グラフの作成などを含む） ・5大都市や日本全体の人口と都の人口との比較 ・戦前・戦後における都の人口の増減状況 ・都内の人口分布とその特色 ―昼間人口の多い地域，夜間人口の多い地域とその理由―	
	東京の中でも商工業のさかんなところ，住宅の多いところ，田畑を耕しているところなどがあって，人々の活動が1日も休みなく行われている。	(4) スライド「多摩の風物」や「東京の島々」を利用して，東京都内にも農山村の生活や離島の生活がみられることを話し合う。	1

東京の生活はどのように便利なのだろうか。	東京にはいろいろな交通機関が集まってきており，都内の交通もさかんである。 東京には，他の土地の人が珍らしがり，見学などする施設が多いが，特に議事堂やいろいろな役所では国全体に関する政治が行われている。	(1) 地図やスライド「東京の交通」を利用して，東京に集まる交通網，都内の交通網，東京港や羽田空港の役割等について調べる。 (2) 自分や家族の人々が行ったこと，見たことのある施設をあげ，知っていることを発表し合う。 皇居，議事堂，新聞社，放送局，博物館，美術館等の文化施設，大学，公園，その他。 (3) スライド「東京の観光」を見て，さらに詳しく調べる。	2
東京は首都として，どのように発展してきたか。	東京は江戸といわれたころから幕府の政治が行われたところであるが，明治になってから天皇もここへ移られ，日本の首都となった。 東京の人々は，その後もいろいろな困難にあいながら，町の復興発展に努めてきた。	(1) 太田道灌の江戸築城から幕府時代，江戸城明け渡しに至る城下町としての江戸の発達について参考書・スライドを使って調べ，教師の説明を聞く。 (2) 東京遷都から今日の東京に至るまでの歴史的変遷について，関東大震災，都制の施行，戦災とその復興に重点をおいて調べる。	3
わたくしたち東京都民の困っていることは何か。	大部分の東京の人々は，その食糧を他の土地の人々の働きに依存している。 今の東京の人々はもっと住みよい東京にしたいと思っているが，それには住宅・交通・衛生などの問題をみんなで考えなければならない。	(1) 都民の食糧，特に主食について，その消費量，送られてくるおもな地方，輸送機関等を調べ，食糧問題の重要性について話し合う。 (2) 食生活以外で，都民が困っている問題，たとえば住宅難，乗物の混雑，水道やごみの問題等について話し合い，都や区の仕事に対する要望をまとめてみる。 (3) 特に水道と交通の問題を中心に，自分たちでも都民のひとりとして生活改善に協力できる点を話し合う。	4

ようとするのが，この単元の中心的ねらいであるが，それだけにどこに力点をおいて単元を構成するかが重要な問題になるわけである。

この点，この単元は，その目標からも読みとれるように，(1)東京という都市の性格・機能については，これが首都であるという点で他の都市に見られないものを持っているということ，(2)東京という都市の歴史については，大震災・空襲というような何回かの災害をのりこえてきた先人の苦闘を忘れてはならないこと，の2点に中心をおいたわけである。

もちろん，展開案を見てもわかるように，この単元でも，東京の人口とかその地域的広がり，他の都市に比べての便利さ（たとえば文化施設が多い，交通機関が発達しているなど）を学習していくが，それはそれだけの知識として児童に与えておくのが目的ではなく，なぜそうなのかと考えさせ，けっきょくそれは東京が日本の首都であることに基いていること（すなわち前述の(1)の点）をしっかり認識させることが目的なのである。

もちろん，国の政治についてまとまった勉強をするのは6年生であるから，4年生に国の首都という意味がどこまで具体的に理解できるだろうかという疑問があるかもしれない。しかし，たとえば国会議事堂という具体的な建物を取り上げ，それが何をするところであるかを簡単に説明し，これが東京1か所にしかないことを理解させれば，政治の中心地としての東京を4年生なりに考え，同じ大都会でも大阪や名古屋とは違うことをとらえることは不可能ではないだろう。

また，この単元では，江戸から東京への歴史について，幻燈を見たり，図書で調べる活動を行うが，これもただ東京の今昔を平面的に学習させたり，年表に主要事項を記入して終る学習が目的なのでなく，その間に都(市)民の生活を根底からゆさぶるようなできごと，たとえば幕末における江戸城の明渡し，大正年間における関東大震災，太平洋戦争による空襲の

被害等があったこと，しかし先人はそのたびに多くの努力を傾けて東京の復興や発展に努めてきたことなどの中から，現在の都民のひとりとして何物かを学びとらせるのが目的である。

以上がこの単元の中心になっている点であるが，この二つを主軸にしてその他の問題についても学習を行うのである。たとえば，広い東京都内の中にはそれぞれ特色をもった地域（官庁街とか工業地帯，住宅地帯等）があって，それぞれ密接な関係をもっていることとか，都民の衣食住の生活を考えてもわかるように東京都の生活は他地方の人々の生産その他の活動なしには1日もささえられていかないこと，あるいはまた現在の都民の生活には住宅問題とか交通問題のようにその改善が強く望まれている問題が少なくないことなどについても学習を行う。

しかし，この単元としての中心的なねらいはあくまで前述のような二つの点での東京について児童の認識を深め，都民のひとりとして自他の生活を反省させようとするものであって，決して東京都の都政の批判をさせたり，未来の首都建設計画を構想させるのが主眼ではない。また，都市と農村の関係を追求するために，この単元を計画したのでもない。

B　学習活動の展開

（ゴチックで表記したものは，前掲の学習のめやすとなる問題である）

1.　東京都はどのくらい広く，どのくらい人が住んでいるか。

(1)　地方から届いた手紙を持ち寄り，どうしてまちがいなく届くのか話し合い，各人の所番地を確認する。

(2)　白地図と地図帳を使って，次の作業を行う。

(イ)　文京区その他23区の位置と名称を調べて白地図に記入する。

(ロ)　東京都には，そのほか3郡，5市，伊豆7島があることを調べ，話

し合う。

(ハ) 日本における東京の位置を確認し，東京の周辺の様子（隣県，関東平野，山地，河川，東京湾等）を調べ，必要事項を白地図に記入する。

(3) 統計資料，スライド「東京の人口」等を利用して，次のような事項について調べ，話し合う。（グラフの作成などを含む）

- 5大都市や日本全体の人口と都の人口との比較
- 戦前・戦後における都の人口の増減状況
- 都内の人口分布とその特色

―昼間人口の多い地域，夜間人口の多い地域とその理由―

(4) スライド「多摩の風物」や「東京の島々」を利用して，東京都内にも農山村の生活や離島の生活がみられることを話し合う。

2. 東京の生活はどのように便利なのだろうか。

(1) 地図やスライド「東京の交通」を利用して東京に集まる交通網，都内の交通網，東京港や羽田空港の役割等について調べる。

(2) 自分や家族の人々が行ったこと，見たことのある施設をあげ，知っていることを発表し合う。

皇居・議事堂・新聞社・放送局・博物館・美術館等の文化施設，大学・公園・その他

(3) スライド「東京の観光」を見て，さらに詳しく調べる。

3. 東京は首都としてどのように発展してきたか。

(1) 太田道灌の江戸城築城から幕府時代，江戸城明渡しに至る城下町としての江戸の発達について，参考書・スライドを使って調べ，教師の説明を聞く。

(2) 東京遷都から今日の東京に至るまでの歴史的変遷について，関東大震

災，都制の施行，戦災とその後の復興に重点をおいて調べる。

4. わたくしたち東京都民が困っていることは何か。

(1) 都民の食糧，特に主食について，その消費量，送られてくるおもな地方，輸送機関等を調べ，食糧問題の重要性について話し合う。

(2) 食生活以外で，都民が困っている問題，たとえば住宅難，乗物の混雑，水道やごみの問題等について話し合い，都や区の仕事に対する要望をまとめてみる。

(3) 特に水道と交通の問題を中心に，自分たちでも都民としての生活改善に協力できる点を話し合う。

〔備考〕特に水道の問題をとりあげたのは，学校や家庭でも現に断水，その他困っていることが多かったからである。

C　評価しようとした事がらとその方法，時期および結果について

1. 東京都内における地域的特性を，その位置との関係において正しく理解したかどうか確かめる。

この単元学習では，東京都というのはどのくらいの地域的広がりを持ち，どのくらいの人が住んでいるのかという問題を，導入として学習が始まるのであるが，しかし，前述したように単に東京都の面積と人口を記憶させればよいのではない。

Bの1の(3)でも明らかなように，昼間人口と夜間人口の比較などを契機として，広い東京の中にもそれぞれ特色をもったいくつかの地域の生活が営まれていること，そしてそれらが互に密接に関係し合いながら東京の人々の暮しが展開していることを理解させ，自分たちの住む町はその中でどういう地域に属するのかを考えさせようとしている。

したがって，学習活動の発展とともに，この教師の意図がどこまで徹底したか，すなわち，東京都内における地域的特性をその位置との関係において果して正しく理解したかどうかについて，評価する必要があるのである。

そこで，スライドに「多摩の風物」や「東京の島々」を利用して，東京都内に存在する農山村の生活や離島の生活についても学習した後（Bの1の(4)参照），この評価を行うことにしたのである。

ところで，前述のような目的を達成するための評価として，たとえば，次のような方法も考えられるであろう。

官庁街・商工業地帯・住宅地帯・緑地帯等を示す記号ないしは色を，あらかじめ約束して決めておき，児童各自の白地図に記入させて，地域的特性についての理解がどの程度できているかを評価する方法である。

このような比較的簡便な方法を一概に否定する理由はないが，ここでは多少単純すぎるきらいもあったので，これとは異なる評価法をくふう，実施したのである。

すなわち，東京都の白地図に鉄道を記入したものを示し，常盤・中央・東海道の3幹線にはその名称を教師が記入してやっておき，一方次の問題紙を全員に配付，回答させたのである。

次の文は，3人のこどもが，汽車で東京へ来た時の，まどから見たようすを書いたものですが，どれがじょうばん線で，どれが東海道線で，どれが中央線でしょうか。地図とてらし合わせながら，よく読んで（　）の中に答を入れましょう。

1. もう東京都へはいったというのに，林の間を通ったり，農家や畑がしばらく続いていましたが，そのうちにだんだん住宅がたてこんで来ました。すれ

ちがう電車には，おつとめの人や，学生がいっぱい乗っています。もう夕方です。（　　　　　）

2. 大きな川をわたりました。あたりは低い土地で，そうこがあったり，工場のえんとつがたくさん見えます。人の住んでいる家はゴチャゴチャとたくさん集まっています。（　　　　　）

3. ずっと工場がたくさんありましたが，やがてしだいに少なくなってきました。町のにぎやかな通りには，自動車が川のように流れ，大きなビルディングがたちならび，色とりどりのネオンサインがきれいです。

（　　　　　）

この問題の趣旨は改めて説明するまでもないが，それぞれ特色のある鉄道沿線の状景を読んで，これに該当する地域は都内のどの辺にあったかを思い出し，白地図を見てそこを通っている鉄道名を知り，これを記入すれば正答が出るわけであり，1.（中央線）2.（常磐線）3.（東海道線）が正答なのである。

この結果を，全体的に整理したものと，各線ごとに整理したものが下表である。

解答	3問正答	1問正答	3問誤答	計
人数	34	11	5	50
パーセント	68	22	10	100

線名	正答	誤	答
中央線	41人 (82%)	9人 (18%)	常磐線とした者5人 (10%)
			東海道線とした者4 (8)
常磐線	37 (74)	13 (26)	〃　〃 11 (22)
			中央線とした者 2 (4)

東 海 道 線	35 (70)	15 (30)	常磐線とした者 8 (16) 中央線とした者 7 (14)

これをみると，学級の約3分の2の児童は，東京都内の地域的特性を地理的位置との関係において正しくとらえていることになり，教師の指導の意図は相当浸透したものと考えてよいであろう。

ただ誤答の内容を吟味してみると，

誤答率………………24.7パーセント

(イ) 東海道線と常磐線との混同による誤答………12.7パーセント

(ロ) 〃 と中央線 〃 ………7.3

(ハ) 常 磐 線と 〃 〃 ………4.7

という状況で，問題作成の技術による点もあろうが，東海道沿線地域の特色についての理解が，いちばん欠けていることが明らかになり，この点は，今後の指導において一考を要する問題であることが明らかになった。

2. 東京の特色を，東京が日本の首都であるということとの関係において，とらえているかどうか確かめる。

広い東京都内には，地域によってそれぞれ特色をもった生活が展開されていることを学んだ児童は，さらに東京は他の都市に比較してどんな点が便利といわれるのかについて，あるいは交通機関の発達の面から，あるいは公共施設，文化・娯楽施設の多いことの面などから，いろいろと考えていくことになる。しかし，そのねらいは，前述の単元の基本的構想でも明らかにしたように，他の都市に見られない特色があるのもけっきょくは東京が首都という性格をもっていることに起因するものであることを，はっきり認識させようとするところにある。決して，乗物が多いこと，人がたくさん集まること，便利な施設が多いことなどを，表面的・断片的に知らせることが趣旨ではない。

そこで，このような教師の意図がどこまで達成されたかを評価しようとしたのである。

すなわち，「自分や家族の人々が行ったこと，見たことのある施設をあげ，知っていることを発表し合う」活動や，「スライド東京の観光を見て，さらに詳しく調べる」活動がすんだあと，教師が「外国から日本を見に来る人が，ほとんど東京を訪れるのはなぜか」という発問をし，児童各自に自分の考えを一応記録させた上，何人かに発表させ，話合いを進める間の発言を利用して，理解の程度を評価したのである。

下の表は，このときの児童のおもな発言を，A（上）・B（中）・C（下）の児童の能力別にまとめたものである。

A	｡日本の首都で中心地であり，いちばん開けているから，東京を見れば日本全体の様子がだいたいわかるから。 ｡{・どのようになっているか見に来る。・日本人がどのようなやり方で，どんなことをしているか見に来る。}
B	｡日本全体の中心であるから。 ・皇居があり，議事堂があるから。 ・学校を見に来る。 ・日本を代表する人がいるから。 ・いなかにないものがあるから。 ・外国にないいろいろな歴史のあとが残っているから。
C	｡東京はりっぱだから。 ｡珍しいものがあるから。 ｡乗物がたくさんあるから。

これによってもほぼ明らかなように，AおよびBのグループに属す児童は，東京が首都としてもつ特色をかなりはっきりはあくしているが，Cのグループに属する児童の発言は，まだ「東京はりっぱだから」「珍しいものがあるから」「乗物がたくさんあるから」といった域にとどまっていて，東京の特色をただ印象的に，断片的にしかとらえていないと判断されるのである。

したがって，この評価の結果の示すかぎりでは，教師の指導の意図は学級のおよそ3分の2の児童には徹底したが，なお若干の児童にはじゅうぶん徹底していないと考えられたのである。

3. 東京の発展を，その性格との関係において正しく歴史的に理解したかどうか確かめる。

現在の東京が，他の都市に見られないいろいろな特色を持っているが，これらが日本の首都としての東京に基いていることを学習した児童は，次に，東京が今日のような姿にまで発展するのにどんな歴史的経過をたどってきたかについて調べる。もちろんこれは東京の歴史について，いつどんなことがあったというようなことだけを知るのが目的ではなく，先人がどんな障害・困難を乗り越えて，東京をここまで発展させてきたかを理解し，この先人の努力にどうこたえることが今日の都民の務であるかを4年生なりに考えさせようとするのが目的である。(Aの (c) 参照)

したがって，東京の今昔について児童がどれだけの歴史的事件や人名を記憶したかを確かめる評価ではなく，東京の発展をどのように歴史的にとらえたかを確かめる評価が必要なわけである。

ところで，この際の学習で扱った歴史的事項は数多いのであるが（たとえば，勝海舟・西郷隆盛・後藤新平らの名も出たし，彰義隊の話などにも触れた），最も重要な事がらは，江戸城を中心に，城下町として発展して

きた江戸時代の姿，維新後は日本の首都東京として，政治・経済・文化の中心として発展してきたことを適確にとらえたかどうかということである。

すなわち，それぞれの時代における東京というものの性格との関係において，その歴史的発展を理解したかどうかがたいせつなのである。

ここで考えた評価は，このような点を確かめようとするものにほかならない。

そこで，「太田道灌の江戸城築城から幕末の江戸城明渡しに至る城下町としての江戸の発達について，参考書やスライドを使って調べ，教師の説明を聞く」活動や「東京遷都から今日の東京に至るまでの歴史的変遷について，関東大震災，都制の施行，戦災とその後の復興に重点をおいて調べる」活動がすんだあとで，これらのまとめとして「東京はどのようにして今日まで発展してきたか」という話合いを行わせ，この間の児童の言動を観察することによって，この評価を行ったのである。

そして，学級児童の能力を，A・B・Cのグループに分けて，それぞれのグループに属する児童の発言の傾向——したがって東京の発展についての理解のしかた——を整理したのが次の表である。

A	○江戸時代城下町として発展し，日本の首都となってからは外国のよいところを取り入れて発展してきた。 ○城下町として発展し，町のためにつくした人々のおかげでますますりっぱになり，日本の首都として，中心になって，幾度もの災害にも敗けないで立ちあがってだんだん発展してきた。 ○城下町として発展し，日本の首都となって，幾度もの災害にも，政

	府の力，みんなの力で立ちあがって発展してきた。
B	◦日本の首都として発展してきた。 ◦{幾度もの災害にもへこたれず，立ちあがって町をつくりあげた。 みんなが力を合わせて町をつくりあげた。
C	◦困難にあっても負けないで立ちあがった。 ◦いろいろな人が町のために尽したから。

これによってみると，表現はいろいろ異なっているが，Aのグループに属する児童はおおむね城下町としての江戸の発達，日本の首都としての東京の発展を考えることができるようになっているし，Bのグループに属する児童にも多少その傾向が認められるのである。ただ，Cのグループに属する児童の発言には，「困難にあっても負けないで立ち上がった」「いろいろな人が町のために尽したから」のごとく東京の歴史の中から自分の受けた印象を拾い出して答えているにすぎない傾向が強いといえる。

したがって，教師の指導の意図は，学級の中位の児童にまでは，ある程度浸透したが，なお一部の児童は，東京の発展をその性格との関係において正しく歴史的に理解したとは言いがたい状態にあると判定しなければならない。

4. 都民としての生活改善を行うための方法を具体的に考えることができるようになったかどうか確かめる。

この単元では，児童に都政の批判をさせたり，未来の首都建設計画を構想させるのが主眼ではないことは前述した。しかし，自分たちの住む東京

についての認識を深め，都民のひとりとして自他の生活を反省させようとするものであるから，現在自分たちの周囲にどんな問題があり，今よりもいくらかでも都民の生活をよくしていくにはどんなことが必要かについて学習させるのは当然である。

すなわち，Bの4で明らかなように，都民の食糧問題について話し合ったり，食生活以外で改善したいと思う問題について話し合った後，これらのことに対して都や区の仕事のやり方に対する要望をまとめ，自分たちで協力できる点を話し合って，この単元学習を終ることになっている。

そこで，学習に取り上げられる都民生活上の問題が何であるにせよ，その改善のために有効な方法を真に着実に考えられるようになったかどうか，確かめる評価が必要になってくる。なぜなら，改善したいと思う問題についての理解がいくら深められても，その改善については実現不可能なとっぴな方法しか考えられなかったり，ただ他人を非難することだけしかできないならば，前述のような学習活動を行った意味はあまりないからである。改善のために必要なことのうち，この面は直接その仕事に携わる人に考えてもらうべきことだし，この面は一般都民のほうで反省すべき事がらであり，自分たちの協力でできることであるといった分析・判断ができなければならない。

そこで，前述の学習活動のうちで，「この辺（学区域）では，水道の水が足りないといって出方が悪くなり，困ることがあるが，この問題を解決するにはどうすればよいか」という話合いを進めていくとき，児童の発言を記録して，このような点を評価しようとしたのである。

前の評価と同様，これも学級児童の能力をA・B・Cの3グループに層別して，その発言の傾向をまとめた。しかし，次表のようにAとBのグループの間の発言には，ほとんど差異が認められなかった。

A	○役所にたのんで貯水池・浄水場をつくってもらう。そして自分たちは水をたいせつに使う。
B	○故障などは，すぐに水道局に連絡してなおしてもらい，漏水などで水をむだにしないようにする。 ○水はむだに使わないで，あとはねじをしっかりしておく。
C	○使ったあと，しっかりねじをしておく。 ○水をむだに使わない。

これを見ると，AおよびBのグループに属する児童は，おおむね水道局その他，この仕事を担当する官庁に研究改善してもらうべき点と，自分たちで注意協力すべき点の双方をとりあげている。これに対しCのグループに属する児童の発言には，このような幅の広い考え方は認められず，自分たちが節水に努めることだけを指摘しているのである。

したがって，教師の指導の意図は，学級の中位ぐらいまでの児童[illegible]相当徹底したが，なお若干の児童は，都民としての生活改善を行うための方法をじゅうぶん具体的に考える状態には至っていないことが明らかになり，この点は今後の指導上の課題として残されたのである。

5年の単元「工業の発達」　約50時間

実施期日 9—11月

A　単元の基本的構想について

（a） 単 元 の 目 標

1. 工業の発達によって，今日の人々の生活はいろいろな利便を受けているが，またよく考えなければならない問題も起っている。
   (1) 農業，牧畜その他の産業に比べて，工業は大いに機械の力を利用して，われわれの生活必需品を作っているが，工業の中にもいろいろ生産のしかたの違いがある。
   (2) 動力の進歩，交通の発達などに伴い，機械生産が工業の中心になり，昔に比べて物資の入手が容易になった。
   (3) 機械生産のしくみは，工場に働く人々の安全やその他の問題を生じたし，これからの国民生活の向上にとって日本の工業には，いろいろ改善していかなければならないことがある。
2. 日常使用している各種の工業製品や，工場に働く人々の生活に対して関心をもち，進んだ機械や道具，分業のしくみなどの長所を自分たちの生活にも生かすよう努める。

（b） 学習のめやすとなる問題の発展

わたくしたちの周囲では，どのような工業製品がどのようにして作られているだろうか。

↓

単元名	工業の発達	時間数	50時間

目標	
目標	1. 工業の発達によって，今日の人々の生活はいろいろな利便を受けているが，またよく考えなければならない問題も起っている。 (1) 農業，牧畜その他の産業に比べて工業は大いに機械の力を利用してわれわれの生活必需品を作っているが，工業の中にもいろいろな生産のしかたの違いがある。 (2) 動力の進歩，交通の発達などに伴い，機械生産が工業の中心になり，昔に比べて物資の入手が容易になった。 (3) 機械生産のしくみは工場に働く人々の安全やその他の問題を生じたし，これからの国民生活の向上にとって日本の工業には，いろいろ改善していかなければならないことがある。 2. 日常使用している各種の工業製品や工場に働く人々の生活に対して関心をもち，進んだ機械や道具，分業のしくみなどの長所を自分たちの生活にも生かすように努める。

学習のめやすとなる問題	具体的目標	学習活動（内容）	評価番号
わたくしたちの周囲では，どのような工業製品がどのようにして作られているだろうか。	日常生活に必要な各種の工業製品が郷土でも作られている。	(1) 日常生活に使われている各種の工業製品をあげ，学校の近くでもその生産が行われているものをまとめてみる。	
	これらの生産は工場でかなり大規模に行われている場合と，ふつうの家庭とあまり変らないところで行われている場合がある。	(2) それらの生産されている場所，生産のしかた等を調べると，二つの違い（手工業生産と機械生産）があることについて話し合う。	
	どちらの場合でも原料を仕入れて，機械や道具を使って製品にするが，工場での生産は規模が大きく進んだ動力や機械の力，分業のしくみを利用している。	(3) 学校の近くで行われている手工業生産の様子について，Y木工所（家具製作所）を見学して，使っている道具，仕事の進め方，原料の入手，製品のできばえや処理のしかた等を調べる。	
	同じ種類の製品でも手工業と機械生産による場合とではいろいろな違いが生れてくる。	(4) 学校の近くのK印刷工場を見学して，前者と違う点をまとめる。 (5) スライドを見，さらに話し合いを行って手工業生産と機械生産の違いを具体的に表にまとめる。	1
わが国の機械生産はいつごろからどのようにして発達してきたのだろうか。	昔は機械生産がなかったので，物を作るにも苦労が多く，物の入手も容易でなかった。	(1) 昔（主として江戸時代）は，どのようにして各種の製品を作っていたか，教科書その他の参考書を使って調べる。（グループ学習）	
	イギリスその他の国における新しい動力の発見が工業生産のかたちを大きく変えた。	(2) そのころ西洋では，イギリスを中心に機械生産が起り，産業革命が進んでいたことを先生から聞く。	
	しかし，日本は鎖国をしていたので，新しい機械生産を取り入れた工業が発達したのは明治になってからである。	(3) わが国における機械生産の普及，発達の様子を，グループごとに調べる。 ・西洋の国よりおくれた理由 ・維新政府による官営工場の設置，外人技師の招へい，その他 ・せんい工業の発達，豊田佐吉の業績など ・重工業の発達，八幡製鉄所の設立など	2
	現在のわが国では，資源の不足，戦争による工場施設の破壊などに苦しみながらも四大工業地帯を中心にして各種の工業生産が行われている。	(4) 現在，特に工業のさかんな四大工業地帯についてそれぞれの特色，主要な工業都市，発達した理由等についてまとめ，これからの発展について原料や動力の問題を中心に話し合う。	3

機械生産の発達によって，わたくしたちの生活は，どのようになったであろうか。	機械生産は，個人の日常生活において各種の物資を簡単に入手できるようにしたばかりでなく，世の中の生産，通信，交通などの働きを一段と進歩させた。	(1) 機械生産の普及，発達によって，われわれの生活が便利になった面をまとめる。 ・交通通信機関の発達 ・生活物資の入手が容易になったこと ・余暇の時間がふえたことその他	
	その結果，人々は余暇を使っていろいろな活動をすることもできるようになった。	(2) 機械生産の発達がどんな危険や不安をもたらしたか話し合い，まとめる。 ・工場での災害 ・交通事故の増加 ・戦争と近代兵器の発達等	
	しかし機械生産は工場で働く人々に各種の危険や不安を与えるようになったので，それらの人々が安心して気持よく働けるようなしくみをみんなで考えることがたいせつである。	(3) 工場で働く人々の生活について，職場の衛生状態，危害予防，厚生慰安の方法などのためにどんな努力が払われているか調べたり，先生の話を聞く。	4
機械生産のよい点をわたくしたちの生活に生かしていくにはどうしたらよいか。	自分たちの学校や家庭の生活にもよい道具や機械を取り入れたり，それをじょうずに使ったり，仕事の分担をくふうして改善すべき点がある。	(1) 家庭や学校その他の仕事の上で，能率のよい機械や道具を活用したいと思う点，これを実現するために必要なことがらを話し合う。 ・消費生活の計画化による機械や道具の購入 ・機械や道具の使用や修理に必要な技術の習得等	
	機械生産のよい点を生かしていくのは，結局人々の考え方である。	(2) 分業のしくみを日常生活の上に応用して仕事の能率をあげる方法について話し合う。 (3) 工業の発達を学習して感じたことを作文にまとめ互に発表し合う。	5

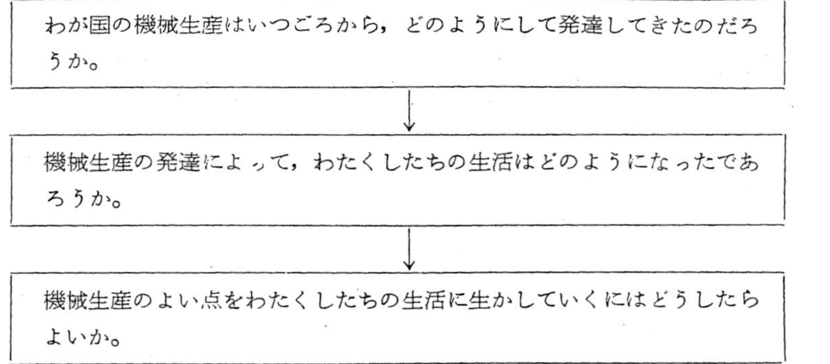
わが国の機械生産はいつごろから，どのようにして発達してきたのだろうか。
機械生産の発達によって，わたくしたちの生活はどのようになったであろうか。
機械生産のよい点をわたくしたちの生活に生かしていくにはどうしたらよいか。

（ｃ）　基本的構想についての解説

この単元は，近代社会の一つの大きな特質である機械生産の問題を，日本の工業の発達に即し，また自分たちの生活との関係を中心にして理解させ，こうした特質をもつ今の世の中での自分たちの生き方を考えさせようとするのが，その根本趣旨である。

従来，この種の単元には，日本の工業の現状やその特質（たとえば中小企業の問題），現在当面している課題などに学習の中心を置いて，５年の児童に必要以上にむずかしい問題や政策の批判を行わせるような傾向がないでもなかった。もちろん，この単元学習の結果として，日本の工業の現状にはいろいろな問題が含まれていることを知り，その解決が国民全体の将来の生活に大きな関係をもつものであることを５年生なりに自覚させることは必要である。しかし，この単元の趣旨は，あくまで工業の発達がわれわれの社会生活に何をもたらし，今日の生活をどのように特色づけているかについて基本的理解を養うのであって，日本の工業，産業についての物知りをつくり，工業の振興策を黄色い声で論じ合わせるのが趣旨ではない。したがって，四大工業地帯についての学習なども，あまり微細な点にわたることは避けたのである。

もちろん，この場合，工業の発達というのは産業革命以後の，日本で言えば明治以降の機械生産を中心とする近代工業の普及発達を意味するが，その発達を一面的に賛美し，肯定するのでなく，近代工業の発達に伴う新しい問題の発生にも触れる。しかし，単元としての中心的なねらいは，工業の発達という一つの歴史的な角度から今日の社会生活の特質を考えさせていこうとするところに置いているのである。

第２は，工業がわれわれの生活に必要な物資の生産を行うのに欠くことのできない産業であるという意味での工業の重要性を扱うことは当然であるが，本来工業の重要性はこれに尽きるものではない。このことは，世界の経済，特にアジアの経済の中で日本の工業の占める位置を考えてみれば明らかである。食糧の自給が困難であり，かつまた原料資源の乏しい日本としては，工業が必然的に貿易という問題に結びついている。ただ，５年の単元学習として，このような工業が国民経済の中で占める位置・重要性について，どこまで取り扱うかが問題である。

この点，この単元では，たとえば日本の産業構造を分析したり，貿易資料を用いたりして，今述べたような工業の重要性に触れることは，あまり考えなかった。

そのような方法は，むしろ６年の貿易の単元学習に譲ることにして，この単元の性格上，明治以後日本はなぜ近代工業の発達に異常な努力を払ってきたのかを考えさせ，そうした歴史的過程の中で工業のもつ重要性の一面におのずから触れるように意図したのである。

そしてむしろ，工業が他の産業，たとえば農業や水産業と異なる点——仕事のしかた，労苦等——や，その間の関係（比較的理解しやすい事例を利用して）を，はっきりはあくさせることに重点をおいたのである。

第３に近代工業，機械生産の特質といわれるものには，多くの点があるので，これをどういうかたちで（どの程度に）認識させるかも一つの問題点である。これについては，手工業的な生産と対比して，その相違が容易に浮び上がってくる次の５点にしぼって，これを明確に理解させるように考慮したのである。

(1)　利用する動力の違い　　(2)　大量生産

(3)　分業のしくみ　　(4)　原料入手や製品販路の拡大

(5)　資本の規模

そして，このような特質のうち，特に進んだ能率的な道具や機械，あるいはまた分業のしくみなどを日常生活の上に生かしていこうとする関心を育てることに主眼を置いたのである。

要するに，この単元は，５年の学年主題である「産業の発達と人々の生活」という趣旨にそって計画し，構想したものである。

B　学習活動の展開

（ゴチックで表記したものは，前掲の学習のめやすとなる問題である）

1.　わたくしたちの周囲では，どのような工業製品がどのようにして作られているだろうか。

(1)　日常生活に使われている各種の工業製品をあげ，学校の近くでもその生産が行われているものをまとめてみる。

(2)　それらの生産されている場所，生産のしかた等を調べると，二つの違い（手工業的生産と機械生産）があることについて話し合う。

(3)　学校の近くで行われている手工業生産の様子について，Ｙ木工所（家具製作）を見学して使っている道具，仕事の進め方，原料の入手，製品のできばえや処理のしかたなどを調べる。

(4)　学校の近くのＫ印刷工場を見学して，前者と違う点をまとめる。

(5)　スライドを見，さらに話合いを行って手工業生産と機械生産の違いを具体的に表にまとめる。

2.　わが国の機械生産はいつごろから，どのようにして発達してきたのだろうか。

(1)　昔（主として江戸時代）は，どのようにして各種の製品を作っていたか，教科書その他の参考書を使って調べる（グループ学習）。

(2)　そのころ西洋では，イギリスを中心に機械生産が起り，産業革命が進んでいたことを先生から聞く。

(3)　わが国における機械生産の普及，発達の様子を，グループごとに調べる。

- 西洋の国よりもおくれた理由。
- 維新政府による官営工場の設置，外人技師の招へい，その他。
- 繊維工業の発達，豊田佐吉の業績など。
- 重工業の発達，八幡製鉄所の設立など。

(4)　現在特に工業の盛んな四大工業地帯について，それぞれの特色，主要な工業都市，発達した理由などについてまとめ，これからの発展について原料や動力の問題を中心に話し合う。

3.　機械生産の発達によって，わたくしたちの生活はどのようになったであろうか。

(1)　機械生産の普及，発達によって，われわれの生活が便利になった面をまとめる。

- 交通通信機関の発達。
- 生活物資の入手が容易になったこと。
- 余暇の時間がふえたこと，その他。

(2)　機械生産の発達がどんな危険や不安をもたらしたか話し合い，まとめる。

- 工場での災害　　　　• 交通事故の増加
- 戦争と近代兵器の発達等

(3) 工場で働く人々の生活について，職場の衛生状態，危害予防，厚生慰安の方法などのためにどんな努力が払われているか調べたり，先生の話を聞く。

4. 機械生産のよい点をわたくしたちの生活に生かしていくにはどうしたらよいか。

(1) 家庭や学校その他の仕事の上で，能率のよい機械や道具を活用したいと思う点，これを実現するために必要な事がらを話し合う。

- 消費生活の計画化による機械や道具の購入
- 機械や道具の使用や修理に必要な技術の習得など

(2) 分業のしくみを日常生活の上に応用して仕事の能率をあげる方法について話し合う。

(3) 工業の発達を学習して感じたことを作文にまとめ，互に発表し合う。

C 評価しようとした事がらとその方法，時期および結果について

1. 手工業的生産と機械生産の違い（両者の特質）を，どの程度総合的に理解したか確かめる。

この単元学習では，自分たちの身近な周囲（学校を中心とした地域）でどんな工業生産が行われているかを調べる活動を導入として，そこに二つの形態があることを発見した児童は，実際の見学，スライドの利用などを通して，両者の違いを具体的に確認し，まとめることになっている。（Bの1の(1)から(5)まで参照）

これは，今日における工業が手工業的生産にかわる機械生産の普及を中心に発達してきたことを学習する前提として，今日でもなお手工業的生産がかなり残っていること，両者の間にはAの（c）で述べたような五つの基本的な違いがあることを理解させるのが目的である。

したがって，教師の意図は，両者の違い，それぞれの特質を，断片的にではなく，総合的に理解させたいわけである。このような教師の意図がどの程度達せられたかを確かめるため，前掲1の(5)「スライドを見，さらに話合いを行って，手工業生産と機械生産の違いを具体的に表にまとめる」活動を利用して，次のような評価を行ったのである。

すなわち，児童に両者の違いを表にまとめさせるとともに，教師みずからB表はA表よりも表の書き方，比較のしかたなどですぐれている二つの表を作成し，これを次のような方法で児童に評価させたのである。

（この二つの表では，手工業的生産と機械生産の違いについて，(1)動力や機械の違い　(2)分業のしくみ　(3)製品の特質，その他を指摘しているのであるが，(1)については，A表は単なる事実を，B表はその影響としての労働力の軽減をあげ，(2)については，A表は分業の形式と能率という点のみを，B表はその結果としての大量生産という機能をあげ，(3)については，A表は単なる機械力の礼賛であり，B表は手工業製品の特質にも着目しているなどの相違があるのである。詳しくは別表参照）

すなわち，まずこのA，B両表の優劣を判断させ，さらにその理由を次の諸項目のうちから選択させたのである。

1. ことばの表現が正しく，じょうずである。
2. 要領よくまとめてある。
3. たいせつな違いがあげられている。
4. 表の作り方がていねいでうまい。

5. 工場見学の目的を考えている。

6. そのほかに訳があるから。

A 表

	手工業	機械生産
歴史の上から	古いやり方の工業	新しいやり方の工業
機械と動力の面から	機械を使わない	いろいろな機械を使う
	人の手で作る	機械で品物を作る
	動力を使わない	たくさん動力を使う
仕事の進め方から	手分けして仕事をしていない	仕事を手分けしてやっている
	流れ作業をやっていない	流れ作業でやっている
	仕事がおそい	仕事が早い
製品の上から	機械でできない製品もある	手ではできない製品が作れる
	一つ一つ違った製品を作ることができる	すっかり同じ製品をいくつも作れる
	製品のねだんが高い	製品のねだんがやすい
場所の上から	だいたい家内工業でやっている	だいたい工場で仕事をしている
その他の点で	工業をはじめるのにあまりお金がかからない	工業をはじめるのにたくさんお金がかかる

B 表

	手工業	機械生産
歴史の上から	昔から行われてきた工業	新しい時代になっておこった工業
機械や動力の面から	かんたんな道具を使用して手で作る	各種の機械を使用して機械力で作る
	モーターなどの動力を使用しない	モーターなどの動力を多量に使用する
	人間の労働をたくさん必要とする	人間の労働が少なくてすむ
仕事の進め方から	はじめから終りまで同じ人の手で作られる	仕事を分たんして，流れ作業でやっている
	仕事ののうりつがあがらない	仕事ののうりつがあがる
	品物ができあがるのに多くの時間がかかる	短かい時間に製品が大量に生産される
製品の上から	機械では作れない製品がある	手では作ることのできない各種の製品を生産する
	一つ一つ形や質の違った製品を作ることができる	同じ形の同じ質の製品が作られる
	ひとりひとりの好みや特別なつかいみちによくあった製品が作れる	多くの人々が必要としている製品が作られる
場所の上から	主として家内工業のしくみで行われている	たいてい工場工業のしくみで行われている
その他の点で	設備のためにあまり多くの費用がかからない	設備のために多くの費用がかかる

これはA，B両表の最も本質的差異を適確にとらえた上で，その優劣を判定できるかどうかを確かめようとしたのである。次にB表のほうで，はっきり指摘している手工業生産と機械生産の最もたいせつな違いは何であるかを，B表の中から抜書きさせて，前記(1)，(2)，(3)の3点があげられるかどうかを調べたのである。

以上の結果をまとめて整理してみると，次のとおりである。

(1) A，B両表の優劣について

B表をよいとしたもの	54人	93.1パーセント
A表をよいとしたもの	4	6.9

(2) その理由について

たいせつな違いがあげられている	17	29.3
要領よくまとめてある	15	25.9
工場見学の目的を考えている	9	15.5
そのほかに訳があるから	9	15.5
ことばの表現が正しくじょうずである	5	8.6
表の作り方がていねいでうまい	3	5.2

(3) 二つの生産の重要な違いについて

3項目とも指摘できた児童	7	12.1
2項目だけ 〃	22	37.9
1項目だけ 〃	19	32.8
誤答または無答の児童	10	17.2

この事実のうち，(1)すなわち表の優劣の判定については特に問題ないのであるが，その理由についての判定になるとわずか3割の児童しか正しいとらえ方をしていない。また，手工業生産と機械生産の重要な違いを3項目とも，B表から抜き出せた児童は12.1パーセントである。この場合，2

項目以上あげられた児童を，手工業的生産と機械生産の違いをある程度総合的に理解し得ている児童とみなすならば，その数は学級の50パーセントになるが，それでも成績は必ずしも良好とはいえない。

もちろん，この評価が比較的学習の初期に行われたという条件を考慮する必要はあるが，この結果によって教師の意図を今後の指導過程にじゅうぶん織り込んでいく必要が明らかになったのである。

2. 工業の発達を広い歴史的視野から理解しうるようになったかどうか確かめる。

単元の基本的構想でも述べたように，この学習の中心のねらいは，工業の発達が今日のわれわれの生活に何をもたらしたか，機械生産の特質を日常生活にどう生かしていったらよいかを考えさせるところにある。しかし，そのためには，日本の場合，工業がどのようにして発達してきたのかを理解しておくことが必要であり，しかも単にその表面的過程推移だけでなく，それがどんな社会的条件にささえられて発達してきたのかをしっかりはあくしておくことが望ましいわけである。

そこで，Bの2にあげたような「昔（主として江戸時代）は，どのようにして各種の製品を作っていたか，教科書その他の参考書を使って調べる」，「そのころ西洋ではイギリスを中心に機械生産が起り，産業革命が進んでいたことを先生から聞く」，「わが国における機械生産の普及発達の様子をグループごとに調べる」などの諸活動の結果，児童が単に工業発達の過程を表面的に理解しただけに終っているか，それとももっと広い歴史的視野から理解するようになったかどうかを評価しようとしたのである。

方法としては，前記の学習活動のまとめとして各グループに紙しばい形式の工業発達の絵図を作らせ（画面数と説明の長さは一定にして），この中から二つの作品を選択してこれを評価の素材として使用したのである。

すなわち，作品ＡもＢも日本の工業の発達を規定の画面数で説明しているのであるが，その画面において，作品Ｂは，

(1)　工場制手工業について

(2)　繊維工業の発展について

(3)　戦争との関係について

それぞれ取り上げているのであるが，作品Ａはこれらに触れていない。また，機械生産に推移する説明において，作品Ｂは維新政府がいわゆる富国強兵策をとらざるを得なかった事情に簡単ながら触れ，政府の力で新しい工業を採り入れていった様子が明確になっている。したがって作品ＡとＢには，内容のとらえ方に相当優劣の差があるのである。

このようなＡ，Ｂ二つの作品を提示し，全員でこれを評価させ，その際の児童の発言内容を記録して，理解の程度を評価することにした。まず，

(1)　Ａの作品とＢの作品のどちらがよいと思うか話し合わせ，

(2)　その理由についての話し合いの中で，作品Ｂにあって作品Ａにない三画面とその重要性についてどの程度認識しているか観察し，

(3)　全体の画面の説明でどんな点が作品ＡとＢで違うか話し合わせ，前述のような点の違いを適確につかんでいるかどうか確かめる。

ことにしたのである。

したがって，この評価の方法では，結果を数量的には示せないのであるが，児童の能力によってＡ，Ｂ，Ｃの３グループに分けてその発言のおよその傾向をまとめたのが次ページの表である。

このような状況であるから，全般的に見てＡおよびＢのグループに属する児童はかなり工業の発達をその歴史的，社会的条件と結びつけて理解しているが（Ｂグループに属する児童にはなおふじゅうぶんな点も多少あるが），Ｃグループに属する児童の場合はほとんどこのような理解ができて

いないものと推定され，今後の指導上の一つの課題として残されたわけである。

	Ａ グ ル ー プ	Ｂ グ ル ー プ	Ｃ グ ル ー プ
Ｂをよいとする理由	ｏ場面のとり上げ方がよい ｏ大事なところをよく説明している。 ｏ移り変りのところがよくあらわれている	ｏじゅんじょが正しい ｏ絵がくわしい ｏ説明がくわしい	ｏ説明文がうまい ｏ絵がじょうず ｏわからない
Ａにおとされている重要な三つの場面	ｏ工場制手工業の場面 ｏ明治の終りごろ織物業がとくに盛んになってきた場面 ｏ戦争のひがいの場面	ｏ工場制手工業の場面 ｏ戦争によるひがいの場面 ｏ現在の工業地帯の場面	ｏ工場制手工業の場面 ｏせんもんの仕事をする職人が発生した場面 ｏ現在の工業地帯の場面
機械生産に移る場面の説明でＢのすぐれているところ	ｏ機械生産をとり入れることが必要になったわけがよく説明されている ｏ政府の力で新しい工業をとり入れていった様子の説明	ｏ輸出より輸入が多くなり，国がまずしくなっていったことの説明 ｏ外国から安くて質がよい品物が入ってきたことの説明	ｏ貿易がはじまったということの説明 ｏわからない （大部分）

3.　工業の発達に必要な諸条件を総合的に理解したかどうか確かめる。

この単元学習では，「わが国の機械生産はいつごろから，どのようにして発達してきたか」という問題のもとに，明治以降の近代工業の発達を重要な史実に即して学習を進め，引き続き現在の四大工業地帯について，それがどんな特色を持ち，どうして工業の盛んな地域になったのかを考えさせることになっている。（Ｂの２参照）。

もちろん，Ａの（ｃ）に述べたようなこの単元の性格からいって，日本の工業の現状よりもむしろその歴史的発達に中心があるから，四大工業地

帯についても，たとえば工業製品の種類とか産額，工場の数など事細かに列挙して煩雑な学習に陥ることは意識的に避けたのである。しかし，四大工業地帯を学習の対象として取り上げる以上は，これらの具体的地域を実例として，およそ近代工業の発達にはどんな自然条件，社会条件が必要であるかについての児童の理解が深められるような学習でなければ無意味である。教師もこのような点について重点をおいて指導するよう努めたのである。

したがって，このような教師の意図がどこまで徹底し，児童が工業の発達に必要な諸条件をどの程度関連的，総合的にとらえうるようになったかを確かめることが必要なのである。

そこで，「現在特に工業の盛んな四大工業地帯について，それぞれの特色，主要な工業都市，発達した理由などについてまとめる」という学習活動（Bの2の(4)参照）と関連させて，児童各自にわが国の工業地帯を示す地図を作成させ，その中に工業地帯としての発達に関連ある諸条件がどの程度記入されているかを評価しようとしたのである。

児童の能力別にA，B，C 3グループにわけて，この地図の作成状況をまとめたものが次ページの表である。

また，ここにあげた4条件を，児童のひとりひとりがどのように記入しているか整理してみると，次のとおりである。

(1)　4条件とも記入している児童………… 5人……… 8.8パーセント
(2)　3条件だけ　〃　…………13　……… 22.8
(3)　2条件だけ　〃　………… 6　……… 10.5
(4)　1条件だけ　〃　…………15　……… 26.3
(5)　工業地帯を示しただけの児童…………18　……… 31.6

このような結果によってみると，四つの条件の中，交通の条件，動力の

	A グループ	B グループ	C グループ
人口条件	・人口条件を絵図で記入 ・大都市を記入 (9)	・人口条件を絵図で記入 (6)	・人口条件を絵図で記入 (3)
交通条件	・主要鉄道幹線を記入 ・貿易港を記入 (13)	・鉄道幹線の一部を記入 ・貿易港を記入 (14)	・燈台を記入 (2)
動力条件	・石炭産地を記入 (11) ・水力発電のさかんな地帯を記入 (7)	・石炭産地を記入 (6) ・水力発電のさかんな地帯を記入 (4)	
土地の自然条件	・平野や河川を記入 (9)	・山や湖を記入 (2)	・山や湖を記入 (3)

（カッコ内の数字は児童数を示す）

条件については学級の約半数の児童が気がついてこれを記入しているが，人口の条件や土地の自然条件についてはずっと児童の意識にのぼる率が減っている。

そして，特に4条件または3条件を記入している児童を含めて，工業の発達に必要な条件を総合的に理解しているものと解釈してもその数は30パーセントにしか達していない。これは相当考えなければならない問題である。

もちろん，この評価の方法そのものに問題があり，もし，工業の発達に必要な条件をあげてごらんなさいというような問い方をすれば，これよりもずっとよい成績が現れるかもしれない。しかし，工業地帯の地図を書こうとするとき，その自然条件や社会的条件などをあわせて考えようとする

傾向が，3分の1の児童にはまだみられないということは確かである。

4. 機械生産の普及発達が人々の生活に与える影響を正しい視野で理解したかどうか確かめる。

この単元では，機械生産の普及発達がもたらした影響を一面的に取り上げ，単純にこれを賛美することに陥らないように特に配慮したことはすでに述べた。すなわち，「機械生産の発達がどんな危険や不安をもたらしたか話し合い，まとめる」というような学習活動を行って，あくまでその功罪を広い視野から考えさせるように計画しているのである。（Bの3の(2)参照)。

しかし，このような学習を行うのも，機械生産の発達に伴う各種の危険その他の問題はみんなが協力してその対策を立てることによってその減少，除去に努めるべきことを理解させるのが眼目であって，機械生産は危険なものだ，人々の幸福のためにはこれを発達させないほうがよいといった考え方をもたせるつもりはないのである。もしそうなれば，教師の意図と学習の結果はまったく逆になってしまう。

そこで，機械生産の普及発達がもたらした影響をあくまで正しい視野から理解したかどうか，そこに好ましい面と問題点の双方があることを理解し，かつわれわれが社会的条件を整えながら機械生産の発達に努めることこそ人々の福祉を高めることになるのだという理解ができたかどうかを確かめる必要がある。

そこで，「機械生産の発達によって，わたくしたちの生活はどのようになったであろうか」という問題のもとに前記の学習活動やさらに「工場で働く人々の生活について職場の衛生状態，危害予防，厚生慰安の方法などのためにどんな努力が払われているか調べたり，先生の話を聞く」学習活動がすんだあとに，次のような方法でこの点の評価を行ったのである。

それは，機械生産の発達によって生じた具体的な不幸な事例を述べた作文（実際は教師が作成したものであるが，児童に提示するときには，ほかのある学校の5年生が書いたものとして与えた）を教師が用意し，[注1] これを2，3回読んで次のような発問と話し合いを行って，児童の発言の傾向を整理したのである。

(1) どんなことを書いた作文か。

(2) 作者は機械生産の発達ということについてどう考えているか。

(3) 作者の考えについてどう思うか。

- 作者と同じように機械生産は現在以上にあまり発達させないほうがよいと思う。
- 機械生産などやめて昔のように手工業でやるほうがよいと思う。
- やはり機械生産の発達に努めなければならないと思う。

（それぞれ，その理由を含めて討論させる）

以上の結果については，(1)と(2)，作文の内容や作者の考えをはあくすることについては何も問題はなかった。ところが，(3)の作者の考えをめぐっての話し合いになると，児童の考え方の傾向は次のような状況であった。

(1) いろいろ考えていけば不幸をなくすことができるから機械生産はもっと発達させたい（させるべきだ）という立場で発言している児童
……………………………23人………（39.7パーセント）

(2) どうしても危険は防げないから機械生産はあまり発達させないほうがよいという立場で発言している児童……28 ………（48.3　　）

(3) 機械生産などやめたほうがよいという立場で発言している児童
…………………………… 2 ………（ 3.4　　）

(4) はっきりした自分の考えの立たない児童，また発言のない児童
…………………………… 5 ………（ 8.6　　）

したがって，この場合，前記(2)の立場に属すると思われる児童が学級の約2分の1に及んでいることが，最も問題である。学習においては一応ある問題に触れておいても，そこへまた違った資料——特に印象を強く与えられるような——を示されると，これに引きずられて判断の方向や価値観が動揺することは，年少の児童にはある程度やむをえない傾向である。

しかし，それにしても，作文の作者の考えをじゅうぶん批判できなくて，機械生産のもたらした不幸に目を奪われて，その普及発達を制御したほうがよいという考え方に同調してしまっている児童が，学級の半数に及んでいることは，指導の過程に反省すべき点があることを示唆しているといえよう。そこで，教師は所期のねらいを達成するために，この話合いについて改めて指導の手をさし伸べなければならなかったのである。

（注1） 教師の用意した作文

〔機　械　の　力〕

義男君のおじさんは札幌市の○○化学工場に勤めていました。おじさんの勤めている工場は町でも大きなほうで，いろいろな新しい機械が備えられて，朝から夜おそくまでいそがしく仕事が続けられていました。

ところが去年の8月ごろ，おじさんは工場での作業中，右足を機械にまきこまれ大けがをしてしまいました。あれほど元気だったおじさん，あれほど仕事になれていたおじさんが，足を切断しなければならないほどの大けがをしてしまったのです。おばさんはじめ義男君たちの悲しみはたいへんなものでした。一家の働き手のおじさんがたおれてしまったので，それからの暮しに困ってしまいました。そこで，いろいろと考えた末，おばさんが働きに出ることになりました。

それからというもの，おばさんはほんとうにたいへんでした。病院にはいっ

ているおじさんのお世話，町工場の仕事，それに家の中の仕事と，こまねずみのようにかけまわっていました。義男君も，おばさんのお手伝いのために時々学校を休むようになりました。

ところが，つい2，3か月前のある日のことです。その日はいつもより仕事がおそくなったので，おばさんは急いで家に帰ってきました。

おばさんが家に帰る途中には，最近特に交通のはげしくなった通りがあります。おばさんはその通りを横断する時，フルスピードで走って来た高級車にはねられてひん死の重傷をおってしまいました。一時は生命も危ぶまれたほどでしたが，手当が早かったので一命だけはとりとめることができました。

不幸に不幸が重なり，まったくかわいそうでたまりません。おじさんとおばさんが，働くことができなくなり，義男君の家ではこれからどうして暮していくのでしょう。

父母に聞いてみると，今の世の中では，昔とくらべてこういう不幸がたいへん多くなってきているとのことでした。そして工場などでは一瞬のうちに一命をうばってしまうようなものすごい偉力をもっている機械や薬品が爆弾などが作られるようになったのも，機械力の発達と深い関係があると思われます。これから後ますます機械力が発達していったならば，人間の不幸もますます多くなるのではないでしょうか。わたくしは社会科の勉強で，機械生産の発達が人間を幸福にしてきたことを学びましたが，反対に人間を不幸にすることも多かったことを考えると，なんだかわからなくなりました。

5.　近代工業の特質を日常生活に生かすために必要な事項を，具体的に理解したかどうか確かめる。

この単元では，それまで学習してきた工業の発達のまとめとして，機械生産に見られる特質のうち，どんな点をどのような形で自分たちの日常生

活の上に生かすことができるか（また必要か），そのためにはどんな配慮が必要かを考えさせることになっている。

すなわち，「機械生産のよい点をわたくしたちの生活に生かしていくにはどうしたらよいか」という問題のもとに，「家庭や学校その他の仕事の上で能率のよい機械や道具を活用したいと思う点，これを実現するために必要な事がらを話し合ったり」，「分業のしくみを日常生活の上に応用して仕事の能率をあげる方法について話し合う」ことになっている。（Bの4参照）。

したがって，自分たちの日常生活にもよく反省してみれば，進んだ機械や道具の活用とか仕事の分担のしかた等によって，現在以上に合理化，能率化できる面があることをどの程度理解したか確かめる必要がある。またそればかりでなく，すぐれた機械や道具の利用がよいとわかっていても，実際の場合多くその障害になるのはこれを入手するための費用であったり，せっかく入手してもこれをじゅうぶん駆使し，修理する技術がないことなどであるが，そのような実際的問題をどう考えていったらよいかについての理解がどの程度できたか確かめる必要がある。このような問題の場合，児童がりっぱな理想論を述べることができるようになっても，それをどうして実現していけばよいかについての理解が伴わなければ無意味であるからである。

そこで，前記のような学習活動が終った後，「機械生産のよい点を自分たちの生活に生かしていくにはどうしたらよいか」というテーマで作文を書かせ，ひとりひとりの児童の作文の内容に，次のような諸点が含まれているかどうか分析し，評価することにしたのである。

(1)　すぐれた機械や道具を使って，生活のむだを省くことが必要である。

(2)　機械の力を採り入れると同時に，分業で手分けして仕事をすることが

必要である。

(3)　いろいろな機械を採り入れていくには，ふだんから計画的な消費生活に心がけて必要なおかねを作り出したり，共同で購入したりするくふうが必要である。

(4)　機械や道具を買うばかりでなく，これをじょうずに使う技術を覚えたり，その保管や修理に注意することが必要である。

表現は稚拙でも，以上4点の趣旨がなんらかの形で述べられているかどうか吟味したのが，下表である。

(1)だけをあげている児童	……6人	……10.3パーセント
(2)　〃	……0	……0
(1)と(2)を　〃	……24	……41.4
(1)と(4)を　〃	……8	……13.8
(1)と(2)と(3)を〃	……2	……3.4
(1)と(2)と(4)を〃	……11	……19.0
(1)と(3)と(4)を〃	……5	……8.6
(1)と(2)と(3)と(4)を〃	……2	……3.5

これによってみると，機械生産の特質の日常生活に生かすべき面が二つあるうち，すぐれた機械や道具の活用(1)をとりあげていない児童は皆無であるが，分業のしくみ(2)のほうは忘れている児童が19人，32.8パーセントあり，(1)よりも(2)についてはあくが弱いことがわかる。

また，機械生産の特質を生かすときの実際的条件として(3)と(4)があるわけであるが，(3)をあげている児童が9人，(4)をあげている児童が26人で，後者のほうが児童により強く意識されていることが明らかである。

4項目全部を取り上げている最も理想的な状態にある児童はわずか2人（3.5パーセント）であるが，機械生産の特質の生かすべき面だけに触れ，

その実際的方法(3)と(4)についてはまったく触れていない児童と，なんらかの形でこれにも触れている児童に大別すると，前者が30人（51.7パーセント）後者が28人（48.3パーセント）とほぼ半々の状態である。

いずれにしても，すべての児童が完全な形で近代工業の特質を日常生活に生かすために必要な事項を具体的に理解したとは言いがたいが，前表中(1)だけをあげている36名の児童を別としては，教師の指導の意図はある程度達したものと考えてよいであろう。

6年の単元「わたくしたちの生活と政治」

約60時間

実施期日 9—12月

A　単元の基本的構想について

（a）単元の目標

1. みんなの幸福を実現するために，わたくしたちの毎日の生活の中に政治の働きがいろいろな形で行われている。
   (1) 社会のいろいろな施設や政治のしくみは，みんなの幸福を高めるために作られたものであるが，これを真に役だてるには運営のしかたや利用のしかたがたいせつである。
   (2) 政治のしくみはいろいろな形に分れており，いずれも国民の意見を尊重して行うようにくふうされている。
   (3) 昔の人々のいろいろな努力によって政治のしかたや国民の生活はしだいに進歩してきたが，現在でもいろいろな問題がなお残されている。
2. 国や地方の政治の重要性を考えて，これに関心を持つとともに，身近な集団生活をみんなの協力で明るく楽しいものにしようと努める。

（b）学習のめやすとなる問題の発展

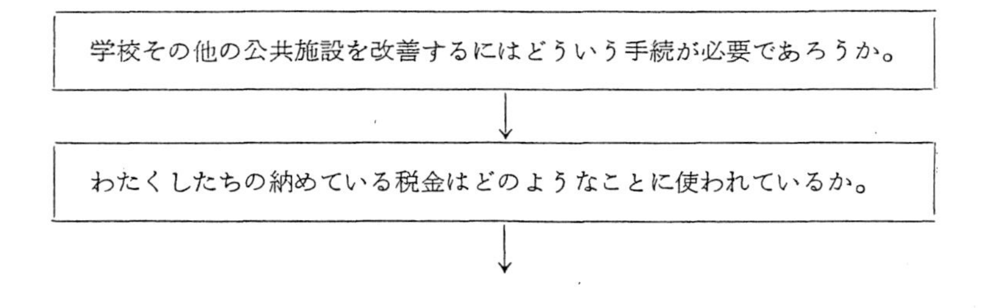
学校その他の公共施設を改善するにはどういう手続が必要であろうか。
↓
わたくしたちの納めている税金はどのようなことに使われているか。
↓

単元名	わたくしたちの生活と政治	時間数	60時間

目標
1. みんなの幸福を実現するために，わたくしたちの毎日の生活の中に政治の働きがいろいろな形で行われている。 (1) 社会のいろいろな施設や政治のしくみは，みんなの幸福を高めるために作られたものであるが，これを真に役だてるには，運営のしかたや利用のしかたがたいせつである。 (2) 政治のしくみはいろいろな形にわかれているが，互に深い関係を持っており，いずれも国民の意見を尊重して行うようにくふうされている。 (3) 昔の人々のいろいろな努力によって政治のしかたや国民の生活はしだいに進歩してきたが，現在でもいろいろな問題がなお残されている。 2. 国や地方の政治の重要性を考えて，これに関心を持つとともに，身近な集団生活をみんなの協力で明るく楽しいものにしようと努める。

学習のめやすとなる問題	具体的目標	学習活動（内容）	評価番号
学校その他の公共施設を改善するには，どういう手続が必要であろうか。	いろいろの公共施設を利用することによって自分たちの生活がなりたっている。 もっと改善すれば，わたくしたちの生活がより便利になる施設がある。 公共施設を設置し維持しているものに区，都，国等の違いがある。 公共施設を改善するにはみんなの意見をそれぞれの役所に伝えたり，役所のする仕事をよく注意したりしていることがたいせつである。	(1) 学校生活や校外生活において困っていること，改善したいことをあげ，その解決法について考え，それが友だち，家族，近隣の人々との協力だけでは困難なものをまとめる。 ・自分たちの協力で解決できる問題 ・家族や近所の人々の協力で解決できる問題 ・公共施設の改善の問題――前二者では不可能―― (2) その他の学区内にある公共施設はどのように利用されているか調べる。 (3) いろいろな公共施設を改善したい時は，だれにどういう方法で伝えたらよいか話し合う。 (4) 公共施設の設置や管理に当る区，都，国などではどんな苦心をしているのか，必要な費用はどうしているのか話し合う。	1
わたくしたちの納めている税金はどのようなことに使われているか。	みんなの納める税金で役所のいろいろな仕事が進められている。 納税に協力するとともに税の使い方によく注意することがわれわれの生活をよくする一つの方法である。	(1) 区の収入の中で税収入の占める割合とそのおもな使途を調べる。 (2) 税金はだれがどういうかたちでどこへ納めるのか話し合い，税務署のおもな仕事を調べる。 (3) 税金の旅の図表を作り，われわれの日常生活との関係について話し合う。	2
税金の使い道はどのようにして決められるのだろうか。	議会では議員と呼ばれる人々が税金の使い道やその他のことを決めるたいせつな仕事をしている。	(1) 区議会や都議会の働き，予算のつくり方などについて調べ，教師の話を聞く。 (2) その他，議会（地方）の仕事や議員（地方）と住民の関係について話し合う。	3
役所はわたくしたちのためにどのような仕事をしているか。	議会で決めたことを実際に行うためにいろいろな役所があって，仕事を分担している。 日本では都道府県，市町村に分れて，地方ごとの政治が行われている。 地方の政治は，特にその地方の人々の生活に特別に直接深い関係をもっている。	(1) 東京都庁は，決められた予算でどんな仕事をしているか調べる。 ・学校・公園等の設置管理 ・都内の交通事業や道路の建設 ・住宅の建設や衛生事業（水道その他）など，児童に理解しやすい事項を重点的に扱う。 (2) 都庁の最高責任者である都知事の役割やその選び方について話し合う。 ・都知事と同じような人が府県にいて，それぞれの地域の政治を行っている。 (3) 全国の都道府県の一覧表を作り，また県庁の所在地を白地図に記入し，県庁のある都市がその地方の人々の生活の中心地となっていることを話し合う。 (4) 県の中にはまた市町村があってそれぞれの自治のしくみを持っていることを話し合う。	4

選挙と正しいよい政治とはどのような関係があるか。	われわれに代わって直接政治を行う人は，選挙という方法でみんなの中から選ばれる。 選挙にもいろいろな弊害があるから，選挙を行いさえすれば，民主的な世の中になるとはかぎらない。	(1) 選挙によって地方の政治に携わる人々を選ぶ場合にどんな場合があるか，選挙を行うとどんな利点があるかまとめる。 (2) 選挙のしかたについて，今日どんなことが問題になっているか，新聞の切りぬきなどを利用して調べる。 ・公明選挙の意味，なぜそういうことが叫ばれるか。 ・選挙で国全体の政治に携わる人も選び出す。	5
国の政治はどのようなしくみで行われているのだろうか。	国民が選んだ国会議員が，国会で予算や法律を決め，国の政治を動かしていく。 国会の定めたきまりによって内閣が国の実際の仕事を行う。 裁判所が，社会の秩序を守り，人々の生命財産を守るために働いている。	(1) 国会ではどんな仕事がどんなしくみで行われているか，その要点を教科書その他の資料を使って調べる。 (2) 内閣やいろいろな官庁のおもな仕事，国会との関係，国民生活との関係などを調べる。 (3) 国会の見学をして政治のしくみや働きについて学習したことを確かめ，発表し合い報告書を書く。 (4) 裁判所の仕事を調べ，国会，内閣，裁判所三者の関係を図表に示す。	6
政治のしかたは，昔と今とではどのように違ってきているか。	日本では貴族や武士を中心とする政治が，いろいろなかたちに変化してきたが，明治になるまで，一般の人々が政治に参加する道はとざされていた。 明治になって新しい政治のしくみや考え方が取り入れられ，多くの人々の努力によって今日のような政治のすがたにまで成長してきた。	(1) 日本が国としての形を整えたころの様子，貴族を中心とする政治と人々の生活，鎌倉幕府ができてからの様子等について，教科書，白年表を使って調べ，まとめる。 (2) 江戸時代の政治と人々の生活について，今日と比較してその特色を調べる。 (3) 明治になって憲法や国会ができるまでのいきさつ，先人の努力，新聞の発達，普通選挙運動等について調べ，新しい政治が人々の生活に与えた影響をまとめる。 (4) 政治の移り変りに関するスライドをみて，これまでの学習のまとめをする。	7
現在の憲法は政治や国の理想についてどのようなことを定めているか。	戦後，日本国憲法ができて，国民が政治上の主人公であることが，はっきり定められた。	(1) 今と昔の政治のいちばん大きな違いを話し合う。 (2) 日本国憲法を読み，主権在民その他の趣旨について教師の話を聞く。	

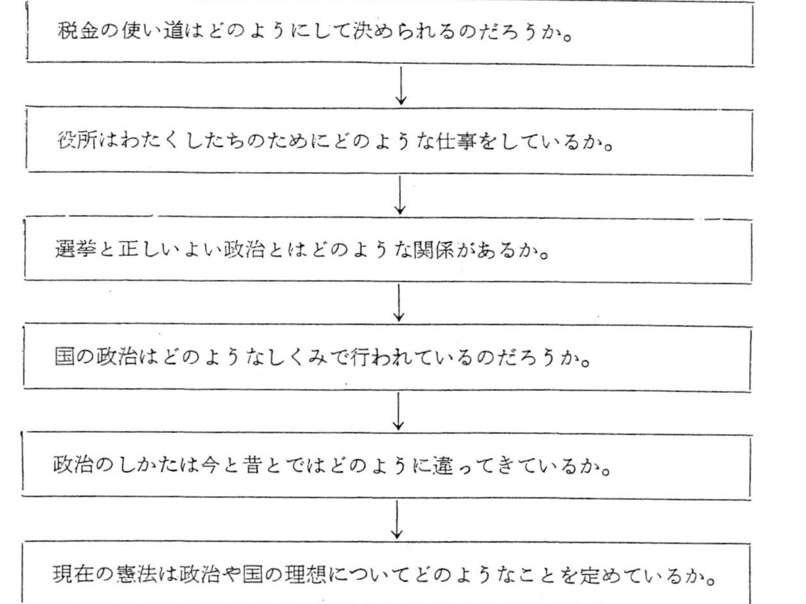
税金の使い道はどのようにして決められるのだろうか。
役所はわたくしたちのためにどのような仕事をしているか。
選挙と正しいよい政治とはどのような関係があるか。
国の政治はどのようなしくみで行われているのだろうか。
政治のしかたは今と昔とではどのように違ってきているか。
現在の憲法は政治や国の理想についてどのようなことを定めているか。

（c） 基本的構想についての解説

この単元の目標は，前記のとおりであるが，国や地方の政治の働きというものを，他人事としてではなく自分たちの生活の問題として考えていく習慣の素地を作るために，これに必要な政治に関する基本的な理解を与え，この方面に対する児童の関心を高めようとするのが根本趣旨である。

しかし，単元の構成や指導の過程で特に次のような諸点に留意した。

まず第１の点は，単元の性格上，政治の働きというものが，いかに各人の日常生活に直結した重要なものであるかということを，６年生の児童に理解しやすい具体的事例を活用して，かれらの心に刻みつけるように努めることは当然であるが，そのことの結果が自分たちの周囲の問題を，すべて政治の貧困とか政治家の責任ということでかたづけてしまうような考え方に陥らな

いように注意したことである。

政治の働きの重要性を強調すること自体はいかに正しくても，その結果が前述のようなことに陥ってはまったく無意味である。そして，なぜそのような結果が起りうるかと考えてみると，民主的社会における政治というものについての考え方，制度や組織の根底にある政治理念についての指導がじゅうぶん伴わないからであろうと思われる。すなわち，今日の政治の機構をただ表面的に学習させるばかりで，なぜ選挙というようなしくみが作られているのか，新聞やラジオなどは政治の働きとどういう関係を持っているか（世論と政治）等について考えさせず，民主的政治の制度と運営は，自主的判断と政治的教養のある個人の確立を前提として考えられていることを認識させないから，前述のような事態が生じうるのである。

そこで，この単元でも，一応現在の政治機構に触れるが，これはできるだけ要点にとどめ，つとめてその根底にある精神，考え方をくみ取らせるようにくふうしたのである。

第２は，今日の民主政治の意義をよりよく理解させるために，政治のしかたが時代によってどのように変わってきたかについての学習を行うわけであるが，これは詳しく取り扱えばきりがないので，どのような観点からどういう形で重点的に扱うべきかを配慮した。

この場合の指導の目標は，あくまで今日の民主政治の特質・意義を歴史的角度からとらえさせることにあるのだから，特に封建時代における政治のしかたその考え方と，今日のそれとを比較して考えさせることが最も有効であることはいうまでもない。したがって，実際の学習においても封建時代（主として江戸時代）の政治のしかた，これを中心とする社会のしくみや人々の生活の中から明治維新を経て人々が新しい政治のしくみや考え方を，うち立てていく歴史の流れに力点をおくことにした。もちろん，それは政治の中心

地がどこへ移った，政治のしくみがこう変ったということだけでなく，それらの歴史的推移の中にはだれのどんな努力があったか，どんな社会の条件が強く働いたか（たとえば外国の影響等），それによって人々の生活はどう変ったかというような点を，6年生として無理のない程度でできるだけ取り上げていくように努めた。

また江戸時代の政治との対比を中心とするといっても，それ以前の学習を欠くことはできないので，日本が国としての形を整えた時期，大和・奈良・平安時代といわれるころの貴族を中心とした政治，頼朝が鎌倉に幕府を開いてから始まった武士を中心とする政治，信長や秀吉によって戦国時代の乱れた世の中がふたたび統一されていくころの様子などについて，その荒筋を取り扱い，今日のように国民全体が政治のにない手になるまでには長い歴史の移り変りと先人の苦心があったことを忘れないように意図した。

いずれにしても，詳しい歴史的知識を追い求めることよりは，今日の政治をなおいっそう民主的に前進させていくことこそ自分たちに課せられた歴史的使命であるという意識・自覚が，多少なりとも児童の身につくことに主眼をおいたのである。

B　学習活動の展開

（ゴチックで表記したものは，前掲の学習のめやすとなる問題である）

1.　学校その他の公共施設を改善するにはどういう手続が必要であろうか。

(1)　学校生活や校外生活において困っていること，改善したいことをあげ，その解決法について考え，それが友だち・家族・近隣の人々との協力だけでは困難なものをまとめる。

- 自分たちの協力で解決できる問題。
- 家族や近所の人々の協力で解決できる問題。

- 公共施設の改善の問題——前二者では不可能——

(2)　その他の学区内にある公共施設は，どのように利用されているか調べる。

(3)　いろいろな公共施設を改善したいときは，だれにどういう方法で伝えたらよいか話し合う。

(4)　公共施設の設置や管理にあたる区・都・国などでは，どんな苦心をしているのか，必要な費用はどうしているのか話し合う。

2.　わたくしたちの納めている税金はどのようなことに使われているか。

(1)　区の収入の中で税収入の占める割合とそのおもな使途を調べる。

(2)　税金はだれがどういう形でどこへ納めるのか話し合い，税務署のおもな仕事を調べる。

(3)　税金の旅の図表を作り，われわれの日常生活との関係について話し合う。

3.　税金の使い道はどのようにして決められるのだろうか。

(1)　区議会や都議会の働き，予算の作り方などについて調べ，教師の話を聞く。

(2)　その他，議会（地方）の仕事や議員（地方）と住民の関係について話し合う。

4.　役所はわたくしたちのためにどのような仕事をしているか。

(1)　東京都庁は決められた予算でどんな仕事をしているか調べる。

- 学校・公園などの設置管理
- 都内の交通事業や道路の建設
- 住宅の建設や衛生事業（水道その他）

など児童の理解しやすい事項を重点的に扱う。

(2)　都庁の最高の責任者である都知事の役割やその選び方について話し合

う。

- 都知事と同じような人が各府県にいてそれぞれの地域の政治を行っている。

(3) 全国の都道府県の一覧表を作り，また県庁の所在地を白地図に記入し，県庁のある都市がその地方の人々の生活の中心地となっていることを話し合う。

(4) 県の中にはまた市，町，村があって，それぞれの自治のしくみを持っていることを話し合う。

5. 選挙と正しいよい政治とはどのような関係があるか。

(1) 選挙によって地方の政治に携わる人々を選ぶ場合にどんな場合があるか，選挙を行うとどんな利点があるかをまとめる。

(2) 選挙のしかたについて今日どんなことが問題になっているか，新聞の切抜きなどを利用して調べる。

- 公明選挙の意味，なぜそういうことが叫ばれるか。
- 選挙で国全体の政治に携わる人も選び出す。

6. 国の政治はどのようなしくみで行われているのだろうか。

(1) 国会ではどんな仕事がどんなしくみで行われているか，その要点を教科書その他の資料を使って調べる。

(2) 内閣やいろいろな官庁のおもな仕事，国会との関係，国民生活との関係などを調べる。

(3) 国会の見学をして政治のしくみや，働きについて学習したことを確かめ，発表し合い，報告書を書く。

(4) 裁判所の仕事を調べ，国会・内閣・裁判所三者の関係を図表に示す。

7. 政治のしかたは今と昔ではどのように違ってきているか。

(1) 日本が国としての形を整えたころの様子，貴族を中心とする政治と人

々の生活，鎌倉幕府ができてからの様子などについて，教科書・白年表等を使って調べ，まとめる。

(2) 江戸時代の政治と人々の生活について今日と比較してその特色を調べる。

(3) 明治になって憲法や国会ができるまでのいきさつ，先人の努力，新聞の発達，その後の普通選挙運動等について調べ，新しい政治が人々の生活に与えた影響をまとめる。

(4) 政治の移り変りに関するスライドを見て，これまでの学習のまとめをする。

8. 現在の憲法は政治や国の理想についてどのようなことを定めているか。

(1) 今と昔の政治のいちばん大きな違いを話し合う。

(2) 日本国憲法の解説書を読み，主権在民その他の趣旨について教師の話を聞く。

C 評価しようとした事がら，その時期・方法および結果について

1. 公共施設の働き（利用のしかた）をよく理解して改善すべき点を考えているかどうか確かめる。

この単元では，政治の働きの実体をつかませる導入として，まず周囲の公共施設の改善ということ一つを考えても，それが地方（区や都）の政治や国の政治とつながっていることを理解させようとするわけである。そして，その過程として，付近にある公共施設（この場合は児童の関心や利用度の多い公園と図書館に自然と問題がしぼられた）が，どんな人々によってどのように利用されているか調べ，これらについて改善したいと思う点をあげ，さらに改善するにはその要求をだれにどういう手続で伝えたらよ

いか話し合うことになっている。（Bの1参照）

そこで，公共施設の働き――だれが何のために利用しているか――を真に具体的に理解し，その重要性を認識したかどうか確かめることが必要であり，それには児童がその改善したい事項をあげるとき，その施設の作られた目的とか現在の利用状況をじゅうぶん考慮しながら発言しているか，それとも自分だけのつごうとか，単なるその時の思いつきにすぎない発言をしているかを検討することが適切であろうと考えた。

そのために，「いろいろな公共施設を改善したいときは，だれにどういう方法で伝えたらよいか話し合う」学習活動を進めていく際に，公園と区立の図書館についてどんな点を改善したいか，どうしてかなどの問題を取り上げ，そのときの児童の発言を記録して，これを評価の資料とした。発言させる児童は，能力別になるべくA・B・Cの3層に平均するように配慮した。

下表はその際の各グループに属する児童の発言のだいたいの傾向をまとめたものである。

改善したい点		改善の理由と度合		
		Aの児童	Bの児童	Cの児童
公園について	1. 樹木を多くしたい	東京に少ない樹木を公園で多くしたい	木がないと公園らしくない 夏あついから	木のぼりができない
	2. 遊べる設備をよくしたい	危険なあそびを少なくしたい	たのしくあそびたい	たのしくあそびたい
	3. 屋根のあるベンチをつくりたい	雨の日の利用も考えたい		
	4. 電燈を多くしたい	夜間利用のために	夜あそべるように	
	5. 水飲み場や運動能力を測定するものがほしい	運動能力を自由にためせるようにしたい	水がのめないので不便	水がのみたい
	6. その他	なし	不明	不明
図書館について	1. 学習用の本を多くしてほしい	文芸物が多くて学習用が不足している	少したりない	わからない
	2. 開館時間を延長してほしい	時間が昼間のため利用が少ししかできない	夜もしてほしい	
	3. たてものの使い方をくふうしてほしい	不便である	不便である	
	4. 設備をよくしてほしい	机，こしかけが不足	机，こしかけが不足	

これによってみると，Bのグループに属する児童までは，おおむねそれぞれの改善したい点とその理由を着実にとらえているとはいえ，そこに特に顕著な差異は認めがたい。ただ，たとえば，夜間利用のために公園の電燈をふやしたいとか，図書館の開館時間を延長してほしいというような自分たち以外のおとなの立場なども考えないと出ない意見は，やはりAのグループに属する児童に多く，これに反しCのグループに属する児童には，「木登りができない」「楽しく遊びたい」などのそぼくな自己中心的な意見が多いことは否定できない。

この評価の方法上，公共施設の働きをよく理解して改善すべき点を考えているかどうかを数量的に示すことはできないが，前述の結果により学級の一部の児童にはこの点の教師の指導の意図がなお不徹底であったことが反省させられた。

2.　税金の働きをわれわれの生活とのつながりにおいて，どの程度具体的に理解したか確かめる。

公共施設の改善という問題を通して政治の働きとわれわれの生活の結びつきの一端に触れた児童に，自分たちの父兄が各種の税金を納めていること，これをもとに区や都では公共施設を作ったり，維持していること，そのほかいろいろな商品の値段にも税がかかっている（間接税）ことなどを学習させ，その面からも政治とわれわれの生活との深い関係を理解させ，政治に関心を寄せるということの具体的方法として税金の使い方を注意し，これに関心を持つことの重要さを理解させようというのが，教師の意図である。

そのために，Bの2にも示してあるように，「区の収入の中で税収入の占める割合とそのおもな使途を調べる」,「税金はだれがどういう形でどこへ納めるのか話し合い，税務署のおもな仕事を調べる」,「税金の旅の図表を作り，われわれの日常生活との関係について話し合う」などの諸活動を展開するように計画してある。

したがって，このような学習活動の結果として，前述のような指導の意図がどの程度浸透して，児童が税金の働きをわれわれの生活とのつながりにおいて，どの程度具体的に理解するようになったか評価する必要があるわけである。

もちろん「税金というものはみんなが納めていろいろな形でみんなの生活に返ってくるものである」という一般的な理解でも，税金の働きを理解したといえるかもしれない。しかし，ここで教師が評価しようとしたものは，そうした一般的，観念的な形でとらえられた理解ではなく，もっと自分たちの生活と税金との具体的関係を理解し得ているかどうかということである。

そこで児童がグループごとにした税金の旅の図表を作る作業と平行し

て，教師も一つの図表（税金と生活との関係を児童のものより広い視野から高度な形で表現したもの）を作成し，児童の図表が完成し，話合いを進めている間にこれを提示し，教師の作成したものと自分たちのそれとの間にどんな違いがあるか，教師の作成した図表のほうが，なぜ，どういう点で税金の働きをよく表わしているかを自由に話し合わせ，その発言の傾向を記録したのである。

この場合も，児童の能力をA・B・Cの3グループに分けて，なるべく発言の機会を均等に与え，グループ別に記録整理した。

その結果が次ページの表である。

この表によって結果を概観してみると，まず図表を提示しただけでなんらヒントを与えないときの発言には，「税金が公共施設にばかり使われているのでないことがわかる」とか，「間接税というものがあることがわかる」など教師の作成した図表の内容に即して，税金の働きを考えての発言もあるが，「先生の図はわかりやすい」「絵の人物がおもしろく色がきれい」などの図表の単なる表現形式を指摘している発言も相当あって，まだ教師の作成した図表の特色（自分たちの作成した図表との差異）を見てすぐ税金とわれわれの生活の具体的つながりを多くの児童が考えるには至っていない。

これに対し，教師が図表の中の人物はどういう人たちだろうかとヒントを与えて——図表の中には納税者としての一般都民ばかりでなく，特に税金の恩恵を得ているそれぞれの立場の人物が表現されている——話合いを行った際には，表の中にあるように，自分たちの毎日の学校での勉強も，公務員の生活も，都営住宅に住む人も，公共事業に雇われて働く人の生活も，それぞれの形で税金とつながりを持っていて，税金というものが人々の生活の中で多様な働き方をしている事実を，図表の中から読み取ってい

教師の指導段階	A	B	C
(1) 図表を提示しただけでなんらヒントを与えない場合	1. 先生の図はわかりやすい 2. 公共施設にばかりに使われるのではなくほかにも使っている 3. 人物は意味をもっている 4. 青い線にも意味がある	1. 間接税がかかっている 2. わかりやすい 3. 公共施設名を入れたらなおわかりやすい	1. ぐるぐるまわって何だかわからないどこから出発しているのかわからない 2. 絵の人物がおもしろく色がきれい
(2) 都民を表わしている人物はどんな人たちであるか話合いをさせて，図表中の人物をはっきりさせた場合	1. 役所は税金で学校を建てこどもは親の納めた税金を使って勉強をすることになっている 2. 公務員も税金を給料としてもらっている 3. ごみ集めのおじいさんも税金を給料としてもらっている 4. 都営住宅は税金で建てられ入居者は家賃を払っている 5. 税金はじゅんかんする（わたくしたちにかえってきている）	1. ダム工事をする人も税金を賃金としてもらう 2. わたくしたちは税金のおかげをうけて勉強している 3. 保護施設へも税金が行き，まわっている	1. 役所はわたくしたちにお金を与えている 2. 役所から孤児や老人もお金をもらっている 3. 役所から，おじさんもお金をもらっている
(3) 先生の図表が不足しているものがあるかどうかを話し合わせた場合	1. 税金をきめる議会の絵がない		
(4) その他の自分の考えを言わせた場合	1. 税金はいろいろな働きをする 2. 税金がないと困る税金は納めなくてはならないということがわかった	1. 税金はたいせつである 2. 税はいろいろに使われる。公共施設ばかりかと思っていた	1. 公共施設ばかりに税金は使われるのではない

る。

さらに進んでは，教師の図表には税制や税の使途をきめる議会のことが欠けている点を指摘した児童もあり（学習としてはまだ取り扱っていなかったのであるが），こうした税金の具体的働きについての理解を通して納税の意義がわかったと発言している児童などがいることは，表に示すとおりである。

以上のような点を総合して，この評価に関するかぎり，当初の教師の意図はかなりよく達成しえたものと考えてよかろう。

3. 議員の果すべき役割と選挙民との関係を広い視野で理解したかどうか確かめる。

この単元では，現在の政治のしくみは国民全体が政治の主人公であるというたてまえで作られ，営まれていることを，学習の全過程を通じて強調しなければならない。しかし，だからといって，直接政治に携わる議員や公務員の役割を無視したり，過少に評価することは許されないので，Bの3に掲げるように，「税金の使い道はどのようにして決められるのだろうか」という問題のもとに「区議会や都議会の働き，予算の作り方などについて調べ，教師の話を聞く」という学習活動や「その他，地方議会の仕事や地方議員と住民の関係について話し合う」学習活動を行うことになっている。

そのねらいは，いうまでもなく，議員の任務は自分に委任された選挙民の意志を実際政治の上に正しく反映することにあり，したがって自己の利害にとらわれず広く一般の人々の福祉を高めるために活動しなくてはならない立場にあることを理解させようとするものである。

したがって，このような議員の果すべき役割を選挙民との関係において具体的に理解したかどうかを評価することが重要である。

この場合の評価の方法としては，たとえば，それまでの学習を基礎に議員としての望ましい資質をいくつかの選択肢の中から選択させるというような比較的簡単な方法も考えられる。しかし，このような方法では，やや機械的にすぎるきらいもあるので，ここでは次のような方法によることにした。

まず，教師が次のような議長と6人の議員が登場する議事録（架空のものであるが）を作成して児童全員に配付した上，学級を代表する児童にこの議事録どおりに簡単な模擬議会を行わせた。すなわち，一般の児童は，この議事録を目で読むと同時に耳からも聞いたわけである。

議　事　録　（委員会の予算をきめるときのものの一部）

議長＝ただいまから，今年の予算を，どのように使ったらよいか話し合います。まず，A議員から意見を出してもらいます。

A議＝東京は日本の首都で，全国府県のもはんにならなければならないから，こんな少しの予算ではこまる，予算は多くならないか。

議長＝予算案の金額について，知事から説明してください。

知事＝ただいまのA議員からの質問に答えます。都税から○○円，国から○○円きますが，これでいっぱいです。

議長＝B議員どうぞ。

B議＝わたくしは建築屋ですが，わたくしを選きょしてくれた人々も建築屋が多い。ですから公共施設に多く予算をとって建築の仕事をどしどししてもらいたい。

C議＝わたくしの考えは……

議長＝待って下さい。議長の許可を得てからにしてください。C議員。いいで

すよ。

C議＝わたくしはまずしい人のためにすべきだと思います。わたくしは文京区の坂下方面の人から選ばれたのであります。あのあたりは，道路も下水もわるく，まずしいおかあさんがたがまことに気の毒です。わたくしはあの人たちのことを考えると悲しくなります。議員の皆さん，道路や下水のために，予算を多くしてください。賛成してください。

議長＝その外に意見のある人。

D議＝保健所をふやしたり，学校をよくすることに，お金を多く使うようであるが，こういうことはただお金を使うだけで，一つも収入になってかえってこない。それよりも，バスをふやしたり，競輪場を作ったほうがよいと考える。そうすれば，お金がはいり，収入が多くなるので都の予算も多くなって，みんなのためになる。

C議／E議＝そのことについて異議あり。

議長＝E議員どうぞ。

E議＝わたくしは競輪場には反対をします。たしかにお金は多くなるでしょう。しかし，そのために競輪やかけごとがすきになり，いろいろ困ることがおきていることを知っています。お金を多くするために，よくないことまでしたくありません。

C議＝そのとおり，そのとおり。

議長＝しずかにしてください。F議員どうぞ。

F議＝わたくしは，できるだけよい公共施設をつくり，都民のくらしを幸福にさせたい。しかし収入と支出が，うまくいくように考えることがたいせつだと思います。この予算の案は，そういう点では，だいたいよいと思

いま す。ただ台風や，そのほか急に，こまることができたときに，どんな準備があるか，おききしたい。

議長＝それでは知事に説明を願います。

知事＝台風のことは考えていますが，その他のことは少ししかありません。

O議＝そういう予算はふやしていただきたいと思います。

——以下略す——

このような活動のあと，最もよい意見を述べている議員はだれかを回答させ，次にA，B，C，D，E，F 6人の議員についてそれぞれどう思うか話合いをさせ，これを記録したのである。

ところで，この議事録中最も正当な意見を述べているのは，いうまでもなく議員Fであるが，このことを正答した児童は50人の89.3パーセント，F以外を選択した児童は6人，10.7パーセントであったから，この結果はきわめて良好といえよう。

また，それぞれの議員に対する，批判の大要を記録したものが次ページの表である。

これによってみると，Cのグループに属する児童には，たとえばB議員について「わからない」とか，D議員について「いいと思う」というような発言があって，まだ議員の果すべき役割をじゅうぶん理解しているとはいいがたいが，AおよびBのグループに属する児童はそれぞれの議員に対してほぼ適切な批判ができるようになっていると考えてよかろう。

議員の果すべき役割と選挙民との関係を広い視野から理解させようとした教師の意図は，一部の児童を除いておおむね達することができたといえよう。

議員別	議員発言についての理解		
	A	B	C
A議員について	・東京都を他の府県より金持にしたいと考えている ・都のみを考えているから他府県のことも考えたほうがよい ・都をよくしようと考えている	・東京都の予算を多くしたいと考えている ・都民のことを考えている	・少しでも予算を多くしようと思っている ・わからない
B議員について	・選挙してくれた建築業者のみを考えているから少し勝手 ・自己の利益のみを考えているからよいとは言えない	・他の業者や人々のことはあまり考えていない ・個人のみの幸福を考えている ・公共施設を考えていてよいと思う	・わからない ・4回たずねても返答なし
C議員について	・まずしい人たちの幸福を考えている点はよろしい ・都民を考えるいい議員だが気が小さい（ただ坂下町のみを考えている） ・坂下を例としてあげ全都民のことをよく考えていると思われるからよい	・人々のことを考えているからとても良い議員 ・貧しい人に協力しているからよい ・そこだけよくしようと考えているからじゅうぶんでない	・よい議員とおもう ・不幸な人を助けたいと思っているのはよい
D議員について	・ばくちなどが多くなるからこの議員はよくない（あそぶ人が多くなる） ・収入が多くなることのみ考えている。かけごとは悪いものだと考えていない	・お金に欲が深い ・人を困らせようとしている ・収入のみを考えているのでよくない	・いいと思う
E議員について	・よくない意見に反対しようという心がけがよい ・都民のこまかい点まで知っている ・なにも今年の予算にはふれていない	・よくないことはしたくないといっている点よい ・D議員に反対しているからよい	・困っている人のことを考えているからよい
F議員について	・公共施設をつくろうとしているからよい ・災害のことを考えているからよい。 ・全体に考えをめぐらしてよい	・収入支出を考え都民の幸福を考えているからよい	・よい公共施設をつくろうというからよい

4. 政治のしくみが分化（立法と行政）していることの意味を，日常生活の具体的問題との関係においてどの程度理解できたか確かめる。

この単元では，三権分立のむずかしい理論を6年の児童に教えようという意図はない。しかし，Bの学習活動の展開でもわかるように，まず身近な政治のしくみとして区や都の議会ではどんな仕事をするのか，なぜそれはわれわれの生活にとって重要な意味をもつのか，議会で決められたことはだれがどういう形で実施していくのか等を学習していくことになっている。（この学習を基礎にさらに国の政治のしくみの中でも同じような問題に触れることになっている。）

このような学習を行う以上は，政治のしくみが立法機関と行政機関とにわかれているという事実を単に知るだけではあまり意味がない。そのようにしくみがわかれていることが，われわれの日常生活の上にどんな関係や影響を与えているかという点が理解できるようになることが望ましい。

そこで，政治のしくみが分化していることが日常生活の具体的問題との関係においてどの程度理解できたか確かめる必要があるわけである。

方法としては，「役所はわたくしたちのためにどのような仕事をしているか」という問題のもとに，「東京都庁は決められた予算でどんな仕事をしているか調べる」学習活動を進めている間に，各グループから日常生活の中で改善したいと思う具体的問題を出させ，これらの問題の処置のしかたを考えさせることにしたのである。

すなわち，議会の働きや行政官庁の仕事が具体的に理解できていれば，問題の性格によって法律の改正や予算措置を必要とするものとか，役所の仕事のしかたで解決できるものといった判別ができるはずなので，この点から児童の理解程度を確かめようとしたのである。

児童から提出された問題とこれに対する処置のしかたについての理解を

A・B・Cの能力別に整理したのが下表である。

児童から提示された改善の要求，または希望事項	正しい処置	理解の度合		
		A	B	C
1. 都電をふやしてこまないようにしてほしい	予算をふやすことが必要（議会）	○	○	×
2. ごみ集めの回数をふやしてほしい	役所でできる。また予算も必要	○	○	○
3. ごみ集めを親切にしてほしい	役所の人の態度でできる	○	○	○
4. 道路をよくしてほしい	予算をふやすことが必要（議会）	○	○	×
5. 学校を多くたててほしい	予算をふやすことが必要（議会）	○	○	○
6. 下水の手入を正確にしてほしい	役所の人の仕事のしかたでできる	○	○	○
7. 公衆電話を多く設けてほしい	予算をふやすことが必要（議会）	○	○	○
8. 住宅建築許可を簡単にしてほしい	規則を改めることが必要（議会）	○	×	×

（○印は答えられたもの　×印は答えられないもの）

この表によって明らかなように，評価の方法，それ自体には問題があるとしても，政治のしくみが分化していることを，日常生活の具体的問題との関係においてかなりよく理解するに至ったと考えてよく，教師の指導意図も相当達成し得たといえよう。

5. 民主政治における選挙の意義をじゅうぶんに理解したかどうか確かめる。

今日の政治について，税金の意義，その使い道の決め方，議会と行政官庁の関係，地方政治のしくみなどについて学習してきた児童は，次に選挙と正しいよい政治とはどのような関係があるかという問題のもとに，現在の制度で選挙による公選で選ばれる人にはどんな人があるか，選挙によるとどんなよい点があるかなどについて調べる。（Bの5参照）

もちろん，このような学習をまつまでもなく，児童は学級や学校における自治的活動として役員の選挙を行う実際経験も持ち，選挙がどういう利点を有するかについての理解も一応持っていることであろう。しかし，この政治の単元学習では，より組織的な形で，今日の政治のしくみはどんな精神で作られ，運営されるようになっているか，それはできるだけ多くの国民の意見や考えを実際の政治に反映して行うという民主主義の精神であること，そのための手段として一定の任期を決めて直接政治に携わる人を選ぶ選挙という方法を活用していることなどに目を開かそうとしているのである。

そして，このような学習活動を行う趣旨は，選挙で公選されることになっている公職の種類や任期を暗記させたり，細かな選挙規定などを教えようというのではなく，むしろ選挙というものは民主政治の根幹としてきわめて重要なものである。しかしだからといって形式的な選挙という制度を行っていれば民主政治が自然に実現できるものではなく，ひとりひとりの選挙民の自覚，自分の選んだ代表者のその後の行動にたえず関心を払うことなどが伴わなければ，選挙という制度も死んでしまうことなどを深く考えさせようとするところにある。

したがって，今日の政治における選挙の意義をじゅうぶん理解したかどうか確かめることが，この学習の段階の評価として重要になってくるのである。

ところで，選挙の意義を理解したかどうか確かめる方法として，選挙の長所や選挙を行わない場合の弊害などを列挙した選択肢の中から所要の事項を選択させるというような方法も考えられるのであるが，この場合は教師が次のような作文を提示し，これに対する賛否をめぐっての話合いを利用して評価することにしたのである。

選　挙　に　つ　い　て

ぼくは，社会科で，みんなが選挙で，りっぱな代表をえらんで，よい政治をすることがたいせつであることを習いました。

しかし，その時，前に本でよんだ上杉鷹山という殿様の話を思い出しました。

鷹山は，江戸時代の米沢の殿様でした。そのころ，米沢の藩はたいへん貧しくて，その日のくらしにもこまる有様でした。鷹山は自分が殿様となるや進んですべてのことを節約し，藩の人々にも節約させ，役所の人には正しい親切な政治をさせました。また産業を盛んにすることにつとめ，荒地のかいたく，農民の救さいなどに力をつくしました。さらに養さんを研究させ，藩の婦人に織物をおることを練習させる一方，藩校（学校）をたてて学問を盛んにしました。そのために米沢の藩はたいへん豊かとなり，鷹山は一代の名君とあおがれました。そのころの米沢の人々は，みんな幸福だったと思います。

ところが，今の選挙は，違反が出たり，いろいろの害があり，金もかかり，手続もめんどうのようです。

ぼくは今のような選挙するくらいなら，りっぱなひとりの政治家に政治をしてもらったほうがよいのではないかと思います。

この作文は，いうまでもなく封建時代の政治については一名君の治績に例をとり，今日の政治については選挙制度の運用の未熟さからくる弊害をとらえ，両者の対比で民主政治を否定しようとしているものである。したがって，もし児童の民主政治や選挙の意義についての理解が真に確実なものになっていれば，この作文の作者のような比較のしかたで昔の政治をよしとすることはできないという判断がつくはずであるし，もしその理解があやふやなものであれば，選挙制度そのものの本質とその運営上の問題についての区別ができず，作者の考えに同調してしまったり，今までの理解が混乱させられて適確な判断ができなくなるであろう。

このような見通しのもとに，この作文を提示し，この作者の考えをどう思うか話し合わせ，賛否の意見を記入させたのである。

この結果でわかるように，最初の話合いでは，この作文のために昔の政治のほうがよいと判断してしまっている児童が，B・Cのグループ（能力別）に属するものの中にはかなり認められ，また賛否を書かせた場合には，昔の政治がよいとしたものはわずか3名であるが，わからないとするものが16名もあって，正しい判断をしているのはちょうど学級の3分の2という状況であった。もちろん，その後さらに話合いを進めた結果では，B・Cのグループの児童も作文の作者の考えの誤りが理解できたようであるが，このような作文を与えられても自分の判断が動揺しないほどしっかりと選挙の意義を理解していた児童は学級の約半分から3分の2程度と考えるべきで，教師の指導の意図は一部の児童には，なおじゅうぶん徹底していなかったといえよう。

いずれにしても，どんな制度にもその運営に伴って長所・短所が表われるのが普通であるから，それらを広い視野から総合的に判断できるようにすることが，社会科の指導としてはきわめて重要であるが，そのような判断の基礎となる確実な理解ができたかどうかを評価するには，通常のペーパーテスト以上に各種の方法をくふうすべきである。

6. 国会の働きを現在の政治の特色と結びつけて理解しているかどうか確かめる。

地方政治のしくみや運営の中で，児童なりに民主政治の特質をはあくす

評価の段階	A	B	C
1. 作文を与え個々によませて話し合わせた結果	・多数による議会政治はみんなでなんでも相談できめるから今の政治のほうがよい（今） ・自分と考えの同じ人を選んで出せるから今のほうがよい（今）	・殿様は全部上杉鷹山のようにりっぱな人ばかりとはいえない悪い政治も行われる（今） ・りっぱな殿様であると昔のほうがよい（昔） ・ひとりで政治をするとかってに行う（今） ・上杉氏のようだと昔のほうがよい（昔）	・わからない（？） ・昔は金がかからないから昔がよい（昔） ・上杉氏のような殿様だと昔のほうがよい（昔）
2. 中間における賛否について（用紙に記入）	今の政治のほうがよい……………38人…………66.7パーセント 昔の政治のほうがよい……………3　…………5.3 わからない……………………………16　…………28.1		
1. いろいろ討論したあとでの結果	・名君もいいかも知れないが国民ひとりひとりの意見で行われるからりっぱな政治になる（今） ・政治は自由に選んだ人たちの相談で行うから常に公平で国民の信用がある（今）	・自由に選べるから無理な政治も行われない（今）	・選んでみんなが出せるから今のほうがよい（今）

注　（今）………は今のほうがよいもの　（昔）………は昔のほうがよいもの
（？）………わからないもの

るように学習を進め，次にはこれらの点が国全体の政治においてはどうなっているかを調べさせるのが，この単元の計画案である。

すなわち，「国の政治はどのようなしくみで行われているのだろうか」という問題のもとに，国会の働きとしくみの概要，内閣や行政官庁の仕事などを調べ，さらに国会の見学をして調べたことのまとめの話合いやレポートの作成を行うわけである。

ところで，わざわざ国会の見学を行うのは，これまでの教科書その他を利用しての学習で，観念的になりやすい児童の理解を具体的なものにするためのものである。したがって，この見学が議事堂の建物が広くてりっぱだとか，たくさんの人が出入しているといった外見的印象を持ち帰るだけの活動に終っては無意味である。議事堂の中にある各種の施設や働いている人々の種類等をしっかり見て，なぜそういう施設があり，人が働いているのかを考えることによって国会の中にも今日の民主政治の特質がいろいろな形で現れていることを具体的に理解させようとするのが，見学を行うねらいである。

たとえば，各種の委員会のもとに専門の調査をしたり，資料を整える事務の人が働いていることから，今の政治が実際の確実な資料を基礎に行うように努めていることを理解し，報道関係者のためへやや席が設けられ，傍聴席があることから，民主政治は国民の監視の中で行うことをたてまえとしていることを実際の目で読み取ることができるはずである。

そこで，国会の見学後，児童たちがそこから何を受け取ってきたか，単なる建物の外観などに感心してきただけであるか，それとももっと学習の本質に根ざしたものを読み取ってきたかを確かめることが必要である。

ここで考えた評価は，このような意味を持つものであるが，方法としては，

(1)　見学後の話合いの適当な時期に昨年の６年生が書いた見学レポートを３種類ほど教師が読んでやる。すなわち，Aのレポートは国会が国民の監視の中で（ガラス張りで）仕事をするようにくふうされていることに感心したという内容のものであり，Bのレポートは国会の中にいろいろなことを調べる人や資料が用意されていることに感心したという内容のものであり，Cのレポートは単に設備がりっぱで議員や警備員がたくさんいると述べているものである。以上３種のレポートについて，レポートとしてどれがすぐれていると思うか，または自分の意見に最も近いものはどれかを回答させる。

(2)　見学とその後の話合いを基礎に児童各人にレポートを書かせ，その内容を評価の資料にする。

という方法を用いたものである。

いうまでもなく，AとBのレポートは国会の様子を現在の政治の特色と結びつけて理解している場合に書けるものであるし，特にAは民主政治の最も重要な点をとらえているものである。これに対しCのレポートはまだそのような理解が不足しているものと考えなければならない。

ところで(1)の結果についてみると

レポートAをよいとする児童		……………20人	………… 36.4パーセント
レポートB	〃	……………33	………… 60.0
レポートC	〃	…………… 2	………… 3.6

という状況であるが，自身にレポートを書かせた場合の内容をみると，前述のレポートAに類する事項，Bに類する事項，Cに類する事項すべてにわたって取り上げている児童16人（29.1パーセント），Aに類する事項とCに類する事項を取り上げている児童14人（25.5パーセント），Cに類する事項だけを取り上げている児童25人（45.5パーセント），である。

このように他人の書いたレポートを批判する場合と自分でレポートを書いた場合とに相当の開きがあり，特に後者の場合半数近くの児童には，まだ国会の働きを現在の政治の特色と結びつけて理解する傾向が見えないのは，かなり問題であろう。

もちろん，このような評価には，見学前の指導の巧拙および見学時の実際条件（たとえば説明者が得られたかどうかなど）が大きく影響するものであるが，この種の学習活動を通して教師の指導の意図を浸透させるには，かなり綿密な計画とくふうが必要であることを痛感したのである。

7. 民主政治の本質と報道機関の発達との関係をどの程度理解したか確かめる。

この単元学習では，特に封建時代における政治のしかたとの対比に重点を置きながら今日のような政治のしくみや人々の生活がどんな歴史的経過の中から生れてきたかについて学習を行うことになっている。

すなわち，「政治のしかたは今と昔ではどのように違ってきているか」という問題のもとに，この方面について各種の学習活動を行うのである。（Bの7参照）したがって，このような学習活動において，明治以降の新しい政治の展開の中で言論報道機関が重要な役割を果してきた事実を学ぶであろうし，民主的政治の本質と世論の関係，出版や言論の自由などの問題についても理解を深めるであろう。

そこで，児童が政治の移りかわりを中心に日本の歴史を学んだことから，どれだけ民主政治と報道機関の発達ということの密接不離な関係を理解するようになったか確かめることが重要である。

この評価の方法としては，「明治になって憲法や国会ができるまでのいきさつ，先人の努力，新聞の発達，その後の普通選挙運動等について調べ，新しい政治が人々に与えた影響を調べる。」（Bの7の(3)参照）活動を

進めながら，教師が

(イ) 民主主義のために働いた人たちが多く新聞の発行編集に当ったり，書物の出版を計画したりしたのはなぜだろうか。

(ロ) 江戸時代には今日のような新聞がみられなかったが，それには技術が進んでいなかったことのほかに何か理由があったのだろうか。

という二つの発問を行い，これに対する児童の話合いの大要を記録し，能力別A・B・Cのグループごとに整理したのである。

結果は次ページの表のとおりである。

まず(イ)の問題については，児童の表現には稚拙な点があり，またCのグループの「いい世の中にするために」という相当ばく然とした表現もあるが，民主主義の先駆者といわれるような人が多く言論報道機関に働いた理由を一応理解しているといえよう。

また，(ロ)の江戸時代には報道機関の発達があまり見られなかった理由についても，ほぼ(イ)の場合と同様のことがいえるようであり，総じてこの評価法に関するかぎりでは，民主政治の本質と報道機関の発達との関係に関する児童の理解は，一部のものを除いておおむね良好といえよう。

発問事項	A	B	C
(イ) 民主主義のためにつくした人々のしていた仕事がおもに新聞や出版などであったのはどうしてであろうか	・国民が政治に関心をよせるようになることがよい国をつくることにもなる。この役目に出版がいちばんよいから ・若い人たちに民主主義の考えを持ってもらうためには出版物が適当であったから	・民主主義の世の中にするため ・その仕事で自分の考えを自由に発表できるから ・民主主義の国がつごうがよいので民主主義をひろめるために	・みんなに知らせられる ・国民に早くつたわりやすい ・いい世の中にするために
(ロ) 昔（江戸時代）新聞が発達しなかったのはなぜだろうか	・新聞は真実を伝えるのでひとりの意見で行う政治を知られるのはつごうが悪かったので出してもらいたくなかった ・幕府が国民からの反対をおそれて ・かってにしゃべったり書いて発表することが禁ぜられている世の中であったため ・鎖国で文化がおくれていたため	・将軍が権力者だったので進歩的考えをもった人も手が出せなかった ・個人のいうことを自由にさせなかったから ・事件もよく知らせることが多くなかった ・字を知らなかったから ・知られるとまずいことがあったから	・交通が不便だったから ・世の中がおくれていた ・わからない

第 3 章

まとめと反省

われわれは第1章に述べたような実験研究の立場でそれぞれの単元に即して評価のしかたをくふう実施し，前章にあげたような各種の成果を得たのである。

これらの評価の中には，率直に言って，評価のしかたとしてもっと適切な方法をなおよく研究しなければならないことが明らかになったものもかなり含まれている。

しかし，総括的に考えた場合，このように各種の手順を踏んで評価のしかたをくふう，実施すれば，学力標準検査のようなものを形式的に実施するより，はるかに児童の社会科学習による理解の形成過程がよくつかめ，教師がその計画や指導法を改善するためにも，その欠陥をより適確に知りうることが明らかになった。

社会科における単元学習の改善は，若干手数はかかっても，このような学習過程と結びついた評価のしかたを研究し，実施し，その結果を積み上げていくことによって，はじめて可能になるというのが，2年間の実験研究を終えたときのわれわれの実感であった。

このような方法によれば，たとえば，ある児童が，日本の人口は8千数百万であるということを知っているかどうかということだけでなく，そういう知識がかれの場合日本の食糧問題を考えるときに生きて働くような状態になっているかどうかを確かめることができ，そこから社会科のねらいに即した単元学習の改善点をつかみうるのである。

これに対して，従来一般に行われていた評価の場合では，前述のような知識を持っているかどうかという点のみを評価するだけに終る傾向が強く，その結果だけで実施した計画を修正しようとすれば，かえって社会科の単元学習の本質をゆがめるような結果にもなりかねなかったのではなかろうか。

もちろん，評価のためにあまりに多くの時間と労力が必要であっては，その評価法がいかにすぐれたものであっても，実際上これを実施することはなかなか困難である。その意味では，われわれの研究実施した評価にも，もっとこれを簡素化し，実際的なものにする必要のあるものが相当含まれていて，これは今後の研究課題として残されたわけである。

われわれは，1年から6年までの個々の具体的な単元に即して評価のしたを実験研究したのであるから，評価しようとした事がら——理解事項——は，それぞれまったく独自なものである。しかし，これを，どのような学習活動の場で評価を行ったかという観点からみれば，おおむね次のように分類できる。そこでわれわれの経験を基礎に，それぞれの学習活動の場で評価を行う際の一般的な留意事項を簡単にあげておこう。

(1)　一般的な話合い

評価したいと思う事がらを，教師と児童の話合いの中で確かめていこうとする場合であるが，児童に話合いの目あてをしっかりつかませること，気やすく話合いのできるふんい気を作ることなどがこの場合の評価を成功させる前提条件としてどうしても必要である。

そして，さらに比較的能力の低い，話合いにあまり積極的に参加しない層の児童たちに，いつ，どういう契機で発言させるかという指導技術もたいせつである。この点をあらかじめよくくふうしておかないと，一部の児童だけの理解程度だけしか評価できないことになってしまう。ま

た，本当に自分の意見や考えではなく，前に発言した児童のそれをそのままくり返して発言しているにすぎない児童もしばしば現れるから，この点の判別にも注意を必要とするし，児童の発言の内容を要領よくメモしておく方法についてもあらかじめ考えておく必要がある。

(2)　与えられた作文に基いての話合い

教師が作文を読んで聞かせそのまま話合いに移った場合と，資料として印刷した作文を与え児童にも読ませた上で話合いに移った場合とあるが，いずれにしても話合いの中で評価を行う方法であるから，前項の場合の諸注意がすべてこの場合にも必要である。

しかし，この場合には，さらに教師が作文を読むときの技術（語調の強弱とか間の置方）やその作文の語い，表現方法などが評価の結果に作用しやすいので，この面に特に注意を払う必要がある。

(3)　絵・写真・スライド等を与えての話合い

いわゆる視覚教材を与え，これに基く話合いの中で児童の理解の程度を確かめようとする方法である。これは話合いを活発にさせ，いろいろな類型の発言を得て，これを評価の手がかりにすることができる点ですぐれている。また，ほかの評価の方法には言語や文字の抵抗が結果に影響するという弊害を伴いがちであるが，この方法ではそういう弊を少なくすることができる。

ただ，評価のために適切なこれらの絵・写真・スライド等を発見したり，教師が作成準備するのに困難が伴う。特に評価しようとする事がらとその視覚教材の表現している内容との関係をじゅうぶん吟味しておかないと失敗する。

(4)　図表・統計・地図等を与えての話合い

教師が用意した図表・統計・地図等を提示して，その比較をさせた

り，その解釈をさせることによって，理解の程度を評価しようとするものである。もちろん，この方法を行う場合には，これらの資料を読む力——たとえば，地図の記号をよく理解してこれが正確に利用できる力——そのものを評価することも考えられる。しかし，われわれが行ったのは，それぞれの単元学習として重要な理解についての評価法の研究であったから，これらの資料に表現されている社会的事実を読み取った上で行う解釈や批判を中心に理解の深さを確かめようとしたものである。

したがって，この方法では，示された図表・統計・地図が話合いに先だつ資料となりうるかどうか，ことばをかえて言えば，児童がこれらの資料を読む基礎的能力を欠いていて資料として程度が高すぎるようなことはないかどうか，をよく考えておく必要がある。そうしないと，資料が正しく読めなかったために，あとの話合いに参加できない児童がたくさん現れてじゅうぶんな評価ができないことになる。

(5) 紙しばいを見せたり，劇をさせての話合い

この場合，見せる紙しばいが教師または第三者の作成した作品であるときは，(3)や(4)とあまりその本質的条件は違わない。しかし，児童たち自身が作成した紙しばいを使って話合いをしたり，簡単な劇活動を行って話合いを行う場合には，児童の表現活動が伴うので，多少条件が異なってくる。

この方法は，一般的に児童の興味を強く刺激し，他の方法では話合いに参加することの少ない児童も容易に発言し，話合いを活発にするから，評価の手がかりも得やすい。しかし同時に，紙しばいや劇の表現している内容よりも，表現活動の形式的な面（たとえば紙しばいの絵の巧拙とか劇中の動作など）に，児童の意識が奪われやすい欠陥をもつ。したがって，紙しばいや劇を何のために見るのか，何を中心にして話し合

うのかを児童にはっきりさせておくためのくふう，児童の話合いがもし教師の意図からずれそうになったときの処置について，特に考慮しておく必要がある。

(6) 質問紙を作成し，これに回答を記入させる作業

いうまでもなく，この方法は一度問題を作成してしまえば，実施や結果の整理は比較的容易である。しかし，その問題の作成にかなり考慮を払わないと，単純な知識の有無を評価することで終ってしまったり，結果に相当偶然性がまじってしまう危険がある。また，評価する際の時期の選定，質問紙を与えるときの教師の発言にくふうしないと，児童に評価されるという意識を必要以上に強く持たせてしまって，われわれの実験研究の立場にそわないものになる傾向がある。

(7) 作文や報告書を書かせたり，地図を書かせる作業

いずれも児童の作品を評価の資料として活用する方法で，単元の学習としての必要な学習活動と評価のためのそれを結びつけて行うことができるのが特色である。しかし，これらの作品を評価する観点をあらかじめ相当具体的に設定しておくことが必要であり，個々の児童の表現能力の差異をある程度考慮した上で理解の程度をはからねばならない。また作品が学級内で短時間に作成されたものでないときは，児童間の模倣という条件も相当考えねばならぬ。

以上のように，どんな評価のしかたにおいても，それぞれ留意すべき事項があり，したがってだれがやっても絶対まちがいのない評価法などを考えること自体が無理であるともいえる。

評価を成功させる条件は，やはりあくまで個々の教師の指導計画と指導技術の中にひそんでいるのではなかろうか。

MEJ2592

初等教育研究資料　第XVI集

小学校社会科における

単元の展開と評価の研究

――実験学校の研究報告――

定価　68円

昭和31年12月5日　印刷

昭和31年12月10日　発行

発行者　東京都千代田区神田小川町1の1
光風出版株式会社
代表者　竹田光二

印刷者　名古屋市昭和区白金町2の8
竹田印刷株式会社
代表者　福寿米吉

発行所　光風出版株式会社
東京都千代田区神田小川町1の1
電話㉓2880・振替東京162599
名古屋市昭和区白金町2の8
電話⑧2586・振替名古屋38253

光風出版株式会社

¥68

初等教育研究資料第XVII集

国語

実験学校の研究報告

（2）

文部省

国語実験学校の研究報告

（2）

文部省

まえがき

この研究報告は，昭和30年度における文部省初等教育実験学校として指定した神奈川県藤沢市立御所見小学校の実験研究結果の一部を収録したものである。同校には「最少の時間と努力で，かたかなの習得率を高めるには，どのように指導するのが有効か」という課題で昭和29年度以降実験研究を依頼してあるが，その実験結果のうち「もし1年でかたかなを学習させるとしたら，どういう方法でかたかなを提出し，どういう方法で指導するのがいちばん有効か」ということに関して研究した結果は，初等教育資料第XI集　国語実験学校の研究報告(1) にすでに収録してある。

昭和30年度の実験課題は，前記の昭和29年度の研究でまだ未解決のまま残された部分を明らかにしようと努めたもので，1年でかたかなを学習させる場合に，いつごろから始めるのがいちばん有効か，その場合の学習指導はどのような方法で進めるのが効果的かなどということに関する研究を中心課題としている。その場合に遅れたこどもをどう扱うかは，当然問題になるので，遅れたこどもの扱い方についてはひらがな，かたかなの両面から考察を進めることにした。最後にこの困難な実験研究に努力された御所見小学校の職員各位に対しては，厚く感謝の意を表したいと思う。

昭和31年7月16日

文部省初等中等教育局　初等・特殊教育課長

上　野　芳　太　郎

目　次

Ⅰ　実験研究の概略

1. 実験の目的

昭和29年度実験の目的「もし，1年でかたかなを学習させるとしたら，どういう方法で提出し，どういう指導をするのがいちばん有効か。」について，未解決の分野である下記についてその解決をはかること。

(1)　かたかな指導の開始時期に関する問題。

(2)　有効なかたかなの指導法。

(3)　かたかなの指導と並行して，遅れたこどもに対するひらがなの指導を，どう進めたらよいかという問題。

2. 実験方法の概略

(1)　実験コースは，A・B・Cの3コースとする。

(2)　指導の始期は，9月から始めるAコースと，11月から始めるBコースと，1月から始めるCコースとに分けて実験する。

(3)　A・B・Cともに同じ語いを指導する　。(25語い)

(4)　各コースとも読み書きともに指導する。

(5)　指導語いは，身近な生活経験から取り上げる。

(6) 指導語いの出し方は，だいたいにおいて月ごとに均等にする。

(7) 提示の方法は，かたかなを語として，カード・文字板・板書・プリントなどで提示する。なお国語教科書中のひらがなでしるされているかたかな語はそのままにしておく。

(8) 学年初めの４月と，各コースの指導始期と，学年末の３月に，かたかな文字71文字の読み書き調査を行う。

(9) 指導する語については，前月に予備テストを行う。

(10) 指導した語については，３月末に読み書きの調査を行う。

(11) 各コースとも，かたかなの指導法・指導事例を重視して記録にとどめ。有効なかたかなの指導法の研究資料とする。

(12) 各コースとも，遅れたこどもに対するひらがなの指導も記録する。

(注) 使用教科書は，学校図書株式会社発行の「しょうがっこう　こくご　1ねん」

3. かたかな指導の計画表

○印は新出文字
△印は新出文字だが，清，濁，半濁のいずれかが既出の文字

Aコース（長谷川級）	Bコース（宮治級）	Cコース（角田級）
1. ドン	1. パン	1. パン
2. リレー	2. ガム	2. アハハ
3. バトン	3. ザクザク	3. コンコン
4. パン	4. トンネル	4. ワンワン
5. ガム	5. ゲーゲー	5. リレー
6. モーモー	6. アイロン	6. ドン
7. ザクザク	7. ポスト	7. バトン
8. バス	8. ポスター	8. クレヨン
9. ブーブー	9. クレヨン	9. バス
10. トンネル	10. アハハハ	10. ブーブー
11. アイロン	11. コンコン	11. トラック
12. ポスト	12. ワンワン	12. ゲーゲー
13. ポスター	13. ドン	13. ザクザク
14. クレヨン	14. リレー	14. カッチン
15. アハハハ	15. バトン	15. チョーチュー
16. コンコン	16. ピアノ	16. モーモー
17. ワンワン	17. バス	17. メーメー
18. キャンキャン	18. ブーブー	18. ポスト
19. ピアノ	19. トラック	19. ポスター
20. トラック	20. チョーチュー	20. アイロン
21. チョーチュー	21. カッチン	21. ピアノ
22. カッチン	22. キャンキャン	22. ライオン
23. ライオン	23. ライオン	23. キャンキャン
24. メーメー	24. メーメー	24. トンネル
25. ゲーゲー	25. モーモー	25. ガム

4. 指導したかたかな文字の表

○印37文字

○パ	○バ	ダ	○ザ	○ガ	○ン	○ワ	○ラ	○ヤ	マ	○ハ	ナ	○タ	サ	○カ	○ア
○ピ	ビ	ヂ	ジ	ギ			○リ		ミ	ヒ	ニ	○チ	シ	○キ	○イ
プ	○ブ	ヅ	ズ	○グ			○ル	○ユ	○ム	フ	ヌ	○ツ	○ス	○ク	ウ
ペ	ベ	デ	ゼ	ゲ			○レ		○メ	ヘ	○ネ	テ	セ	ケ	エ
○ポ	ボ	○ド	ゾ	ゴ		ヲ	○ロ	○ヨ	○モ	ホ	○ノ	○ト	ソ	○コ	○オ

5. Aコース指導計画表

月	指導語 △印{擬音擬声	題材	指導上の留意点
9 (3語)	△ドン リレー バトン	うんどうかい 〃 〃	◦国語科の9月の題材「うんどうかい」から，ドン，リレー，バトンを指導する。 ◦よういドン。実際に鳴らす。実際にリレーを行う。長音を発音と結びつけて指導。語のまま与え分解しない。 ◦板書は黄色のチョーク，カードは赤色で表記する。
10 (3語)	パン ガム △モーモー	えんそく 〃 〃	◦社会科の単元「えんそく」の展開の中で提示し，国語の作文指導と関連づけて指導する。 ◦遠足の際，パンとガムを配布し印象づける。 ◦牛がモーモー鳴いた種畜場。 ◦基本運筆練習を行う。 ◦語を使って話をさせ短文を作らせる。
11 (4語)	△ザクザク バス △ブーブー トンネル	おてつだい きしゃごっこ 〃 〃	◦社会科の11月の単元えんそくの小単元「おべんとう」と関連して指導する。いねかりの詩を読ませる。いねかりを見学する。動作化する。 ◦国語科の11月の題材「きしゃごっこ」の導入の段階として「バスごっこ」をする。 ◦ブーブーとブブーと関連指導し長音指導をする。 ◦大ノートを活用する。 ◦語の分解を始める。 ◦身の回りのかたかな語に注意させる。
	アイロン	ことばあそび	◦国語の12月の題材の「ことばあそび」に関連させて指導する。

— 4 —

月	指導語 △印{擬音擬声	題材	指導上の留意点
12 (4語)	ポスト ポスター クレヨン	〃 〃 〃	◦あのつくことばとしてアイロンを指導する……教科書のさし絵。 ◦もじいたならべでポストとポスターを扱う。 ◦ポストは年賀状と，またポスターは防火や交通安全のポスターと関連づける。 ポ ポスター ト ◦おはなしつくりでクレヨンを使って話を作らせる。 ◦既習語いを使って，ことばつなぎやおはなしつくりをさせる。
1 (4語)	△アハハハハ △コンコン △ワンワン △キャンキャン	おしょうがつ かげえ 〃 〃	◦国語の1月の題材「おしょうがつ」の単元に関連して指導する。 ◦みんなでたのしくふくわらいやその他のゲームをする。 ◦「夕がた」の漢字指導でポスターを復習させる。 ◦かげえあそびの発展としてワンワン・コンコンを指導する。 犬のなき声　ワンワン　キャンキャン きつねのなき声　コンコン ◦実際にかげしばいをしてみる。
2 (4語)	ピアノ トラック △チューチュー △カッチン	さくぶん 〃 〃 〃	◦音楽室のピアノとカードを結びつける。 ◦「外」の漢字指導の際にタとトを関連づける。 ◦促音の指導を教科書の「小さく書く字」と関連して指導する。 ◦ねこのすずの劇指導をする。ねずみのなき声チューチュー。 ◦よう音の指導も促音と同様に指導する。 ◦国語科2月の題材「さくぶん」の小単元「小さくかくじ」から指導する。 ◦カッチンは教科書のさし絵から指導する。
3	ライオン △メーメー	ぽちときしゃ 〃	◦国語科3月の題材「ぽちときしゃ」の単元に関連させて指導する。 けもののの王さまーライオン 子やぎ　が　　メーメー

— 5 —

(3語)	△グ ー グ ー	〃	うさぎ が　　　グーグー ∘既習の文字で語いを構成し，なき声あつめをする。

6. Bコース指導計画表

月	指導語 △印{擬声 擬音	題　　材	指　導　上　の　留　意　点
11 (4語)	パ ン ガ ム △ザ ク ザ ク ト ン ネ ル	え ん そ く 〃 おてつだい きしゃごっこ	∘十月の遠足の話合いから指導にはいる。遠足のプリントを読む。 ∘実物を示し，活用を豊富にする。かたかなに慣れさせる。 ∘いねかりのザクザクで指導する。ザとぜの区別をはっきりさせる。 ∘きしゃごっこでトンネルを扱う。 ∘絵をかかせ砂山のトンネルをつくる。 ∘基本運筆練習をする。
12 (5語)	△グ ー グ ー ア イ ロ ン ポ ス ト ポ ス タ ー ク レ ヨ ン	たんじょうかい ことばあそび 〃 〃 〃	∘月例のたんじょう会に「ねこのすず」や「うさぎとかめ」などの劇をしておかあさんたちに見てもらう。 ∘「うさぎさんがグーグーねている」長音記号の指導をする。 ∘国語の12月の題材「あのつくことば」よりアイロンを指導する。 ∘実物と文字を結びつける。 ∘もじいたならべでポストとポスターを扱う。 ∘語いの分解をする。 ∘既習語いを使ってことばつなぎやおはなしつくりをする。 ∘身近なかたかな語いに注意させる。
	△ア ハ ハ ハ ハ	おしょうがつ かげえ	∘国語の1月の題材の「おしょうがつ」の小単元「かげえ」と関連して指導する。
1 (6語)	△コ ン コ ン △ワ ン ワ ン △ド ン リ レ ー バ ト ン	〃 〃 か け っ こ 〃 〃	∘お正月の楽しかった話合いから　ふくわらいをする。 ∘かげえあそびより　犬のなき声　ワンワン きつねのなき声　コンコン ∘実際に　かげしばいを　してみる。 ∘体育の時間に実際に行わせてみる。 ようい　ドン　実際にかけっこをする。 実際にリレーを行う。 ∘プリントで　まとめる。
2 (6語)	ピ ア ノ バ ス △ブ ー ブ ー ト ラ ッ ク △チュー チュー △カ ッ チ ン	さ く ぶ ん 〃 〃 〃 〃 〃	∘音楽室のピアノとカードを結びつける。 ∘バスごっこをさせる。バスの音　ブーブー。 ∘促音，よう音を教科書の「小さくかくじ」と関連して指導する。 ∘漢字（外）の指導の際　タとトを復習する。 ∘ねこのすずの劇指導の中で指導する。 ねずみのなき声チューチュー。 ∘カッチンは教科書の石屋さんのさし絵から指導する。 ∘1月指導の漢字力と関連して指導する。 ∘理科の音あそびと連関する。
3 (4語)	△キャン キャン ラ イ オ ン △メ ー メ ー △モ ー モ ー	おはなし ぽちときしゃ 〃 〃 〃	∘ぽちが窓にはさまれるさし絵から，ぽちの悲鳴キャンキャンを指導する。 ∘どうぶつの王さま　ライオン ∘やぎや　牛が　きしゃの窓から　ぽちに応援する。 やぎさん，しっかり　メーメー 牛さん，しっかり　モーモー ∘既習の文字で語いを構成し，なき声あつめをする。ドリルに重点をおく。

7. Cコース指導計画表

月	指導語 △印{擬声 擬音	題　材	指導上の留意点
1 (8語)	パン △アハハハハ △コンコン △ワンワン リレー △ドン バトン クレヨン	おしょうがつ かげえ 〃 〃 〃 かけっこ 〃 〃 	◦基本運筆練習をする。 ◦国語の1月の題材の「おしょうがつ」の小単元「かげえ」と関連して指導する。 ◦お正月の楽しさを話合い，いろいろなゲームをする。景品にパンをもらう。 ◦歌にのせて指導する。 ◦かたかなに慣れさせる。語のまま与え，豊富に活用できるようにする。 ◦大ノートを活用する。 ◦コンコン・ワンワンはAコースに準拠して指導する。 ◦身の回りのかたかな語に注意させる。 ◦バトン・リレー・ドンはBコースに準拠して指導する。 ◦連絡のある既出の文字を手がかりとして，習得上の便宜をはかる。 ◦図工と連関し，クレヨンを文字と結びつける。
2 (11語)	バス △ブーブー トラック △グーグー △ザクザク △カッチン △チューチュー △モーモー △メーメー ポスト ポスター	音あつめ 〃 〃 〃 〃 〃 〃 〃 〃 さくぶん 〃	◦理科の音あそびと連関し，音あつめをしながらかたかな語を指導する。 ◦語カード，文字カードを与え，語の分解指導をする。 ◦随時随所でかたかな指導を行う。……地面に書く。小石で書く。人文字で書く。 ◦バスの音ブーブー，長音記号を発音と結びつけて指導する。 ◦うさぎさんグーグー。いねかりザクザク。 ◦カッチンは2月の題材「さくぶん」の小単元「小さくかくじ」から指導する。 ◦音や声はかたかなで表記することをわからせる。 ◦促音・よう音の指導をする。 ◦「このなき声や音はなんでしょう？」遊びをする。 ◦漢字「力・外・夕」の指導の際，かたかなと連関させる。 ◦チューチューはねこのすずの劇指導から指導する。 ◦2月の題材「おかあさんへのてがみ」と連関してポストを指導する。ポストからポスターへ,学芸会のポスターをかく。もじいたならべをする ◦ことばあそびをする。ドリルに重点をおく。
3 (6語)	アイロン ピアノ ライオン △キャンキャン トンネル ガム	おはなし 〃 〃 〃 〃 学年文集	◦実物を文字と結びつける。 ◦3月指導する漢字口と連関させて指導する。 ◦音楽の時間にピアノと文字を結びつける。 ◦3月の国語の題材「おはなし」の小単元「ぽちときしゃ」から，ライオン・キャンキャン・トンネルを指導する。 ◦ぽちが窓にはさまれるさし絵から，ぽちの悲鳴キャンキャンを指導する。 ◦1年間をふりかえり文集をつくる。秋の遠足の思い出からガムを指導する。 ◦ドリルに重点をおく。

Ⅱ　指導のしかたに関する一覧表と習得状況調査表

1. まえがき

(1)　各コースごとに，指導のしかた一覧表と習得状況一覧表を掲げ，両者を比較対照することによって，それぞれのかたかな語がどのような方法で提示され，どのように指導され，その結果どのような習得の成果を示しているかを一覧することができるようにした。

(2)　予備テストは，各月の指導語をまとめて，その前月の末に読み書き能力を調査し，指導の重要な手がかりとした。

(3)　指導した語は，指導直後（４日～10日）に読み書きの習得状況を調査した。

(4)　３月末に，指導した25語について読み書きの習得状況を調査した。

(5)　習得状況調査は，次のような方法で行った。

イ．習得した単語の読みの調査は，個人調査法による。

ロ．習得した単語の書くことの調査は，団体調査法による。

(6)　習得状況調査表の見方

イ．「指導語」の上部番号は語形成の文字の順位を表わす。「１字１字を完全に読んだ数」の項も同じ。「ドン」の項の１は「ド」２は「ン」を表わしている。

ロ．指導時間の単位は分で表わす。

ハ．「評価」の項の「完全」は，読み書きの正答人員を示し，「不完全」は誤答と無答の人員を示す。なお，「読み誤った場合のおもな例」「書き誤った場合のおもな例」の項には，不完全の項の人員の内訳が出ている。

(7)　児童の興味の度合は，児童のかたかな学習に対する興味の多かったものは○，少ないものは×とする。

2. A コ ー ス

(1) 指導のしかたに関する一覧表

読みの指導に関する表

提出番号	指導語い	提出のよりどころ				指導			最初の印象づけ 音声面					最初の印象づけ 文字面			指導方法								他教科との連関	どれだけ提示しておいたか (数字は日数)			児童の興味の度合
		教科書	行事	学校生活	家庭生活	月	時間	機会	経験させる	実物を見せる	音を聞かせる	略画によって	話合い	カード	板書	大ノート	カード使用	板書して読ませる	大ノート使用	プリント練習	短文を作る	動作化する	歌の中で指導	構成活動		カード	文字板	黒板	
1	ドン		○			9	6	4			○			○			○	○	○	○	○				体育	7			○
2	リレー		○			9	5	5	○					○			○	○	○	○	○	○			体育	7			○
3	バトン		○			9	5	5		○						○	○	○	○	○	○	○			体育	7			○
4	パン		○			10	5	6		○				○			○	○	○	○	○		○		社会	10			○
5	ガム		○			10	5	5		○						○	○	○	○	○					社会	10			
6	モーモー		○			10	5	7		○				○			○	○			○			○	図工	20			
7	ザクザク				○	11	6	4		○				○			○	○	○		○			○	社会	10			
8	バス	○				11	6	5	○					○			○	○	○		○			○		10	45		○
9	ブーブー	○				11	5	4					○			○	○	○	○		○				体育	10	20		○
10	トンネル	○				11	5	4	○							○	○	○	○		○	○	○	○	体育	7			
11	アイロン	○				12	5	4		○				○			○	○		○	○					4			
12	ポスト	○				12	6	7		○						○	○	○	○		○					15			
13	ポスター	○				12	5	6		○				○			○	○	○		○				図工 社会	7	4		
14	クレヨン	○				12	5	6		○				○			○	○	○		○				図工	6			×
15	アハハハハ	○				1	5	3	○							○	○	○	○		○	○	○	○	音楽	20			○
16	コンコン	○				1	5	5	○					○			○	○	○			○	○	○	音楽 理科	5			
17	ワンワン	○				1	4	5	○					○			○	○	○			○	○	○	理科	5			
18	キャンキャン	○				1	5	4	○					○			○	○	○			○		○		7			
19	ピアノ			○		2	5	8		○				○			○	○	○		○				音楽	10			○
20	カッチン	○				2	6	9					○			○	○	○	○	○	○	○	○		音楽	15			○
21	チューチュー	○				2	5	6					○	○			○	○			○			○	音楽	5			
22	トラック			○		2	5	5		○						○	○	○	○		○			○	図工	8			
23	ライオン	○				3	3	5					○	○			○	○							図工	5			×
24	メーメー	○				3	4	6					○			○	○	○	○						図工	5	15		
25	グーグー	○				3	3	4					○	○			○	○							音楽	5			

書きの指導に関する表

提出番号	指導語い	提出のよりどころ				指導			最初の印象づけ								指導方法								他教科との連関	どれだけ提示しておいたか（数字は日数）			児童の興味の度合
									音声面					文字面															
		教科書	行事	学校生活	家庭生活	月	時間	機会	経験させる	実物を見せる	音を聞かせる	略画によって	話合い	カード	板書	大ノート	カード使用	黒板に書かせる	ノートに書かせる	プリントによる練習	短文を作る	動作化する	歌の中に入れる	構成活動		カード	文字板	黒板	
1	ドン		○			9	7	4			○			○			○	○	○	○	○				体育	7			○
2	リレー		○			9	6	4	○					○				○	○	○	○	○			体育	7			○
3	バトン		○			9	6	4		○						○		○	○	○	○				体育	7			○
4	パン		○			10	5	4		○				○				○	○	○	○		○		社会	10			○
5	ガム		○			10	4	4		○						○		○	○	○	○				社会	10			
6	モーモー		○			10	5	5		○				○					○		○			○	図工	20			
7	ザクザク				○	11	6	3		○				○				○	○	○	○	○		○	社会	10			
8	バス	○				11	5	5	○					○					○	○	○			○		10	45		○
9	ブーブー	○				11	5	4					○			○			○	○	○				体育	10	20		○
10	トンネル	○				11	6	4	○							○		○	○	○	○		○	○	体育	7			×
11	アイロン	○				12	5	4		○				○				○	○	○	○					4			×
12	ポスト	○				12	5	5		○						○			○		○		○			15			
13	ポスター	○				12	5	5		○				○				○	○		○				図工 社会	7	4		
14	クレヨン	○				12	5	4		○				○									○		図工	6			×
15	アハハハハ	○				1	4	2	○							○						○			音楽	20			○
16	コンコン	○				1 3	5	4	○					○								○	○		音楽 理科	5			
17	ワンワン	○				1 3	5	4	○					○								○	○		理科	5			
18	キャンキャン	○				1	5	4	○					○			○	○				○				7			
19	ピアノ			○		2	4	7		○				○			○	○							音楽	10			○
20	カッチン	○				2	5	5					○			○	○	○			○				音楽	15			○
21	チューチュー	○				2	7	5					○						○		○	○	○	○	音楽	5			
22	トラック			○		2	5	4		○						○	○	○	○		○			○	図工	8			
23	ライオン	○				3	3	5					○	○			○		○		○				図工	5			
24	メーメー	○				3	3	4					○			○		○	○		○		○		図工	5	15		
25	グーグー	○				3	3	4					○	○			○		○		○	○	○		音楽	5			

(2) 習得状況調査表

読みの習得状況調査表

区分 A 予備テスト B 指導後 C 3月末

番号	指導語	指導 月	時間	機会	区分	評価 完全	不完全	一字一字を完全に読んだ数 1	2	3	4	5	6	読み誤った場合のおもな例
1	ドン	9	5	4	A	11	32	12	15					×ン⑤ 欠㉘
					B	43	0	43	43					
					C	43	0	43	43					
2	リレー	9	5	5	A	8	35	35	8	8				リ××㊲ リレ×⑧
					B	43	0	43	43	43				
					C	42	1	43	42	42				
3	バトン	9	5	5	A	7	36	7	10	40				×トン③ ××ン㉝
					B	42	1	42	42	42				欠①
					C	43	0	43	43	43				
4	パン	10	5	6	A	39	4	42	43					バン① パ×③
					B	43	0	43	43					
					C	43	0	43	43					
5	ガム	10	5	5	A	5	38	26	5					ガ×⑮ ガマ① 欠㉒
					B	41	2	42	41					ガ×① 欠①
					C	43	0	43	43					
6	モーモー	10 3	5	7	A	11	32	12	11	12	11			モエモエ① 欠㉜
					B	42	1	43	42	43	42			モモ，モモ①
					C	43	0	43	43	43	43			
7	ザクザク	11	6	4	A	9	34	10	12	10	12			ゼクゼク⑫ 欠㉒
					B	41	2	41	41	41	41			ゼクゼク②
					C	43	0	43	43	43	43			
8	バス	11	6	5	A	42	1	42	42					欠①
					B	43	0	43	43					
					C	43	0	43	43					
9	ブーブー	11 3	5	4	A	8	35	8	8	8	8			ズーズー① バー① 欠㉝
					B	43	0	43	43	43	43			
					C	43	0	43	43	43	43			

書きの習得状況調査表

区分 A 予備テスト B 指導後 C 三月末

番号	指導語	指導 月	時間	機会	区分	評価 完全	不完全	一字一字を完全に書いた数 1	2	3	4	5	6	書きの誤った場合のおもな例
1	ドン	9	7	4	A	6	37	7	9					ド×② 欠㉟
					B	42	1	42	43					イン①
					C	43	0	43	43					
2	リレー	9	6	4	A	4	39	5	4	6				リ××④ りれえ② 欠㉝
					B	39	4	43	40	39				リ⊣ー① リレえ②欠①
					C	37	6	40	41	37				
3	バトン	9	6	4	A	5	38	5	17	38				バン② ×ドン⑰
					B	39	4	39	38	39				バとん② トン⑫ 欠⑤
					C	43	0	43	43	43				パン② バムン① 欠④
4	パン	10	5	4	A	31	12	31	39					×ン③ 欠⑨
					B	41	2	43	41					パン①
					C	43	0	43	43					
5	ガム	10	4	4	A	4	39	26	4					ガ×④ ガ山⑤ ガア① 欠㉝
					B	40	3	41	40					ガ×② 欠①
					C	42	1	42	43					
6	モーモー	10 3	5	5	A	7	36	8	7	8	7			もーもー② モエモエ① 欠㉝
					B	40	3	41	38	41	38			もーもー① モ×モ×① 欠①
					C	42	1	42	43	42	43			もーもー①
7	ザクザク	11	6	3	A	5	38	7	5	7	5			ザ×ザ×② ×ク×ク② ゛サ×゛サ×① 欠㉚
					B	40	3	40	40	40	40			ぜくぜく③
					C	38	5	41	41	41	41			ぜくぜく②
8	バス	11	5	5	A	39	4	42	39					バ×③ 欠①
					B	40	3	43	40					バ×③
					C	43	0	43	43					
9	ブーブー	11 3	5	4	A	6	37	9	6	8	6			ブウブウ① ブ×ブ×② 欠㉞
					B	38	5	41	39	41	39			ブウブウ② ブフフ①
					C	43	0	43	43	43	43			ぶう②

番号	指導語 1 2 3 4 5 6	指導 月	時間	機会	区分	評価 完全	不完全	一字一字を完全に読んだ数 1	2	3	4	5	6	読み誤った場合のおもな例
10	トンネル	11	5	4	A	10	33	30	41	10	11			トン××⑯ ×××ン⑧
					B	42	1	43	43	42	42			ドン××① イン①
					C	43	0	43	43	43	43			トン××①
11	アイロン	12	5	4	A	11	32	20	21	10	39			欠④ ×××ン⑦
					B	40	3	41	40	40	41			×イ×ン⑪
					C	43	0	43	43	43	43			アスン① 欠②
12	ポスト	12	6	7	A	19	24	20	34	40				××ト⑩ ×スト④
					B	43	0	43	43	43				パスト④ ポ×ト③
					C	43	0	43	43	43				
13	ポスター	12	5	6	A	10	33	17	35	19	17			ポス××④ ×ス××⑪
					B	41	2	43	43	43	41			ポスクー④ 欠⑦
					C	43	0	43	43	43	43			
14	クレヨン	12	5	6	A	20	23	39	29	13	42			クレ×ン⑦ 欠①
					B	42	1	42	42	42	42			欠①
					C	42	1	43	43	42	43			クレ×ン①
15	アハハハハ	1	5	3	A	42	1	42	43	43	43	43		ハハハハハ①
					B	43	0	43	43	43	43	43		
					C	43	0	43	43	43	43	43		
16	コンコン	1.3	5	5	A	30	13	36	42	36	42			×ン×ン⑧ 欠①
					B	43	0	43	43	43	43			
					C	43	0	43	43	43	43			
17	ワンワン	1.3	4	5	A	8	35	8	41	8	41			クンクン⑮ ×ン×ン⑨ 欠⑧
					B	43	0	43	43	43	43			
					C	39	4	39	42	39	42			×ン×ン④
18	キャンキャン	1.3	5	4	A	34	9	36	36	38	36	36	38	欠⑤
					B	40	3	40	41	43	40	41	43	キ×ンキ×ン② 欠①
					C	42	1	43	42	43	43	42	43	

番号	指導語 1 2 3 4 5 6	指導 月	時間	機会	区分	評価 完全	不完全	一字一字を完全に書いた数 1	2	3	4	5	6	書き誤った場合のおもな例
10	トンネル	11	6	4	A	0	43	16	40	0	4			トン××⑮ ト×××① ×ン××① 欠㉖
					B	40	3	43	43	41	41			トンルル① トニメル① トン××①
					C	38	5	43	43	39	42			トンメル① トン××④
11	アイロン	12	5	4	A	8	35	15	17	12	38			欠⑤ ×××ン⑩
					B	43	0	43	43	43	43			
					C	40	3	40	41	42	43			
12	ポスト	12	5	5	A	11	32	20	26	17				
					B	39	4	40	39	42				ボト① ××ト㉓
					C	40	3	40	42	42				
13	ポスター	12	5	5	A	7	36	20	26	22	28			ぽスター④ 欠⑩
					B	37	6	38	37	39	39			ポネター② 欠④
					C	37	6	37	41	41	40			ぽスター② ポスタア① 欠②
14	クレヨン	12	5	4	A	12	31	39	15	13	37			×××ン⑰
					B	34	9	39	37	40	42			ク×ヨン③
					C	40	3	42	40	42	43			
15	アハハハハ	1	4	2	A	40	3	41	40	40	40			アバ① ア××××②
					B	43	0	43	43	43	43			
					C	43	0	43	43	43	43			
16	コンコン	1.3	5	4	A	23	20	23	39	23	39			×ン×ン⑪ 欠⑥ ポンポン③
					B	42	1	42	42	42	42			欠①
					C	42	1	42	43	42	43			×ン×ン①
17	ワンワン	1.3	5	4	A	11	32	11	40	11	40			クンクン④ ×ン×ン㉔ ポンポン② ハンハン④
					B	41	2	41	42	41	42			欠⑨ 欠① バンバン①
					C	39	4	39	43	39	43			
18	キャンキャン	1.3	5	4	A	19	24	33	22	35	25	22	35	キ×ンキ×ン⑤ 欠⑦ ××ン××ン⑫
					B	38	5	38	40	43	38	40	38	きャンきャン③ キャンキャン②
					C	37	6	40	38	40	40	38	41	

番号	指導語	指導 月	時間	機会	区分	評価 完全	不完全	一字一字を完全に読んだ数 1	2	3	4	5	6	読み誤った場合のおもな例
19	ピアノ	2	5	4	A	25	18	29	32	27				パアノ① 欠⑰
					B	43	0	43	43	43				
					C	42	1	43	43	42				
20	トラック	2	5	5	A	19	24	34	21	20	25			トランプ① トラッワ① トラソク① 欠㉑
					B	43	0	43	43	43	43			
					C	43	0	43	43	43	43			
21	チューチュー	2	5	6	A	8	35	9	8	8	9	8	8	テュー⑤ チ××チ××④ 欠㉖
					B	42	1	43	43	42	42	42	42	チュン①
					C	42	1	43	43	42	42	42	42	チュ①
22	カッチン	2	6	9	A	11	32	21	16	11	41			欠② ×××ン⑱ カ××ン⑥
					B	43	0	43	43	43	43			
					C	43	0	43	43	43	43			
23	ライオン	3	5	5	A	41	2	41	41	41	41			欠②
					B	41	2	41	41	41	43			×××ン②
					C	41	2	43	42	42	42			
24	メーメー	3	4	6	A	30	13	34	36	34	36			ナーナー① モーモー① 欠⑨
					B	43	0	43	43	43	43			
					C	43	0	43	43	43	43			
25	グーグー	3	4	3	A	38	5	36	40	36	40			ブーブー④ 欠①
					B	39	4	40	41	40	41			メーメー① ブーブー①
					C	40	3	40	43	40	43			メーメー① ブーブー②

番号	指導語	指導 月	時間	機会	区分	評価 完全	不完全	一字一字を完全に書いた数 1	2	3	4	5	6	書き誤った場合のおもな例
19	ピアノ	2	4	7	A	8	35	18	12	18				パヤノ② セ゚ヤノ① ピヤノ④ ピエソ①
					B	42	1	43	42	43				キヤゴ① 欠㉖ ピマノ①
					C	40	3	42	41	43				××ノ①
20	トラック	2	5	4	A	5	38	26	15	6	17			トラヾク① トランク② トラフク② 欠㉝
					B	40	3	43	43	40	43			トランク① トラシク① トラヺク①
					C	36	7	43	41	39	43			トラソク② トランク①
21	チューチュー	2	7	6	A	0	43	10	11	0	10	11	1	チュウ⑥ チ××③ チュ×③ 欠㉜
					B	35	8	41	43	36	41	43	36	チュ×チュ×② チュウチュウ⑥
					C	40	3	41	42	41	41	42	41	
22	カッチン	2	5	5	A	5	38	28	7	7	40			カツン② ×××ン④ カ××ン⑨ 欠㉓
					B	42	1	43	42	43	43			カチン①
					C	37	6	43	38	37	43			カシ牛ン③ カ××ン②
23	ライオン	3	5	3	A	31	13	38	37	36	39			ライヨン① ラトオン① ×××ン① ×イオン① ラチオン① ラ人オン① 欠③
					B	36	7	39	42	42	43			ライをン① ライ大ン①
					C	41	42	42	43					うイオン① ×××ン①
24	メーメー	3	4	3	A	22	21	22	28	22	28			ナーナー③ ナイナイ① メーメー③ 欠⑭
					B	38	5	37	40	37	40			めえめえ② メーメー② 欠①
					C	39	4	40	40	40	40			めーめー① メえメえ① 欠②
25	グーグー	3	4	2	A	19	24	24	29	24	29			ブーブー⑦ デ゙デ゙② ゛クー゛クー② グ①
					B	36	7	40	40	40	40			ククク② 欠⑦ ダーダー② ブーブー①
					C	39	4	40	41	40	41			ブーブー① 欠③

3. B コ ー ス

(1) 指導のしかたに関する一覧表

読みの指導に関する表

提出番号	指導語い	提出のよりどころ				指導			最初の印象づけ 音声面					最初の印象づけ 文字面			指導方法、								他教科との連関	どれだけ提示しておいたか(数字は日数)			児童の興味の度合
		教科書	行事	学校生活	家庭生活	時機 月	時間	機会	経験させる	実物を見せる	音を聞かせる	略画によって	話合い	カード	板書	大ノート	カード使用	板書して読ませる	大ノート使用	プリント練習	短文を作る	動作化する	歌の中で指導	構成活動		カード	文字板	黒板	
1	パン			○		11	6	4		○				○			○	○	○	○	○			○			25		○
2	ガム		○			11	4	3	○							○	○	○	○	○				○	社会		25		○
3	ザクザク				○	11	5	4			○			○			○	○	○	○	○	○			社会	10			○
4	トンネル			○		11	6	4				○		○			○	○	○							3			
5	グーグー			○		12	4	3					○		○		○	○				○	○		音楽	1			
6	アイロン	○				12	4	3		○					○		○	○								5			○
7	ポスト	○				12	4	5				○		○			○	○						○		7	3		○
8	ポスター	○				12	6	5		○				○			○	○							社会図工	7	3		
9	クレヨン	○				12.1	5	4		○				○			○	○			○				図工	3			
10	アハハハハ	○				1	6	5	○					○			○	○			○	○	○		音楽	10			○
11	コンコン	○				1.3	4	5	○					○			○	○				○			理科				
12	ワンワン	○				1.3	4	5	○					○			○	○				○			理科				
13	ドン			○		1	5	3					○		○		○	○		○					体育	5			×
14	リレー			○		1	5	3	○					○			○	○			○				体育	5			
15	バトン			○		1	6	3		○				○			○	○							体育	5			
16	ピアノ			○		2	6	4		○					○		○	○			○	○			音楽				○
17	バス			○		2	5	4					○	○			○	○	○		○					45			
18	ブーブー			○		2.3	6	7					○	○			○	○	○		○					18			
19	トラック			○		2	5	4		○					○		○	○			○			○	図工	7			
20	チューチュー	○				2.3	7	7	○						○		○	○				○	○		音楽	7			○
21	カッチン	○				2	8	5				○		○			○	○		○	○	○	○		音楽	7			○
22	キャンキャン	○				3	5	4	○					○			○	○				○							
23	ライオン	○				3	5	4					○		○		○	○			○			○	図工				×
24	メーメー	○				3	4	5					○	○			○	○			○	○		○	図工	18			
25	モーモー	○				3	4	7					○	○			○	○			○	○		○	図工	18			○

書きの指導に関する表

提出番号	指導語い	提出のよりどころ：教科書	行事	学校生活	家庭生活	指導時機：月	時間	機会	最初の印象づけ（音声面）：経験させる	実物を見せる	音を聞かせる	略画によって	話合い	最初の印象づけ（文字面）：カード	板書	大ノート	指導方法：カード使用	黒板に書かせる	ノートに書かせる	プリントによる練習	短文を作る	動作化する	歌の中に入れる	構成活動	他教科との連関	どれだけ提示しておいたか（数字は日数）：カード	文字板	黒板	児童の興味の度合
1	パン			○		11	5	4		○				○			○	○	○	○	○			○			25		○
2	ガム		○			11	5	2	○							○	○	○	○	○				○	社会		25		○
3	ザクザク				○	11	6	3			○			○			○	○	○	○	○	○			社会	10			○
4	トンネル			○		11	6	3				○		○			○	○	○					○		3			
5	グーグー			○		12	5	2					○		○		○		○			○	○		音楽	1			
6	アイロン	○				12	5	3		○					○		○	○	○							5			
7	ポスト	○				12	5	4				○		○			○		○					○		7	3		
8	ポスター	○				12	6	3		○				○			○		○						社会 図工	7	3		
9	クレヨン	○				12.1	4	5		○				○			○		○		○				図工	3			×
10	アハハハハ	○				1	4	2	○					○			○	○	○		○	○	○		音楽	10			
11	コンコン	○				1.3	5	3	○					○			○	○	○			○			理科				
12	ワンワン	○				1.3	5	3	○					○			○	○	○			○			理科				
13	ドン			○		1	4	2					○		○		○		○	○					体育	5			×
14	リレー			○		1	5	2	○					○			○		○		○				体育	5			
15	バトン			○		1	4	2		○				○			○		○						体育	5			
16	ピアノ			○		2	5	3		○					○		○		○		○	○			音楽				○
17	バス			○		2	5	3					○	○			○	○	○		○					45			
18	ブーブー			○		2.3	5	3					○	○			○	○	○		○					18			
19	トラック			○		2	6	4		○					○		○	○	○		○			○	図工	7			
20	チューチュー	○				2.3	7	4	○						○		○	○	○			○			音楽	7			
21	カッチン	○				2	5	4				○		○			○	○	○		○	○			音楽	7			○
22	キャンキャン	○				3	7	4	○					○			○	○	○			○							
23	ライオン	○				3	6	3					○		○		○		○		○			○	図工				
24	メーメー	○				3	5	3					○	○			○		○		○	○		○	図工	18			
25	モーモー	○				3	4	2					○	○			○	○	○		○	○		○	図工	18			○

— 24 —

— 25 —

(2) 習得状況調査表

区分　A 予備テスト　B 指導後　C 3月末

読みの習得状況調査表

番号	指導語	指導 月	指導 時間	指導 機会	区分	評価 完全	評価 不完全	一字一字を完全に読んだ数 1	2	3	4	5	6	読み誤った場合のおもな例
1	パン	11	6	4	A	11	32	12	17					×ン⑤
					B	43	0	43	43					
					C	43	0	43	43					
2	ガム	11	4	3	A	8	35	21	8					ガ×⑬
					B	43	0	43	43					
					C	43	0	43	43					
3	ザクザク	11	5	4	A	5	38	7	8	7	8			ゼ×ゼ×⑦ ×ク×ク①
					B	43	0	43	43	43	43			
					C	43	0	43	43	43	43			
4	トンネル	11	6	4	A	7	36	11	17	8	9			トン×ル②　×ン××⑥ トン××①　トンネ×① トン×ル①
					B	42	1	43	43	42	43			
					C	43	0	43	43	43	43			
5	グーグー	12	4	3	A	17	26	18	17	18	17			グ×グ×①
					B	43	0	43	43	43	43			
					C	43	0	43	43	43	43			
6	アイロン	12	4	3	A	5	38	16	11	6	41			
					B	42	1	43	43	42	43			アイ×ン①
					C	43	0	43	43	43	43			
7	ポスト	12	4	5	A	12	31	17	18	39				
					B	43	0	43	43	43				
					C	43	0	43	43	43				
8	ポスター	12	6	5	A	9	34	17	18	11	10			
					B	43	0	43	43	43	43			
					C	43	0	43	43	43	43			
9	クレヨン	12.1	5	4	A	6	37	40	7	14	41			
					B	43	0	43	43	43	43			
					C	42	1	42	42	42	43			×××ン①

区分　A 予備テスト　B 指導後　C 3月末

書きの習得状況調査表

番号	指導語	指導 月	指導 時間	指導 機会	区分	評価 完全	評価 不完全	一字一字を完全に書いた数 1	2	3	4	5	6	書き誤った場合のおもな例
1	パン	11	5	4	A	2	41	6	2					パ×④
					B	43	0	43	43					
					C	43	0	43	43					
2	ガム	11	5	2	A	0	43	0	0					
					B	42	1	43	42					
					C	43	0	43	43					ガ×①
3	ザクザク	11	6	3	A	0	43	0	0	0	0			
					B	39	4	40	42	40	42			ゼクゼク②″セク″セク① ザムザム①
					C	42	1	42	43	42	43			″サク″サク①
4	トンネル	11	6	3	A	0	43	0	0	0	0			
					B	38	5	43	43	38	39			トンネ×②　トン××② トン×ル①
					C	41	2	43	43	41	41			トン××②
5	グーグー	12	5	2	A	4	39	14	5	14	4			ググ⑥　グウグウ③ グーうグーう①　欠㉙
					B	39	4	41	41	41	41			ググググ②　ブーブー① クークー①
					C	42	1	42	43	42	43			クークー①
6	アイロン	12	5	3	A	3	40	11	8	7	35			マーア 人＝イ ③
					B	40	3	43	40	40	43			ア××ン③ マイロン①
					C	41	2	41	42	42	42			欠①
7	ポスト	12	5	4	A	5	38	8	9	36				
					B	39	4	40	39	40				ポ×ト①
					C	42	1	42	42	42				欠①
8	ポスター	12	6	3	A	3	40	8	9	6	3			ポスタ②
					B	36	7	40	39	36	40			
					C	41	2	43	43	42	42			ポスー① ポスタ①
9	クレヨン	12.1	4	5	A	1	42	35	2	5	39			クルヨン①　ク×ヨン③ 欠②　クレ ヨン①
					B	28	15	37	30	28	37			ク××ン㉚　×××ン⑤
					C	42	1	43	42	43	43			ク丿ヨン①

番号	指導語	指導 月	指導 時間	指導 機会	区分	評価 完全	評価 不完全	一字一字を完全に読んだ数 1	2	3	4	5	6	読み誤った場合のおもな例
10	アハハハハ	1	6	5	A	33	10	41	33	33	33	33		ア××××⑧
					B	43	0	43	43	43	43	43		
					C	43	0	43	43	43	43	43		
11	コンコン	1.3	4	5	A	18	25	18	43	18	43			×ン×ン㉕
					B	40	3	40	43	40	43			×ン×ン③
					C	42	1	42	43	42	43			×ン×ン①
12	ワンワン	1.3	4	5	A	12	31	12	43	12	43			×ン×ン㉛
					B	43	0	43	43	43	43			
					C	42	1	42	43	42	43			×ン×ン①
13	ドン	1	5	3	A	38	5	38	43					
					B	42	1	42	43					
					C	42	1	42	43					×ン①
14	リレー	1	6	3	A	23	20	43	23	23				
					B	40	3	43	40	40				
					C	42	1	43	42	42				リ××①
15	バトン	1	6	3	A	39	4	39	43	43				
					B	43	0	43	43	43				
					C	42	1	42	43	43				×トン①
16	ピアノ	2	6	4	A	18	25	19	41	20				
					B	43	0	43	43	43				
					C	42	1	42	43	43				×アノ①
17	バス	2	5	4	A	38	5	41	39					
					B	43	0	43	43					
					C	42	1	42	42					欠①
18	ブーブー	2.3	6	7	A	16	27	16	16	16	16			
					B	42	1	42	42	42	42			
					C	41	2	41	41	41	41			

番号	指導語	指導 月	指導 時間	指導 機会	区分	評価 完全	評価 不完全	一字一字を完全に書いた数 1	2	3	4	5	6	書き誤った場合のおもな例
10	アハハハハ	1	3	2	A	33	10	40	34	34	34	34		
					B	42	1	42	43	43	43	43		イハハハハ①
					C	41	2	41	42	42	42	42		マハハハハ① 欠①
11	コンコン	1.3	5	4	A	16	27	16	43	16	43			×ン×ン㉗
					B	41	2	41	43	41	43			×ン×ン②
					C	42	1	42	43	42	43			ヒンヒン①
12	ワンワン	1.3	5	4	A	5	38	5	38	5	38			×ン×ン㉝
					B	39	4	39	41	39	41			
					C	43	0	43	43	43	43			
13	ドン	1	4	2	A	35	8	35	41					
					B	39	4	39	41					
					C	43	0	43	43					
14	リレー	1	5	2	A	13	30	17	27	25				
					B	39	4	41	39	39				
					C	39	4	41	39	40				リーレ① リJー① 欠②
15	バトン	1	4	2	A	26	17	30	39	39				
					B	39	4	39	41	41				
					C	41	2	41	41	41				欠②
16	ピアノ	2	5	3	A	14	29	18	38	17				
					B	42	1	43	42	43				
					C	40	3	41	41	42				ぴアノ① ピマノ① 欠①
17	バス	2	5	3	A	36	7	39	37					
					B	43	0	43	43					
					C	43	0	43	43					
18	ブーブー	2.3	5	3	A	14	29	15	19	15	19			
					B	41	2	41	41	41	41			
					C	40	3	40	40	40	40			

番号	指導語 1 2 3 4 5 6	指導 月	時間	機会	区分	評価 完全	不完全	一字一字を完全に読んだ数 1	2	3	4	5	6	読み誤った場合のおもな例
19	トラック	2	5	4	A	15	28	42	16	15	41			
					B	43	0	43	43	43	43			
					C	41	2	42	41	41	42			ト××ク① 欠①
20	チューチュー	2.3	7	7	A	3	40	11	3	3	11	3	3	
					B	41	2	42	41	41	42	41	41	
					C	40	3	41	40	40	41	40	40	チ××チ××① 欠②
21	カッチン	2	8	5	A	8	35	33	11	11	43			
					B	43	0	43	43	43	43			
					C	43	0	43	43	43	43			
22	キャンキャン	3	5	4	A	30	13	36	30	43	36	30	43	
					B	43	0	43	43	43	43	43	43	
					C	42	1	42	42	42	42	42	42	欠①
23	ライオン	3	5	4	A	23	20	23	40	23	43			
					B	42	1	42	42	42	43			
					C	41	2	41	41	41	43			
24	メーメー	3	4	5	A	28	15	28	28	28	28			欠⑮
					B	43	0	43	43	43	43			
					C	43	0	43	43	43	43			
25	モーモー	3	4	7	A	32	11	32	32	32	32			欠⑪
					B	43	0	43	43	43	43			
					C	43	0	43	43	43	43			

番号	指導語 1 2 3 4 5 6	指導 月	時間	機会	区分	評価 完全	不完全	一字一字を完全に書いた数 1	2	3	4	5	6	書き誤った場合のおもな例
19	トラック	2	6	4	A	6	37	41	14	7	37			
					B	41	2	43	42	41	43			
					C	40	3	41	40	41	41			トレック① 欠②
20	チューチュー	2.3	7	4	A	1	42	5	3	3	5	3	3	
					B	38	5	40	38	38	40	38	38	チュ×チュ×③午ー午ー① 欠③ ツュツュ① チュウチュウ①チッチッ①
					C	33	10	38	37	37	38	37	37	
21	カッチン	2	5	4	A	1	42	30	2	6	39			
					B	40	3	43	40	41	43			
					C	38	5	42	40	40	42			カチン② カツン① カッ午ン① 欠①
22	キャンキャン	3	7	4	A	14	29	20	14	43	20	14	43	
					B	38	5	40	38	43	40	38	43	
					C	40	3	41	40	41	41	40	41	キァンキァン① 欠②
23	ライオン	3	6	3	A	9	34	9	40	9	43			
					B	38	5	39	40	38	43			
					C	36	7	40	41	37	41			ライ×ン③ ライヨン① アイオン① 欠②
24	メーメー	3	5	3	A	18	25	18	18	18	18			欠㉕
					B	43	0	43	43	43	43			
					C	43	0	43	43	43	43			
25	モーモー	3	4	2	A	18	25	18	18	18	18			欠㉕
					B	42	1	42	43	42	43			もーもー①
					C	43	0	43	43	43	43			

4. Cコース

(1) 指導のしかたに関する一覧表

読みの指導に関する表

提出番号	指導語い	提出のよりどころ 教科書	行事	学校生活	家庭生活	指導 月	時間	機会	最初の印象づけ 音声面 経験させる	実物を見せる	音を聞かせる	略画によって	話合い	文字面 カード	板書	大ノート	指導方法 カード使用	板書して読ませる	大ノート使用	プリント練習	短文を作る	動作化する	歌の中で指導	構成活動	他教科との連関	どれだけ提示しておいたか(数字は日数) カード	文字板	黒板	児童の興味の度合
1	パン			○		1.2.3	8	18		○				○			○	○	○	○	○		○	○	音楽	30			○
2	アハハハハ	○				1	6	10	○							○	○	○	○		○		○		音楽	10			○
3	コンコン	○				1.2.3	5	13	○					○			○	○	○		○	○	○	○	理科	7		7	○
4	ワンワン	○				1.2.3	5	12	○					○			○	○	○		○	○	○	○	理科	7		7	○
5	リレー			○		1	6	4					○		○		○	○		○	○	○			体育	10			○
6	ドン			○		1	6	4			○					○	○	○		○	○	○			体育	7			○
7	バトン			○		1	6	4		○				○			○	○		○	○			○	体育	7			
8	クレヨン			○		1.2	5	6		○					○		○	○			○			○	図工	7			
9	バス			○		2.3	5	6				○		○			○	○	○		○			○	図工 理科		40		○
10	ブーブー			○		2.3	5	8					○		○		○	○	○		○			○	図工 理科	7			
11	トラック			○		2	5	5		○				○			○	○			○			○	図工 理科		15		○
12	グーグー			○		2.3	5	7					○	○			○	○			○		○		音楽	7			
13	ザクザク				○	2.3	4	6					○	○			○	○			○	○			理科	5			×
14	カッチン	○				2.3	7	7			○			○			○	○		○	○	○	○		理科 音楽	20			○
15	チューチュー	○				2.3	7	8	○					○			○	○			○	○		○	理科	7			
16	モーモー			○		2.3	5	7			○			○			○	○			○			○	理科	25			
17	メーメー			○		2.3	4	7			○			○			○	○			○		○	○	理科	25			
18	ポスト	○				2	5	5		○				○			○	○	○		○		○	○			20		
19	ポスター		○			2	5	4					○		○		○	○		○	○			○	図工	10			×
20	アイロン				○	3	5	3		○				○			○	○	○		○					15			×
21	ピアノ			○		3	5	3		○				○			○	○			○				音楽	10			
22	ライオン	○				3	6	5					○		○		○	○	○		○			○	図工	15			
23	キャンキャン	○				3	6	6	○					○			○	○			○					10			○
24	トンネル	○				3	5	4					○		○		○	○			○		○	○		7			
25	ガム		○			3	5	3					○	○			○	○	○	○	○				社会	5			

書きの指導に関する表

提出番号	指導語い	提出のよりどころ				指導時機			最初の印象づけ 音声面					最初の印象づけ 文字面			指導方法								他教科との連関	どれだけ提示しておいたか(数字は日数)			児童の興味の度合
		教科書	行事	学校生活	家庭生活	月	時間	機会	経験させる	実物を見せる	音を聞かせる	略画によって	話合い	カード	板書	大ノート	カード使用	黒板に書かせる	ノートに書かせる	プリントによる練習	短文を作る	動作化する	歌の中に入れる	構成活動		カード	文字板	黒板	
1	パン			○		1.3	5	6		○				○			○	○	○	○	○		○	○	音楽	30			○
2	アハハハハ	○				1	5	5	○							○	○	○	○		○		○		音楽	10			○
3	コンコン	○				1.2.3	5	7	○					○			○	○	○		○	○	○	○	理科	7		7	○
4	ワンワン	○		○		1.2.3	7	8	○					○			○	○	○		○	○	○	○	理科	7		7	○
5	リレー			○		1	6	3					○		○		○		○	○	○	○			体育	10			○
6	ドン			○		1	5	4			○					○	○	○	○	○	○	○			体育	7			○
7	バトン			○		1	5	4		○				○			○	○	○	○	○			○	体育	7			
8	クレヨン			○		1	7	4		○					○		○		○		○			○	図工	7			
9	バス			○		2	5	5				○		○			○	○	○		○			○	図工 理科		40		○
10	ブーブー			○		2	4	4					○		○		○	○	○		○			○	図工 理科	7			
11	トラック			○		2	6	4		○				○			○	○	○		○			○	図工 理科		15		
12	グーグー			○		2	5	4					○	○			○		○		○		○		音楽 理科	7			
13	ザクザク				○	2	6	3					○	○			○		○		○	○			理科	5			×
14	カッチン	○				2	5	4			○			○			○	○	○	○	○	○	○		音楽	20			
15	チューチュー	○				2	6	4	○					○			○	○	○		○	○		○	理科	7			×
16	モーモー			○		2	4	3			○			○			○	○	○		○			○	理科	25			
17	メーメー			○		2	4	3			○			○			○	○	○		○		○	○	理科	25			
18	ポスト	○				2	6	4		○				○			○	○	○		○		○	○			20		
19	ポスター		○			2	5	3					○		○		○	○	○	○	○			○	図工	10			×
20	アイロン				○	3	4	3		○				○			○		○		○					15			×
21	ピアノ			○		3	5	3		○				○			○		○		○				音楽	10			×
22	ライオン	○				3	6	3					○		○		○	○	○		○			○	図工	15			
23	キャンキャン	○				3	6	3	○					○			○	○	○		○					10			
24	トンネル	○				3	5	3					○		○		○	○	○		○		○	○		7			×
25	ガム		○			3	5	2					○	○			○	○	○	○	○				社会	5			

— 34 —

— 35 —

(2) 習得状況調査表

区分 A 予備テスト B 指導後 C 3月末

読みの習得状況調査表

番号	指導語	指導 月	指導 時間	指導 機会	区分	評価 完全	評価 不完全	一字一字を完全に読んだ数 1	2	3	4	5	6	読み誤った場合のおもな例
1	パン	1.2.3	8	18	A	16	26	18	17					
					B	42	0	42	42					
					C	42	0	42	42					
2	アハハハハ	1	6	10	A	6	36	7	7	7	7	7		
					B	42	0	42	42	42	42	42		
					C	42	0	42	42	42	42	42		
3	コンコン	1.2.3	5	13	A	12	30	13	15	13	15			
					B	42	0	42	42	42	42			
					C	41	1	41	42	41	42			ワンワン①
4	ワンワン	1.2.3	5	12	A	6	36	7	17	7	17			
					B	42	0	42	42	42	42			
					C	41	1	41	42	41	42			コンコン①
5	リレー	1	6	4	A	7	35	35	7	7				
					B	42	0	42	42	42				
					C	42	0	42	42	42				
6	ドン	1	6	4	A	5	37	5	15					
					B	42	0	42	42					
					C	42	0	42	42					
7	バトン	1	6	4	A	6	36	13	6	16				
					B	41	1	42	41	41				バス①
					C	42	0	42	42	42				
8	クレヨン	1.2	5	6	A	4	38	4	5	7	15			
					B	42	0	42	42	42	42			
					C	41	1	41	41	41	42			
9	バス	2.3	5	6	A	21	21	42	21					
					B	42	0	42	42					
					C	42	0	42	42					

区分 A 予備テスト B 指導後 C 3月末

書きの習得状況調査表

番号	指導語	指導 月	指導 時間	指導 機会	区分	評価 完全	評価 不全完	一字一字を完全に書いた数 1	2	3	4	5	6	書き誤った場合のおもな例
1	パン	1.3	5	6	A	13	29	30	15					パこ③ パん③ パリ② ゚ハン①
					B	42	0	42	42					
					C	42	0	42	42					
2	アハハハハ	1	5	5	A	7	35	7	11	10	11	10		ハハハハハ② マハハハハ① ハハハハハ②
					B	40	2	40	42	42	42	42		
					C	42	0	42	42	42	42	42		
3	コンコン	1.2.3	5	7	A	10	32	15	10	13	10			コこ×ン① コンコン① コソコソ① コリコリ① コんコん① ヒンヒン① ×ン×ン①
					B	40	2	40	42	40	42			
					C	42	0	42	42	42	42			
4	ワンワン	1.2.3	7	8	A	3	39	3	6	3	6			クンクン② ハンハン① タンタン① 欠③ クンクン①
					B	38	4	38	39	38	39			
					C	41	1	41	42	41	42			
5	リレー	1	6	3	A	5	37	9	6	5				リレ×④ リレえ① リ××① リー① 欠① リレ×① リル×① リーレ① リ××①
					B	34	8	41	39	34				
					C	38	4	42	39	38				
6	ドン	1	5	4	A	6	36	8	7					ドン① ×ン① トン① ド×① ×ン①
					B	39	3	41	41					
					C	42	0	42	42					
7	バトン	1	5	4	A	6	36	10	8	7				バトン① バ×ン① バハン① バレン① バ××①
					B	39	3	39	39	41				
					C	42	0	42	42	42				
8	クレヨン	1	7	4	A	3	39	5	5	6	4			クレヨン① クレヨリ① ク×××② クレヨン① 欠① クレ×ン② クレヨン① クトヨン①
					B	38	4	41	39	38	39			
					C	36	6	39	39	37	41			
9	バス	2	5	5	A	25	17	41	25					バ×⑩ バす⑥ バヌ②
					B	42	0	42	42					
					C	40	2	42	40					

番号	指導語 1 2 3 4 5 6	指導 月	時間	機会	区分	評価 完全	不完全	一字一字を完全に読んだ数 1	2	3	4	5	6	読み誤った場合のおもな例
10	ブーブー	2.3	5	8	A	4	38	4	4	4	4			
					B	39	3	39	39	39	39			ゲーゲー② 欠①
					C	39	3	39	39	39	39			ゲーゲー① 欠②
11	トラック	2	5	5	A	9	33	40	11	10	39			
					B	39	3	39	39	39	39			じどうしゃ① 欠②
					C	41	1	42	41	41	41			
12	グーグー	2.3	5	7	A	23	19	33	23	33	23			
					B	38	4	38	38	38	38			ブーブー② 欠②
					C	40	2	40	40	40	40			欠②
13	ザクザク	2.3	4	6	A	16	26	16	40	16	40			ゼクゼク⑧
					B	42	0	42	42	42	42			
					C	42	0	42	42	42	42			
14	カッチン	2.3	7	7	A	6	36	32	10	6	42			
					B	42	0	42	42	42	42			
					C	41	1	41	41	41	41			ガム①
15	チューチュー	2.3	7	8	A	4	38	5	6	4	6	4	4	
					B	42	0	42	42	42	42	42	42	
					C	42	0	42	42	42	42	42	42	
16	モーモー	2.3	5	7	A	11	31	11	11	11	11			
					B	42	0	42	42	42	42			
					C	42	0	42	42	42	42			
17	メーメー	2.3	4	7	A	10	32	10	10	10	10			
					B	42	0	42	42	42	42			
					C	42	0	42	42	42	42			
18	ポスト	2	5	5	A	16	26	16	22	40				パスト⑤
					B	41	1	41	42	42				パスト①
					C	42	0	42	42	42				

番号	指導語 1 2 3 4 5 6	指導 月	時間	機会	区分	評価 完全	不完全	一字一字を完全に書いた数 1	2	3	4	5	6	書き誤った場合のおもな例
10	ブーブー	2	4	4	A	5	37	6	5	6	5			ブ×ブ×② グ×××① 欠③ グーグー① グンゲン① 欠④
					B	36	6	38	36	38	36			
					C	36	6	36	37	36	37			
11	トラック	2	6	4	A	5	37	39	12	5	36			ト××ク㉔ トラ×ク⑤ {トツラク④ トラク① トツ① 欠②} {トラ××② トラ×ク① トツラク① トツク①}
					B	34	8	40	35	34	38			
					C	35	7	42	39	36	38			
12	グーグー	2	5	4	A	5	37	25	5	22	5			グ×グ×⑪ グらグら④ グウグウ① グ×××① ブ×××① ラ゛ーラ゛ー④ 欠④ 欠①
					B	35	7	36	36	35	36			
					C	41	1	41	41	41	41			
13	ザクザク	2	6	3	A	11	31	11	38	11	37			×ク×ク㉕ ざクざク① 欠① ゼクゼク③ ザクゼク① ザクザク① ザタザタ①
					B	41	1	41	41	41	41			
					C	34	8	36	39	35	39			
14	カッチン	2	5	4	A	4	38	27	7	5	40			{×××ン⑰ カ××ン⑩ カッ×ン④ カ×チン①} {カテン① カッチん① カッカッ① カ×××①} カチン⑤ カチッン①
					B	38	4	42	40	39	38			
					C	35	7	42	35	40	42			
15	チューチュー	2	6	4	A	1	41	3	4	1	3	4	1	チュウチュウ① {チュチュ① チーュチーュ① チッチッ① 欠④} {チュチュ② チャンチャン① チンーチンー① チーチー①}
					B	34	8	37	35	34	34	34	34	
					C	36	6	41	37	37	38	36	37	
16	モーモー	2	4	3	A	2	40	8	2	8	2			モ×モ×③ モウモウ② {モーモ① モモー① モモ① 欠①} モーモー①
					B	38	4	40	39	39	38			
					C	41	1	41	42	41	42			
17	メーメー	2	4	3	A	3	39	9	3	8	4			メ×メ×② メエメエ② メーメ③
					B	39	3	42	42	42	39			
					C	42	0	42	42	42	42			
18	ポスト	2	6	4	A	14	28	18	21	38				××ト⑱ ×スト④ ポ×ト① ポヌト② 六スト① ポマと①
					B	39	3	41	40	42				
					C	40	2	41	40	41				

番号	指導語 1 2 3 4 5 6	指導 月	時間	機会	区分	評価 完全	評価 不完全	一字一字を完全に読んだ数 1	2	3	4	5	6	読み誤った場合のおもな例
19	ポスター	2	5	4	A	9	33	16	22	9	9			××タ⑮(ゆう)
					B	42	0	42	42	42	42			
					C	41	1	42	42	41	41			
20	アイロン	3	5	3	A	14	28	38	21	17	42			
					B	42	0	42	42	42	42			
					C	42	0	42	42	42	42			
21	ピアノ	3	5	4	A	15	27	18	38	17				
					B	39	3	39	39	39				
					C	40	2	40	42	40				
22	ライオン	3	6	5	A	17	25	38	20	24	42			
					B	40	2	40	40	40	42			
					C	37	5	38	39	37	42			
23	キャンキャン	3	6	6	A	26	16	33	30	42	33	30	42	
					B	42	0	42	42	42	42	42	42	
					C	41	1	41	42	42	41	42	42	チャンチャン①
24	トンネル	3	5	4	A	15	27	42	42	15	19			
					B	42	0	42	42	42	42			
					C	42	0	42	42	42	42			
25	ガム	3	5	3	A	13	29	34	13					
					B	42	0	42	42					
					C	42	0	42	42					

番号	指導語 1 2 3 4 5 6	指導 月	時間	機会	区分	評価 完全	評価 不完全	一字一字を完全に書いた数 1	2	3	4	5	6	書き誤った場合のおもな例
19	ポスター	2	5	3	A	3	39	14	21		5			ポス×ア③ ポス××② ポスタ① ポスクー①
					B	35	7	40	39	38	37			ポスタア① ポマター① ポスト① ポク①
					C	36	6	40	40	38	39			ポスクー② ポマター①
20	アイロン	3	4	3	A	20	22	36	25	21	40			ア××ン⑩ アイ×ン③ ×××ン③ アイルン①
					B	38	4	40	40	38	39			アイ××① ア×××① マイロン① 欠①
					C	37	5	41	39	38	40			ア××ン② ア×××① アイ×ン①
21	ピアノ	3	5	3	A	16	26	20	28	22				×ア×⑥ ×アノ③ ピア×① ×アノ① 欠⑩
					B	37	5	37	37	37				ポ××② 欠③
					C	35	7	38	38	37				ポア×① ピ×ノ① [illegible]アノ① ピア×①
22	ライオン	3	6	3	A	15	27	33	22	25	38			ラ×オン⑥ ライ×ン④ ×××ン④ ラ××ン①
					B	38	4	40	40	38	38			ライ××① ライ×ン① ラ××ン① 欠①
					C	36	6	39	40	39	41			ライ×ン① ラ×オン① フイオン①
23	キャンキャン	3	6	3	A	20	22	28	24	39	24	24	25	××ン××ン⑧ キャンキャン③キャンきャン②
					B	42	0	42	42	42	42	42	42	
					C	40	2	42	42	40	40	40	40	キヤキヤ②
24	トンネル	3	5	3	A	4	38	38	39	5	14			トン××⑱ トン×ル⑪ トン×[illegible]②
					B	38	4	40	40	38	38			トン××④
					C	35	7	42	41	37	36			トン××③ トンネロ① トン六ル①
25	ガム	3	5	2	A	13	29	34	13					ガ×⑰ ガマ② ガン② 欠⑦
					B	42	0	42	42					
					C	41	1	42	41					ガ[illegible]①

5. 3月末における習得率一覧表

番号	指導語い ＼ コース ＼ 区分	読み A	読み B	読み C	書き A	書き B	書き C
1	ドン	100	98	100	100	100	100
2	リレー	98	98	100	86	91	90
3	バトン	100	98	100	100	95	100
4	パン	100	100	100	100	100	100
5	ガム	100	100	100	98	100	98
6	モーモー	100	100	100	98	100	98
7	ザクザク	100	100	100	88	98	81
8	バス	100	98	100	100	100	95
9	ブーブー	100	95	93	100	93	86
10	トンネル	100	100	100	88	95	83
11	アイロン	100	100	100	93	95	88
12	ポスト	100	100	100	93	98	95
13	ポスター	100	100	98	86	95	86
14	クレヨン	98	98	98	93	98	86
15	アハハハハ	100	100	100	100	95	100
16	コンコン	100	98	98	98	98	100
17	ワンワン	91	98	98	91	100	98
18	キャンキャン	98	98	98	86	93	95
19	ピアノ	98	98	95	93	93	83
20	トラック	100	95	98	84	93	83
21	チューチュー	98	93	100	93	77	86
22	カッチン	100	100	98	86	88	83
23	ライオン	95	95	88	91	84	86
24	メーメー	100	100	100	91	100	100
25	グーグー	93	100	95	91	98	98
平均		99	98	98	93	95	92

6. 結果の考察

(1) 最初の印象づけを，実際に経験させたり，具体物と直結させたりして印象づけて指導した語は習得率がよい。

例 ドン，パン，バトン，ガム，アハハハハ，バス

(2) 歌の中に入れて指導したり，動作化したりして興味づけて指導した語も習得率がよい。

例 アハハハハ，グーグー，メーメー

(3) 字形の簡単な文字で構成された語，文字数の少ない語は習得率がよい。

例 ドン，パン，バス，メーメー，モーモー，コンコン

(4) 遅進児は，読みはよく習得しているが，書きの習得は不確実である。(60～70％習得している）誤った例としては，

イ 語形のよく似た語の混同

例 ワンワン→クンクン→コンコン，ブーブー→グーグー

ロ 複雑な字形の文字の間に長音記号のはいった語

例 チューチュー，ポスター，リレー

ハ よう音，促音のはいった語

例 トラック，カッチン，チューチュー

(5) Cコースは，2月下旬以後の指導語の習得率が，しだいに悪くなっている。これは，指導語数が指導期間に比べて多すぎたためである。

(6) 習得率の順位は，読みA，B，C，書きB，A，Cであるが，その差はきわめてわずかである。

Ⅲ　かたかな71文字の読み書き能力に関する調査表

かたかな71文字の読み書き能力に関する調査は，学年初めの４月，指導の始期，学年末の３月の３回にわたって行った。４月はかたかな指導を全然行っていない時期の調査であり，指導の始期は４月以後のかたかなの自然習得を考慮して，かたかな指導始期の実態の調査であり，３月は25のかたかな語を指導したあとの調査である。９月はＡコースの指導の始期であり，11月はＢコースの指導の始期，１月はＣコースの指導の始期である。

調査は昭和27年３月文部省が行ったものと，同一の基準・方法で行った。

1.　１字１字の習得率

○印　指導文字

番号	文字	コース	読み(%) 4月	9月	11月	1月	3月	書き(%) 4月	9月	11月	1月	3月
1	○ハ	A	9	30			100	0	26			100
		B	7		16		100	0		9		100
		C	7			38	93	5			21	90
2	○オ	A	12	23			98	0	12			98
		B	5		16		100	0		7		88
		C	7			31	95	5			14	83
3	○ル	A	12	21			100	0	9			88
		B	5		9		100	0		0		91
		C	5			17	90	0			7	71
4	○ツ	A	9	16			84	0	0			86
		B	0		2		81	0		0		84
		C	2			7	67	2			2	45
5	テ	A	7	19			53	0	0			42
		B	0		5		56	0		0		35
		C	7			10	55	0			0	33
6	○ヤ	A	26	67			100	0	14			95
		B	28		56		98	0		5		84
		C	31			76	98	2			17	100
7	サ	A	23	30			79	0	5			79
		B	7		14		95	0		2		79
		C	5			21	81	2			10	62
8	○ロ	A	12	23			84	0	0			86
		B	0		7		91	0		2		95
		C	5			12	86	2			2	76
9	マ	A	9	19			79	0	16			70
		B	0		5		79	0		0		77
		C	10			14	52	2			2	33
10	ヌ	A	2	9			53	0	0			35
		B	0		0		30	0		0		19
		C	2			7	43	2			0	26
11	ソ	A	5	12			47	0	2			35
		B	0		0		44	0		0		33
		C	2			2	33	2			2	31
12	シ	A	7	9			70	0	5			58
		B	0		0		49	0		0		37
		C	2			10	52	0			5	43
13	エ	A	9	28			72	0	12			65
		B	2		12		49	0		5		35
		C	7			21	58	0			7	26
14	○ノ	A	7	26			95	0	9			79
		B	2		12		98	0		2		91
		C	5			19	88	5			14	88
15	○イ	A	12	26			100	0	9			91
		B	5		21		98	0		9		91
		C	5			21	93	2			7	86

No.	文字											
16	○ア	A	14	33			100	0	12			98
		B	2		14		98	0		7		91
		C	5			14	98	2			7	88
17	ヒ	A	12	26			91	0	2			67
		B	7		12		84	0		0		79
		C	5			14	69	2			5	48
18	○リ	A	42	84			100	0	23			91
		B	49		88		100	0		9		98
		C	38			90	100	7			2	95
19	○レ	A	5	16			95	0	16			95
		B	0		0		95	0		0		93
		C	2			10	93	2			5	69
20	○コ	A	16	33			100	0	5			67
		B	5		14		98	0		5		84
		C	5			26	93	2			12	74
21	ミ	A	19	33			81	0	14			60
		B	5		12		79	0		0		44
		C	10			24	60	0			7	31
22	○ト	A	19	26			100	0	16			95
		B	5		14		100	0		0		95
		C	5			24	100	2			5	93
23	○チ	A	9	12			98	0	0			84
		B	0		0		98	0		0		93
		C	2			7	98	2			2	74
24	○タ	A	14	26			95	0	7			84
		B	2		7		95	0		2		86
		C	2			5	90	5			7	58
25	○ラ	A	9	12			100	0	0			93
		B	7		7		91	0		0		93
		C	5			19	93	0			10	88
26	フ	A	12	12			72	0	0			72
		B	0		2		81	0		0		67
		C	2			14	62	0			5	45

No.	文字											
27	○メ	A	14	12			100	0	2			88
		B	2		7		100	0		0		84
		C	2			10	100	2			2	88
28	ホ	A	9	28			98	0	2			60
		B	5		7		88	0		0		51
		C	5			14	83	0			5	52
29	○ワ	A	7	12			63	0	0			56
		B	0		0		98	0		0		77
		C	2			10	98	2			5	55
30	ナ	A	7	16			51	0	2			44
		B	2		7		49	0		0		51
		C	2			10	48	0			5	33
31	○ン	A	7	19			100	0	5			93
		B	5		14		100	0		2		93
		C	5			21	100	2			7	100
32	○ヨ	A	12	21			95	0	5			95
		B	2		5		93	0		0		91
		C	5			21	95	0			2	71
33	ケ	A	9	14			58	0	2			44
		B	0		5		49	0		0		26
		C	2			7	36	2			0	24
34	○ム	A	5	12			100	0	2			84
		B	0		2		98	0		0		93
		C	2			10	93	0			0	69
35	○ユ	A	9	14			84	0	7			77
		B	0		0		86	0		0		72
		C	2			12	90	0			5	58
36	○ス	A	12	3			98	0	7			95
		B	7		19		100	0		0		86
		C	5			14	100	0			0	81
37	ニ	A	14	74			100	0	5			63
		B	0		23		84	0		2		51
		C	14			64	100	2			7	55

38	ヲ	A	5	14			28	0	2			44
		B	0		0		26	0		0		19
		C	2			7	21	0			0	24
39	○ネ	A	9	16			100	0	2			77
		B	0		9		98	0		0		91
		C	2			7	93	0			0	62
40	セ	A	21	30			70	0	2			44
		B	0		21		79	0		0		28
		C	19			29	71	0			2	43
41	ウ	A	16	33			74	0	7			56
		B	0		9		60	0		0		47
		C	2			10	60	2			7	24
42	○モ	A	7	14			100	0	5			91
		B	0		16		100	0		12		93
		C	2			21	98	0			2	88
43	○キ	A	28	70			100	0	21			79
		B	23		51		100	0		9		88
		C	17			64	98	7			12	98
44	ヘ	A	30	81			100	0	12			72
		B	37		72		100	0		5		86
		C	36			83	100	5			14	88
45	○ク	A	12	21			95	0	5			86
		B	2		12		95	0		0		84
		C	10			10	88	2			5	76
46	○カ	A	33	88			100	0	21			95
		B	44		58		98	0		14		98
		C	29			81	100	10			33	100
47	ダ	A	16	21			93	0	7			84
		B	2		9		91	0		0		70
		C	5			12	69	2			5	52
48	ビ	A	12	21			91	0	5			72
		B	5		5		93	0		0		88
		C	7			7	74	5			5	58

49	○ガ	A	23	81			100	0	5			84
		B	35		63		100	0		7		95
		C	29			69	100	0			12	90
50	ジ	A	7	12			79	0	5			49
		B	2		2		63	0		0		35
		C	2			19	69	0			5	36
51	ズ	A	16	26			98	0	2			77
		B	5		7		74	0		0		67
		C	2			12	79	2			0	50
52	ベ	A	26	74			100	0	7			84
		B	28		70		100	0		2		84
		C	19			81	100	5			10	79
53	○グ	A	14	16			93	0	2			81
		B	0		5		95	0		0		95
		C	7			10	86	2			5	69
54	ゼ	A	21	42			81	0	2			37
		B	0		19		77	0		0		58
		C	17			31	67	0			2	45
55	○ド	A	19	30			100	0	12			91
		B	5		14		98	0		0		91
		C	5			21	100	2			7	88
56	○バ	A	9	21			98	0	14			91
		B	7		19		98	0		5		93
		C	7			26	100	2			12	88
57	ゴ	A	16	30			98	0	5			79
		B	5		14		93	0		0		72
		C	10			29	81	2			10	62
58	○ザ	A	14	23			98	0	5			84
		B	5		16		100	0		0		88
		C	5			17	93	0			5	71
59	ヂ	A	7	12			88	0	2			53
		B	0		0		67	0		0		21
		C	5			7	83	0			0	21

60	○ブ	A	9	16			95	0	2			84
		B	2		2		98	0		0		79
		C	2			12	83	0			5	76
61	ギ	A	26	70			98	0	7			77
		B	9		44		98	0		2		84
		C	14			69	98	5			10	74
62	ヅ	A	5	7			58	0	0			37
		B	0		0		37	0		0		14
		C	2			7	52	2			0	40
63	デ	A	12	9			44	0	0			28
		B	0		2		40	0		0		21
		C	2			10	52	0			0	45
64	ボ	A	9	26			95	0	0			60
		B	2		12		91	0		0		51
		C	5			17	76	0			7	69
65	ゲ	A	7	14			51	0	0			33
		B	0		2		51	0		0		16
		C	2			7	38	2			2	24
66	ゾ	A	9	9			30	0	2			26
		B	0		0		42	0		0		26
		C	2			5	36	2			2	24
67	○パ	A	9	28			100	0	12			93
		B	5		19		100	0		5		95
		C	7			36	100	0			17	98
68	○ポ	A	12	28			98	0	0			91
		B	7		9		100	0		0		84
		C	5			21	100	0			7	86
69	○ピ	A	14	33			98	0	5			86
		B	5		14		100	0		0		86
		C	10			14	93	5			5	67
70	ペ	A	23	63			95	0	7			72
		B	14		51		100	0		0		67
		C	12			74	100	7			10	64

Ⅲ かたかな71文字の読み書き能力に関する調査表

71	プ	A	12	16			98	0	0			56
		B	5		7		79	0		0		47
		C	5			14	64	0			5	45
平均		A	14	28			86	0	6			73
		B	4		11		84	0		1		70
		C	7			24	81	2			6	63

2. 71文字の平均習得率

読み書き／調査の月／コース	読み 4月	読み 指導始期	読み 3月	書き 4月	書き 指導始期	書き 3月
	清 濁 半	清 濁 半	清 濁 半	清 濁 半	清 濁 半	清 濁 半
A (9月)	13 14 14 13%	28 28 34 28%	85 84 98 86%	0 0 0 0%	7 5 5 6%	76 65 73 73%
B (11月)	6 6 7 6%	15 15 20 15%	85 80 96 84%	0 0 0 0%	2 1 1 1%	73 62 76 70%
C (1月)	7 8 8 7%	23 23 32 24%	82 77 91 81%	2 2 2 2%	7 5 9 6%	64 58 72 63%

・成績順位は，A，B，Cである。

3. 指導した文字と，指導しない文字の習得率

○指導した37文字の習得率は平均して次のとおりである。

コース／読み書き	読み	書き
A コ ー ス	96%	87%
B コ ー ス	98%	90%
C コ ー ス	96%	79%

・成績順位は，B，A，Cである。

○指導しない34文字の習得率は平均して次のとおりである。

コース／読み書き	読み	書き
A コ ー ス	75%	59%
B コ ー ス	70%	50%
C コ ー ス	65%	44%

・成績順位は，A，B，Cである。

4. 指導した37文字の習得状況 (%)

読み書き	区分／コース	100 ～ 90	89～80	79～70	69～60	59～50	49～40
	Aコース 習得率 96%	ハ オ ル ヤ ノ イ ア リ レ コ ト チ タ ラ メ ン ヨ ム ス ネ モ キ ク カ ガ グ ド バ ザ ブ パ ピ ポ	ツ ロ ワ ユ				

読み書き	区分／コース	100 ～ 90	89～80	79～70	69～60	59～50	49～40
読み	Bコース 習得率 98%	パ ン ザ ト ル ポ ス ハ リ ピ キ オ メ モ ガ ネ ア イ コ ワ ド バ ノ ブ チ カ ヤ ム ク グ タ レ ヨ ロ ラ	ユ ツ				
読み	Cコース 習得率 96%	ド ン リ レ バ ト パ ガ ム モ ザ ス ネ ル ア イ ポ タ ヨ ハ コ ワ キ ヤ ピ ラ チ カ オ メ ユ	ク ブ ロ ノ グ		ツ		
書き	Aコース 習得率 87%	ハ オ ヤ イ ア リ レ ト ラ ン ヨ ス モ カ ド バ パ ポ	ル ツ ロ チ タ メ ム ク ガ グ ザ ブ ピ	ノ ユ ネ キ	コ	ワ	
書き	Bコース 習得率 90%	ハ リ カ グ パ ロ ト ガ バ レ ン ラ チ モ ム イ ル ザ ド ヨ ア ネ ノ	ピ キ オ タ ス ク コ ツ ポ ヤ メ	ブ ワ ユ			
書き	Cコース 習得率 79%	ン リ ト パ ガ ハ キ ヤ カ	ド バ モ ス ア イ ポ ヨ ノ ラ オ メ	ザ ク ブ ル ロ コ チ	レ ム ネ ピ グ	タ ワ ユ	ツ

(1) 指導した文字は，よく習得している。特に読みの習得は，ほとんど完全である。

(2) 最初の印象づけや，指導の方法をくふうした文字の習得率はよい。指導にあたっては，機械的に練習させるより，効果的な提示法のくふうが必要である。

(3) ひん度が多かった文字は習得率がよい。ンは指導した11語の中に含まれており，習得率は読み100%，書き95%である。またトは指導語4語で，読み100%，書き95%である。

(4) 清，濁，半濁の音別による習得率の差異はほとんど認められない。

(5) 次のようなものは習得率がよい。

(イ) ひらがなと字形が似ているもの，リ，モ，ヤ，カ。

(ロ) 語の第１文字。

(6) 次のようなものは習得率がよくない。

(イ) 促音，よう音に使用された文字，ツ，ユ。

(ロ) 字形のよく似ているものは混同している。グとブ，クとワとタ。

(ハ) 複雑な字形。

5. 指導しない34文字の習得状況 （%）

読み書き	コース＼区分	100～90	89～80	79～70	69～60	59～50	49～40	39～30	29～20	19～10
読み	Aコース 習得率 75%	ヒ ホ ニ ヘ ダ ビ ズ ベ ゴ ギ ボ ペ プ	ミ ゼ ヂ	サ マ シ フ セ ウ ジ	エ	テ ナ ケ ヅ ゲ	デ	ヌ ソ ゾ	ヲ	
	Bコース 習得率 70%	サ ヘ ダ ビ ベ ゴ ギ ボ ペ	ヒ フ ホ ニ	マ ミ セ ズ ゼ プ	ウ ジ ヂ	テ ゲ	ソ シ エ ナ ケ デ ゾ	ヌ ヅ	ヲ	
	Cコース 習得率 65%	ニ ヘ ペ ギ ぺ	サ ホ ゴ ヂ	ミ セ ビ ズ ボ	テ ヒ フ ウ ダ ジ ゼ プ	マ シ エ ヅ デ	ヌ ナ	ソ ケ ゲ ゾ	ヲ	
書き	Aコース 習得率 59%		サ ダ ベ	マ エ フ ヘ ビ ズ ゴ ギ ペ	ヒ ミ ホ ニ ボ	ヌ シ ヂ プ	テ ソ ナ ケ ヲ セ ウ ジ	ヅ ゲ ゼ	デ ゾ	
	Bコース 習得率 50%		ヘ ビ ベ ギ	サ マ ヒ ダ ゴ	フ ズ ペ	ホ ナ ニ ゼ ボ	ミ ウ プ	テ ソ シ エ ジ	ケ セ ヂ デ ゾ	ヌ ヲ ヅ ゲ
	Cコース 習得率 44%		ヘ	ベ ギ	サ ゴ ボ ペ	ホ ニ ダ ビ ズ	シ ヒ フ セ ゼ ヅ デ プ	テ マ ソ ミ ナ ジ	ヌ エ ケ ヲ ウ ヂ ゲ ゾ	

指導しないが習得率のよかった文字とそのよかった理由と思われるもの

は，次のとおりである。

(1) ひらがなと字形が似ているもの。

ヘ—へ，ベ—べ，ゼ—ぜ，ギ—ぎ，ペ—ぺ

(2) 漢字との関連が深いもの。

ニ—二，ミ—三

(3) 清音・濁音・半濁音の関係で理解したもの。

サ—ザ，ヒ—ピ，フ—ブ，ホ—ボ，ダ—タ，ビ—ピ，ズ—ス，ゴ—コ，ギ—キ，ボ—ポ，プ—ブ

(4) 既習の文字と似ているために習得したもの。

マ—ア

(5) 環境で習得したもの。

ノート，五十音表，看板，広告，読書，家庭での指導。

これらの理由によって，指導しない文字でも読みの習得は相当によいが，書きはそれほどよくない。習得率の順位はA，B，Cである。これは学級構成のメンバーにもよるが，かたかな学習の期間の長短が関係していると思われる。

6. １字ずつ読ませた場合の誤答の傾向調査

(1) 漢字との混同。

ターゆう，ローくち，ナーじゅう，エーつち，ヨー山(やま)

(2) ひらがなとの混同。

サーせ，ネーえ，レーし

(3) 字形の似ているものの混同。

セーサ，アーマ，スーヌ，グーダ，ワークーフ，ラーウ，ツーシ，コーユ，チーテ，メーナ，ソーリーン，グーブ

(4) その文字が含まれていた語の他の文字との混同。

ユーチュ（チューチューで指導した）

ムーガ（ガムで指導した）

(5) 清音・濁音・半濁音の関係で誤っているもの。

パーハ

(6) 発音の不完全（幼児語）による誤り。

7. 1字ずつ書かせた場合の誤答の傾向調査

(1) 漢字との混同。

ヒー日，火，メー目，ヤー山，ター田，ヨー用，ホー本，テー手，キー木，ナー中，コー子，デー手゛，出，ニー西，ボー木゛，本゛，ポー木゜，本゜

(2) 左右を反対に書いたもの。

ヨーE，レーし，コーC，サーせ，ミーシ，ヒーヨ

アーて，ゴーC゛，ザー゛せ，ぜ

(3) ひらがなとの混同。

カーか，モーも，セーせ，ヤーや，リーり，キーき，ウーう，ヘーへ，ケーけ

(4) 点画の不正確なもの。

アーマ，　ワーク，　ネーえ，不，　ユーリ，　ヒーセ，　スーヌ，　ツーシ，　ツ，　ルール，　チー千，　手，　フーク

(5) 同じような字形の混同。

シーツ，ンーソ，ラーウ，フース，メーナ，フーク，クーワ

(6) 発音が似ているため。

ウーン，ヲーオ

(7) 濁音・半濁音・清音の混同。

キーギ，ヘーペ，ベーヘ，ゴーコ

(8) 助詞使用の不正確から。

ワーハ，エーヘ

(9) 幼児語による誤り。

シーヒ，キーチ，ゾード

IV その他の調査表

1. かたかな指導の始期に関する調査表

かたかな指導の始期におけるひらがな習得状況調査表と，かたかな習得調査表と対照してみると，この地域では，1年生のいつごろからかたかなの指導を始めたらよいか，だいたいの見当をつけることができる。

(1) かたかな指導の始期に，ひらがなの書きの習得が，71文字中49文字以下の児童は，Aコース26%，Bコース12%，Cコース0%で，Aコースは，ひらがな習得前に「かたかな」が提出される児童が最も多く，児童の負担が重い。しかし，構成メンバーのややすぐれているAコースは，9月のかたかな指導始期には，ひらがなの読みは，ほとんど完全に習得している。

(2) Cコースは，ほとんどひらがなを習得してから，かたかなの指導にはいっているが，一語の指導期間が，A，B両コースに比べて短かく，遅進児のかたかな習得成績はよくない。

(3) Aコースのひらがな遅進児も，かたかなを指導して，3か月後の12月にはひらがなの読みの習得が完全になり，2月には書きもほとんど完全になっている。9月～12月のひらがな習得時期にも，ひらがなとかたかなの混同はほとんどなく，かたかな指導がひらがなの習得に大きな障害となっていることは考えられない。

（ただ，ひらがなの書きの習得度の伸びが，9月から12月にかけて，やや

ゆるやかであるようにも思われる。これは，やはり，かたかなを同時に指導した結果であろうか。）

(4) A，B両コースの遅進児の3月末のかたかな習得状況をみると，

イ 指導した37文字の60～70%のかたかなが書けている。

ロ Aコースの遅進児は，このほかに指導しない34文字の20～30%の文字を書いている。Bコースの遅進児は，この点Aコースのそれに劣っている。

かたかな指導始期におけるひらがなの実態

コース ＼ 読み書き 清,濁,半	読み 清音	読み 濁音	読み 半濁音	書き 清音	書き 濁音	書き 半濁音
A （9月）	97	94	79	92	79	65
	96%			87%		
B （11月）	97	97	90	94	85	77
	96%			90%		
C （1月）	100	98	96	99	98	93
	99%			98%		

かたかな指導始期におけるひらがな習得段階分配表　（人　数）

<読　み>

コース ＼ 文字区分	0～9	10～19	20～29	30～39	40～49	50～59	60～69	70～71
A（9月）	0	1	1	1	0	1	12	27
B（11月）	0	0	1	1	1	1	3	36
C（1月）	0	0	0	0	0	0	3	39

<書　き>

文字区分／コース	0～9	10～19	20～29	30～39	40～49	50～59	60～69	70～71
A（9月）	0	1	3	2	5	0	16	16
B（11月）	1	0	2	0	2	4	4	30
C（1月）	0	0	0	0	0	1	8	33

3 月末におけるかたかな習得者の分布状況　（人　数）

<読　み>

文字区分／コース	0～9	10～19	20～29	30～39	40～49	50～59	60～69	70～71
A	0	0	0	1	5	9	17	11
B	0	1	0	0	6	10	16	10
C	0	0	3	1	5	13	9	11

<書　き>

文字区分／コース	0～9	10～19	20～29	30～39	40～49	50～59	60～69	70～71
A	0	0	1	8	8	13	12	1
B	0	1	3	3	12	14	7	3
C	0	4	7	8	6	7	6	4

2. 学習したかたかな語に関する習得状況調査の正答点数分布表

指導した25語いの点数別分布　（％）

区分／コース／点数	読み A	読み B	読み C	書き A	書き B	書き C	区分／コース／点数	読み A	読み B	読み C	書き A	書き B	書き C
1							14				2		5
2							15					2	
3							16			2			
4							17	2					
5							18						
6							19				9		5
7							20				2		7
8							21				5	2	5
9							22		2	2	2		10
10							23	5	2	5	12	16	5
11					2		24	5	2	7	30	2	
12						2	25	88	92	84	35	74	62
13		2		2	2								

3. 優秀児と遅進児の習得に関する表

（1） かたかなの習得率の優秀なこどもの習得状況

A コ ー ス

番号	氏名	性別	知能指数	国語偏差値	習得状況 読み 4月	読み 9月	読み 3月	書き 4月	書き 9月	書き 3月	どのような方法で習得したか
1	M. I	男	105	71	70	70	71	0	11	67	非常に本を読むのが好きで入学前にひらがなを全部習得し，かたかな文字が出てくると母に聞いては覚えた。
2	M. T	男	103	56	14	60	71	0	34	63	友だちがかたかな文字を読んでいるのを見て家でおばあちゃんに教わった。
3	Y. U	男	123	60	70	70	71	0	30	67	積み木の表裏面のかたかな，ひらがなの文字で覚えた。

番号	氏名	性別	知能指数	国語偏差値	読み 4月	読み 11月	読み 3月	書き 4月	書き 11月	書き 3月	どのような方法で習得したか
4	T. I	女	97	63	54	67	71	0	24	68	父母ともに教養があり家庭環境にもめぐまれており，かるた・本などで覚えた。
5	U. Y	女	79	57	57	62	71	0	20	63	6年生のにいさんに勉強を教わり，それで覚えた。
6	K. Y	女	83	50	32	66	71	0	16	66	母が勝気な人で母が教え込んだ。

B コ ー ス

番号	氏名	性別	知能指数	国語偏差値	習得状況						どのような方法で習得したか
					読み			書き			
					4月	11月	3月	4月	11月	3月	
1	M. Y	男	103	64	5	23	71	0	0	71	姉さんに教えてもらいながら積木で覚えた。
2	Y. M	男	102	71	23	71	71	0	4	71	本を読むことが非常に好きで母に聞きながら，読むうちに覚えた。
3	H. I	男	108	69	19	26	71	0	6	71	かたかな71文字のテストからしげきされ，ノート五十音表で勉強した。

C コ ー ス

番号	氏名	性別	知能指数	国語偏差値	習得状況						どのような方法で習得したか
					読み			書き			
					4月	1月	3月	4月	1月	3月	
1	Y. S	男	136	72	25	61	71	6	25	71	・ノートの五十音図で ・パン・ラジオ等の語いを作文によく使う。
2	H. O	女	139	70	33	66	71	11	40	71	・入学前は積み木あそびで ・入学後は弟にひらがなを教える時自分はその積み木でかたかなを覚えた。
3	R. S	女	127	76	69	71	71	40	39	71	・兄に教えられる。 ・絵本・新聞で覚える。

（2） かたかなの習得率のよくないこどもの習得状況

A コ ー ス

番号	氏名	性別	知能指数	国語偏差値	ひらがなの習得状況								かたかなの習得状況					
					読み				書き				読み			書き		
					4月	9月	12月	3月	4月	9月	12月	3月	4月	9月	3月	4月	9月	3月
1	I. N	男	100	48	2	54	71	71	0	29	68	71	0	8	53	0	0	47
2	T. N	男	80	37	0	27	70	71	0	11	53	67	0	0	48	0	0	39
3	K. O	男	79	47	38	67	71	71	22	45	67	71	1	6	53	0	0	36
4	M. Y	男	103	51	6	29	65	71	2	28	64	71	0	3	60	0	0	56
5	Y. M	男	79	42	2	65	71	71	0	48	70	71	0	9	57	0	0	41
6	K. K	男	82	33	0	32	70	71	0	19	53	66	0	4	39	0	0	30
7	Y. K	男	80	48	10	66	71	71	2	38	58	71	0	4	46	0	0	34
8	Y. K	男	83	48	8	61	71	71	3	42	55	68	0	7	48	0	0	35
9	T. K	女	71	39	0	71	71	71	0	38	60	71	0	8	53	0	0	43
10	M. T	女	75	83	5	71	71	71	0	49	58	71	0	5	53	0	0	49
11	T. N	女	70	42	7	71	71	71	0	42	50	62	0	7	46	0	1	35
12	M. S	男	77	26	7	70	71	71	0	38	67	67	1	10	42	0	0	28

B コ ー ス

番号	氏名	性別	知能指数	国語偏差値	ひらがなの習得状況								かたかなの習得状況					
					読み				書き				読み			書き		
					4月	7月	11月	3月	4月	7月	11月	3月	4月	11月	3月	4月	11月	3月
1	S. U	男	86	43	3	67	71	71	2	20	57	69	0	1	46	0	1	40
2	I. O	男	55	41	3	32	66	71	0	7	36	68	0	2	45	0	0	25
3	K. N	男	83	47	2	13	64	71	0	8	25	69	0	3	51	0	0	42
4	K. S	男	74	44	2	21	58	71	0	12	49	71	0	5	48	0	0	37
5	N. F	女	65	35	0	4	35	71	0	1	4	46	0	1	20	0	0	25
6	S. O	女	54	39	0	11	49	71	0	7	49	70	0	1	45	0	0	28
7	N. F	女	91	46	4	33	67	71	4	28	53	71	1	4	55	0	0	27
8	S. I	女	89	52	29	58	69	71	6	32	59	71	1	3	51	0	0	39
9	F. K	男	85	48	0	35	70	71	0	27	56	65	0	2	43	0	0	30

C コ ー ス

番号	氏名		性別	知能指数	国語偏差値	ひらがなの習得状況 読み 4月	9月	12月	3月	ひらがなの習得状況 書き 4月	9月	12月	3月	かたかなの習得状況 読み 4月	1月	3月	かたかなの習得状況 書き 4月	1月	3月
1	T.	S	男	85	43	0	69	71	71	0	44	68	69	0	15	56	0	0	39
2	U.	K	男	61	36	0	34	64	68	0	15	61	66	0	7	23	0	0	17
3	H.	O	男	73	40	0	19	71	71	0	17	68	70	0	8	54	0	0	28
4	K.	T	男	69	40	8	34	70	71	0	31	68	70	2	12	26	0	0	16
5	K.	M	女	75	36	0	31	64	69	0	17	67	68	0	2	51	0	0	35
6	Y.	I	女	72	40	4	42	70	71	0	33	69	71	3	3	47	0	0	20
7	U.	H	女	75	39	0	18	70	71	0	17	69	71	0	0	33	0	0	18
8	H.	N	女	56	38	3	24	60	67	0	12	54	63	0	1	25	0	0	21
9	M.	E	女	59	37	7	32	70	71	0	20	68	71	0	1	40	0	0	26

4. 知能検査・国語標準学力検査結果表

各コース別知能検査結果表

(低学年用田中B式) %

知能段階 / コース	最優	優	中の上	中	中の下	劣	最劣
A コ ー ス	0	2	2	33	49	14	0
B コ ー ス	0	0	12	37	37	7	7
C コ ー ス	2	7	9	29	29	17	7

31. 2. 6 実施

各コース別国語標準学力検査結果表

(田中教育研究所) %

知能段階 / コース	最優	優	中の上	中	中の下	劣	最劣
A コ ー ス	0	7	26	40	21	7	0
B コ ー ス	2	5	33	44	16	0	0
C コ ー ス	2	10	26	34	26	2	0

31. 2. 8 実施

5. 父母の学歴程度に関する表

・父

学歴 / 区分	大学、高専卒	中学卒	高小卒	尋卒	尋常科中退
A コ ー ス	2	5	29	7	0
B コ ー ス	0	2	33	8	0
C コ ー ス	1	3	30	5	2
合計	3	10	92	20	2

・母

学歴 / 区分	大学、高専卒	中学卒	高小卒	尋卒	尋常科中退
A コ ー ス	1	6	26	9	1
B コ ー ス	0	2	30	10	1
C コ ー ス	0	9	16	12	5
合計	1	17	72	31	7

・総　計

学歴 / 区分	大学、高専卒	中学卒	高小卒	尋卒	尋常科中退
A コ ー ス	3	11	55	16	1
B コ ー ス	0	4	63	18	1
C コ ー ス	1	12	46	17	7
合計	4	27	164	51	9

6. 保護者の職業別一覧表

職業別 / 区分	農業	運輸業	自宅商	自宅工	行商露天	自由労務	工員	公務員	学校職員	会社員	その他
A コ ー ス	32	1	1			1	1	2	2		3
B コ ー ス	32		3					4		3	1
C コ ー ス	28	1	3				1	7		1	1
総計	92	2	7			1	2	13	2	4	5

V　指導者の所見と反省

1.　1月下旬における所見と反省

1月28日現在の段階で，1年生へかたかな指導は無理かどうかについて，各指導者の所見と反省をまとめてみると次のようになる。

（1）　A　コ　ー　ス（9月から指導）

イ　ひらがなと同時にかたかなを指導することは，無理とは思えない。しかし最初に指導したドンのドが ノ゛ になる者が相当多く正確な字形がとりにくかった。1週間に1語の提出なので容易であった。

ロ　児童はかたかなに対して興味をもっている。

ハ　遅進児もひらがな習得が順調に行われている。一文字として書かせた場合のかたかなとひらがなの混同もみられない。

ニ　語の提出を児童の生活経験にマッチさせたので指導しやすかった。

ホ　遅進児の2名は書きの習得が困難である。

ヘ　教科書以外から提出したので，印象が新鮮であった。しかしじゅうぶんに徹底させることができなかった。

ト　指導した「かたかな語」は作文にはあまり使用されていない。

チ　鏡文字はないが，位置関係をとるのは困難である。ド，ド，ネ，ム

（2）　B　コ　ー　ス（11月から指導）

イ　かたかな指導は無理ではない。指導の初期において，かたかなとひらがなの字形の違いもわかり，正確な字形がとれるようになってきたよう

である。指導して1週間ぐらいたったときの書きの習得率は，

98%のもの2語，95%のもの1語，

93%のもの1語，91%のもの6語，

89%のもの1語，84%のもの1語，

である。

ロ　ひらがなの習得は遅進児（5名）を除いて完成しているので指導しやすかった。

ハ　遅進児のひらがな習得は，順調に進んでいる。

ニ　遅進児のかたかな習得は読むほうはよいが書くほうは障害が多い。

ホ　児童はかたかなに対して興味をもっている。

ヘ　作文にはあまり使用されていない。

（3）　C　コ　ー　ス（1月から指導）

イ　指導語が集中するので現行の教科書と併用指導することに困難を感じた。

ロ　習得度は比較的よいが，練習の期間が限定されているので，複雑な語形は定着が不完全になりやすい。

ハ　Aコースと同一語を指導するため，リレー・ドン・バトンのように季節的に見て無理な語があった。

ニ　児童の興味は盛んである。漢字に比べてかたかなはやさしいという。

ホ　ひらがなとの混同。

- 優秀児…学習意欲が過剰で，覚えたかたかなで何でも書こうという傾向が強い。
- 遅進児…単語の場合はよいがひらがな交じりの文の中では混用が生じやすい。語としての定着が不足している。

へ　遅進児は読めるが，書くことは困難である。正確な字形がとれない。

パン，ア，ワをクとするもの。

2.　3月末における所見と反省

（1）　A　コ　ー　ス（9月から指導）

イ　無理ではない。教師の負担もあまり感じられない。優秀児は興味をもって積極的に学習している。

ロ　ひらがな未習得の児童も3月末にはほとんどひらがなを習得している。これら遅進児のかたかな習得状況は次のようである。

㋑　指導した25語の読みは，ほとんど完全に習得しているが，書きは簡単な語形のもの（パン・ドン・コンコンなど）を除いて習得はよくない。

㋺　1文字の習得は，指導した文字の60〜70%，指導しなかった文字の20〜30%を書いている。

ハ　練習の期間にめぐまれているので，1文字としての定着に有利である。

ニ　指導した「かたかな語」は作文にあまり使用されていない。

ホ　ひらがなとの混同は遅進児に少し見受けられた。

「おおトばい」「リンご」「バスノアトからあるいてイキました」など。

（2）　B　コ　ー　ス（11月から指導）

イ　無理とは思えない。

ロ　かたかなは漢字と同程度の習得率を示している。（指導した漢字の書きの習得率93%）

ハ　遅進児は，指導した35文字の60〜70%が書けているが，指導しない文字の習得率はよくない。正確な字形がとりにくい。

アーマ，レーﾑ，コーヒ，モーモ，グーブ

ニ　作文にはあまり使用されていない。

ホ　児童に語カードと文字カードの二とおりのカードを持たせて，分解・構成させる指導は有効であった。

（3）　C　コ　ー　ス（1月から指導）

イ　指導語数が指導期間に比べて多すぎて，指導に困難を感じた。指導語数を少なくしたほうが効果的であったかもしれない。

ロ　練習の期間が非常に短いので，一文字としての定着が不完全であった。特に遅進児は一文字の習得がよくない。読みは指導した文字の50〜60%，書きは30〜40%にすぎない。

ハ　提出ひん度が多いので，児童のかたかなに対する興味はしだいに薄れていった。2月下旬からの指導語は，習得率が下降している。

ニ　かたかなの1語としての習得率はA，B両コースとほとんど差はないが，1文字としての習得率では大きな差がある。

ホ　漢字との連関を考えたが，かたかなの練習度が少ないので，漢字としての習得率のほうがよかった。タを「た」でなく「ゆう」として覚えているもののほうが多い。

ヘ　新しい語の中に，その直前に学習した文字を含めて，連関性を配慮したが有効であった。

ト　なき声あそびは興味もあり，擬音・擬声はかたかなで書くのだという表記上の原則をわからせることにも効果があった。

チ　2月下旬ごろから，指導したかたかな語を作文に表記するようになった。$\frac{8}{42}$名〜$\frac{20}{42}$名ぐらいの児童で，優秀児とはかぎらず，遅進児も意識して使うようになった。作文によく現れた語としては，パン・アハハハ・ランドセル・ワンワン・バス・トラックなどであった。誤用するものは$\frac{3}{42}$名〜$\frac{6}{42}$名ぐらいで，そのおもな例としては，

- ひらがなとの混用は遅進児に多い。「ずぼン」「よしのブさん」など。
- 表記の基準がわからないで，かたかなを意図的に使い誤用しているものは優秀児に多い。おかあさんが「バカ」と言いました。「カバン」「デンワ」など。

VI 実験研究の結果に関する総合所見

1. 指導開始の時期

ひらがなをひととおり学習し，ひらがなの習得過程が定着の段階にきたときに始めるのがよい。

本校の実験結果についていえば，9月からかたかな指導を開始したAコースの同時期におけるひらがなの習得状況は，読み96%，書き87%で，かたかなをひらがなとあわせて指導することも結果的に無理ではなく，3月末のかたかな習得度も最も高い。しかし，11月からかたかな指導を開始したBコースも，ひらがなを完全に近く習得して後に，かたかな指導を開始したので，指導も容易であり，習得率もAコースとそれほど差がなく，A，B両コースの優劣は決めにくい。

2. かたかなの提出のしかた

(1) 教科書以外から提出したので，印象は新鮮であった。しかしじゅうぶんに徹底させることができなかった。やはり教科書を中心に提出するのが有効であると思う。

(2) 提出する語は，身近なしかも親しみやすい語で，発音の容易なもの，特徴のある語形をもったもの，具体物と直結できるものが習得しやすかった。

(3) 提出の順序は，文字数の少ないものから多いものへ，よう音・促音のないものからあるものへとする。また指導の初期には，提出語数を少なくして，かたかなに慣れさせ，字形や書き方に注意させることが必要である。

(4) 提出語い数は1か月に4〜5語が無理がないように思う。

VII 指　導　記　録

1. A コ ー ス

ド　ン　9月下旬指導

(1) 習得状況

イ 読　み

	完全	不完全	ド	ン	不完全のタイプ
指導前	11	32	12	15	欠…28　ンだけ読めた…5
指導後	43	0	43	43	
3月末	43	0	43	43	

ロ 書　き

	完全	不完全	ド	ン	不完全のタイプ
指導前	6	37	7	3	欠…35　トだけ書けたもの…2
指導後	42	1	42	43	ドが゛イになってしまった…1
3月末	43	0	43	43	

(2) 指導の実際

国語科の9月の題材「うんどうかい」の小単元「かけっこ」の読解の発展として指導する。

イ 導　入

秋季大運動会後2日目でもあり「よういドン」のピストルの音は，はじめて直接経験したことだけに興味もあり印象的でもあったらしい。二，三の話し合いの後用意しておいたピストルの音を実際に聞かせた。突然だったので驚きのほうが大きかったらしい。

「どんな音に聞えました」

「パン，て音がした」とだいたいの児童の声。

「ピストルの音は口でいうと何と言ったらよいのでしょう」

「ようい，ドン」と口々にいう。

「それではみんなで合図の『ようい』を言ってください。ドンの音がどう聞えるかもう一度聞いてください」

こんどは目の前でピストルを鳴らしてそれと同時にドンのカードを提示した。目からと，耳からと同時に扱った。

「あ，ドンだ。ドンという字だ」

「先生，上の字はドロップのドだね」

「下の字はパンのンだ。だからあれはドンと読むんだ」と早くも既習の字を構成して読んでいる児童もあった。このような導入から読みの指導にはいる。

ロ 読みの指導

大小のカードを用意する。

大きいカードは大きな声で，小さなカードは小さな声で読ませたり，黒板の文字を読ませたり，ドンを用いた口頭作文を作ったりなど変化のある読みの指導をした。

ハ 書きの指導

まず直線一，丨を書く練習をした。これは今までは曲線的な文字であったため，直線的な文字は相当困難と思ったからである。板書で書き方指導を行った後，トの文字をノートに練習させた。トの丨がまっすぐに書けたもの$\frac{22}{43}$

イ゛が非常に多く$\frac{15}{43}$名

イ゛が$\frac{3}{43}$名，イ゛が$\frac{2}{43}$名

ンの字形は，ニが$\frac{14}{43}$名，ソが$\frac{3}{43}$名で一画目の点はほとんどが良いとは言えない状態であった。そこでプリントによる学習として文字をなぞらせることを試みた。これは相当効果があった。約4分間練習させ最後にノートへ書かせた時はだいたい字形も整い，筆順の心配もなかった。

ニ　プリントによる読み・書きの練習

読みに慣れさせるために次のプリントを読ませた。

かけっこ、かけっこ。
ようい　ドン
あか　かて。
しろ　かて。
がんばれ、
がんばれ。
ようい　ドン。

自然の発声で擬音らしく読ませる。暗記する程度まで読ませた。

ぬり絵は暗記した文章を口ずさみながらの楽しい学習時間であった。

「先生，ドンはかたかなでむずかしい字だからドンだけは違う色のクレヨンで書いたほうがいいね」

この発言に早速教師用大ノートの文字を赤で大きく書く，全員同様にする。

ホ　児童の反応

㋑　かたかなは，ひらがなよりむずかしい$\frac{38}{43}$

㋺　かたかなは，うちで習ったから知っている$\frac{5}{43}$名，そのうちには

- 絵本を読んでいたら読めない字があったので，おかあさんに聞いたら，かたかなだと教えてくれた。
- 積み木で遊びながら自分で覚えた。
- 新聞に書いてあった字をうちの人に聞いて覚えた。などがあった。

このころにノートということばをかたかなで書いた者，およびテストということばをかたかなで書いた者が$\frac{5}{43}$名ぐらいあった。指導後二日目ノートを検閲する。家庭での指導の様子も，復習のあともみられなかった。

ヘ　指導者の反省

かたかな指導第一回目の反省として次のことがはっきりした。

㋑　児童は興味をもって学習しているが直線的な文字はむずかしいということ。

㋺　生活経験を通しての導入および学習は効果的であったということ。

㋩　ドがイ゛になる児童が多いのは，かたかなを書くことに対するレディネスがふじゅうぶんのためであろう。またドよりもイ゛のほうが安定感があるように児童に思えるのではなかろうか。

リレー　バトン　10月上旬指導

(1) 習得状況

・リレー

イ 読み

	完全	不完全	リ	レ	ー	不完全のタイプ
指導前	8	35	35	8	8	
指導後	43	0	43	43	43	
3月末	42	1	43	42	42	りだけ読めた…1

ロ 書き

	完全	不完全	リ	レ	ー	不完全のタイプ
指導前	4	39	5	4	2	欠…33　りだけ書けた…4 りれえ…2
指導後	39	4	43	40	39	欠…1　り　⅃ー…1 りレえ…2
3月末	37	6	40	41	37	りレえ…3　レレえ…1 りルー…1　欠…1

・バトン

ハ 読み

	完全	不完全	バ	ト	ン	不完全なタイプ
指導前	7	36	7	10	13	ドンと読んだ…3　ンだけ読めた…3　欠…30
指導後	42	1	42	42	42	欠…1
3月末	43	0	43	43	43	

ニ 書き

	完全	不完全	バ	ト	ン	不完全なタイプ
指導前	5	38	5	17	38	欠…5　パンと書いた…3 ドンと書いた…17　バとん…2 トだけ…12
指導後	39	4	39	38	39	パン…2　バムン…1　欠…1
3月末	43	0	43	43	43	

(2) 指導の実際

国語科の10月の題材「うんどうかいのえ」の読解の発展として指導する。

イ 導入

体育の時間にリレーを行う。

「バトンを持ってリレーをする」この語いを具体物や体験によって直接身につけさせるための準備として，4組のはち巻とバトンの色とを意識させる。

「この組は何色のバトン」と黄色いバトン

「この組は何色のバトン」と赤いバトン

「この組は何色のバトン」と白いバトン

「この組は何色のバトン」と青いバトン

各組ごとにじゅうぶん認識させながら楽しい体育の時間を終る。

その翌日，中学校の運動会の見学をした。

「今なにをやってんの」となにげなく聞いてみる。

「リレーだよ，きのうはおもしろかったね，先生またやろうね」……と。

きのうに引き続いての話合いは活発である。以上は導入段階としては相当に長い段階であったが，運動会シーズンであったため室内での学習が少なかった。そのため児童の落着きもなく学習の態度も思わしくない。一応そのような行事を終えて，平常の状態にもどったところで本格的な指導を行いたかったので，導入の期間を延ばしておいた。

ロ 読みの指導

きのうのレクリエーションのお話。

おもしろかったこと，なんと言っても部落別リレーがいちばん話題になった。

「リレー好きですか」

「大好き，先生またやろうよ」またしても注文が出る。

「ではきょうはこのリレーをやりましょう」と手早くプリントを配布する。

「何の絵でしょうね」

「かけっこだよ，リレーだ」と大さわぎ，3名のこどもにこの絵のお話をさせる。

「何をしているところ」「そうリレーですね」「持っているものは」「そうですバトンです」

話合いのうちにリレー・バトンをカードに受け止める。

「何を持って」「バトン」「バトンを持って」「リレーをしています」これは主として遅進児への読みの扱いに効果があった。答えさせながらカードで示す方法である。

はじめての長音であるが，そのままリレエと伸ばして読むのでこのようなとき（リレーと伸ばすとき）には発音をかえないでひっぱればよいと簡単な取扱いにした。

ハ　バトンの書きの指導

黒板に書きながらいっしょに大きくそら書きする。3回，次にノートへ書く，筆順は良好であるが字形としては

バ…$\frac{40}{43}$

イ…$\frac{5}{43}$

ニ…これはなくなった。そのかわり

ン　が多い，ノの終筆に注意させる。

ノートに書かせながら遅進児には個別的に当り，まず読ませてみた。その結果ノートへ何回も書いていながら，読めない者1名を発見した。やはり遅

進児には文字を書くとき，発音させることも，一つの方法として効果があることと思う。書きの指導をもう一度くり返す。

バ　を直すためにハの気持で書くことを指導した結果

バ…$\frac{2}{43}$名

この児童にはノートへ範書して，それをなぞらせて正しく書く練習をさせた。

次の時間は書きを主として扱う。

△まず，4枚のカードを色別にして用意する。

△各組を赤，青，黄，白の4色とする。

△よういドンでリレーをする。

方法は，バトンのカードを受取ったらノートへバトンと書いて次の人に回し，順次バトンのカードをリレーし，最後のこどもは黒板に書く。そのとき「はい，バトン」と言って次の人に渡すこと。所要時間は約3分であったが，遊戯化して指導したこの方法もなかなか効果があった。

ニ　指導後2日目の習得状態

読みの完全が$\frac{41}{43}$名，わからないが$\frac{1}{43}$名，ドンと読んだ者が$\frac{1}{43}$名である。

書きの完全が$\frac{38}{43}$名，　パンと書いた者$\frac{3}{43}$名，わからない$\frac{2}{43}$名，このような成績なのであとはリレーの指導のとき，復習的に指導した。

ホ　リレーの書きの指導

リはひらがなを少しまっすぐに，レははね方に気をつけて，5回書かせて個別に指導した。レ…V，Lになる者が多く，やはり範書をよく見させること，またこれをなぞらせることがよいと思う。

リレーのカードをバトンのときと同様に，リレー式に書く練習をする。

短文作りをする。リレーのことばを使って短いお話を書きましょう。

「ぼくたちは，毎日のように近所の友だちとリレーごっこをします」

「うんどうかいに５年と６年がリレーをやって，うちのにいちゃんのくみが黄色で勝ちました」

「わたしは，いつかリレーをやったときバトンを落してしまいました」

「うんどうかいに先生たちがリレーをやったとき校長先生がとても速かった」等々なかなか良いものがたくさんあった。

字形としては

直線的な文字がどうやら整って，直線らしく書けるようになったが，まだまだ全部の児童が良いとはいえない。

レは，はねる角度，はね方等が困難な子もいる。なんと言っても練習がたいせつだと思う。

ヘ　指導後３日目の習得状態

読みではなんの障害もなかったが，書きではじゅうぶんな成績とは言えなかった。

読み…100％

書き… 90％

ト　指導者の反省

㋑　かたかな文字という興味もあって扱いやすかった。

㋺　時間的に経験と結びつけて扱えたので指導が楽であった。

㋩　実際経験をとおして取り扱えたのに，結果的に書きではあまり良くなかった。

パ　　ン	ガ　　ム	10月下旬指導

(1) 習 得 状 況

・パ　　ン

イ 読　　み

	完全	不完全	パ	ン	不完全のタイプ
指 導 前	39	4	42	43	バン…1　パ…3
指 導 後	43	0	43	43	
3 月 末	43	0	43	43	

ロ 書　　き

	完全	不完全	パ	ン	不完全のタイプ
指 導 前	31	12	31	39	欠…9　ン…3
指 導 後	41	2	43	41	パソ…1　パ…1
3 月 末	43	0	43	43	

・ガ　　ム

ハ 読　　み

	完全	不完全	ガ	ム	不完全のタイプ
指 導 前	5	38	26	5	ガ…15　ガマ…1　欠…22
指 導 後	41	2	42	41	欠…1　ガ…1
3 月 末	43	0	43	43	

ニ 書　　き

	完全	不完全	ガ	ム	不完全のタイプ
指 導 前	4	39	26	4	ガ…4　ガ山…1　ガア…1　欠…33
指 導 後	40	3	41	40	ガ…2　欠…1
3 月 末	42	1	42	43	ン…1

(2) 指導の実際

社会科の単元「えんそく」の展開の中で提示し，国語の作文指導と関連づけて指導する。

イ 導　入

えんそくの出発に先立って［パン］のカードを提示し「学校から牧場までの間の道すがら，いろいろな店の前を通って［パン］の文字があったら見て行きましょう」などいろいろな注意をする。そのあとで「約束がよく守れて牧場まで行けたらみなさんの大好きな物をあげますよ」と約束する。「何だ，何だ」と想像をして大さわぎになり，遠足よりもそのほうが話題になりきってしまった。出発して校門を出たとたん「下店」の看板に目を止めたM児。

「あったよ，パンとある。あすこにも，ここにも」ともう大いに張り切っている。下田屋にも，伊東ベーカリーにも，伊東屋にも，とこどもの目はパンの文字を捜して行く。目的地には，パンとガムを入れた袋を児童分だけ用意しておき，渡す時までは知らせないでおいた。袋の中には，あんパンとジャムパンとクリームパンの３種の中の２個と，ガムが２個はいっている。みんなの気持が袋の中に集中したところで，袋の口をあける。やっぱりパンだったか，と言った児童の表情。

ロ 読みの指導

さっそく用意してきたカードを提示して，

「このパンだった人」と［あんパン］のカードを示し次に［じゃむパン］と［くりいむパン］のカードを示す。

「それは何パンですか」

「ジャムパンです」と言ったぐあいに自分のパンの名前を言わせ，読みをいっそう深くすることにした。

• 食事後ガムを簡単に扱うことにする。

まず，ガムのレッテルの文字を見させて読める字があるかどうかを調べた。

「ここにガムと書いてある」と示した児童が$\frac{5}{43}$名あり，「ここにはりすと書いてあるからその次の字はかだ」とひらがなのかと誤読した児童が$\frac{3}{43}$名あった。早速地面に大きくガムと書いて読ませた。しかし，これは食後で，しかも屋外のことでもあったので，全児童には徹底しなかった。

ハ プリントによる読みの指導

見学の翌日遠足の話合いをする。

「これをもらったら声を出さないように目で読みましょう」

とプリントを配る。

えんそく
えんそく
うれしいな
ガムを　もったり
パンを　もったり
えんそく
えんそく
うれしいな

パン　パン　パン
ガム　ガム　ガム

「読める人」の問いに対して約$\frac{15}{43}$名が挙手する。パンは読めたが，ガムの読めない児童が約$\frac{30}{43}$名いた。これで，パンの読みはまず良好な習得状況だったと思う。ガムの読みを習得させるため，プリントやカードを活用する。

ニ　書きの指導

㋑　パンはハも形がよく，ンも同様で，なんの障害もなく書けた。これはバトンで扱った文字であり，復習的なものであったからだと思う。

㋺　ガムの指導

ムの字形が非常にいろいろであった。

ム　ム　ム　ム　ム　ム　ム

正しい字形に書けた児童は約半数の$\frac{25}{43}$名である。「数字の4に似ているのにムと読むのはおかしいね」こんな発言もあった。

3日後に読みと書きの習得状態を調べてみた。

パンの読み100%，書き98%

ガムの読み86%，書き65%であった。

そこでボントン板を使用して主として，遅進児には休み時間と朝の自習時間に指導した。

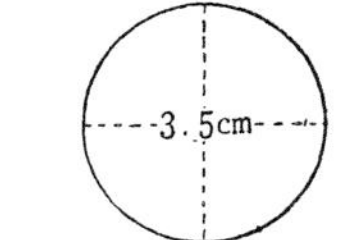

の大きさで赤，青，白の三色のもの。

この方法はおもしろいというので，休み時間には必ず集まって字並べ競争だと言ってよくやった。したがって，効果も割合にあった。4日後のテストは読み95%，書き93%の結果を得た。

ホ　指導者の反省

㋑　身近な生活経験と結びつけたこと。

㋺　実物と文字とをいっしょに扱ったこと。

㋩　楽しいふんい気の中で学習したこと。などはたいへんよかったと思う。

㊁　書きにおいては，ムが理屈でわかっていながら，実際に書くときは形が良くできなかった。早く形のよい字形にさせるためには，プリントを与えるなどして，正しい文字の上をなぞらせるような方法をとれば，よかったのではないかと後悔した。

ヘ　作文に現れたかたかな

遠足直後，これらの文字の指導期間中に遠足の生活作文を書かせた。その中に使われていたかたかなの語いは，

パン…$\frac{20}{43}$名

ガム…$\frac{17}{43}$名

バス…$\frac{1}{43}$名…この文字はまだ学習していない。

トラック…$\frac{1}{43}$名…この文字も未習の語いである。以上であった。

その他，パンをぱん，ガムをがむと混同している児童$\frac{7}{43}$名であった。

| バ　ス | ブーブー | 11月上旬指導 |

(1)　習得状況

・バ　ス

イ　読　み

	完全	不完全	バ	ス	不完全のタイプ
指導前	42	1	42	42	欠…1

指導後	43	0	43	43
3月末	43	0	43	43

ロ 書き

指導前	39	4	42	39	欠…1 ハ…3
指導後	40	3	43	40	バ…3
3月末	43	0	43	43	

・ブーブー

イ 読み

	完全	不完全	ブ	ー	ブ	ー	不完全のタイプ
指導前	8	35	8	8	8	8	欠…33 ズーズー…1
指導後	43	0	43	43	43	43	
3月末	43	0	43	43	43	43	

ロ 書き

指導前	6	37	9	6	8	6	欠…34 ブウブウ…1 ブ…1 ブブ…1
指導後	38	5	41	39	41	39	ブウブウ…2
3月末	43	0	43	43	43	43	

（2） 指導の実際

国語科の11月の題材「きしゃごっこ」の導入の段階として「バスごっこ」を行い，バス・ブーブーを指導する。

イ 導入

みんなでバスごっこをする。

㋑ 停留所の設定。ここで停留所の標識や乗車券の必要性を感じさせる。

• 停留所の位置を決めて標識を立てる。

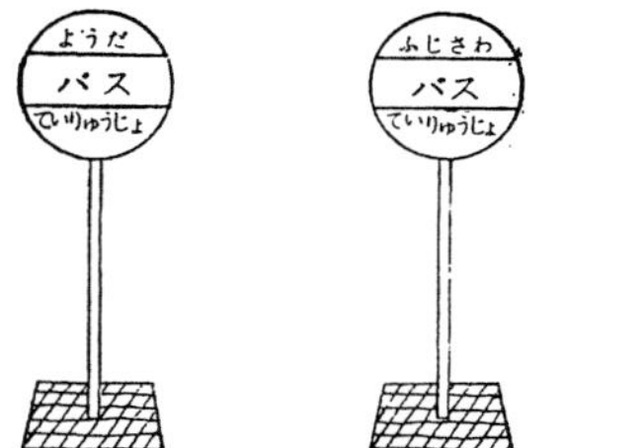

広い校庭を何台ものバスが，走る。どのバスにもお客さまが満員である。

㋺ 楽しい遊戯を終えて室内での学習に移る。

• バスに乗った経験の話合いをする。

共通の経験をもつ春の江の島遠足になるとだれも話がいっぱいある。

「どんな色のバスを見ました」

黄色いバス，青いバス，みかん色のバス，などいろいろ。

「大きさは，どうでしたか」

「90人ぐらい乗れたから大型バスだね」

「ぼくたちが毎日乗ってくるバスは35人乗りだから小型バスだね」…この児童はバス通学の子である。

ロ 読みの指導

以上のように話し合いながら，大ノートに用意しておいた文字を読ませる。

大きいバス，小さいバス
ぼくらをのせて（ブーブー）はしる
きいろいバス，あおいバス
ぼくらをのせて（ブーブー）はしる

（ ）の部分は文字を入れずにおいて読ませる。何度も読ませて（ ）のところに何かを書き入れたほうがよいことに気づかせたいと思った。はじめのうちはなかなかだれも気づかない。教師が助言を与えて，はじめて気づく。こどもの言うとおり（　）の中に書き入れる。

そうしてそれを何度も読ませる。全体的に，また部分的に，また，個々に読ませてみる。遅進児もよく読めた。次には，さらに読みに慣れさせる目的で主要語いだけをカードに書き納める。これは赤・黄・青のクレヨンで大きく，また，小さくバス，バスを書いておく。

「このカードでお話してください」と青い小さいカードを示す。

「わたしはとうちゃんと横浜へ行った時，青い小さなバスを見ました」このようにしながら次々と，各種のカードを示してその文字の色，カードの大小によってお話をさせた。カードと結びつけての話は非常に有効であった。

ブーブーは，バスの読みの指導を同時に扱ったので，どの程度まで区別できているか疑問であった。それで，その翌日の朝少し早目に教室で待っていて，ふたり，3人と登校してくる児童にカードを示して読みを調査してみた。24名についてのこの調べでは100%正答である。残りの児童もたぶんだいじょうぶだと思われた。

ハ　書きの指導

バ……ほとんど指導の必要がない。

ス……形がまずい。

スの終筆部の指導も大いにする。

スに ス があった。

フ…終筆部はスと同様に，なかなか思うようにいかない。$\frac{4}{43}$名は指導を特に必要とした。

長音のーも ⌒ と曲りやすいところがあって困難だった。

・書きの練習として教師用大ノートの文字を自分のノートへ移すこと。

・カードの文字をリレー式にノートへ書く。

などをして書きに慣れさせた。

ニ　指導後のテストの結果

指導を終えて4日後にテストを行った。

読みはバス・ブーブーともに100%の良い率で習得していたが，書きにおいてスの書けない児童が$\frac{3}{43}$名あった。ブーブーは長音のできなかった児童が$\frac{5}{43}$名で書きの習得率はあまり良好ではなかった。

ホ　指導者の反省

・書きの指導で特に長音の指導がふじゅうぶんであった。これは，読みにあまり障害が感じられなかったので，書きの指導の際，気持にゆるみがでたためである。

新出文字スはもっとていねいに指導すべきであった。等である。

クレヨン　12月下旬指導

(1)　習　得　状　況

イ　読　　み

	完全	不完全	ク	レ	ヨ	ン	不完全のタイプ
指導前	20	23	39	29	13	42	欠…9　クレン…7
指導後	42	1	42	42	42	42	欠…1
3月末	42	1	43	43	42	43	クレン…1

ロ　書　　き

<table>
<tr><td>指導前</td><td>12</td><td>31</td><td>39</td><td>15</td><td>13</td><td>37</td><td>ン…17</td></tr>
<tr><td>指導後</td><td>34</td><td>9</td><td>39</td><td>37</td><td>40</td><td>42</td><td>欠…6　クルヨン…3</td></tr>
<tr><td>3月末</td><td>40</td><td>3</td><td>42</td><td>40</td><td>42</td><td>43</td><td>クルヨン…2　ン…1</td></tr>
</table>

(2) 指導の実際

国語科の12月の題材「ことばあそび」の小単元「もじいたならべ」から発展的に扱う。

イ 導　入

ひらがなの文字板並べを一応終ったところで，国語のドリルの時間に，既習のかたかな文字の文字板を用いて文字板並べをする。

使用させた文字板は

ド，ン，バ，ト，ガ，ム，ス，ポ，タ，ネ，ル，ア，イ，ク，ザ，リ，レ，パを２枚ずつ使用させた。大きさは，縦が６cm，横が５cmのもので厚紙で作った。

- 文字板の読みを確かめ，普通の児童と遅進児との扱いを別にする。一般の児童には「どんなことばができますか。なるべくたくさん作ってください。できたらノートへも書いておきましょう」と作業を与えておく。そのあいだ遅進児組に対しては，文字の確認をさせるため，次の指導をした。
- 文字板の文字を読ませる。
- かるたあそびをする。
- 拾った文字板をみんなで確かめて誤りでないか見比べる。
- タンク・ネルなどの簡単な文字構成をさせる。このようにしてごく少ない文字板を使用させて語いを作らせ，一字一字をしっかりと身につけさせるようにする。

共同作業とはいえ，なかなかよいことば作りができた。

アイスクリーム
クレパス
バター
ガス

等よい作品ができたので，みんなにも作らせてみる。しかし，なかにはまだ意味の通じないようなものもあったが，これらは読み直させ，語意を考えさせて，一つのことばとして，なりたたないことを理解させた。

次に二つの語いに共通の文字を使うことの指導をする。まず，次の文字板を指示して考えさせた。

ク・レ・パ・ス　のこの文字から何か共通なことばを考えさせる。

<table>
<tr><td></td><td>ク</td><td></td><td></td><td>ク</td><td>ク</td><td>リ</td><td>ー</td><td>ム</td><td></td><td>ク</td><td></td></tr>
<tr><td>リ</td><td>レ</td><td>ー</td><td></td><td>レ</td><td>レ</td><td></td><td></td><td></td><td></td><td>レ</td><td></td></tr>
<tr><td></td><td>パ</td><td></td><td></td><td>パ</td><td>パ</td><td></td><td></td><td></td><td></td><td>パ</td><td></td></tr>
<tr><td></td><td>ス</td><td></td><td>バ</td><td>ス</td><td>ス</td><td></td><td></td><td></td><td>ポ</td><td>ス</td><td>ト</td></tr>
</table>

以上のようなものは良いものと言えよう。

ロ 読みの指導

「先生，ヨがあればクレヨンもできるけどね」というので早速用意しておいた ヨ の文字板を与える。ひらがなの文字板で扱ってあったので，並べ方は何の指示も与えなかった。

それでも，

ク
レ
ヨ　パ
ン　ス

このような組合せがあちらにも，こちらにもできあがった。

「これ，山という字ですか」漢字の山を復習した直後だったので，学力はあまり高くない児童であったが，そんなことを言った。クレヨン クレパス のカードをフラッシュして読みの練習をする。

ハ　書きの指導

山とヨをはっきりと理解させるため筆順指導をする。山とヨを比べてみる。ヨの書き方を理解させる。筆順によく注意する。字形としては，あまり心配もなかったが ヨ，ヨ というふうに書いたものが2，3名あった。

ニ　指導者の反省

文字板並べで扱ったので，もっと興味のある学習態度を予想していたが，あまり興味がなかった。これはひらがなで，文字板並べを扱った直後だったからであろう。

だんだんかたかなに対しての興味が薄れてきたように思われる。指導後の習得状態があまりふるわない。新出文字は ヨ だけだから，そう無理ではないと思ったが，既習文字 レ の書けないものも$\frac{3}{43}$名ほどいて，全部書けなかったものが$\frac{6}{43}$名ほどもあった。それで，レは結果としては困難な文字であったといえよう。

コンコン　ワンワン　1月中旬指導

(1) 習得状況

・コンコン

イ 読み

	完全	不完全	コ	ン	コ	ン	不完全のタイプ
指導前	30	14	36	42	36	42	ン…8　欠…5
指導後	43	0	43	43	43	43	
3月末	43	0	43	43	43	43	

ロ 書き

	完全	不完全	コ	ン	コ	ン	不完全のタイプ
指導前	23	20	23	39	23	39	ン…11　ポンポン…3
指導後	42	1	42	42	42	42	欠…1
3月末	42	1	42	43	42	43	ン…1

・ワンワン

イ 読み

	完全	不完全	ワ	ン	ワ	ン	不完全のタイプ
指導前	8	35	8	41	8	41	欠…8　ン…9　クンクン…15
指導後	43	0	43	43	43	43	
3月末	39	4	39	42	39	42	ン…4

ロ 書き

	完全	不完全	ワ	ン	ワ	ン	不完全のタイプ
指導前	11	32	11	40	11	40	ン…24　欠…9　ハンハン…4　ポンポ…2

指導後	41	2	41	42	41	42	バンバン…1
3月末	39	4	39	43	39	43	クンクン…3 コンコン…1

(2) 指導の実際

国語科1月の題材「かげえ」に連関して読解指導の中で両語を同時に指導する。

イ 導入

国語の時間に幻灯で「与市兵衛ぎつね」を見る。幻灯機を使ってかげえあそびをする。

これはかたつむり，これはどびん，これはいぬ，その次はきつねと小さな犬やかたつむりが，次々にかげえに出てくる。

「犬ですよ，ないてください」

「ワン，ワン，ワン」

「こんどは，きつねですよ」きつねが写るとまたみんなで「コン，コン」とにぎやかなかげえあそびをしばらく続ける。

イ 読みの指導

「きつねさんです，ないてください」と言いながら児童の声といっしょにコン，コンと黒板に写す。続いて「コンコン小ぎつね」の歌をうたい，歌の中や話の中にコンコンという語が出てきたときは，その文字を特に意識させるようにさせながらうたう。コン，コンとはっきり区切って読ませる。

ハ 書きの指導

自由に書かせてみると コ の書き順が目につく。正しい筆順をしっかりと

身につけさせるために，何度も練習させ，慣れさせた。

次にワンワンの読みの指導をした。

ワンワンは指導前のテストで示すように，クンクンと誤読する者が非常に多かった。全体の35%の$\frac{15}{43}$名がこれを占めている。そこでワンワンとクンクンとを比べさせる。ワをゆっくりノートへ書かせる。ンはもう問題ない。字形はクに近いようなのが多いので練習させた。次の日クとワの混同を調査すると，ワンワンとクンクンが正しく書けた者が$\frac{38}{43}$名で書けないものが$\frac{1}{43}$名あり，あとの4名の者がクとワと混同していた。でも指導前の調査のときのようにポンポンなどと読むような誤りはなかった。正しいワを書かせるためにプリントの点文字をなぞらせる。1回10字ぐらいずつ3日間，朝の自習時間を利用して習わせた。

4日後の調査において，書き95%，読み100%のよい習得率を示した。

ニ 指導後の反省

形のむずかしい文字はプリントなどを使用してなぞらせたことは効果があった。

漢字とつながりのある文字について

(1) ロと口（くち），タと夕（ゆう）と外，カと力（ちから），ヨと山と日。

(2) かたかなのタの文字を指導したとき。

「先生，それタコのタだからぼく知ってるよ」と黒板に次のような説明をしてくれた。

こうするとたこの絵になるからタと読むのだといっ

て，この児童は自分からこのように結びつけて考えている。

次にこの文字が教科書に出てきた。夕はんのあとで……を「たはんの……」と読んでいる児童があったので，そのときはさし絵から夜のごはん，つまり夕はんをさとらせ，同じ文字でも漢字の場合と，かたかなの場合との読み，および語いの違いのあることなど，カと力の場合も同様であることを教えた。

(3) また同じような問題として，福は内，鬼は外の話があった。鬼は，タトと読んでいる児童に，タとトの二つを合わせて一つの文字にすることを理解させるため，外 の文字はタとトが一つになっているが，二つともそとむきっこしているので「そと」と読めるなどと教えた。

メーメー　3月上旬指導

(1) 習得状況

イ 読み

	完全	不完全	メ	ー	メ	ー	不完全のタイプ
指導前	30	13	34	36	34	36	ナーナー…1　モーモー…1　欠…9
指導後	43	0	43	43	43	43	
3月末	43	0	43	43	43	43	

ロ 書き

指導前	22	21	22	28	22	28	ナーナー…3　ナイナイ…1　ヤーヤー…3　欠…14
指導後	38	5	37	40	37	40	めえめえ…2　ヒーヒー…2
3月末	39	4	40	40	40	40	めーめー…2　ヤーヤー…1　欠…1

(2) 指導の実際

a 指導計画

第一学年竹組…国語科学習指導案　　指導者　長谷川マサ子

1. 題材　ぽちときしゃ
資料　学図教科書しょうがっこうこくご一ねん下

2. 目標　単純な文をもって構成した初歩的な読み物を読破する能力を養い読書に興味をもたせる。

3. 計画

18時間
1 導入……(1時間)
さし絵を通覧させて話の大すじを予想させる。
2 展開……(14時間)
(1) 本文を通読する……3
新出文字の指導，登場するもの，物語の環境構成。
(2) 話の筋を調べよみする……8　本時 $\frac{4}{8}$
(3) 表現，内容のおもしろさを味わう。……3
3 発展……3
紙しばいを作り，実演する。

本時案（昭和31年3月7日 水曜日 第2校時）

1 題材　ぽちときしゃ

2 目標
・かたかなメーメーを習得する。
・ぽちがきしゃとかけっこをしたときの様子を読みとることができる。

3 本時までの経過

(1) さし絵を見て話の大すじを予想することができた。

(2) ライオンの文字を指導した。

(3) 文字の障害をとり除いて全文が読めるようになった。

(4) 図工と関連してどうぶつ村を作った。

(5) 第一節から第三節前半までを読みとった。(70ページから76ページ5行まで)

4 指導計画

学習計画	指導上の留意点	評価と資料
1 前時までの復習	• ぽちはひとりで，でかけました。 • ふみきりばんのくまさんと話していると汽車がきた。	資 料 • 学図教科書一年下 • カード 文字板 さし絵
2 本文をよみとる。 (汽車と競走しているぽちの様子を読みとらせる。)	• ぽちは考えました。 はじめは……きしゃとならんで けれども だんだん……つかれて とうとう汽車に追いこされて とことこ――汽車のあとから } いっしょうけんめい	• 評 価 1 ぽちがきしゃと競走する様子がよく読みとれたか。
3 かたかな文字メーメーを学習する。	• ぽちを応援してくれたものはだれたちだったか。 うさぎさんや，りすさんが またその他のどうぶつたちが } しっかりしっかりと。 応援してくれたどうぶつのなかからやぎの鳴き声メーメーを扱う。	2 メーメーの文字がよく読めるようになったか。
4 カード学習によりメーメーを身につける。	• 動物の鳴き声をまねする。 メーメーをカードで提示して読ませる。 • カードの文字を組み合わせて語いをつくる。 • 筆順指導を簡単に扱う。	3 筆順が間違いなく書けたか。

⦿授業の意図……有効なかたかな指導

備 考 予備テストの成績（書き）

メーメー（22） ナーナー（3） ヤーヤー（3）

ナイナイ（1） 書けない（14）

b メーメーの指導

ポチがきしゃとかけっこをしているときの様子。きしゃの窓から，うさぎさん，りすさん，その他の動物が応援している様子を読解する。

イ 導 入

本文の読解が一応終ったところで，黒板いっぱいにはった厚紙で作ったきしゃのさし絵について話し合い，動作化する。

「ぽちさん，しっかり，しっかり」みんなが，うさぎやりすになって応援する。

「まだ，そのほかに応援しているものがいますよ。ほらこれが……」と豚や，牛の絵の切抜きを窓からのぞかせる。既習のかたかな語ブーブー，モーモーのカードと結びつけて応援させる。

ロ 読みの指導

「はい，こんどはやぎさんが首を出しましたよ」とやぎの絵の切抜きを，きしゃの窓から見せる。「メーメー，しっかり，しっかり，メーメー」といっせいに応援する。

メーメーのカードを提示する。

メーメーのカードを読ませながら動作化する。

読みをさらに正確にするため，カードの文字を読ませる。カードは長音の部分が簡単に出し入れできるようになっていてこれによって一文字ずつが正しく理解できるように指導する。一つのカードで次のように変化をつけて読ませることによって長音の読みも正確なものになる。

メ	メ	メ	メ
ー	メ	メ	ー
メ	ー		メ
ー			

など変化をつける。次に回転文字板 メーメー と メメー をフラッシュし読みを確かめる。

ハ 書きの指導

まず，書きの指導をする前に，この文字を書くときにどんなことに気をつけたらよいかについて話し合った。

㋑ 筆順についてはノ，ヽの順であることがすぐ理解できた。

㋺ 形については，第一画のノ，が／，／，∫，\などにならないようにすること。第二画のヽは長すぎないように，しっかり止めること。

以上の話し合いののちノートへ書かせる。

この文字については初めによく話し合いができていたので障害もなく筆順・字形ともによかった。ただ$\frac{2}{42}$名がメを╳と書いていた。この児童には教

師がノートへ書いたものをなぞらせて，正しい形に書けるよう練習させたが，指導後4日目にテストすると，やはり正しい字形に書けていた。

ニ 指導後の反省

この文字を指導した最初のときの様子からみて，指導中にはそう障害を感じなかったのに，指導後のテストの結果はあまり思わしくなかった。書きの指導において，もう少し機会を捕えて指導することが，必要だっだのではないかと思う。

2. B コ ー ス

パン 11月初旬指導

(1) 習 得 状 況

イ 読 み

	完全	不完全	パ	ン	不完全のタイプ
指導前	11	32	12	17	ン…5
指導後	43	0	43	43	
3月末	43	0	43	43	

ロ 書 き

	完全	不完全	パ	ン	不完全のタイプ
指導前	2	41	6	2	パ…4
指導後	43	0	43	43	
3月末	43	0	43	43	

（2） 指 導 の 実 際

国語科の11月の題材「みんなでたのしく」の発展として「さて何でしょう」遊びをする。

イ 導 入

15cm 4方の箱を大事そうに持って教室へはいる。

児童はすぐそれに気がつき，

「せんせい，それなあに」

「何が，はいっているの」

「ぼくたちに，くれるもの」

と夢中になる。児童に当てさせているうちに，

「パンですか」という質問。「そうです」と，

パ ン のカードを見せる。

ロ 読 み の 指 導

「パンにも，いろいろなパンがありますよ」

「さて，何パンでしょう」

児童の発表を手早くカードに受け止める。

あ ん パ ン

じゃむパン

くりいむパン

めろんパン

しょくパン

「さあ，どれでしょう。あんパンかな？　ジャムパンかな？」とカードをゆっくりと読む。「さあ，あけますよ」「はい」中から出すと，

「しょくパンだ」

「せんせい，ぼくねしょくパンにバターをつけて食べるの大すき……」

導入はスムースに楽しくできた。

「はい，ではSさん，しょくパンのカードを，もってきてください」

「Nさんが，えんそくのときには，どのパンをもらいましたか。持ってきてください」

「さあ，そのお話をしてもらいましょう」……

話したり読ませたりする。

帰校の時 パ ン のカードを見せ，

「どこかに，これが書いてありますよ。見つけながら帰りましょう」と宿題にする。

翌日，フラッシュカードで読みの練習をする。

「 パ ン とどこに書いてあるか，わかりましたか」

と聞いたところ

「先生，下みせのかんばんに，パンと書いてありました」と三，四人の児童が答えただけで，成績は良くなかった。

ハ 書 き の 指 導

パンの文字を黒板にゆっくり書き，パがパ,パにならないように，ンがン,ソにならないよう，ヽのうち方に気をつけさせ，小石で作らせた。

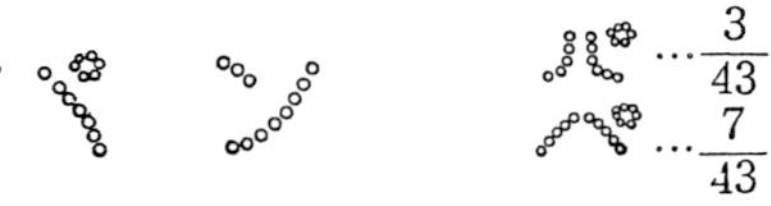

パ…$\frac{3}{43}$
パ…$\frac{7}{43}$

またパの指導の時

ハ…（゜）がつかなかったら，ハ…（゛）がついたら，と軽くふれた。ノートには好きなパンを書かせ，何パンか横に名まえをつけさせる。

ニ　補　充　教　材

「ガム」の補充教材として，プリントで提出したパンはなんの障害も感じずに読めて，正確にパンの語いをなぞることができた。

ホ　指導者の反省

テストの結果をみると，よく徹底したことがわかるが，その理由としては，

㋑　身近なものから取材できたこと。

㋺　字形が簡単であること。

㋩　はじめてのかたかな指導であるため興味が大なること。

などが考えられる。

遅進児をみると，休み時間など黒板の所へ行き，パンと書いておおいばりである。

「何と読むか」の連発である。この児童たちは，3日目やっと下みせのかんばんに気がついたのか夢中でそのことを伝えにきた。

ザクザク　11月中旬指導

(1)　習　得　状　況

イ　読　み

	完全	不完全	ザ	ク	ザ	ク	不完全のタイプ
指導前	5	38	7	8	7	8	ゼ…多数　ク…1

指導後	43	0	43	43	43	43	
3月末	43	0	43	43	43	43	

ロ　書　き

指導前	0	43	0	0	0	0	
指導後	39	4	40	42	40	42	ゼクゼク…2 ゛サク゛サク…1 ザムザム…1
3月末	42	1	42	43	42	43	゛サク゛サク…1

(2)　指 導 の 実 際

社会科の11月単元「えんそく」の小単元「おべんとう」の学習でいねかりを見学し，お百姓の労苦について話し合う。

イ　導　　入

実際の音を手がかりとして指導する。

「先生あそこで，いねかりをしているよ」

「あ，ほんとね。ちょっと耳をすまして，どんな音か，よく聞いてみましょう」……

その結果

「ザクザク」だという者が43人中38人，「サクサク」が3人，「ゴリゴリ」がふたりいた。

「さあ，まだまだいねがたくさんありますね。みんなで少し，手伝ってあげましょう」

児童は自分に聞えた音で，いねかりのまねをする。

ロ　読みの指導

教室に帰り国語の時間に聞えた音を発表させ黒板に提示する。

「ずいぶん，いろいろに聞えましたね。でもザクザクといちばん大ぜい聞えたようですから，きょうは，この音でお勉強しましょう」

「はい，何と読みますか」（多数の児童がぜクぜクと読んでいる）

ザクザク
ぜクぜク　両方のカードをよく見せ読ませる。

ここで ザ と ぜ の違いをはっきりつかませた。

フラッシュカードで

ザクザク と ザクザク の読みの練習をさせる。
（大きな声で）（小さな声で）

読みから動作化へとくり返し，かかしの歌を指導する。

プリントを渡す。……（別紙色刷）

読みの指導後，かかしの話合いから，大ノートを読ませる。このザクは，字形も複雑で，位置の取り方もむずかしいので，より多く読ませ目にふれさせることによって，覚えてゆくのではないかと考え，読む機会を多く与えた。

ハ　書きの指導

ボントン板により，

ザ と ク の筆順指導をする。

児童には指で，腕の動きが，そろうまで，そら書きをさせる。赤鉛筆でプリントのザクザクをなぞらせる。小石で作らせる。ザは小石では，むずかしいかなと思ったが，児童はその心配もなくじょうずに作っている。

昨年度はザクザクの習得率が悪かったので，心配していたが，昨年と比べ

ると成績は良い。最初の印象づけがよかったためであろうか。

トンネル　11月下旬指導

(1) 習得状況

イ 読み

	完全	不完全	ト	ン	ネ	ル	不完全のタイプ
指導前	7	36	11	17	8	9	トンル…2　ン…6 トン…1　トンネ…1
指導後	42	1	43	43	42	43	
3月末	43	0	43	43	43	43	

ロ 書き

	完全	不完全	ト	ン	ネ	ル	不完全のタイプ
指導前	0	43	0	0	0	0	
指導後	38	5	43	43	38	39	トン…2　トンル…1 トンネ…2
3月末	41	2	43	43	41	41	トン…2

(2) 指導の実際

国語科の11月の題材「きしゃごっこ」に関連づけて指導する。

イ 導入

きしゃごっこの経験についての話し合いから「ぼくのうちのそばに大きい横穴があるので，そこをトンネルにしたの」……

などからトンネルに話がはずむ。

すばやく黒板に絵を書いてやり，

同時に トンネル のカードをはりつける。

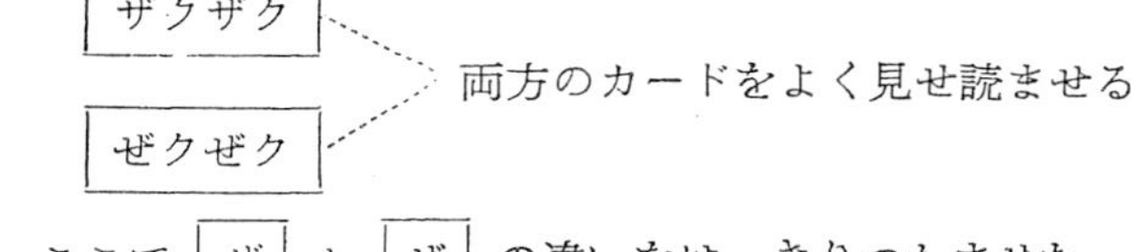

いねかり
ザクザク
かかしが　みてる。
かさの　やぶれた
かかしが　みてる。

いねかり
ザクザク
いなごが　はねる。
はねた　いなごが
かかしに　とまる。

ロ　読みの指導

「みんなは，どっちのトンネルを通ったの。」と

| ト　ン　ネ　ル |

| トンネル | のカードを掲示する。

「わたしは　長いトンネルよ。」

「たんなトンネルは長いね。」……

各自にどちらのトンネルを通ったか話させ，より多くの児童の目にふれさせた。

トンネルを使って短文を作らせ，フラッシュカードで読みを徹底させる。

ハ　書きの指導

黒板にゆっくり分解しながら板書する。

ト…人 $\frac{18}{43}$ 直線を引くことがたいへんむずかしいらしい。

ン…パンのンと同じ文字であることにふれ，既習文字のため軽く扱った。

ネ…画数が不足しないように。

ネ…$\frac{33}{43}$　ネ…$\frac{8}{43}$　ネ…$\frac{2}{43}$

ネは少しむずかしかったらしいが，ネ，ネの悪い書き方をさきに見せたためか，4．5名の遅進児を除いてはさして苦労もなく書いていた。

ル…ル，ルにならないように。

ノートへトンネルの略画を書かせ，そばにトンネルと5回書かせた。まちがえている児童にはカードを渡し，よく見させて書かせる。

カードおよび板書の文字を両方用いて，特に書き誤りやすい文字「ネ」「ル」を，1字ずつ読ませ確認した。

読み書きとも徹底したころ，フラッシュ板で | トンネル | | きしゃ | | トンねる | などのカードからトンネルを確認させた。

ニ　指導後のテストの結果

4 3名中(書き)　正答者…$\frac{38}{43}$　誤答者…$\frac{5}{43}$

誤りの点は，

ネが…不 $\frac{3}{43}$　ネ $\frac{8}{43}$　欠 $\frac{2}{43}$

ルが…ル $\frac{1}{43}$　ル $\frac{3}{43}$

字形がむずかしいためか，ネとルがわかっていない。この児童には黒板に何度も練習させた。ここへきて，かたかなに対する児童の興味も薄れたようだ。ト，ネのような直線での構成文字は児童にとって難点のようである。

| グーグー | 12月初旬指導

(1)　習得状況

イ　読み

	完全	不完全	グ	ー	グ	ー	不完全のタイプ
指導前	17	26	18	17	18	17	グ…1
指導後	43	0	43	43	43	43	
3月末	43	0	43	43	43	43	

ロ　書き

	完全	不完全	グ	ー	グ	ー	不完全のタイプ
指導前	4	39	14	5	14	4	ググ…6　グウグウ…3　グーうグーう…1　欠…29
指導後	39	4	41	41	41	41	ググググ…2　ブーブー…1　クークー…1
3月末	42	1	42	43	42	43	クークー…1

(2) 指導の実際

音楽の歌唱指導の中で提示し，国語科の題材「紙しばい」と関連づけて指導する。

イ 導入

うさぎとかめの歌を手がかりとする。

1. むかしむかしのことでした。
   うさぎとかめがあいました。
   かけっこしょうといいました。
2. のろいかめさん，まだ見えぬ。
   どうせおかまでひととびだ。
   ちょいとおひるね，グーグーグー
3. 速いうささんゆだんして，
   草のふとんに，ねています。
   このまにおいこせ急ぎ足。
4. のろいかめさん，かちました。
   速いうささん負けました。
   にこにこ，あくしゅでさようなら。

ここで，かたかな語いとしての長音記号の扱いが出てきたわけであるが，国語教科書内ではすでにきしゃごっこで「ぴいーっ」「ぴぴー」「ぽーぽっぽー」と出てきており，児童はこれを伸ばすしるしと言っている。

グはザクザクで清音として習ってきている。しかし，予備テストの結果をみると，読みで $\frac{17}{43}$ という成績であって，よくない。

ロ 読みの指導

「さあ，何と読むのでしょう。」
「グーグー」いっせいに
「そうですね。(掛図を見せながら，) このカードをどこへはったらいいいでしょう。」
「なぜグーグー（さして示しながら）寝てしまったんですか。」
「では，はじめから長く話してもらいましょうね。」
「なぜ，うさぎが負けたんでしょう。」
と，グーグーのカードをより多くふれさせることに注意する。

ハ 書きの指導

翌日歌いながらグーグーのカードを2，3人の児童に渡す。もらった児童はすぐ黒板にいってグーグーと書く。わからないときは見てもよいからじょうずに書くように指導する。

書き終ったら他の児童へ，というようなリレー式やり方も，おもしろがり，またあとで字形を見るための反省にも有効な遊戯であった。

アイロン　12月中旬指導

(1) 習得状況

イ 読み	完全	不完全	ア	イ	ロ	ン	不完全のタイプ
指導前	5	38	16	11	6	41	くち…多数
指導後	42	1	43	43	42	43	アイン…1
3月末	43	0	43	43	43	43	

ロ 書き

指導前	3	40	11	8	7	35	ア…マ、イ…人 2，3人
指導後	40	3	43	40	40	43	アン…3
3月末	41	2	41	42	42	42	マイロン…1 欠…1

(2) 指導の実際

国語科の12月の題材「ことばあそび」の小単元「あのつくことば」から，さし絵を手がかりにして指導する。

イ 導入

さし絵の話合いより「あ」のつくものが書いてあることをわからせ，発表によってカードへ受け止める。

あかとんぼ

あ　り

あ　め

あかんぼ

あみもの

あ　め

アイロン

「これは蒸気アイロンです」

と実物を見せる。

「大きいなあ。」と驚きの声があがる。いろいろと話合いをさせていく過程

で，少しずつ説明を与えてやり，アイロンについてはっきりわからせる。

ロ 読みの指導

フラッシュカードで読みの練習をさせる。

（「アイロン」「あり」「あめ」など）

またカードを見て教科書のさし絵を手早くはさませる。ここではアイロの3字が新出文字なので書きに重点を置いて指導した。

ハ 書きの指導

ア…ア，了，丫にならないように。

了が3名いただけでよく書けた。

イ…イのじょうずに書けないことには，びっくりした。大部分の子が人（ひと）と書いている。ネの指導のときには，あまり心配がなかったし，その上イの字形は，やさしいにもかかわらず書けない。ネは横に一がはいっているため安定感があるのか。

ロ…ロは黒板に口（口をむすんでという意味から）と書いてあるので，くちと読む子が多数あった。かたかなでは「ロ」と読むことを指導すると，「先生，くちという字より小さく書けばいいんだね。」と優秀児がいう。この字は筆順に対し特に気をつけた。

ン…「パ㋛」「ト㋛ネル」と提出回数が多く，3回目なので軽く扱う。

ンの予備テストをみると，

読み…$\frac{41}{43}$　書き…$\frac{35}{43}$

ニ 指導者の反省

新出字がアイロの三つであったことは，たいへん困難のようであった。イはネ以上にむずかしく，形よく書けないのには驚いた。

| ポスト | | ポスター | | 12月中旬指導

(1) 習得状況

・ポスト

イ 読み	完全	不完全	ポ	ス	ト	不完全のタイプ
指導前	12	31	17	18	39	
指導後	43	0	43	43	43	
3月末	43	0	43	43	43	
ロ 書き						
指導前	5	38	8	9	36	
指導後	39	4	40	39	40	ポ × ト…1
3月末	42	1	42	42	42	欠…1

・ポスター

イ 読み	完全	不完全	ポ	ス	タ	ー	不完全のタイプ
指導前	9	34	17	18	11	10	
指導後	43	0	43	43	43	43	
3月末	43	0	43	43	43	43	
ロ 書き							

指導前	3	40	8	9	6	3	ポスタ…2
指導後	36	7	40	39	36	40	
3月末	41	2	43	43	42	42	ポス……1 ポスタ…1

(2) 指導の実際

国語科の12月の題材「ことばあそび」の小単元「もじいたならべ」から文字板によって指導する。

イ 導入

ひらがなの文字板並べから。

	が	
か	ら	す
	す	

	ぼ	
	た	
た	ん	す

た	た	み
ま		か
ご	ば	ん

ロ 読みの指導

きょうは，また新しい文字板を配りましょうと，

| ポ |…2枚　| ス |…2枚　| ト |…1枚

| タ |…1枚　| ｜ |…1枚

各自7枚ずつ配る。教師の文字板で読みの練習をする。

| ポ |…これはポです。木に少し似ていますね。

| ス |…これはスです。

| タ |…「これを知っていますか。」に対し，ゆうと答えた児童が7人ぐらい，

タと答えた児童５人ぐらいいた。

[ト]…これは既習文字である。

新出字ポ，ス，タに特に気をつけ，何回も読んでみせて練習する。次にかるた取りをし，文字を徹底させる。

「さあ，こんどは取ったらもっていってくださいね。」

[ポ]，[ト]，[ス]…を取らせる。

「この三つで何かできないかな。」という質問に，

「せんせい，ポストができる。」と優秀児が答える。

他の児童もそれにならって並べはじめる。

教師はボントン板で並べ遅進児を助ける。

次に右から順に…[ト][ス][ポ]

左から順に…[ポ][ス][ト]

上から順に…[ポ][ス][ト]　斜めに…[ポ][ス][ト]

と，いろいろな，並べ方をさせ，文字に多くふれさせる。

こんどは，せんせいと同じように並べるよう注意を与え，黒板に「ポスター」と書く。

児童は黒板を見ながら１字ずつ並べていく。ポスターを知らない児童が多数のため，読みのアクセントがたいへん悪い。長音記号に気をつけて読みの練習をさせ，実物によりポスターをわからせる。

フラッシュカードで [ポスター] [ポスト] の読みの指導をし，文字板で「ポスト」「ポスター」と並べる。何回もくり返しやることによって「ポス」はそのままにしておき，「ター」と「ト」だけ直せばよいということに

気づかせる。すなわち「ポス」まで両方とも同じであるということを，わからせる。

「ポスター」と縦に並べさせ，次にどこへ何を置いたら「ポスト」となるかをやらせる。

[ポ][ス][ト]
[ス]
[タ]
[ー]

[ポ]
[ポ][ス][ト]
[タ]
[ー]

こんどは，「ポスト」を縦にして，

[ポ]
[ポ][ス][タ][ー]
[ト]

[ポ][ス][タ][ー]
[ス]
[ト]

このとき，長音記号の誤りを見つけ，さっそくボントン板によって指導する。

[ポ]
[ポ][ス][タ][ー]
[ト]

なぜ違うのか。

このときには，どうして [ー]（横へ）向けなくてはいないのか…… まだほかに 並べ方はないかなど考えさせる。

[ポ]
[ス]
[タ]　[ト]
[ー]

[ポ]
[ス]
[　][ス][ト]

できた児童にはボントン板で発表させ，みんなにも作らせる。

ハ　書きの指導

ノートによる練習をおのおの5回ずつさせる。巡視の際，まちがいを訂正する。ト…人が多い。

ニ　指導者の反省

直線での構成文字が児童には難点のようである。文字板あそびは興味もありたいへんおもしろく学習ができた。読みは「ポスト」「ポスター」とも100%の成績であったが，書きのほうはよくなかった。書く練習が不徹底であったかと反省している。

カッチン　2月中旬指導

(1) 習得状況

イ 読み	完全	不完全	カ	ッ	チ	ン	不完全のタイプ
指導前	8	35	33	11	11	43	
指導後	43	0	43	43	43	43	
3月末	43	0	43	43	43	43	

ロ 書き	完全	不完全	カ	ッ	チ	ン	不完全のタイプ
指導前	1	42	30	2	6	39	
指導後	40	3	43	40	41	43	
3月末	38	5	42	40	40	42	カチン…2　カツン…1 カッチン…1　欠……1

(2) 指導の実際

国語科の2月の題材「ことばあそび」の小単元「小さく書く字」から指導する。

イ　導　　入

まず，さし絵の「いしや」と「いしゃ」の話合いから，文字を比較させる。文字は同じであっても や の書き方によって違う意味をもってくることを「かしや」と「かしゃ」の例などをあげて確認させる。字を小さく，書く必要のある語を捜す。

「じどうしゃ」「じてんしゃ」「きゅうぴい」など児童の発言した文字を黒板に書き，また児童にノートへ書かせていく。

ロ　読みの指導

次に カッチン のカードを見せて読ませる。カ，ツ，チの3字が新出字である。カをちからと読む児童を多く見受ける。

読みの指導後フラッシュカードで カッチン（大きい声で） カッチン（小さい声で） と変化をつけて読ませる。

「カッチンと音のするものは？」

∘とけい。

∘くわが石にぶつかったとき。

∘かちん玉をぶつけたとき。

などと答える。

チはピノチオのチと同じであり，ツとシと似た字であることなどの発表が児童からでる。

カッチンの読み指導の後，プリントを渡し，（Cコース参照）読みの練習から歌へ動作化へと伸ばしていく。このとき，カッチンと何回書いてあるか，チ，チ，チ，チとかいちゅう時計がいくつ鳴ったのか注意させながら文字にふれる。また［カツチン］［カッチン］のどっちが時計の音か比較させ促音の指導をする。

ハ　書きの指導

。力は漢字（ちから）で，すでに既習しているので話合いの後，簡単に扱う。

。ツはシ，ツ，リ，シにならないように，チは千，ナ，チ，チにならないよう文字板で注意を与えた後，ボントン板で筆順指導をする。

そら書き４回させた後，ノートに書かせ，字形の誤り，また筆順の違いを訂正する。

ニ　指導者の反省

促音のはいったかたかな語いを，ここではじめて指導したわけだが，読みにおいてはなんの障害もなかった。しかし書きのほうでは少し困難のようであった。よう音よりはわかりやすいが。

［モーモー］　３月初旬指導

(1) 習得状況

イ 読み	完全	不完全	モ	ー	モ	ー	不完全のタイプ
指導前	32	11	32	32	32	32	欠…11
指導後	43	0	43	43	43	43	
３月末	43	0	43	43	43	43	

ロ 書き							
指導前	18	25	18	18	18	18	欠…25
指導後	42	1	42	43	42	43	モーモー…1
３月末	43	0	43	43	43	43	

(2) 指導の実際

a. 指導計画

第１学年梅組　　国語学習指導案　　指導者　宮治洋子

1　題材　ぽちときしゃ　学図教科書　しょうがっこう　こくご一ねん下

2　目標　単純な文をもって構成した，初歩的な読み物を読破する能力を養い読書に興味をもたせる。

3　計画
- 1　導入………（１時間）
  さし絵を通覧させて話の大すじを予想させる。
- 2　展開………（14時間）
  ①本文を通読する……………………………………２時間
  。新出字の指導　。登場するもの　。物語の環境構成
  ②話のすじを調べ読みする…………………………８時間　本時 4/8
  ③表現内容等のおもしろさを味わう……………３時間
- 3　整理発展………（３時間）
  紙しばいを 作り 実演する

◇本 時 案（昭和31年　３月　７日　水曜日　第２校時）

1　題材　　ぽちときしゃ

2　目標　　かたかな「モーモー」を習得することができる。

3　本時までの経過

① さし絵で話の大すじを予想させた。

② 読みを進めながら文字障害をとり除いた。

③ 図工と連関して「どうぶつむら」を共同製作した。

④ 前時は第3節までを読みとった。

4 指導計画

予想される学習活動	指導上の留意点	評価および資料
◦さし絵によって第3節までのぽちの行動を話し合う。	◦全体の児童が話合いに参加できるようにする。 ◦3節目の汽車との競走で ぽちは {いっしょうけんめい走りました。だんだんつかれてきました。とことこ走っていきました。} のぽちの状態を確認させる。 ◦動作化する	評価 ◦かたかな「モーモー」が習得できたか ◦ぽちの行動がわかったか 資料 教科書 さし絵 文字板 カード ボントン板
◦教科書を読む。だれが応援してくれたのか。	「りすさんやうさぎさんが」の(や)に気づかせ応援者から牛モーモーに結びつける。	
◦モーモーを学習する。	◦長音のない場合 ◦ひらがなとの比較 ◦モ…**も**，**も**にならないように。	
◦本時の整理をする。	◦筆順に気をつける。	

⦿授業の意図　有効なかたかな指導　(長音の表記指導)

予備テストの成績

読みの完全な子…………32名

書きの完全な子…………18名

b. モーモーの指導

イ 導 入

ぽちときしゃがかけっこしているときの様子の話合いから，ぽちの状態を確認させた後，

「さて汽車と競走をしていたとき，ぽちがたいへんうれしく思ったことがあったでしょう。」

「そうね。汽車の窓から応援してくれたんですね。だれがですか。」の話合いから，

「りすさん(や)うさぎさんが……」

「りすさん(と)うさぎさんが……」のカードをつかって教科書はどちらか，また意味がどう違うか話合う。さし絵によって応援者を発表させ，

やぎだったら……メーメー，しっかり

ねこだったら……ニャア ニャア，しっかり

さるだったら……キヤッ キヤッ，しっかり

ロ 読みの指導

牛だったら……と モーモー のカードを見せ，読みの練習をする。

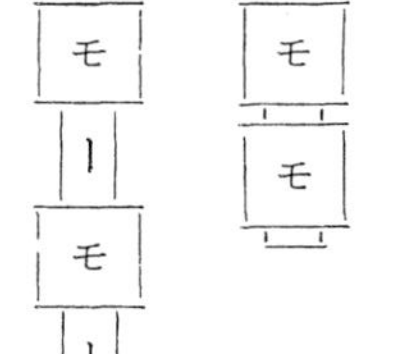

◦長音がないと何となるか。

◦長音がないと，牛の鳴き声にはならないことをわからせる。

◦ひらがなとかたかなの比較。どこが似ているか，違っているか。

また，ぽちの応援にもどり， モーモー のカードに さし絵のどこへはったらよいのか考えさせ，遅進児にはらせる。

フラッシュカードでどうぶつの鳴き声を読ませる。

ハ　書きの指導

ボントン板によって筆順の指導をする。

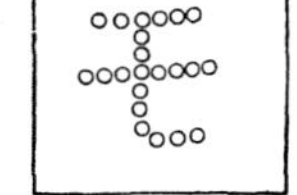

指でそら書き３回練習。このとき文字板によって モ 乇 モ にならないように注意する。筆順に気をつける。

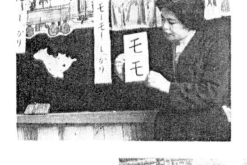

3. C コ ー ス

基本運筆練習　せんあそび

（1） この練習をするようになった訳

イ　かたかなは直線で構成されているのでやさしいといわれているが，その直線を斜めにならないように，まっすぐに引くことが困難である。

- Aコース　9月の例

　ド… ド になった児童$\frac{15}{43}$名

ロ　直線が曲線になりやすい。

- Aコース　9月の例

　ド… ド になった児童$\frac{5}{43}$名

- Aコース　10月の例

　バ… バ になった児童$\frac{40}{43}$名

ハ　だいたいにおいて斜線は困難である。

ことに左上から右下へ，左下から右上への直線が困難である。そこで基本運筆として考えられるものを決めておおざっぱにまとめて，これをプリントにし，練習させることにした。

（2） 基 本 筆 法

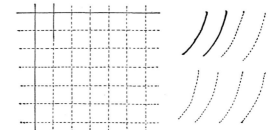

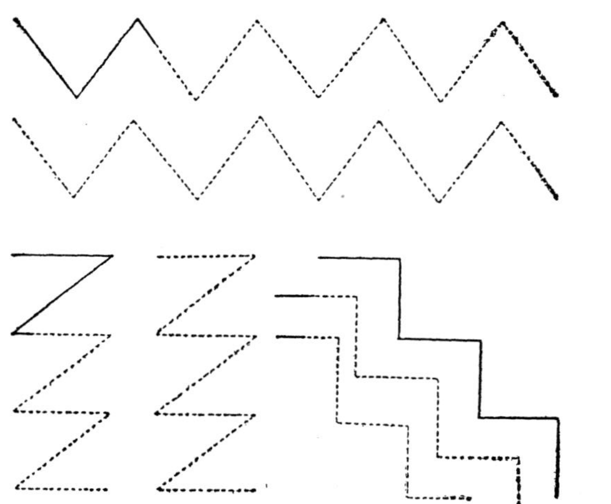

(3) 練習方法

イ 一つ一つを板書し，しっかり図形を見きわめさせる。

ロ そら書を何度もさせて腕や手首の練習をする。

ハ プリントを何度もなぞらせる。

ニ 白紙に今の図形を練習させる。

ホ 基本筆法を大きな表にして掲示し，機会を捕えて練習させる。

ヘ 消しゴムを使わないように，のびのびとひかせる。

(4) 指導者の反省

この基本練習をしてから，かなの指導にはいったのであるが，

イ 鉛筆の持ち方が悪く，固くにぎっているため手首がスムースに動かない。遅進児に多くこの傾向が見られた。そのために力を抜くことができ

ずに，ンが ソ になるものが $\frac{5}{42}$ 名いた。また極端にわん曲してンに」なるものが $\frac{2}{42}$ 名いた。基本運筆の中にノの練習がほしいと思った。

ロ 直線はうまく引けるようになった。トが人になったものはなかった。またバがAコースの例に見られたように バ になるものは非常に少なかった。しかし二画目の斜線 ＼ はなかなか困難である。

ハ 横の線は長く思い切って引けない。

ニ チ… ノナ のような不完全な字形が多い。これは字形を取ることについてのレディネスがじゅうぶんにできていない結果であろう。位置，長さの関係，線と線の交わる角度，斜線などがうまく書けない。かたかなの形によく見慣れさせておく指導が必要であると思った。

パ ン　1月中旬指導

(1) 習得状況

	完全	不完全	パ	ン	不完全のタイプ
イ 読み					
指導前	16	26	18	17	
指導後	42	0	42	42	
3月末	42	0	42	42	
ロ 書き					
指導前	13	29	30	15	パニ……3 °ハン……1 パリ……2 パん……1

指導後	42	0	42	42
3月末	42	0	42	42

(2) 指導の実際

国語科の1月の題材「おしょうがつ」に関連して指導する。

イ 導　入

グループに分れて，すごろく，かるたあそびをする。すごろくは算数と関連させて指導した。

ロ 読みの指導

次に実物を見せながら，読みの指導に移る。

こどもたちに期待をもたせた上で，おもむろに箱の中からパンを出す。

「わあ，パンだ，パンだ」と大喜びである。黄色のチョークでパンと大きく板書する。次にフラッシュカードで読みの練習をする。

「みんなの食べたいと思うパンを言ってください」……

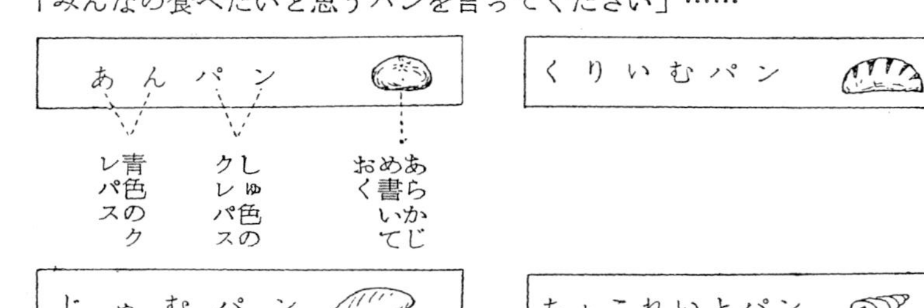

などと次ぎ次ぎにカードに書き止める。

このカードを児童に配布して，そのカードのパンについて話させる。大ノートに「パンやさんの歌」を書き，みんなで歌う。親しみやすいリズムなの

で大喜びである。パンといくつ書いてあるか数える。

ハ 書きの指導

翌日 パ ン を読ませる。全部が読める。読みが定着したところで書きの指導に移る。パンと3回板書し，5回そら書きさせる。

パ…パにならないように。パ止める。

ン…ン，ン，ソにならないように注意する。

パの指導のとき，ハ，バに軽くふれる。

ハ…おまるがつかなかったら？

バ…おかざりがついたら？

ノートにパンの絵をかき，その回りにパンと5回書かせる。

パ…$\frac{1}{42}$名　リ…$\frac{1}{42}$名　ン…$\frac{2}{42}$名

別に指導する。

あんパン・じゃむパン・くりいむパン……と書かせる。パンやさんの歌を口ずさみながらぐんぐん書きつづけていく。

ニ 指導3日後書きのテストの結果

正答…$\frac{40}{42}$名，　パン…$\frac{2}{42}$名，個別に指導して習得は完全になる。

ホ 遅進児の指導

知能指数・国語学力偏差値・ひらがなの習得状況に照し合わせてみて，幾人かの遅れている児童を選び，かれらがどんな習得過程を示すかを調べてみる。

番号	氏名	性別	知能指数	国語偏差値	ひらがな習得状況 読み 4月	7月	11月	12月	書き 4月	7月	11月	12月	かたかな習得状況 読み 4月	12月	書き 4月	12月
1	U.K	男	61	36	0	8	45	64	0	0	39	61	0	7	0	0
2	H.O	〃	73	40	0	7	55	71	0	1	46	68	0	8	0	0
3	K.T	〃	69	40	8	34	62	70	0	31	55	68	2	12	0	0
4	K.M	女	75	36	0	14	53	64	0	14	43	67	0	2	0	0
5	Y.I	〃	72	40	4	16	56	70	0	15	49	69	3	3	0	0
6	U.H	〃	75	39	0	7	58	70	0	7	57	69	0	0	0	0
7	H.N	〃	56	38	3	21	30	60	0	12	22	54	0	1	0	0
8	M.E	〃	59	37	7	24	55	70	0	20	46	63	0	1	0	0

㋑ N…あじつけパンのカードを渡す。「わたくしのはあじつけパンです」と話してくれる。パンやさんの歌も大声で歌う。おべんとうにパンを持ってきた。

「あっ，ひさえちゃんはこれだね」とカードを示す。［あんパン］と［じゃむパン］だね。とカードで軽くふれる。にこにこしている。

翌日よく読める。書きの指導をする。

パンと大きくノートに書いている。パ終筆の部分が止らない。ン点がうまくうてない。批正するがなかなか直らない。仕事が非常におそく，一つところを何度もなぞる。次の日書かせてみると書ける。

２日ほどしてノートを調べる。５回ほど練習してある。自分でやったとのことである。

「かたかなはおもしろい？」と聞いたら「うん」とうなづいた。

㋺ O…字形が非常に正確に書けている。

㋩ M…パリになる。放課後残っていたので板書させて批正する。点画がなかなか困難のようである。

ヘ 指導者の反省

㋑ 習得率は100％である。

はじめてのかたかな語で，字形も簡単だし，導入も興味深く行われ，児童に身近な語であった。予備テストの成績もよかった。また扱ったひん度が多かった。昼食の際にはいつも意識的に扱ったなどの理由で習得率がよかったものと思う。

㋺ 歌の中に取り入れて指導したが，親しみやすいリズムで非常に効果的であった。

㋩ 遅進児も相当の意欲をもって学習したので完全に習得した。しかし点画を正確にとることはやや困難である。

㋥ 指導後なるべく早い機会にテストを実施し，それをもとに個別指導することが必要であると思った。

ト 児童の反応

「かたかなだぞー」と，パンのカードを提示した時５，６名の児童が叫んだ。

「せんせい，もうかたかなを勉強していいんだね」

Ａコースは９月から，Ｂコースも11月から学習しているので，まさに待ちこがれていた感じである。かたかなということばはよく知っている。しかし，かたかなの文字意識は全然ない。

指導の翌日，児童のノートを調べる。パンを練習してきた児童は$\frac{3}{42}$名。しかし，黒板に集まっては，パン，パン……と書いている児童が多かった……$\frac{25}{42}$名。

［アハハハハ］ １月中旬指導

（1） 習得状況

イ 読み	完全	不完全	ア	ハ	ハ	ハ	ハ	不完全のタイプ
指導前	6	36	7	7	7	7	7	
指導後	42	0	42	42	42	42	42	
3月末	42	0	42	42	42	42	42	
ロ 書き								
指導前	7	35	7	11	10	11	10	ハハハハハ…2 マハハハハ…1
指導後	40	2	40	42	42	42	42	ハハハハハ…2
3月末	42	0	42	42	42	42	42	

（2） 指導の実際

国語科の1月の題材「おしょうがつ」の中の「かげえ」の取扱と関連させて指導した。

イ 導入

教科書のさし絵にあるふく笑いをそれぞれのグループに分れて扱う。アハハハ，アハハハハと教室は爆笑のるつぼと化した。

ロ 読みの指導

次に大ノートに書いた歌（ジャンボリーの歌）を提示して歌わせる。

アハハハハと板書し読ませる。ハと既出のパと連関指導する。カードで読ませる。アハハハハのハの数が児童にのみこみにくい。ワハハハハと読むものが6名いたので指導する。なお，次の指導語ワンワンを習得した時にワハハハハと指導した。

アハハハハと笑うときの話をさせる。

ハ 書きの指導

翌日アハハハハの書きの指導をする。予想していたようにアの形がとれない。

ア…$\frac{4}{42}$名　ア…$\frac{4}{42}$名　マ…$\frac{2}{42}$名　マ…$\frac{1}{42}$名　ア…$\frac{2}{42}$名

アの2画目の斜線がうまく引けない。これらの児童にはアハハハハと大きく書いて，その上をなぞらせる。腕や手首を右上から左下へと何回も練習させる。

ニ 指導後の習得状況

2日後テストを実施。正しく書けたもの$\frac{37}{42}$名，誤答は$\frac{5}{42}$名であった。

欠…2名　アソ…1名　ソハハハハ…1名　ハ…1名

字形からみると，ア…$\frac{2}{42}$名でだいぶよくなった。もう一度斜線の練習をする。

ホ 遅進児の指導

㋑ N…アハハハハの読みはよくできる。パンに比べて語数も多いので区別している。アの形はよく取れている。書きの指導時間の終末段階に書かすと書けた。

2日後にはソハハハハとなった。指導したがその後のテストにはハハハハハとなってアが書けていない。

㋺ K…アがアになる。何度もなぞる練習をさせる。2日後にはアソと書いている。

終末テストはハハハハハとなっている。

㋬ M…この児童だけが書きの指導直後に書けなかった。読めることは読める。書きの個人指導をする。アハハハハと2日後には書く。字形指導をする。

㊁ 不正確な字形はやはり遅進児に多い。しかしOは字形もよいし，パン，アハハハハの習得状況もなかなか完全である。

ヘ 指導者の反省

㋑ 導入がスムースにいったので，児童の興味をよりいっそう喚起することができた。

㋺ 歌の中に取り入れることは非常に効果的である。

㋩ 擬声の文字化はいろいろと問題点がある。アハハハハとワハハハハとアッハッハとワッハッハと数とおりに表記できる。

㊁ アの字形はかたかな指導の初期としてはやや困難である。

㋭ 児童のかたかなに対する興味は依然盛んで，ノートにも練習してくるようになった。この点では教師は何も助言していない。

コンコン　ワンワン　1月下旬指導

(1) 習得状況

・コンコン

イ 読み	完全	不完全	コ	ン	コ	ン	不完全のタイプ
指導前	12	30	13	15	13	15	
指導後	42	0	42	42	42	42	

3月末	41	1	41	42	41	42	ワンワン……1

ロ 書き							
指導前	10	32	15	10	13	10	コこコこ…1　コこ×こ…1 コソコソ…1　コリコリ…1 こんこん…1
指導後	40	2	40	42	40	42	ヒンヒン…1　×ン×ン…1
3月末	42	0	42	42	42	42	

・ワンワン

イ 読み	完全	不完全	ワ	ン	ワ	ン	不完全のタイプ
指導前	6	36	7	17	7	17	
指導後	42	0	42	42	42	42	
3月末	41	1	41	42	41	42	コンコン…1
ロ 書き							
指導前	3	39	3	6	3	6	クンクン…2　ハ×ハ×…1
指導後	38	4	38	39	38	39	タンタン…1　欠…3
3月末	41	1	41	42	41	42	クンクン…1

(2) 指導の実際

国語題材「かげえ」と連関して，読解指導の中で両語を同時に指導する。

イ 導入

夕飯のあと，いろりばたでかげえをする文章の読解と連関し，かげえあそびを行う。かたつむり，雲から出る月，おかあさんと教科書のさし絵にのせて行ったが，やはり児童にはきつねと犬が親しみやすく容易であるためか，次々ときつねや犬が登場する。

「ワンワン」「コンコン」と自然にきつねと犬の鳴き声が児童の口をつい

て出てくる。

ロ 読みの指導

カードで鳴き声を受け止め次々に鳴かせる。かげえのきつねと犬がけんかを始める。

コンコン　ワンワン　アハハハハ　をフラッシュして読みの練習をする。混同は全然なく遅進児もよく読める。だるまあそびの歌の曲にのせてみる。

かげえあそびはおもしろい，
コンコン　わたしはきつねです。
ワンワン　ぼくは犬ですよ。
みんなかよく遊びましょう。

リズムにのってひとしきりみんなの心がはずむ。

ハ 書きの指導

放課後背面黒板に犬ときつねの絵をかき，「鳴かしてください」と書いておく。

次の朝見ると，児童は黒板に群がって，コンコン，ワンワンと書いていた。筆順もほとんど正しく書けている。

読みの復習をする。コンコンとワンワンを混同している児童が1名いた。コンコン，コンコンとせきが非常に多い。(かぜひき$\frac{27}{42}$名)「コンコンを早く直そうね」と話し合いながらコンコンの書きの指導をする。コ…まっすぐに引くこと。筆順にも注意する。ヨにも軽くふれる。
ン‥コ にならないように。ン…力を抜くこと。ノートに5回書かせる。字形はよく取れているが，筆順の不正確（コ）なものが$\frac{2}{42}$名いた。次にワンワンの書きの指導に移る。

「せんせい，クによく似ているね」と優秀児が話しかける。「そうね，どこが違うでしょうね」と1画目の打ち方の違いに気づかせながら板書指導する。ワ… ワ にならないように。

「せんせい，7(しち)に似ているよ」と遅進児が大発見する。その7の形が印象強かったのか，ワ …$\frac{7}{42}$名，ク…$\frac{1}{42}$名，ワ …$\frac{1}{42}$名と誤っている。もう一度全体的に指導し，さらに個別に指導する。ワ となってワのような2画目のまるみがうまく取れない。

灰色の曇り空から粉雪が落ちてきた。初雪である。「雪だ，雪だ」と大さわぎ。雪やコンコ，あられやコンコの合唱が教室いっぱいに広がった。

翌日国語指導時間の終りの段階で，コンコンとワンワンに軽くふれてみる。読みの混同はなくなっている。ワの形もずっと正確になった。

背面黒板の犬ときつねの絵には，引き続いて鳴き声が多く書かれている。児童自身の手になる犬やきつねが2匹3匹とふえてきた。

ニ 遅進児の指導

① ワの字形が取りにくい。ほとんどが ワ になってしまう。ノートに大きく書いてやりその上を何度もなぞらせる。ワ と2画目の斜線のまるみがどうもうまくいかない。コンコンとワンワンの混同はほとんどない。

㋺ T…指導を行った日ワンワン。2日後にはタンタン。7日後にもタンヌンと書いている。ちょうど同じころ指導した漢字，夕方の夕と混同している。誤りを指摘した時は直るが，けっきょくそのままだった。

コンコンのほうは，2日後には完全だったが，7日後には×ン×ンとなってコが書けていない。読みの混同は見られない。

㋩ N…読みの指導の次の朝読ませる。ちょっと考えているが，まちがえずに読める。コンコンと苦しそうなせきをしているので手紙を出す。

ひさえちゃん，またコンコンせきをしましたね。くるしいでしょうね。

おうちへかえったらうがいをして，あったかくしていましょうね。

終末テストにはワンワンは書けたが，コンコンは書けなかった。

ホ　指導者の反省

㋑ 2語を同時に指導したのははじめてであるが，心配したほどの混同もなく能率的であった。

㋺ 2語とはいえくり返し文字で，ンは既出文字であり，新出文字はコとワだけだったので比較的指導しやすかった。

㋩ ワンワンと比べてコンコンがよかったのは，

- 字形が簡単である。
- 児童のせきと関連してカードを目にふれさせたのでひん度が多い。などの理由による。

㋥ かげ絵からの導入は有効であった。

㋭ ワの字形は困難であった。

㋬ 遅進児Ⅰがコを ⊏ と誤っているが，字形の識別練習が必要である。この児童は1週間後に指導したクレヨンもクレヨンと誤っている。

㋣ 背面黒板の利用を意識的，計画的に行うことは興味もあり有効である。

ドン　バトン　1月下旬指導

(1) 習得状況

・ド　ン

イ 読み	完全	不完全	ド	ン	不完全のタイプ
指導前	5	37	5	15	
指導後	42	0	42	42	
3月末	42	0	42	42	

ロ 書き	完全	不完全	ド	ン	不完全のタイプ
指導前	6	36	8	7	ドレ…1　×ン…1
指導後	39	3	41	41	ド×…1　トン…1　×ン…1
3月末	42	0	42	42	

・バ　ト　ン

イ 読み	完全	不完全	バ	ト	ン	不完全のタイプ
指導前	6	36	13	6	16	
指導後	41	1	42	41	41	バス…1
3月末	42	0	42	42	42	

ロ 書き	完全	不完全	バ	ト	ン	不完全のタイプ
指導前	6	36	10	8	7	バトレ…1　バ×ン…1
指導後	39	3	39	39	41	バレン…1　バハン…1　バ××…1
3月末	42	0	42	42	42	

(2) 指導の実際

イ 導入

実際に経験させる。

このドンもバトンも国語の題材には直接のつながりはないが，体育の指導と連関して，国語の時間に指導した。

体育の時間に校庭でリレーをする。

「さあ，きょうはリレーをしましょう」とリレーのカードを示し運動場に出る。

ピストルを連続ならしてふんい気を盛りあげる。

「何と聞えましたか」と尋ねる。バン，ドン，ボン，パーン……いろいろである。

バトンを持ってリレーを行う。

ロ 読みの指導

次の国語の時間，リレーの話合いをする。用意したプリント（Aコース指導記録参照）を配布する。かけっこ，かけっこ。よういドンのドン。は文の前後関係から$\frac{36}{42}$名が読めた。読めない$\frac{6}{42}$名は，拾い読みの児童であって，よういから次のドンにスムースに結びつかない。かけっこ，かけっこ。ようい［　　］とドンを抜かして読むと，ドンがすぐに出てきた。ドンと板書し読みの練習をする。

ドンと音のするものを見つけさせる。話し合う。

「点がないとトンだよ」という声が多い。

「トントン，ぼくは赤いバトンだったよ」

「ぼくは，白いバトンだ」……自然にバトンも出てくる。［バトン］とカ

ードで受け止める。

赤・白・青・黄などのバトンと結びつけて，あかいバトン，しろいバトン，あおいバトンと発表させる。

ハ 書きの指導

次の日読みの練習をしながら，ドン・バトンの書きを指導する。

ド…縦の線が曲らないこと。

バの指導のときに

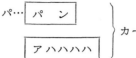

パ…［パン］
［アハハハハ］
｝カードを見せて復習する。

トが〆，ヽになる児童はいない。トのヽが大きすぎる児童が$\frac{1}{42}$名いた。また，バトソと全体の調和のとれない児童が$\frac{3}{42}$名いた。

しろいバトン

ノートにバトンの絵をかいて，ドン，バトンの練習をさせる。バトンをクレヨンで色ぬりさせて，あかいバトン，しろいバトンと書かせる。アカイバトンと書いているものが$\frac{4}{42}$名いた。これはみな優秀児である。一方遅進児には，あかいバとん，よういドんという誤りをおかしている児童が目だつ。（$\frac{5}{42}$名いた）

ドン，バトンを徹底的に定着させようとつとめなかったためと思われたので，くり返して読み書きの練習を行う。

ニ 指導1日後，書きのテストの結果

- ドン　正答…$\frac{38}{42}$名　欠…$\frac{3}{42}$名　ソン…$\frac{1}{42}$名。
- バトン　正答……$\frac{38}{42}$名　欠…$\frac{4}{42}$名

ホ 遅進児の指導

㋑ ひらがなとの混同が多くなった。かたかな語も２週間ほどで７語も提出されると，児童の興味も薄れ，文字の定着が不完全になるようである。バトンと一つながりの語として考えないで，バ・ト・ンと一字ずつ書いているための誤りであろう。

㋺ N…字形は正確である。あかいバトンと書かせると，あかいばとんと書いた。注意すると，あかいバトんになり，３回目にようやくあかいバトンとなった。

一日後のテストには読み書きともにできたが，７日後にはバレソになっている。

㋩ T…この児童は字形が正確にとれない。ドがド になる。バがベになる。批正する。一日後のテストには，ドンもバトンもできていない。読めることは読める。小黒板を与えて白墨で何度も練習させる。

７日後には，ドン… ド× バトン……バハンと書いている。トの形がうまくとれていない。ハも同様である。バトンのンができながら，ドンのンができていない。

ヘ 指導者の反省

㋑ 実際経験からはいったので，導入はスムースにできたが，児童の興味の持続にやや欠けるところがでてきた。季節的なずれと同時に提出語が多すぎて，指導方法がいきおい類型的に流れるということに一つの欠陥があるようだ。

㋺ 語として与えても児童の大部分はそれを分解して習得している。そろそろ分解指導の時期である。

㋩ 混同が目だってきた。優秀児は知っているかたかなで何でも表記しよう

と，名まえをはじめとしてヨーイドン，あカイバトンなどと表記する。表記の約束を知らないので無理はないかもしれない。いつごろその意識をもたせるかが問題である。

中等児および遅進児はひらがなとの混同が多い。「先生に教わったことばだけは，忘れずにかたかなにしましょう」といってはいるが。あかいバトンをあかいバトンと1字ずつ読んだり書いたりしないで，あかい バトンとひとまとまりのものとしてとらえさせていくようにしたい。

クレヨン　１月下旬指導

（１） 習 得 状 況

	完全	不完全	ク	レ	ヨ	ン	不完全のタイプ	
イ 読　み								
指導前	4	38	4	5	7	15		
指導後	42	0	42	42	42	42		
３月末	41	1	41	41	41	42		
ロ 書　き								
指導前	3	39	5	5	6	4	クレヨレ…1	クレヨソ…1
指導後	38	4	41	39	38	39	クレヒン…1 欠…1	ク××ン…1
３月末	36	6	39	39	37	41	クレヒン…1 クトヨン…1	クレ×ン…1

（２） 指 導 の 実 際

イ 導　　入

実物を見せて指導する。職員打合せが終って教室に行く。きょうの朝自習

には「何でも帳」に好きな絵をかかせてあった。机の上にはクレヨンやクレパスが散在している。1時間目は国語である。「おはよう」のあとで「さあ，みなさん，この字がどこにあるか捜してください」と指示し，クレヨンと板書する。予備テストでもわずか$\frac{4}{42}$名しか読めていないのでなかなか見つからない。やがて「あったあ，クレヨンだ」と中等児のAがまずクレヨンの箱を持って踊りあがる。「ぼくのはクレパスだよ」と優秀児Sがにこにこ笑っている。ひとり見つかればもうあとは早い。

• クレヨンを持っている児童…$\frac{13}{42}$名
• クレパスを持っている児童…$\frac{29}{42}$名

ロ　読みの指導

箱の中からクレヨンを1本ずつ出して，「これは赤いクレヨンだ」「これは青いクレヨンだ」とクレヨンの包み紙の文字を読んでいる。

クレヨンが出てくるたびに，板書のクレヨンを竹の棒で指示し文字とことばを結びつける。クレオン，クデヨンの発音の誤りを直す。［クレヨン］の語いカードと［ク］［レ］［ヨ］［ン］の文字カードを配布し，並べさせる。この文字カードは5cm平方のものである。遅進児も語いカードを見比べながら並べる。

ばらばらにして速く並べる競争をする。語いカードで正しい並べ方かどうかを確認する。

ハ　書きの指導…新出文字はクとヨ

ク…既出のワと区別させる。ク←平らになるようにする。

ヨをコと区別させる。筆順に重点をおく。「先生，お日さまの日に似ているね」という声。既出漢字の日と関連指導する。ノートに書かせる。ク…

…$\frac{4}{42}$名　ワ…$\frac{1}{42}$名，クレヨンを使った話をノートに書かせる。

• アかイクレヨンをもっています。
• アオイクレヨン
• アカイクレヨン

こういう傾向は$\frac{4}{42}$名でみな優秀児である。

• あかいくれよンをもています。
• あかいくれヨンがあります。

この混同は$\frac{7}{42}$名で中等児以下に多い。ぼくは，あかい　クレヨンを　もっています。とわかち書きで板書し読ませる。クレヨンをひとまとめに読むこと，またその読み方も，ぼくは　あかい（ゆっくり読む）　クレヨン（すばやく読む　カードをはる）　を　もって（ゆっくり読む）のような配慮をする。

翌日書きのテストを実施する。

正答…$\frac{30}{42}$名　誤答…$\frac{12}{42}$名　誤答の内訳は

欠…3名　ク…3名　クン…1名　ワン…1名　クレン…2名　クレヨ…1名　ワレヨン…1名

非常に習得度が悪い。教師用の大文字カードで語構成の指導および書きの練習をする。みなさん［クレヨン］を出してください」「あしたは［クレヨン］をもってきなさい」などとカードで指示し，板書で提示し文字提出の機会を多くするように努める。

ニ　指導者の反省

④　字形も複雑であり，字数も多いので習得率はよくなかった。読みはよく目に触れるものでもあり，完全習得をしているが，書きは非常に悪い。し

かし，その後，図画の時間には必ず触れたので，10日後のテストでは非常に向上している。

㊁ 遅進児はそのほとんどがいっせい指導では習得が困難であった。障害の多い語といえよう。読みはよくできる。字形もクがなかなかうまく書けない。

㊂ 前に指導したドン・バトンと同様にひらがなとの混同が目だつ。語そのものとして書かせた時はよいが，その語を文の中に使わせると混同が多くなる。

㊃ このクレヨンから語として与え，次にそれを分解して指導することにした。児童用のカードは語い指導用と分解用の文字カードの二つを用意したが有効であった。

また一文字の分解は，児童自身がはさみを使用して行ったら触覚に訴え，さらに有効であったかもしれない。

㊄ 大きな文字カードで語を構成する指導はなかなか興味もあった。

カッチン　2月中旬指導

(1) 習得状況

	完全	不完全	カ	ッ	チ	ン	不完全のタイプ
イ 読み							
指導前	6	36	32	10	6	42	
指導後	42	0	42	42	42	42	
3月末	41	1	41	41	41	41	ガム…1
ロ 書き							
指導前	4	33	27	7	5	40	×××ン…17 カ××ン…10 カッ×ン…4 カ×チン…1
指導後	38	4	42	40	39	38	カッカッ…1 カチン……1 カッチん…1 カ×××…1
3月末	35	7	42	35	40	42	カチン……5 カチッン…1

(2) 指導の実際

国語科の2月の題材「小さくかくじ」と連関して指導した。教科書に石屋の絵がある。そこから発展する計画を立てる。

イ 導入

石屋の話合いをする。話合いの進んだところで用意してきた石をかなづちとたがねでうつ。

「さあ，どんな音がしましたか？」

「カッチン」「カチン」「トントン」「コツン」などいろいろに聞えたらしい。

ロ 読みの指導

その中からカッチンをとりだし，大ノート（石屋の絵がかいてある）にカッチン，カッチンと書く。読ませる。擬音らしく，大きい文字は大きな声で，小さい文字は小さな声で読ませる。

カッチンとカチンを区別する。小さく書く字…ッについて指導する。

カツチン と カッチン をフラッシュする。

「先生，時計がカッチン，カッチンっていうよ」

とGがいう。

「大きい時計がカッチンカッチン……」の歌と踊りが始まる。次にプリントを渡して読ませる。

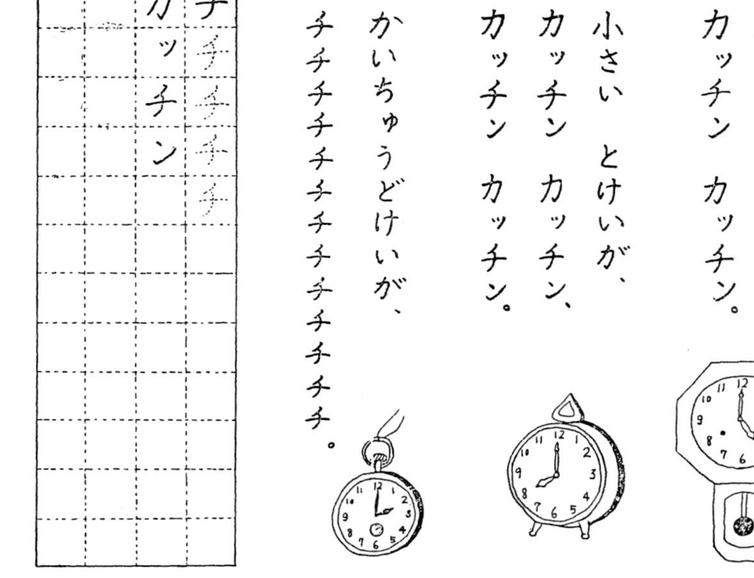

チ
カッチン
チチチチ
大きい　とけいが、
カッチン　カッチン。
小さい　とけいが、
カッチン　カッチン、
カッチン　カッチン。
かいちゅうどけいが、
チチチチチチチチチチチチチ。

かいちゅうどけいがチチチチ……チからチを指導する。

ハ　書きの指導

チ…筆順に注意する。チ…つけるように。

ワークペーパーにある チ の上をなぞらせた後に書かせる。形がうまく取れない。

ナ…$\frac{8}{42}$名　チ…$\frac{1}{42}$名　チ…$\frac{1}{42}$名　チ…$\frac{1}{42}$名　チ…$\frac{1}{42}$名

字形の整わない児童を個別に指導した結果

チ…$\frac{2}{42}$名　チ…$\frac{1}{42}$名　チ…$\frac{1}{42}$名となった。

カは既出の漢字「力」で指導してあるので簡単に扱う。ツを小さく書くことを指導する。

語カードと文字カードを配布し構成する。カッチンを使って話をする。語に構成している間に，ふたり分のカードを合わせて チンチン が自然にできあがる。電車ごっこの歌が始まる。チンドンややトンカチということばもでてくる。それをカードに受け止める。

ニ　鳴き声集めをする

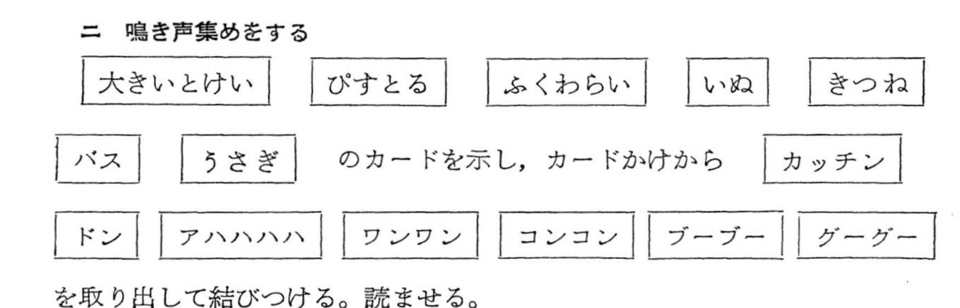

大きいとけい
ぴすとる
ふくわらい
いぬ
きつね
バス
うさぎ
のカードを示し，カードかけから
カッチン
ドン
アハハハハ
ワンワン
コンコン
ブーブー
グーグー

を取り出して結びつける。読ませる。

- カッチンはとけいの音
- ドンはピストルの音
- ワンワンは犬のなきごえ

とやっている間に「先生，音や鳴き声はかたかなで書くんだね」とRが大発見する。そこから，擬音・擬声はかたかなで表記することを指導する。

ホ　指導者の反省

㋑　石屋をよく知らない児童に対して，この導入はやや無理があった。時計のカッチンからはいったほうがより効果的であった。

㋺　正しく書くのに困難なチおよび促音ツを含むこの語を学習させることは相当抵抗があった。

㋩　かたかな表記の原則の一つをスムースにつかませることができたのは思いがけない収穫であった。

キャンキャン　3月上旬指導

（1） 習得状況

イ 読み	完全	不完全	キ	ャ	ン	キ	ャ	ン	不完全のタイプ
指導前	26	16	33	30	42	33	30	42	
指導後	42	0	42	42	42	42	42	42	
3月末	41	1	41	42	42	41	42	42	チャンチャン…1
ロ 書き									
指導前	20	22	28	24	39	24	24	25	××ン××ン…8 キャンキャン…3 キャンきャン…2
指導後	42	0	42	42	42	42	42	42	
3月末	40	2	42	42	40	40	40	40	キャキャ…2

（2） 指導の実際

a 指導計画

第1学年松組　国語科学習指導案　　指導者　角田　勝

1. 題　材　ぽちときしゃ　学図教科書　しょうがっこうこくご1ねん下
2. 目　標　単純な文をもって構成した初歩的な読み物を読破する能力を養い，読書に興味をもたせる。
3. 計　画
   1. 導　入……（1時間）
      さし絵を通覧させて，話の大すじを予想させる。
   2. 展　開……（14時間）

①本文を通読する。……………………………3時間

・新出字の指導　・登場するもの　・物語の環境構成

②話の筋を調べ読みする。……………………8時間　◎本時 $\frac{7}{8}$

③表現・内容等のおもしろさを味わう。……3時間

3. 整理発展……（3時間）　紙しばいをつくり，実演する。

◇本時案（昭和31年3月7日　水曜日　第2校時）

1　題　材　ぽちときしゃ

2　目　標　かたかな「キャンキャン」を身につけることができる。

3　本時までの経過

① さし絵によって，話の大すじをつかませた。

② 音読を主として何度も読みとおさせた。

③ 図工と連関し「どうぶつむら」を共同製作した。

④ かたかな「ライオン」を指導した。

⑤ 筋の変化をくぎってとらえさせるため読みを進めた。

⑥ 前時は85ページ末行まで読みとった。

4　指導計画

予想される学習活動	指導上の留意点	評価および資料
1. 前時までの復習をする。 2. 本時の目標指示。	◦さし絵を利用する。 ◦物語の筋を追いながら通読させる。 ◦ぽちの旅行における本時の位置を確認させる。	評価 ◦「キャンキャン」を身につけることができたか。
3. ぽちが汽車の窓で首をはさまれたときのことを読みとる。 ・さし絵について話し合う。 ・動作化しながら読みを深める。	◦「そのとき」…前時の情景とのつながりをはっきりつかませる。 ◦ぽちとくま・きりんとのことばのやりとりをくふうさせる。 その場にふさわしいことば ◦車内道徳（窓から首を出すな）に軽くふれる。	◦主述のはっきりした話し方ができた

4.「キャンキャン」を学習する。 ◦「キャンキャン」を読み，話を作る。 ◦カード並べをする ◦「キャンキャン」を書く。 5.ことばの練習をする。 6.本時の整理をする。	◦「いたい，いたい」ぽちの悲鳴から提示。新出字はキ・ヤ ◦既出の「ワンワン」と連関指導する。 ◦なき声らしく読ませる。 ◦「キャンキャン」と「キヤンキヤン」の違いをはっきりさせる。 ◦キとき、ヤとや ＞ひらがなと，かたかなの違い ◦なき声あそびをする。	か 資料 ◦教科書…しょうがっこうこくご1ねん下 ◦さし絵 ◦文字板，カード

◎授業の意図……読解指導の中でのかたかな指導（よう音の表記指導）

◇予備テストの成績

	完全	不完全	一字としての完全						おもな不完全のタイプ
			キ	ャ	ン	キ	ャ	ン	
読み	26	16	33	30	42	33	30	42	
書き	20	22	28	24	39	24	24	35	××ン××ン…8 キャンきャン…2 キャンキャン…3

b　キャンキャンの指導

イ　導　入

ひととおり本文の読解の終ったところで，ぽちの出発から現在までのところを動作化して復習する。汽車の窓がガタンと落ちるところでぽちの悲鳴「いたい，いたい」のかわりに自然にキャンキャンが出てくる。カードに書き止める。さし絵のぽちに キャンキャン のカードをはりつける。

ロ　読みの指導

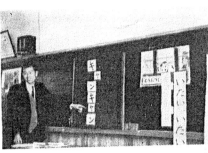

動作化しながら読みの練習をする。大きいカード キャンキャン で大きいなき声，小さいカード キャンキャン で小さい声でなかせる。キャンキャ

ンと既出のワンワンを使って話をする。

カード並べをする。[キ] [ン] [キ] [ン] [ヤ] [ヤ] [ャ] [ャ] の8枚のカードを配布し並べさせる。2枚のヤとャからよう音キャを指導する。全部の児童がよく並べられている。

次にボントン板で教師用カードで行う。はじめに，[キ] [ヤ] [ン] [キ] [ヤ] [ン] と並べ読ませる。児童と話し合いながら，小さな [ャ] を正しい位置に置き替えさせる。[キャンキャン] のカードで語形を確認させる。

回転カードで読みの練習をする。まず [キャ] のカードを読ませ，次の瞬間にカードを回転させて [ン] のカードを出して，キャンと読ませる。この動作をくり返してキャンキャンと読みの練習をさせる。次に [ン] のかわりに [ー] のカードでキャーキャーを練習する。(写真参照) キとヤの正しい字形を確認させる。次のようなカードを提示し，正しい文字に○をつけさせる。

([き|キ|キ|キ] ([ヤ|や|ヤ|ヤ]

ハ 書きの指導

[キ] と [き] [ヤ] と [や] の違いをカードによって，よりはっきりさせる。「カとかもよく似ているよ」という児童の声に，用意したカードによってセとせ，へとへ，モとも，リとりなどについて，かたかなとひらがなの違いに軽く触れる。

キとヤの斜線に気をつけさせる。キ になるもの$\frac{2}{42}$名。ヤ になるもの$\frac{1}{42}$名。キャのヤを右横にはずして書くことはできるが，そのヤを小さく書くことができないものが$\frac{3}{42}$名いた。

ニ 鳴き声あそび

鳴き声あそびをする。[モーモー] [コンコン] などのカードを提示，牛・きつねと答えさせる。

ホ 指導の結果

翌日読み書きさせてみる。全員が習得している。キャンキャンと連関して，チャンチャン・キャーキャー・キャラメルなどの読みを指導する。

N児（女）のかたかな指導

（1） 生年月日 昭和23年 11月 21日

生活年令 7年2月

（2） 知能指数 56

精神年令 3年11月

（3） 国語学力偏差値 38

（4） 健康についての異常な条件は認められない

（5） 家庭環境

イ 職業—農業 家計中以下

ロ 家族—父・母・祖母・兄3人，姉ふたり，妹ふた

ハ 学歴—父母とも小学校中退

ニ 勉強の世話は5年の兄がみる

（6） 性格

すなおでよい。発表力もなかなかあり，朝の話合いでよく話をする。比較的まとまった話ぶりである。作業は熱心である。

（7） その他

各教科とも劣っている。理解力・推理力に欠けている。図画も色彩は黒を基調として図形も不確実である。

（8） 国語力

イ ひらがな習得状況

	4月	7月	11月	12月末
・読み	3	21	30	60
・書き	0	12	22	54

ロ かたかな習得状況

	4月	12月末
・読み	0	1
・書き	0	0

ハ 1字1字の拾い読みをする。既習したところは，この傾向は少ない。

ニ 学習意欲は比較的あるが，注意力の持続は短かい。約20分である。

ホ 教師の指示のようになかなかできない。ノートをこちらから書けと指示しても，そのとおりになかなかできない。

（9） 指導記録

イ 予備テスト

1月11日 1月の予備テストを行う。パンをはじめとして，大部分の語が読み書きできない。リレーのリだけ読めた。ひらがなのりと混同しているらしい。

ロ パンの指導

1月12日 パンの読みの指導，［パ ン］のカードを読ませる。読める。

あじつけパン のカードを渡し教壇に出て話させる。「わたくしのはあじつけパンです」ができる。

昼食のとき，おべんとうにパンを持ってきた。

「ひさえちゃんのおべんとうはこれだね」と パン を示すとこっくりをした。

「ひさえちゃんの持ってきたパンはどれですか」と尋ねると前へ出てきて，掲示してあった あんパン と くりいむパン を指示した。なかなか興味もあるらしく積極的である。

1月13日　パンの書き指導，始業前Nをつかまえてパンの読みを確かめる。たやすく読めた。板書・そら書させてからノートに書かせる。パと大きくノートに書いてある。仕事が非常に遅い。自分で書いた字形が気にいらないらしく一つ所を何度もなぞる。パの二画目が止まらないですっと流れてしまう。

ンの点がフになり，二画目も下から上への方向は正しいが力を抜くことができない。ノートに範書してその上を何度もなぞらせる。しかし書かせてみるとやはりもとどおりになってしまう。ンの一画目の点だけがようやく打てぬようになる。

1月14日　きょうは全体としてはパンの扱いはしなかった。国語の授業中机間巡視していってノートに書かせたら容易に書けた。　ンがレになる。

1月16日　ノートを調べたらパンの字が5回練習してあった。自分でやったという。パンはこの後完全に習得した。

ハ　アハハハハの指導

1月16日　福笑いで大いに笑わせアハハハハを提示する。正しく発音できる。

1月17日　書きの指導

板書・そら書・プリントをなぞらせた後，ノートに書かせる。アの形はよくとれている。他の遅進児は非常に障害を感じている。ハの二画目がやはりとまらない。八になることもある。ハのそら書を何回もさせる。アハハハとハの字が一回不足している。これはなかなかむずかしい。

1月20日　前から指導していたいろりの火，お月さまとパン，アハハハハの書きを調べる。火・月はそれぞれ象形文字であり，児童が非常に興味をもった文字であった。結果は，火月はできている。パンはパンになっている。アハハハハはソハハハハとまちがえた。

1月26日　同様に調べてみる。

正答…月　パン

誤答…火　アハハハハをハハハハにしている。

ニ　コンコン，ワンワンの指導

1月21日　かげえ遊びの発展として，犬の鳴き声をワンワン，きつねの鳴き声としてコンコンを提示する。コとワの字形の違いを確認させる。二つのカードをフラッシュする。混同せずによく読める。

1月23日　始業前調べてみる。少し考えていたが両方とも読める。混同はしていない。

書きの指導，コの字形はうまくとれる。ンがレになる。ノのように丸みをもたすことが困難である。終筆で力を抜くことができない。ワがクになる。数字の7と混同している。指導後フになる。文字を書くときにはやはり何度もなぞる。ワンワンは読めてもワは読めない。Nは2，3日前からかぜをひいている。コンコンと苦しそうにせきをする。せきをした後，コンコン とカードを見せ「ひさえちゃん，苦しそうだね。はやくよくなろうね」と話しかける。

1月25日　ワンワン，コンコンのテストをする。

コンコンは読み書きともできてきているが，ワンワンは読み書きともできていない。その場で指導する。

1月27日　Nに手紙を出す。

ひさえちゃん，またコンコンせきをしましたね。苦しいでしょうね。おうちへ帰ったらうがいをして，あったかくしていましょうね。

休み時間に呼んで，既出語いでカード取りをする。だいたいできる。

ホ　リレーの指導

1月25日　読みの指導　ジレーになるので指導する。

1月26日　書きの指導する。リとりの区別をはっきりさせる。リレーの字形はよくとれる。ほとんど障害がない。

1月30日　テスト実施　読み書きともできている。

2月10日　忘却度を調べてみる。読みはできたが書きはできない。

ヘ　ドン，バトンの指導

1月29日　実際にリレーを行い，実際の音を聞かせ，実物を見せて導入する。プリントを渡して読ませる。

かけっこ　かけっこ　ようい　ドン
しろかて　あかかて
かけっこ　かけっこ　ようい　ドン

42名中35名の者がドンを前後関係から読めたがNは読めない。拾い読みをしている。ようい がよおい に読めず，ようい となり，そのためドンになる情景がつかめない。そばに行ってドンをぬかして読んでやる。ようやくわかる。

「ドンと音がするものは？」と聞いたら，「たいこがドンとなります」と答えた。

1月30日　書きの指導

字形は正確に書ける。あかいバトンと書かせると，あかいばとんと書いた。「変だね」といってもわからない。それで隣席の児童のあかいバトンと比べさせる。なかなかわからない。「バトンはそう書くんだっけかな？」というとはじめてあかいバトんとなり，3回目にやっとあかいバトンとなった。バトンをバトンとしてでなく，ひとかたまりのバトンとしてもっと徹底して定着しなければならぬ。

1月31日　読み書きともできた。

2月8日　テスト実施

・読　み　正　答　ドン
　　　　　誤　答　バトンをバスと読む。ちょうどこの時期に指導しているバスとの混同である。

・書　き　正　答　ドン
　　　　　誤　答　バレンと書いた。トとレを混同した。この混同はこの後も起っている。

ト　クレヨンの指導

2月1日　読みの指導　各自のクレヨンの文字を読むことからはいる。Nのもクレヨンと書いてある。クレオンと発音しているので指導する。クレヨンの語カードと［ク］［レ］［ヨ］［ン］の一文字カードを渡して語の構成をする。すぐに並べられる。なかなか興味があるようだ。

書きの指導に移る。語いカードの上を何度もなぞらせる。クが7になり，ンが依然として〻であって直らない。

クレヨンということばを使って話をさせる。「わたしのはよいこクレヨンです」と話す。ノートに書かせると，わたしはあかいくれよンです。と書いている。他の遅進児も同様である。ノートに，あかい　　　です。と書いてやり，【クレヨン】のカードをどこに置いたらよいか聞いてみる。クレヨンのカードをあかいとですの間に正しく置くことができた。それを何度も読ませる。クレヨンのところはすばやく読ませる。

２月２日　テスト実施。読み書きともできない。相当の障害がある。語カードを使ってもう一度練習する。字数も多く複雑な字形である。この後，【みなさん，クレヨンを，出してください】という文字板を作り，クレヨンという語形を認識させるように努めた。そのため読めるようになったが，10日後のテストではクレヨンをクレ ソ と書き誤っている。

チ　予備テスト（２月指導語）の結果と反省

２月１日　２月指導語の読み書きテストをする。

㋑　読み　○が読めた文字　・は既習文字

1. バス　2. ブーブー　3. トラック　4. グーグー　5. ザクザク

6. カッチン　7. チューチュー　8. モーモー　9. メーメー

10. ポスト　11. ポスター

既習文字が非常に読めない。その日の朝指導したクレヨンのクも読めていない。そこで１月に指導したバトンを出して読ませる。読める。もう一度トラックのトを指示して，「この字読めない？」と聞くと，バトンと頭を振りながら読んでからトと答えた。

㋺　書き　下の段がNが書いた文字

1. バス	2. ブーブー	3. トラック	4. グーグー	5. ザクザク
バ	ふふ	とら 7	ぶぶ	ざざく

6. カッチン	7. チューチュー	8. モーモー	9. メーメー
か ソ		もお	

10. ポスト	11. ポスター
ド	

けっきょくバとクとンが書けている。トとドを混同している。バとクが書けたのは，それぞれバトンとクレヨンの頭につく第一文字であったためであろうか。ンはひん度が多かったためであろう。また知っている文字があっても，その語の中に知らない文字があれば書くのをやめてしまうようである。

１月中はだいたい語いのまま指導してきたので，その傾向がはっきりわかる。

かたかなに対する興味は，１月中は相当あったが語数が多くなるにつれて減少してきた。「さあ，ノートに書きましょう」といってもなかなか書こうとしない。教師用の【クレヨン】のカードをあげようと言っても受けとらない。

リ　バス，ブーブーの指導

２月８日　みんなでバスごっこをする。ブーブーが自然に出てくる。読ませる。バトンも軽く扱う。バス，ブーブーのカードのカードをそれぞれふたとおり与え，一方はそのまま語いカードとして使い，一方は切り離して分解構成指導に扱う。バス・ブーブーともによく並べられる。Nは入学当初バスで通学したので興味も非常にあるらしい。

「わたしがね，ろくじぞうで待っていたらね，むこうからバスがブーブーきました」と話す。

２月９日　バス・ブーブーともよく読める。

書きの指導に移る。分解指導をする。スとフを比較させる。ノートにバスの絵をかかせ，そのそばにバス・ブーブーを書かせる。仕事がおそいので文字はようやくひととおりしか書けない。そこでカードの上を何度もなぞらせる。

２月10日　バス・ブーブーを書かせる。バだけしか書けない。もう一度指導する。

ヌ　トラックの指導

２月10日　町に出てトラックを見る。黄色いトラックが来る。青いトラックが走る。現場でトラックの文字カードを提示する。

帰校後図工の時間にトラックの絵をかかせ，トラックと文字で書かせる。Nは絵はかいたが文字は書けない。文字カードを与えて並べさせる。促音ッに注意させる。

２月11日　書きの指導　文字カードを並べる。ラとフの比較をさせる。ノートに書かせると ニのシク となった。字形はよいが促音のッが小さく書けない。またクがツの直下になってしまう。

２月13日　トラックと書かせると書けない。指導する。

ル　グーグーの指導

２月13日　うさぎとかめの歌から大ノートを読ませる。書かせる。字形はうまくとれている。

オ　カッチンの指導

２月16日　チの字形は困難で ノナ となる。ノートに大きく範書してその上をなぞらせる。こんどは ﾁ となる。このままどうしてもチにならなかった。

２月17日　漢字「外」を指導したのでタとトを扱う。トラック・バトンを

復習する。タは未習だが漢字では夕（ゆう）（既習）かたかなではタ（た）と読むことを指導する。

２月18日　読み書きテストを実施する。（○はできたしるし）

	読　み	書　き
バ　ス	○	○
ブーブー	○	書けない。
トラック	じどうしゃと読む。再問すると，トをレと読んだ。	書けない。
グーグー	ブーブーと読む「じゃあこれは？」とブーブーを指示するとだまってしまう。	グだけ書けた。

２日前に指導したカッチンは読めない。習得が相当困難になったようである。

ワ　モーモーの指導

２月20日　モともを区別させる。文字カードを配布し長音の指導をする。モーモ　モモー　モーモーと教師の指示どおりに並べられるが，それを読むことができない。

書かせる。モ となってしまう。L のように曲げることができない。漢字の七と連関指導する。ノートに書くと初めのうちはモとなっているがだんだんとモとなってしまう。

うしがモーモーとないていますと書かせると，うしがもとないていますと書いた。誤りを直すと２回目には，「うしがモーモー」と書いておしまいにしてしまった。

カ　チューチューの指導

2月22日～2月23日　ねこのすずの劇指導から提示する。Nも喜んで劇をする。書きは初めチューチュー であったが，よう音ュを指導すると

チュニチュー となった。

この点画を打ってしまってから，自分でその誤りに気がつき，正しく打ち直した。

翌日チューチューを読ませたが読めなかった。

2月26日　ザクザク・モーモー・カッチン・チューチュー・メーメーの読み書きのテストをする。全部できた。同時に最近指導した漢字のテストを行う。用・内・外・戸・の4文字とも書けなかった。

ヨ　3月の予備テストの結果

㋑ 読み　○印読めた文字　・印既習文字

1. アイロン　2. ピアノ　3. ライオン　4. キャンキャン

5. トンネル　6. ガム

㋺ 書き　下の段がNが書いた文字

1. アイロン　2. ピアノ　3. ライオン　4. キャンキャン

あいろン　　ン　ン

5. トンネル　6. ガム

トン

既出の文字であるアとラが書けない。

タ　キャンキャンの指導

3月7日　ぽちが首をはさまれて悲鳴をあげているところで提示する。読み書きの指導をする。キとき　ヤとやの区別をはっきりさせる。

3月8日　読み書きともにできる。

3月12日　読み書きともにキンキンとなる。

レ　最終テストの結果

㋑ 読み　25語中23語完全に読めた。……92%である。

障害のあった語は

1. ブーブー…はじめグーグーといったが，ブーブーと読みなおした。
2. グーグー…読めない。
3. ライオン…イとンが読めた。
4. キャンキャン…しばらく考えていたができた。

㋺ 書き　25語中19語完全に書けた…76%である。

完全に書けなかった語は

1. ワンワン…クンクンになる。
2. リレー…リ××
3. クレヨン…タトヨン
4. チューチュー…チャンチャン
5. ポスター…ポスクトー
6. ピアノ…ピャルピャ

ソ　一文字テストの結果

㋑ 読めた文字…71字中25文字で35%である。(既習の37文字中20文字(54%) が読めている)

サイアリコトメワンヨガスニモキヘカガベドバザパポペ

• 未習の文字では，サニヘベペが読めている。
• 既習の文字で読めなかったのは，ハオルツヤロノレチタラムユネグピの16文字である。

㊁ 読みのテストで気づいたこと。

・ロをくちと読んだ。

・ソをンと読んだ。

・タをゆうと読んだ。

・ムをガと読み，次にムと訂正した。

・ブをグと読んだ。

㊅ 書けた文字…71文字中21文字で30％である。（指導した37文字中19文字（52％）が書けている）

ハヤアトメンムスニモキヘカガグドバブパポピ

・指導しない文字ではニヘが書けている。

・指導した文字で書けなかったのは，オルツロノイリレコチタラワヨユネクザの18文字である。

㊂ 書きのテストで気づいたこと。

・タを田と書いている。

・ユを夕と書いている。

ツ 作文に現れたかたかな

3月13日の作文にはじめてかたかな語がでてきた。

あさのこと　　　　なんばひさえ

あさおきた。ブーブーぶたがブーブーねていました。とあけるんだよといいました。おかあちんアイロンつかてたのでわたしわみことあそんでい。

（後略）

文字の混同もみられず，正しく使えている。

3月22日　用田の街頭を歩いてから作文を書かせた。指導した語で作文の中に出てくると予想されるのは，パン・バス・トラック・ブーブー・ポスト

などである。Nは270文字の作文を書いた。

わたしわ用だのぼんいたのでした。おかおばあんがおみせやさんにいたのでした。

トラックがとたのでした。

バスとたのでした。（中略）

かいちでんきなんかうてたのでした。だじよやふるやだな　みかんなうてたのでした。ガムなかうてたのでした。パまれんとやありました。

（後略）

これをわかりやすくなおすと，

わたしは用田のほうへ行ったのでした。岡野さんのおばあさんがお店にいたのでした。トラックが通ったのでした。

バスが通ったのでした。かいちゅう電気なんか売ってたのでした。ラジオ屋は古谷だな。みかん売ってたのでした。ガムなんか売ってたのでした。パーマネント屋がありました。

かたかなを作文中に使うことは全然指示しなかったにかかわらず，非常によく使えている。パーマネントはかんばんの文字を見たからであろう。

ネ 漢字の習得状況

3月末に指導した漢字40字について書きの習得状況を調査した。その結果Nは30文字書けた。75％であってかたかな25語いの書きの習得率とほとんど同じである。（○印書けた文字）

一	二	三	四	五	六	七	八	九	十	上	下	子	山	中	川	小	大	日	土
○	○	○	○	○	○	○	○	○	○	○	○	○	○	○	○	○	○	○	○

石	立	手	本	木	白	夕	火	月	力	入	水	用	戸	人	内	外	目	口	田
人	×	×	○	○	自	○	×	○	×	×	○	○	ト	×	○	[illegible]	○	○	○

ナ　ひらがなの習得状況

㋑ 読　　み

区分 / 調査月日	読めた文字数	読めなかった文字
12月20日	60	ろ そ ら ふ む へ べ ぐ ざ ぞ ぺ
2月10日	65	ら む へ べ ぐ ぞ
3月20日	67	ら む ざ ぞ

㋺ 書　　き

区分 / 調査月日	書けた文字数	書けなかった文字
12月20日	54	ろ れ ち ふ む に へ か べ ぐ ば ざ ぎ ぞ ぱ ぺ ぶ
2月10日	58	れ ち む へ べ ぐ バ ぢ ぞ ぱ ぽ ぺ ぶ
3月20日	63	れ ち む ぐ ぢ ぞ ぽ ぶ

ラ　ま　と　め

㋑ かたかなは語いとしては比較的よく習得している。

㋺ 語を文字に分解して指導する時間が少なかった上に，自分の力で行う力もないので一文字の習得は読み書きともよくない。

㋩ ブーブー，グーグーのように似た語は混同している。

㊁ かたかなとひらがなや漢字との混同がみられる。ター田　ユータ　バーば

㋭ ひらがなは，とうとう完全習得にいたらなかった。

4. 効果的と思われる教具

(1) 児童用語カード

イ　新出語の指導の際には，次のような語カードを2枚配布した。

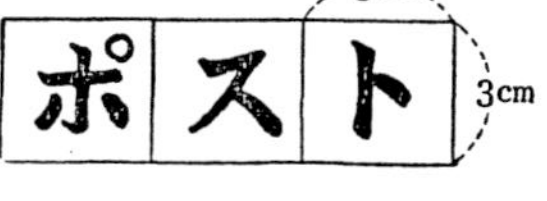

その使用法としては，

㋑ 読みの練習をする。何枚かの語カードを並べて教師の指示どおりにそのカードをとり，語形を識別させる。

㋺ 2枚のうちの1枚を各文字ごとに分解し，それを語に構成させる。構成できたものを，語いカードと比較させる。カードを文字に切り離すことは，最初教師が行っていたが，児童自身に行わせたほうが分解の意味からいっても効果がある。

㋩ 書きの指導の際，その上をなぞらせる。

㊁ 短文づくりのとき，その文の中にカードを入れる。たとえば，

あかい [ポスト] があります。

このようにカードを置いて，何度も読ませる。それからカードのかわりにポストを書く。これはかたかなとひらがなの混同を防ぐため，かたかな語を印象づけるために試みた。

ロ　ドリル学習としては次のように使用する。

㋑ 語　カ　ー　ド

① ぼうずめくり。既習語カードを裏返しにふせておき，2～4人で1枚ずつとりながら読んでいく。読めれば自分の持ちふだとなる。さらにそのかたかな語を使ってお話を作る。

② 1～3の話を使って話を作る。たとえば，わたしはクレヨンで，あかいポストを書きました。

③ この鳴き声や音は何でしょう。

既習の鳴き声や音の語カード，および動物や事物の語カードを使用する。

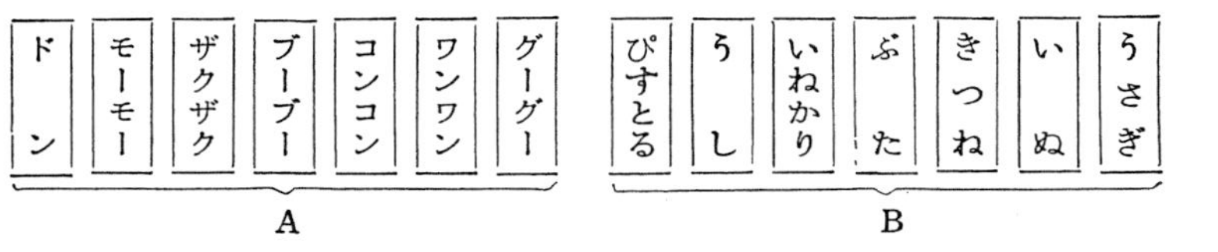

教師がBのカードを示す。児童はAのカードから適当するものをとって教師に見せる。またこの逆を行う。

㋺ 文字カード

① ぼうずめくり

② ことばづくり

ド リ バ レ ン ト ー ン の8文字から

ドン リレー バトン の3語を作る。

(2) 発展カード

カッチンのチを印象づけて指導するために，チンを頭文字にしたチンチンを指導することが有効である。 カッ チン チン

カッチンのときは裏へ折り曲げる

チンチンのときは，裏へ折り曲げる

同様のものとして

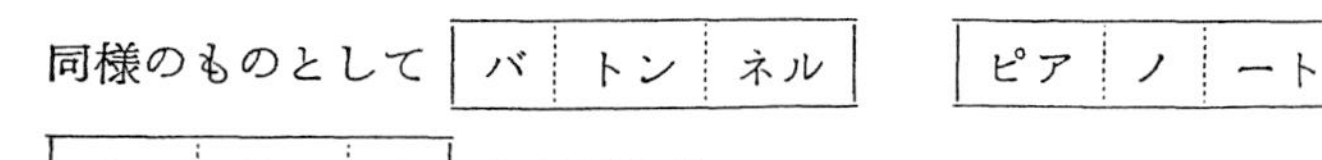

チン ドン や などがある。

(3) 長音指導カード

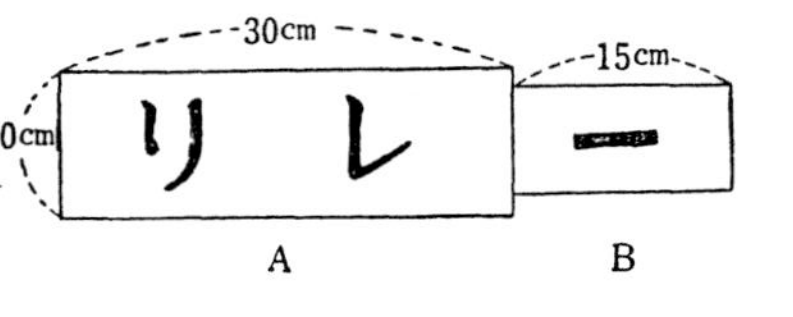

Aの部分の裏へ，B（長音記号）の部分がかくれるようになっている。リレとリレーの比較をはっきりさせる。モーモー・メーメーなどにも使用する。

(4) フラッシュカード

イ 材　料

厚紙…黒板と同じように用いるので，白墨の文字がよく消えるように，なるべくなめらかなものを選ぶほうがよい。

糸…強く細く色の濃い目だたないもので黒などがよい。厚紙は両面とも墨で黒く塗る。

ロ 作り方

16cm
正方形
16cm

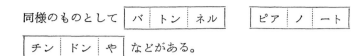

四すみに穴をあける。

これを指導する語の文字数だけつなげる。

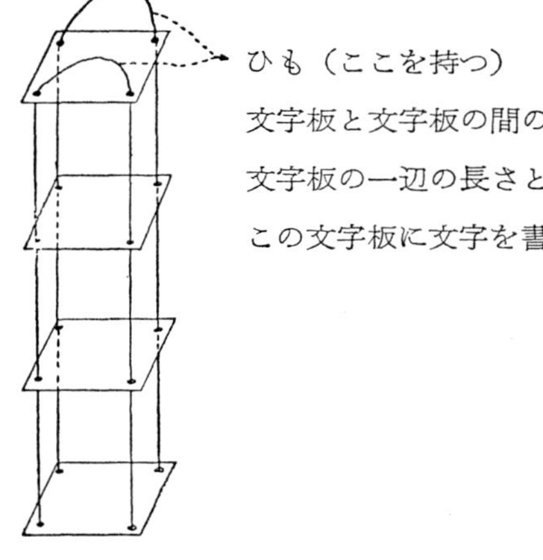

ひも（ここを持つ）
文字板と文字板の間の糸の長さは
文字板の一辺の長さと同じにする。
この文字板に文字を書く。

表　　　裏

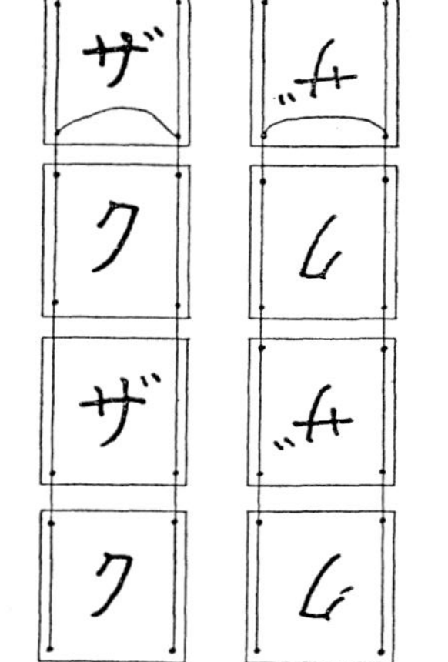

上のひもを両手で持ちそれを上下に，交互に動かすことにより表裏の文字を読ませる。

ハ　使　い　方

㋑　動作化などして，何度も何度もくり返えし読ませる。

ザクザク　ザクザク……

㋺　混同しやすい文字の指導。

クンクン　ワンワン

モーモー　もーもー……

㋩　促音の含まれている文字の指導。

カッチン　カチン

トラック　トラク……

などの指導のとき用いた。作り方も簡単であるし，自由に書いたり，消したりでき，持ち歩くときも心配なく自由な場所で学習ができるので，このような教具を三つ，または四つぐらい作っておくと興味のある学習ができる。

（5）　ボントン板による書き方指導

イ　作　り　方

◦ボントン板…小黒板に（板でもよい）フランネルをはったもの。

◦直径 3 cmの丸形…40個ぐらい。この丸はフランネルで作る。

ロ　使　用　法

㋑　筆　順　指　導

(1)　　(2)　　(3)

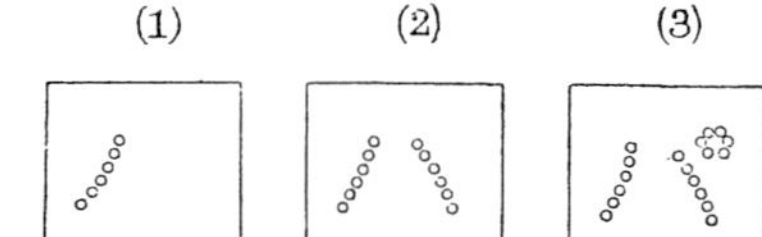

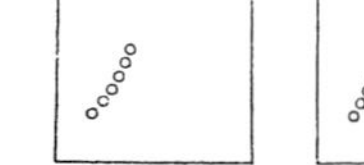

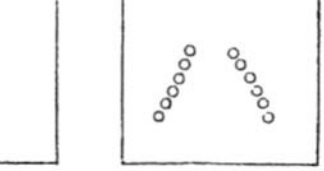

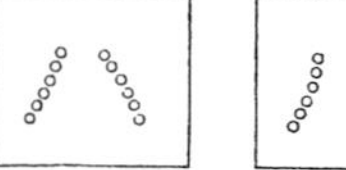

いつも黒板で筆順指導をするだけではなく，時には，このようにボントン板を使用するのも児童にはたいへん興味がある。

これは腕の動きが大きく移動するので筆順がはっきりわかる。

㊁ 字形の誤りを容易に直すことができる。ノートへ練習の際字形の悪い児童を見うける。この場合，さっそくボントン板で文字を作らせ，他の児童と話し合いながら修正する。

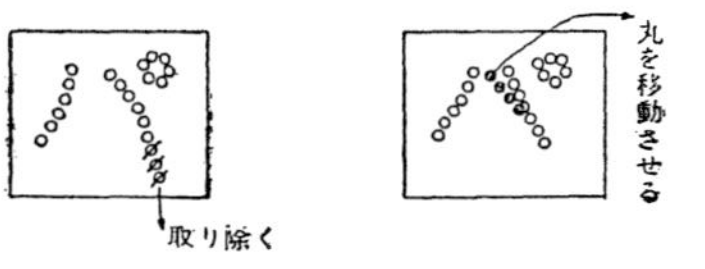

○多いのを取り除いていく。

○少ないときは，足していく。

○場所を移動して形を直す。……

その場所で修正していくことによってまちがいの個所がはっきりとつかめる。

㊅ ボントン板による文字板並べ

これは文字板の後にネルをはる。

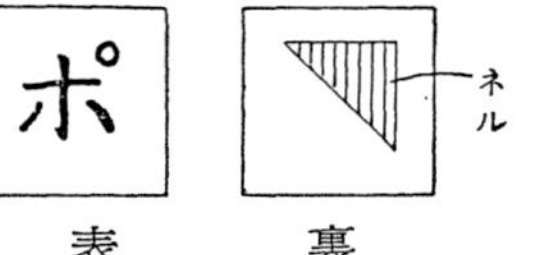

習得した文字の文字板をあらかじめ作っておき，時にふれ語を構成させるのに用いる。

ポ｜ス｜ト　　ト｜ン｜ネ｜ル……

また文字をボントン板にはり，児童にノートへ作らせる。

文字板並べもさせる。

	ポ		
ポ	ス	タ	ー
	ト		

(6) 小石による書き方指導

小石はボントン板に比べて各自が作業できるという所に利点がある。

ボントン板同様，筆順指導と字形の誤りを見るための教具である。小石は各班長が保管している。班長が配るとさっそく作業が始まるわけだがハの文字指導を例にとってみよう。

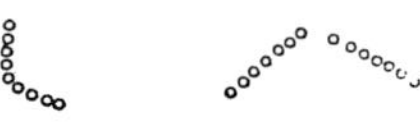

このような字形の児童を見つけた場合，小石を取り除くか，移動させるかして正しい字形に修正してやる。

「さあ，もう一度作ってごらんなさい」で何度も練習させる。

また，ドリルの時間に文字作りをしながら，覚えているかどうかをテストするためにも使用する。

わからない児童にはカードを渡し，見て作らせる。いつもノートへ書くのではなく，このような文字指導も児童にはたいへん効果がある。

5. 遅れたこどものひらがな指導

(1) はなはだしい個人差

イ 入学初期の日記から

4月1日　教員生活10年ではじめて1年生の受持になる。

校長先生の話が済んで，児童を回りに集める。「先生の名前を知っている人」というと「はい，はい」と手をあげる。「つのだせんせい，つのだせんせい」と口々に叫ぶ。次々と言わせていくうちに，不安におびえたいくつかの目にぶつかってはっとする。思い切ってさしてみる。やはりだめだ。「こんどはお話してね」とにっこり笑ってみせる。KとTが母のところへ逃げ帰ってしまった。

4月5日　始業式　Kは母の手にしがみついていて，寸時も離れようとしない。Tは泣いて3年の兄をてこずらせている。Fも初めから終りまで泣いている。手をつなごうとすると，ぞうり袋を振り回す。ひっかく。地面にすわりこんでしまう。これではとうてい学習も無理である。

さっそく家庭訪問をする。Tは昨年父と江の島へ行つた。そこでTはパチンコに夢中になった父にはぐれてしまった。30分も1時間も泣いて捜し回ったらしい。それ以来Tはすっかり恐怖心に取りつかれてしまったのだ。Fは5人兄弟中たったひとりの女の子として，みんなに甘やかされてしまっていたらしい。近所の同級生と級が違ってしまったこともお気に召さぬ原因とわかった。

H（女）とI（女）とO（男）とM（女）は名まえを呼ばれても返事ができない。鉛筆をかみ，本をかみ，ただ，だまってすわっている。

話せない子，遊べない子の多いことにわたしは驚いてしまった。

ロ　入学児童調査表から

家庭から提出してもらった「入学児童調査表」によって，さらに児童の実態を調べてみよう。

自分の名まえがわかりますか	よくわかる	わかる	どうやらわかる	わからない
	15	16	6	5
〃　書けますか	よく書ける	書ける	どうやら書ける	書けない
	14	13	10	3
ひらがなが読めますか	ぜんぶ読める	だいたい読める	少し読める	全然読めない
	4	7	23	8
〃　書けますか	全部書ける	だいたい書ける	少し書ける	全然書けない
	4	7	20	11
いくつまで数えられますか	100まで	30まで	10まで	5まで
	15	18	5	4
学校へひとりでこられますか	こられる	どうやらこられる		こられそうもない
	20	16		6
お使いができますか	よくできる	どうやらできる		はずかしがってできない
	16	13		13
なきんべですか	強い方	普通	少しなきんべ	うんとなきんべ
	8	28	5	0

かいかぶっていたり，控え目すぎる場合もあろうが，それにしても，その差はあまりにも大きい。

ハ　ひらがなの読みと書きの実態

4月11日，12日，13日調査

区分＼文字数	0～9	10～19	20～29	30～39	40～49	50～59	60～69	70～71
読み	18	4	3	2	0	3	6	6
書き	25	6	1	4	1	1	3	1

習　得　率

区分＼種別	清音	濁音	半濁音	全体
読み	48	34	19	41
書き	26	13	9	21

（2）入門期の指導

イ　話せるこどもに遊べるこどもに

1年生の生活は遊びすなわち学習であり，学習すなわち遊びの毎日である。42人のこどもたちが元気で遊べるこどもであるように……わたくしは指導目標をそこにしぼってみた。

ロ　K児の記録

その大きい目はいつも不安におののいていた。いつまでたっても母といっしょでなければ登校できなかった。「おててつないで」も「むすんでひらいて」も，ただ母の手にすがりついて傍観しているだけ。教室でも母と同じ机にすわらなければ承知しなかった。ひらがなの読み書きはもちろん名まえの判別も不可能であった。

① Kの問題点とその原因

㋑ 両親のでき愛による社会性の欠除

男3人の長男に生れたKはわがままいっぱいに育てられた。

㋺ どもりについての劣等観

Kの父は相当などもりである。Kのどもりはほとんど気づかれない程度である。しかし「うちのKはどもるから困る」という父母の先入観がKにも同様な気持を植えつけてしまったらしい。

㋩ 幼児期における友人関係が限られていた。

㋥ 祖父との寝物語は妖怪(ようかい)変化の昔語がおもでKはすっかり恐怖心のとりことなり，夜ひとりで便所に行くことができなくなってしまった。

② まずKに近づくことにした。学校に出勤する前にKの家によって誘ってみた。通学班の上級生を指導してひとりで家を出るように誘わせた。こうした日が1週間続いた。しかし効果はなかった。

教室にぼんやりしているKを輪投げ遊びや積み木遊びに誘ってみた。しかししりごみするばかりだった。

③ 便所へいっしょに行くことにしてみた。はじめは引きずられるように連れて行かれたKが何日目かの便所で，並んで用便しながらの卑俗な話に思わず笑ってしまった。Kは思わず声を出した。付添にきていた母と心から喜んだ。むすんでひらいても少しずつするようになった。

④ 1週間続けた朝の訪問を午後の訪問に切り替えてみた。学校から帰りがけKの家に寄ってKの遊んでいるところをつかまえる。このごろになってようやくわたくしを敬遠しなくなった。その日の学校のことを話し合い，あしたこそひとりで学校にくるように話した。自転車に乗せてもらうことをいちばん喜ぶKであった。

⑤ 電 話 ご っ こ

「もしもし，1年松組の皆さんですか」「はいはい。そうですよ」元気な声，声。「きのうは何して遊びましたか」朝のひとときを電話ごっこで楽しく過ごす。「もしもし」……「はいはい」Kも思わず声を出してしまった。わたくしは無関心をよそおっていた。こうしてなごやかな空気がかもし出されてきた時，個人個人との通話に切り替えた。

⑥ 4月16日　出席簿の1番目がSで，2番目がKだった。Sも返事にてこずらせる児童だった。そこでSとKの呼名順を変えてみることにした。級のふんい気がぐっと盛り上がったころを見はからってKの名まえを呼んでみた。しかしだめだった。

⑦ 4月20日　電話の応答もしだいに確実になったきょう，Kはかすかにくちびるを動かして「はい」と返事をした。「偉いぞ，ゆうちゃん」わたくしはおどり上がって喜んだ。みんなで手をたたいて祝福してやった。次の日から手をあげて返事をするようになった。

⑧ 4月25日　Kが5才の弟とふたりで登校した。みんなでうんとほめてやった。顔に指で大きな花丸をかいてやった。

⑨ 4月27日 Kはひとりで登校した。「おいおい」とわたくしの洋服をつかまえては訳もなく笑いかけるようになった。

⑩ 5月10日 Kははしかで4日間欠席した。そのためか欠席ぐせがついてしまったらしい。朝父に自転車に乗せられて来たが，父が帰ってしまうとランドセルもほうり出して，逃げ帰ってしまった。しかしこの欠席病の回復は早かった。三日目にまたひとりで登校するようになった。

⑪ 現在 簡単な答えなら進んで答えるようになった。放課後も残って教師の仕事を手伝ってくれる。「先生，宿題，宿題」とせがむKになってくれた。

ハ 指導の場について

① 朝早く教室でこどもの登校を待っていて，
「○○さんおはよう」と呼びかけてやった。

② 簡単にできる教師の仕事をやらせた。

③ できるだけなかよしになってやる。わたくしは何か機会をみつけてはじょう談をいいふざけた。すもう，ちゃんばら，おにごっこ……話すことが，身体によるいろいろな表現といっしょに行われるということを今さらのように痛感した。

④ 学校帰りに送っていくことも師弟のかきねを取り払い，魂と魂の触れ合いのよい機会であった。ひと言も話さなかったHが手をつなぐことすらきらっていた幾日かの後「きょうは，Hさんの家まで行こうかな」と手を強くにぎりしめてやった時「おいらかくれちまうもん」「なあにすぐみつけちゃうよ」「戸だなの中だからみつかるもんか」……という最初の会話がでたのもこの機会であった。

⑤ 休み時間にはつめを切ってやった。10人も15人もの列ができて順番を

待った。おとうさんのこと，おかあさんのこと，豚のこと……こどもの口はひとりでにほころびた。

⑥ 同様に鉛筆削りも非常に効果があった。

（3） 入門期の指導記録

イ 4 月 8 日

名まえ捜しをする。

名まえカードを示して自分の名まえとわかったら立って返事をする。Kをはじめ，名が読めない。机の上にはってある自分の名まえと見比べさせながら，第2回目を行う。Kだけがどうしてもだめだった。「さあ，こんどはだれだろうな」と予想させながらカードを示し，「ほら，これはあの子だったんだよ」とみんなで拍手してやった。なかなか興味があった。

この名まえ捜しは次のように発展した。

㋑ 壁にはってあるカードから自分の名を選ぶ。

㋺ カードを姓と名の二つに切り，自分の姓と名を結びつける。

㋩ 一字ずつに切り取ったカードを並べる。

ロ 4 月 14 日

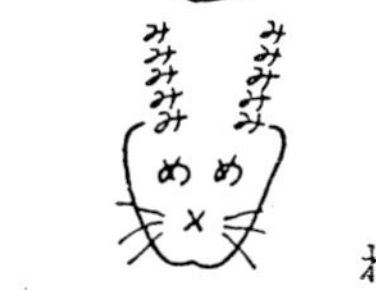

「むすんでひらいて」の遊戯は何度行っても興味があるらしい。

「その手を」……

［め］［みみ］にとカードを指示する。

黒板に「あがりめさがりめ」の歌に合わせて……めを入れたら大喜びであった。

同様に「うさぎ　うさぎ　なにみてはねる」うさぎのみみはながいなあ……と指導した。

文字ことばに対する関心は非常に増大し効果はあがった。

ハ　4　月　20　日

きょうは朝から雨。

教室に行くとほとんどのこどもが絵本を読んでいた。KもTもIも神妙にパラパラとページを繰っている。教室には父兄にも呼びかけて絵本をたくさん備えつけてあった。読書好きな子は毎日楽しんでいたが，全部のこどもが利用したのはきょうがはじめてであった。

Tのそばに行く。桃太郎の本を読んでいる。「おもしろいか」と聞くと「うん」と笑った。「だれが出てきた」と尋ねたら「ぞう」と答えた。

ニ　4　月　21　日

授業参観日。ほとんどの父兄が出席する。懇談に移ると，やはり父兄の関心は，ひらがなの習得状況にひきつけられる。「先生，うちの子は，なんにも書けないで困ります。いくら教えても，ちっとも覚えなくってね」とKの母。「ほんとにね，しびれをきらしてぶちたくなっちまうわね」と相づちを打つOの母，父兄教育が重要であり，また緊急なことを痛感する。入学初期における指導，特に国語の入門期の指導を話し，家庭での協力を求める。特に遅進児の母には，現在までの指導過程，これからの手の打ち方を説明し納得してもらう。この件については，その後行われた家庭訪問の際，個別に徹底させた。

ホ　4　月　25　日

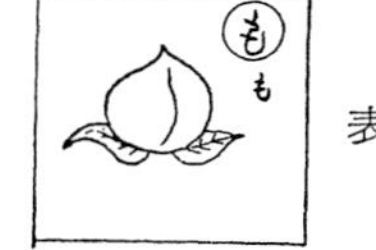

表

も

裏

絵カード拾いをする。

図のような50音の絵カードを並んでいるどうしのじゃんけんで負けたほうが机の上に並べる。このじゃんけんのできない組が4組もある。席の並び方は能力的にだいたい同程度のものとした。

「夜になってみんながグーグー寝ちまうと，かべの小さな穴からちょろちょろと……チューチューとないて……」「せんせい，ねずみだよ。あったあ」ジェスチュアーも入れて，あるいは推理を働かせ，あるいは単刀直入に指示しふたりで競争させた。「あったあ」「あたいんだよ」……平生全然口を開かないIが大きな声をはりあげて本当に楽しそうだった。絵カード拾いはこれから毎日行った。絵の弁別力は急速に向上した。優秀児の組は文字カードで拾わせるようにした。

ヘ　5　月　2　日

こいのぼりの絵をかかせた。赤や黒のこいが元気に泳いでいる。こいのそばに「こいのぼり」「あかいこい」「くろいこい」などと書かせた。書けない子には書ける子が得意になって書いてやっていた。「いらかの波と雲の波……」こいより大きな口をあいてみんなで歌った。

ト　5　月　14　日

文字の弁別力の調査をする。全部の児童が弁別できるようになった。しかし図画の作品に名まえを書いたりする作業の場合，上下左右と教師の示範を見ながらもまちがえるこどもが4，5人はいた。

チ　5　月　18　日

先日江の島へ遠足に行った際，バケツに3杯砂を持ってきて小箱に入れて教室に置いた。それからの数日こどもたちは砂山つくりに熱中した。砂山熱もおさまったきょう，Hが山をくずして平らにし，指で「はせがわまさる」と書いた。そして「おもしれえぞ，おもしれえぞ」とどなった。書いては消し消しては書いて小さな砂場がみんなのいたずら書きの場としてにぎわいはじめた。

リ　5 月 23 日

入学当時あれほど強かった父兄の関心も農繁期にはいるとともにしだいに薄れてきた。折れたままの鉛筆を持ってくる子が多くなった。歯でかじりとってしんを出す豪傑もちらほらみえてきた。そこで鉛筆削り屋を開業することになった。こどもたちの鉛筆は入学当初一括購入をしたもので「かきかたえんぴつ」と書いてあった。「ほら，ここにえんぴつのなまえが書いてあるぞ」「おおや，きんきん光ってらあ。しゃれてんなあ」「なんてなまえだかえんぴつさんにきいてみな」「わかんねえや」「友だちの名まえを忘れちまうなんて，えんぴつさんがおこってるよ。かきかたえんぴつだよ」こんなふうにして，こどもたちは2度3度えんぴつを削ってもらっているうちに，ともだちの名まえを覚えてしまった。

ヌ　6 月 1 日

おとうさん，おかあさんなどの絵カードと語いカードを結びつける指導。

4人一組でグループを作らせ，ならべっこをさせる。遅れている児童10名を教卓の回りに集めて教師といっしょに行う。まこと・としこ・とまと・しまなどの弁別ができるようになった。フラッシュカードで一目読みの練習をさせた。

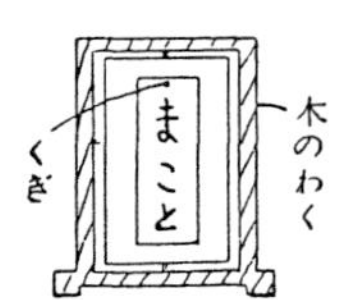

高さ40cm

木製，両面にカードをつけて回転させる。

このほかいっせい指導の中でも個人差に留意し，読めない児童から目を離さず，できるだけ発表の機会を与え，少しでも前より進歩したところを見つけてはほめてやった。

ル　6 月 20 日

ひらがなの習得状況を調べる。

区分＼文字数	0〜9	10〜19	20〜29	30〜39	40〜49	50〜59	60〜69	70〜71	平均
読み	4	4	4	2	2	5	7	14	69.4%
書き	6	4	5	3	4	2	13	5	59.6%

㋑ 約7割の児童は，入学当初に比べて急激な向上を示し，大半を習得した。書くことの指導をはじめてから一月足らずだが，この間の進歩のめざましさを物語っている。

㋺ 他方KやOは読字数4字，書字数は0字で学習意欲も乏しく，まだ文字習得の段階にまでなっていないことがわかった。

オ　6 月 27 日

個人指導・治療指導をもっともっと徹底させなくてはならない。そのためには時間がほしい。遅進児だけを残すのもどうかと思う。そこで部落別に六つのグループを作り，交代に放課後残して指導することにした。指導するというより遊んでやることにしたのである。

＜遊びのいくつか＞

㋑ サイコロ遊び

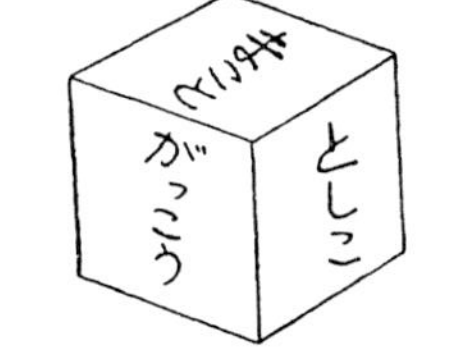

1尺2寸立方，ベニヤ板製の大きなサイコロを作り，6面にひらがな文字やひらがな語いを書く。ふりあげて児童の方に向いた所を読ませる。書かせる。話させる。作らせる。

㋺ ば ば ぬ き

まこと，としこ等の絵および語いカードを配布し，絵カードと語いカードが適合したら捨てる。

㋩ しりとり遊び

遅れている児童のもっている語いは想像以上に少ない。そこで毎日のように，しりとり遊びをして語いを豊富にするように心がけた。

㊁ たこのあし

こどもたちは黒板に字や絵を書くことは非常に好きである。その興味をさらに倍加するために「たこの足」を使ってみた。直径 40cmの厚紙でたこを作る。赤いリボンで足を作り，先端にいろいろの色の白墨をつける。

「もしまちがって書くと，たこがおこりだしますよ」「さあ，たこおどり，はじまりはじまり」たこに負けるものかと，こどもたちはいっしょうけんめいに書いた。

特に次のような絵文字は興味があった。

ワ 7 月 4 日

Oが算数の時間，国語ノートに，ききき……と何字も何字も書き続けていた。Kが「先生しゅくだい，しゅくだい」とせがんだ。大きな花丸をもらうのがとてもうれしいらしい。Kがときどき手をあげるようになった。指名するとうつむいて立とうとしない。しかし学習しようとする気持が出てきたのは確かである。そこでOやKなど5人に「あぶりだし」をほうびとして配布した。「あぶりだし」には塩化コバルトで次のように書いた。翌日顔をあわせると，5人はにこにこしていた。

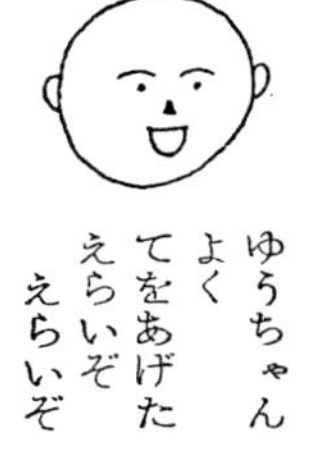

「おんもしれえの」とK…「かあちゃんがよお，よかったなあって」と話すO……あぶりだしは遅れた児童へのプレゼントとしてこれから大いに効果を発揮した。

カ 7 月 6 日

一二三……十を指導する。これを契機に今まで教師が書いていた黒板の端の月日・曜日・天候等を児童に書かせることにした。3人一組のグループを作り，正面と背面の黒板に，順番に毎日書かせるのである。天候などはグループで相談させ，ひとりひとりがかならず一役を受け持ち，それを級全体で批判しあうようにした。

ヨ 第1学期末におけるひらがな習得の実態

区分＼文字数	0～9	10～19	20～29	30～39	40～49	50～59	60～69	70～71	平 均
読 み	3	2	2	4	0	5	11	15	77.3%
書 き	3	3	3	1	7	2	11	12	72.1%

この結果から次の三つのグループが考えられる。すなわち

㋑ 習得がほとんど完成し，これからは促音，よう音，かなづかい等の表記法を習得する段階にある児童――31人

㋺ 現在ひらがな習得途上にある児童――6人

㋩ 入門期にある児童――5人

第2学期は，ロハの段階にある児童に特別の治療を施さなければならない。

タ 7 月 20 日

1学期末の家庭連絡の一項目として，ひらがな習得状況を各家庭に通知する。

ひらがなを読む力，書く力

1学期には63文字教科書でならいました。○はまだならいません。

区分＼文字	は	お	る	つ	(ぷ)	合 計
読 み	○	○	○			29
書 き	○	○				20

（4） 第2学期におけるひらがな指導

夏休みが終って，希望に満ちた第2学期になった。実りの秋，取入れの秋である。わたくしたちのひらがな習得も，まさにそれであるように祈った。ひらがなの完全習得――これが第2学期の大目標である。

イ 9月初めのひらがなの実態

9月2日ひらがなの読み書きの実態を調べた。これを7月末の実態と比較すると，

区分	月＼文字数	0～9	10～19	20～29	30～39	40～49	50～59	60～69	70～71
読み	7 月	3	2	2	4	0	5	11	15
	9 月	0	3	1	3	3	2	11	19
書き	7 月	3	3	3	1	7	2	11	12
	9 月	1	4	2	3	5	1	12	13

㋑ 大部分の児童は，あまり大きな変動は示していない。中には7月に読めて，今度は読めない児童もあった。鏡文字や形のよく似た文字と混用する傾向もある。

㋺ 読みは書きに比べて進歩が大きい。

㋩ Kは7月に比べて長足の進歩をみせた。

	7月		9月
読 み	8字	→	34字
書 き	0字	→	15字

夏休みじゅう，Kは母や中学2年の姉がつきっきりで詰め込まれたらしい。しかしKは，それ以来すっかり拾い読みになってしまった。一文字としてはほとんど読める現在になっても，なかなか一目読みができない。読みの速さが遅く，読んだ内容についてほとんど理解していない。

㊁ その他の遅れている児童が，5字ないし15字の進歩を示している。おばあちゃんとおふろにはいり，ガラス窓に書きながら覚えたF，おかあさんとひるねしながら本を読んでもらったR。「先生からいただいた表を，かべにはっておいて，読める字がふえるごとに赤鉛筆で◎をつけていくのですよ……」と語ったHの母。

みんなの努力した夏休み。「家庭への連絡」がこんなにも役だったことを喜んだ。

ロ　遅れている児童の特別指導

㋑　ドリルの時間にはカードあそびを能力別に行わせた。

㋺　いのこり勉強

遅れている児童10数人を集めて，放課後指導することにした。「もっと勉強していきたいものは，先生といっしょに勉強しましょう」といったので優秀児も相当いたし，毎日残っていく人数にも変動があった。あくまで強制はしなかったが，花丸をもらったり，遊んだりするおもしろさにつられて，みんなよく残っていった。

ハ　読むこと，書くことの指導に有効であったもの

㋑　小黒板の勉強

縦40cm，横30cmの厚紙に墨汁を塗り，小黒板を作製した。この小黒板と白墨（白・赤・黄）をいのこっていく児童に配布し，思うままに書かせた。粉の飛ぶ欠点はあるが，児童の興味もあり有効であった。

㋺　ことばづくり

何枚かのひらがな文字カードによって，いくつかのことばを作る。はじめはカードの数を少なく，しだいに増していった。ことばができたら，読ませたり，書かせたり，お話をつくらせたりした。またいろいろな形に構成していった。これは非常に興味もあり，有効だった。

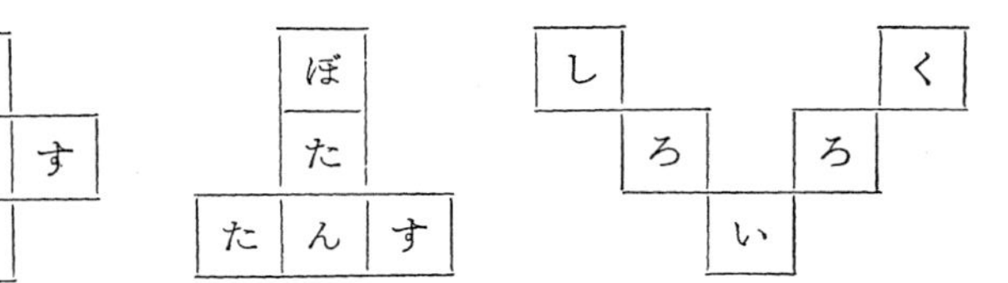

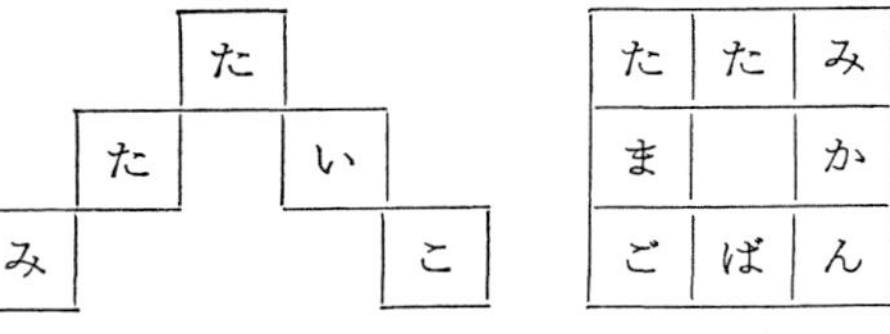

㋩　すごろく　濁音すごろく

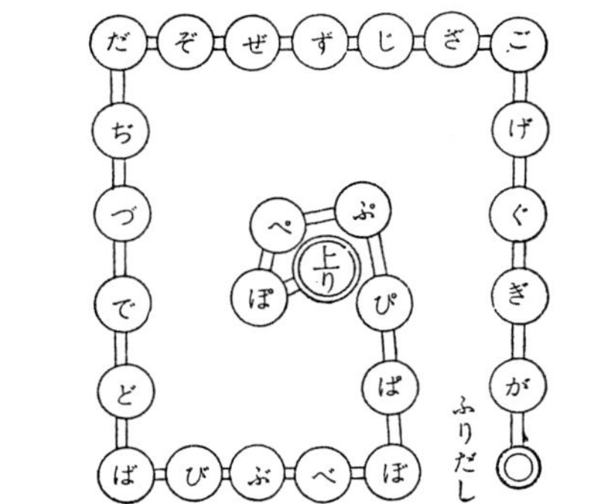

㊁　プリント学習

児童の未習得文字を頭にもつ語いをいくつか集めてプリントし，家庭作業をさせた。

(絵)	ふ	ふ							
	ね	ね							
(絵)	ふ	ふ							
	で	で							
(絵)	ふ	ふ							
	じ	じ							
	さ	さ							
	ん	ん							

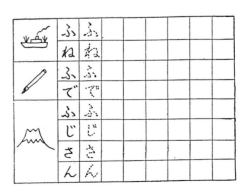

㋭ 答 案 配 り

テスト・図画などの成績物を配布し，手紙を配達する当番は，遅れている児童にやってもらった。級友の羨望の目をあびながら，かれらは喜んで教室を駆け回った。読めない名まえが数多くあっても，かれらは決していやとは言わなかった。

㋬ カ ル タ

入学前のひらがなの習得はお正月のカルタによるものが多い。しかしそれは，清音だけで濁音・半濁音はない。そこで児童の身近なものから取材し，児童とともに濁音・半濁音カルタを作った。

㋣ 手 紙 ご っ こ

10月ごろから教室にポストを設けて，手紙ごっこを始めた。

> ゆりちゃん。きょうのおへんじは，とてもよかった。
> あしたもおおきなおへんじしましょうね。
> さようなら
> つのだまさる
> ひらわたゆりさま

わたくしはせっせと手紙を書いては，遅れている児童に出した。Kは机の下にかくれて読んだ。Nは手紙をだきしめて，だれにも見せなかった。しかし返事はこなかった。それでもわたくしはいっしょうけんめいに続けた。「読んでさえくれればよいのだ。わたくしとかれらの心にもっともっと暖かい血が流れるようになればよいのだ」と念じながら……

ついに返事が届いた。Kからだった。

せんせいありがとお。はがきの表に，あてなと自分の名まえとお便りを全部書いたKの手紙だった。これはやがて鉛筆対談へ発展することができた。

ニ 作 文 の 指 導

おおぬきひろし

ぼ〉はたましろい〇
だるまはこび
かけこ〇

いいじまやえこ

かけこがおもしろかた。
おどじがおもしろかた。
たるまはこび。
すずわじがおもしろかた。

運動会が済んでかれらはこんな作文を書いた。

「わからない字は〇で書きなさい」と指示して書かしたら，文字よりも〇のほうが多い作文を書いてくれた。

これからの反省として

㋑ 書くことへの興味はある。
　習った字をすぐに使えることの興味

㋺ 順序だてる習慣がついていない。

㋩ 何を書いてよいかわからない。

この反省の上に立って書く作文への準備として

㋑ 共通経験を話させて書き止める。いままでは，毎朝10分ぐらいきのうの生活経験を話させて，それを聞いたとおりに言ってやったり，さらに話を発展させる指導を行ってきたが，遅進児には，焦点もぼけてしまって，うまくまとまらなかった。そこで遊び時間の話や体育の話や，げんとうや紙しばいの話など経験したばかりのなまなましい感動を毎日下校前の一ときを使って話させた。これで遅進児もなかなか話すようになった。

・手近かなことを，いますぐに

・短かい文でよいから

・先生に手伝ってもらってもよいから，

書かせて，それを読んで認めてやった。大ノートにますめを作り，それに書き入れてやった。全文視写もしばしば行った。

㋺ 遅進児には，まずなによりも

ぼくは――した。の形式を徹底的にカードで指導した。

㋩ 話はいつも5Wで確認させた。

[いつ] [どこで] [だれが] [なにした] のカードで常に話の糸口を作り，話をまとめさせるように努力した。

㊁ ときどき家庭への伝言や，学用品の用意などを聴写したり視写させた。

㋭ 学級文集「きしゃぽっぽ」に載せて，みんなでほめ合う。

ホ ひらがなせいばつ 11月になった。ひらがなの習得状況を調べる

区分＼文字数	0 ～ 9	10～19	20～29	30～39	40～49	50～59	60～69	70～71
読み	0	0	0	1	1	6	6	28
書き	0	0	1	1	3	8	8	21

もう一息である。そこで遅れたこどもの読む力，書く力を表にまとめて，厚紙にはり机のところに掛けさせた。自分はどの字が読めないのか，書けないのかを知っておいて，一日も早くマスターすることができるように励ました。家庭へも同じ紙を配布し，習得できたら○をつけていくようにさせた。

遅進児は一日一字はむりである。その時はわかったようでもすぐ忘れてしまう。あせってはならない根負けしてはいけない。

一茶の句ではないが，　夕霧や馬のおぼえた橋の穴　　一度より二度　二度より三度……何度でも経験してはじめて覚え込む，この境地が指導のこつである。

ヘ 12月の実態

区分＼文字数	0 ～ 9	10～19	20～29	30～39	40～49	50～59	60～69	70～71
読み	0	0	0	0	0	0	3	39
書き	0	0	0	0	0	1	8	33

習得率

読み……… 99.06%

書き……… 93.49%

初等教育研究資料第XVII集
国語実験学校の研究報告
(2)

MEJ 2597

昭和32年6月1日 印刷
昭和32年6月10日 発行

定価 98円

著作権所有 文部省

発行者 東京都中央区入船町3の3
藤原政雄

印刷所 東京都台東区上根岸72
第一印刷東京工場

発行所 東京都中央区入船町3の3
明治図書出版株式会社
電話築地867,4351,4970振替東京151318

明治図書出版株式会社

定価98円

初等教育研究資料第XVIII集

読解のつまずきとその指導

（2）

文部省

読解のつまずきとその指導

（2）

文部省

ま　え　が　き

さきに出版された「読解のつまずきとその指導」（Ⅰ）においては，文部省初等教育課が，全国的に実施した，つまずきをさぐるための読解調査を第1部とし，この結果に基いて，つまずきに即応する指導を実験的に行った栃木県日光市立清滝小学校の実験結果を第2部として報告した。

本書においては，さきに報告された以外の読解のつまずきについて，さきのものとはまったく別種の読解文によるその後の調査結果を分析して，もっぱら内容読解のつまずきについて述べることにした。

この報告書に取りあげられた読解文は，対話文と詩の2種である。これを第1学年から第6学年まで全学年にわたって調査した。

対話文と詩とについての調査を実施したのは，さきに出版された報告書に述べたように，全国的な調査の結果にも，実験学校の調査結果にも，同じ傾向として，第3学年がその前後の学年に比べてつまずきの度がはげしかったので，これを各学年について検討する目的からである。

詩の調査を加えた理由は，対話文につまずきが多いことから，これと似かよった文章構造をもつ詩の読解についても，おそらくつまずきが多いであろうという予想が立てられるので，これを検討するためである。

現場におけるこの種の調査にあたって，読解文の選定，つまずきをさぐるための問題作製等は技術的にもかなり困難な作業であり，高度の予備知識と技術とを必要とすることは，いうまでもない。

さらに，調査結果の処理やその解釈の作業は，全校調査となると，その心労は，ことばに尽し得ないものがある。清滝小学校の先生がたが，全員協力一致して，問題の作製・調査，結果の処理等に当り，この報告書執筆のため

に，豊富な資料を提供してくださった。ここにしるして，関係された先生がたの御協力に感謝の意を表したい。

昭和31年10月

初等中等教育局
初等・特殊教育課長　上　野　芳　太　郎

目　次

1. 調査のねらい・方法等

文部省初等教育課の読解調査の結果については，文部省刊行の「読解のつまずきとその指導」(1) に報告されている。それによれば次のようになっている。

（第1表）漢字・語句・内容

項＼学年	I	II	III	IV	V	VI
漢　字	58	78	82	84	81	90
語　句	59	52	＼	73	53	51
内　容	56	61	53	64	60	65

第1表によって，内容の理解度を見ると，ほとんどの学年が60パーセント台に達しているに比べ，第3学年だけが50パーセント台にとどまっている。このことは，第3学年の読解文が，対話文であり，しかも，説明部分に当る地の文がまったくないという文章構造そのものが，理解度を50パーセント台にとどめている要因の主たるものではあるまいかということが考えられる。なお，第3学年のそれが他の学年の読解文と異るところは，文中に難語句と思われるものは，ほとんど含まれていないことである。このような事情から，第3学年の調査からは，語句に関する問題が除かれている。このような事からも，内容理解の正答率を50パーセント台にとどめている要因として，文章構造の特殊性が強く響いているのではあるまいかということが一応考えられてくる。

（第1図）漢字・語句・内容

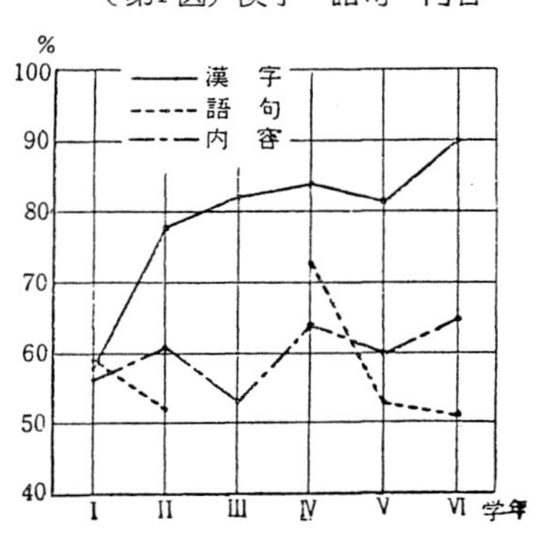

このような結果の判断に基いて，

第3学年に与えたような文章構造が，他のどの学年にも読解困難であるかどうかを検討しようとして計画されたものが，ここに報告しようとする対話文および詩の読解調査である。

調査の方法は，「読解のつまずきとその指導」(1) に報告されているのと同様の手続によった。その要点を再録すれば，次のとおりである。

(1) 読解文は，現在使用している教科書以外の資料からとった。

(2) 読解文は，問題用紙とは別に印刷し，調査中いつでも読み返せるようにした。

(3) 読解文は，まず最初に5分間黙読させ，その後に1問ごとに教師が問題を読んで，それに答をしるしていくようにした。

(4) 調査に要する時間は，およそ50分とした。

前掲の第1図は，問題の種類別，学年別に比較しやすいように，第1表を図表化したものである。ここに報告しようとする対話文，詩についての調査時期は30年1月末で，およそ，その学年の修了時の学力が前回の調査と比較できるようにした。調査人員は第2・3表に掲げるとおりである。相互の調査人員の差異は，この2種の調査が，それぞれ異った学級について行ったことによるためである。

(第2表) 調査人員 (対話文)

性＼年	I	II	III	IV	V	VI	計
男	123	80	55	95	84	56	493
女	113	75	58	81	77	58	462
計	236	155	113	176	161	114	955

(第3表) 調査人員 (詩)

性＼年	I	II	III	IV	V	VI	計
男	152	80	82	96	82	62	554
女	138	72	88	83	79	56	515
計	290	152	170	179	161	118	1070

2. 対話文に用いられた読解文とそのテスト問題

第1学年の読解文

「あきらさん，なに　して　いるの。」

「うさぎを　みて　いるの。みつ子さん　とても　かわいいよ。」

「まあ，かわいい　こと。この　うさぎ　いつ　きたの。」

「きのう，おじさんの　うちから，もらって　きたんだよ。」

「まだ　子どもね。」

「うまれて　やっと　40日に　なったばかりだって。」

「なまえは　なんと　いうの。」

「白いから，ゆき子と　つけたの。」

「からだが　まっ白で，目の　ところが　まっかだから，とてもきれいだね。あら，みみを　ぴんと　たてたわ。」

「ぼくらの　はなしを　きいて　いるんだね。」

「あら，ゆき子ちゃん　あっち　むいたわよ。」

「この　うさぎ，おはなしが　きらいなのかな。」

「まだ　子どもだから　あきっぽいのよ。」

「じゃあ，あした　また　おはなし　しようね。」

「ええ，そう　しましょう。わたし　なかよしに　なった　しるしに，くさを　やりましょう。」

第1学年のテスト問題

(1) おはなし　して　いるのは　だれと　だれですか。

1. はるおさんと　よしこさん。
2. あきらさんと　あつこさん。
3. あきらさんと　みつこさん。

(2) はなしあって　いる　ところは　どこですか。
1. あきらさんの　うちの　にわ。
2. あきらさんの　うさぎごやの　まえ。
3. がっこうの　うさぎごやの　まえ。

(3) うさぎは　どこから　きましたか。
1. おじさんから　もらって　きました。
2. おとうさんが　やまで　つかまえました。
3. みつこさんと　いっしょに　うちで　かって　います。

(4) ゆきこちゃんは　どこに　いますか，
1. おとなりの　うち。
2. うさぎごやの　まえ。
3. うさぎごやの　なか。

(5) うさぎは　おすですか。めすですか。
1. めす。
2. おす。
3. めすと　おす。

(6) 「あら，ゆきこちゃん　あっち　むいたわよ」と　いって　いるのは，だれでしょう。
1. あきらさん。
2. みつこさん。
3. ゆきこさん。

(7) あきらさんは　どうして　「ぼくの　はなしを　きいて　いるんだね」と　いったのでしょう。
1. みみが　おおきいから　なんでも　きこえるので。
2. うさぎが　みみを　ぴんと　たてて　いるので。
3. こっちを　じっと　みて　いるので。

(8) うさぎが　よこを　むいてしまったのを　みて　みつこさんは　どう　おもったでしょう。
1. きょろきょろして　おちつきが　ない。
2. じっと　して　いると　さむい。
3. こどもだから　あきっぽい。

(9) うさぎに　くさを　やったのは，どうして　ですか。
1. うさぎと　なかよしに　なった　しるしに。
2. うさぎの　おなかが　すいて　いたと　おもったから。
3. うさぎは　くさが　だいすきだから。

(10) このうさぎは　うまれてから　いくにち　たって　いますか。
1. 30にち。
2. 40にち。
3. 20にち。

(11) これは　どんな　ことを　かいた　おはなしですか。
1. もらって　きた　うさぎを　ふたりで　みて　いる。
2. かわいい　うさぎが　うまれた。
3. うさぎが　ぴんと　みみを　たてた。

第2学年の読解文

「いま　ちょうど　三時です。はしらどけいさん。」

「いまは　二時五十五分だよ。三時には　五分　早いよ。」

「いや，たしかに　三時だよ。」

「あら，おきどけいさん　ちがうわ。二時五十七分よ。」

「えっ。」

「三時だよ。」

「三時五分まえだよ。」

「ちがうわ。三分まえよ　。」

「いや……うでどけいさん，ぼくのが　いいんだよ。」

「いや　ぼくのだよ。」

「いいえ　わたしの方が　ただしいわ。」

「三分や　五分，どうだって　いいじゃないか。みんなが　目をさますと　いけないよ。」

「はしらさん，どうだって　いいと　いう　ことは　ないよ。」

「そうとも。」

「それは　そうよ。けれど　みんなが　目をさますと　わるいじゃないの。あした　ラジオさんに　きいて　みましょう。」

「それが　いい。一分でも　くるって　いたら　ぼくたちの　ねうちが　なくなるからね。」

「そうとも　そうとも。」

第2学年のテスト問題

□べつの　かみの　ぶんを　よんで　これから　あとに　たずねて　ある　ことに　こたえなさい。

(1)　はなしを　して　いるのは　いつですか。
1. ひる。
2. よなか。
3. ゆうがた。
4. あさ。

(2)　これは　どこで　はなしを　して　いるのでしょうか。
1. こうどう。
2. だいどころ。
3. がっこう。
4. へやの　なか。

(3)　はなしあって　いるのは　だれと　だれですか。
1. おきどけいと　うでどけい。
2. はしらどけいと　おきどけい。
3. とけいたちと　はしら。
4. ラジオと　はしらと　とけい。

(4)　「三じだよ」と　いって　いるのは　だれですか。
1. はしらどけいさん。
2. ラジオさん。
3. はしらさん。
4. おきどけいさん。

(5)　「二じ五十五ふんだよ」と　いって　いるのは　だれですか。

1. はしらさん。
2. おきどけいさん。
3. はしらどけいさん。
4. うでどけいさん。

(6)　「三ぷんや　五ふん　どうだって　いいじゃないか」と　いったのは　だれですか。
1. はしらどけいさん。
2. おきどけいさん。
3. うでどけいさん。
4. はしらさん。

(7)　この　おはなしは　なんにんで　して　いるのでしょう。
1. さんにん。
2. よにん。
3. ひとり。
4. ふたり。

(8)　だれの　じかんが　あっているのでしょう。
1. はしらどけいさんが　あって　いる。
2. おきどけいさんが　あって　いる。
3. だれが　あって　いるのか　わからない。
4. だれも　あって　いない。

(9)　「ぼくが　ただしい」「いや　わたしが　あって　いる」と　なぜ　いいあって　いるのですか。
1. じぶんが　ただしいと　おもって　いるから。
2. じぶんが　いちばん　はやく　しらせたいから。
3. ほかの　とけいに　まけると　くやしいから。
4. さっきから　じかんの　ことが　きになって　いるから。

(10)　「どうだって　いいと　いう　ことは　ないよ」と　いって　いるのは，どんな　きもちで　いって　いるのでしょう。
1. さんぷんや　ごふん　ちがって　いても　よい。
2. みんなが　めを　さますから　はなしを　やめたい。
3. ただしい　じかんを　しらせるのが　よい　とけいだ。
4. じぶんが　ただしいのだと　おもっている。

(11)　はなしの　おわりで「そうとも　そうとも」と　いって　いますが，これは

どんな　きもちで　いって　いるのですか。

1. さわぐと　わたくしたちの　ねうちが　なくなると　おもって。
2. ラジオさんに　きいて　みるのが　いちばん　いいと　おもって。
3. いくら　いいあっても　はなしが　きまらないと　おもって。
4. はしらに　はんたい　すると　わるいと　おもって。

第３学年の読解文

「はい，できましたよ。このまま　ほすと　表紙が　そりますから，本の上に　板を　のせて，おしを　して　ほすのですよ。」

「かわいてから，字を　書いてね。おかあさん。」

「朝川さん。」

「朝川くん。」

「山村くん，にわから　おいでよ。」

「あら……。」

「きれいに　なったわねえ。」

「朝川くん，ぼくたち，その本の　ことを　聞きに　来たんだよ。………三さつも　借り出して　いるので，『また貸し』を　して　いるかもしれないと　思ったんだ。……ごめんね。」

「いや，ぼくが　わるかったんだ。としょがかりに　ことわって　おけばよかったのに　そうしなかったもんだから，みんなに　うたがわれたんだ。今度から　１さつずつに　するよ。ごめんね。」

「いいよ，いいよ。本の　つくろいを　するためだったんだから。あした，ぼくが　みんなに　わけを　話すよ。」

「それから『本を　いためた　人は　自分でなおす。』やくそくを　守らなければ　いけないって　いいましょうね。」

第３学年のテスト問題

□べつの　かみの　ぶんを　よんで，これから　あとに　たずねて　ある　ことに　こたえなさい。

(1) つぎの（　）の　なかに　かんじの　よみがなを　かきなさい。

（　）（　）（　）（　）　（　）（　）（　）
表紙。本の上に板をのせる。字を書く。朝川くん。

（　）（　）（　）（　）（　）　（　）
聞きに来た。三さつも借り出している。また貸し。

（　）（　）（　）（　）（　）　（　）
今度。一さつ。山村くん。話す。自分でなおす。やくそくを守る。

(2) はなしあって　いる　ひとは　だれと　だれですか。

1. まさおさん，あきらさん，よしこさん。
2. あさかわくん，やまむらくん，おおはしさん。
3. おかあさん，あさかわくん，やまむらくん，おんなのこたち。
4. おかあさん，おんなのこたち。

(3) 「またがし」とは　どんな　かしかたを　する　ことですか。

1. じぶんの　すきな　ひとに　かわるがわる　かす　こと。
2. ほんを　かえさないで　いつまでも　もって　いる　こと。
3. じぶんで　かりた　ほんを　また　ほかの　ひとに　かす　こと。
4. としょしつから　かりて　ほかの　ひとに　わたす　こと。

(4) あさかわくんは，どんな　しごとを　して　いましたか。

1. かりた　ほんの　つくろい。
2. おかあさんの　てつだい。
3. おしゅうじの　べんきょう。
4. かきとりの　べんきょう。

(5) はなしあって　いる　ところは，どこですか。

1. やまむらくんの　いえの　にわ。
2. ともだちの　いえの　にわ。
3. おおはしさんの　いえの　にわ。
4. あさかわくんの　いえの　にわ。

(6) 「あら……。」と　いったのは　なぜですか。

1. なくなった　ほんが　えんがわに　ちらばって　いたから。
2. なくなった　ほんが　きれいに　なって　あったから。
3. わるくちを　いって　いたのを，おかあさんに　きかれたから。

4. あさかわくん　だけと　おもったら　おかあさんも　いたから。

(7) 「きれいに　なったわねえ。」と　だれが　いいましたか。

1. あさかわくん。
2. やまむらくん。
3. おんなのこ。
4. おかあさん。

(8) やまむらくんたちは，どんな　きもちで，あさかわくんの　いえに　いったのですか。

1. あさかわくんが　かりだした　ほんを　またがし　したのを　たきだす　ために。
2. あさかわくんの　しごとを　てつだってやりたいとおもって。
3. あさかわくんに　みんなの　わるくちを　しらせようと　おもって。
4. あさかわくんを　みんなで　いじめてやろうと　おもって。

(9) やまむらくんは，なぜ　「ごめんね」と　あやまったのでしょう。

1. おかあさんが　いたので，きまりが　わるく　なったから。
2. てつだいに　くるのが　おそく　なったから。
3. 「またがし」を　して　いるのは，ほかの　ともだち　だったから。
4. 「またがし」を　して　いるかも　しれないと　うたがったから。

(10) 「いいよ，いいよ。あした　ぼくが　みんなに　わけを　はなすよ」と　いったのは　どうしてでしょうか。

1. あさかわくんの　やすんで　いる　わけが　わかったから。
2. あさかわくんが　またがしを　して　いた　ことが　わかったから。
3. あさかわくんが　いくさつも　ほんを　かりて　いる　わけが　わかったから。
4. あさかわくんの　わるくちを　みんなで　いって　いたのは　わるかったとおもったから。

(11) あさかわくんは，どんな　きもちの　ひとだと　おもいますか。

1. ほんを　こわして　だまって　いる　ひと。
2. だまって　みんなの　ために　よい　ことを　する　ひと。
3. みんなに　わるくちを　いわれるのを　こわがって　いる　ひと。
4. だまって　としょしつの　ほんを　もちだす　ひと。

(12) あさかわくんは　なぜ　みんなに　うたがわれたのでしょう。

1. がっこうを　だまって　ながく　やすんで　いるから。

2. みんなに　うそを　いって　ほんを　もちだしたから。
3. としょしつの　ほんを　だまって　もって　いったから。
4. さんさつも　いっしょに　かりだして　いたから。

(13) これは，なんの　ことに　ついて　はなしあって　いるのですか。

1. あさかわくんの　またがしの　わるくちを　いった　こと。
2. あさかわくんが，ほんの　つくろいを　した　こと。
3. あさかわくんが，ほんを　かりだした　わけが　わかった　こと。
4. あさかわくんを　みんなで　ほめて　いる　こと。

第4学年の読解文

「君，なんだい，それ。」

「日時計さ。」

「日時計。それで時間がわかるの。」

「だいたいわかるよ。このくつの所が12時。だから，今，棒のかげの落ちている所が，——そうだね，2時半ぐらいかな。」

「君，どこから来たの。」

「四国から。」

「四国。」

「きのう，ここの水産試験場に着いたばかりさ。」

「あら，では，こんど来た，ぎしさんのうちの人。」

「そう。おとうさんがこっちへかわって来たんでね。」

「それでわかった。へんだなあと思ったよ。君を。」

「わたしたちの学校にはいるんでしょう。」

「そう。あしたから。」

「ぼくたち，みんな4年生だ。」

「君，たもつ君というのだろう。」

「どうして，ぼくの名まえを——。」

「なあに，顔を見ればわかるのさ。」

「ぼうしで見たのですよ。」

「なあんだ，そうか。――ぼく，この海岸，すきになったよ。」

第4学年のテスト問題

□べつの　かみの　ぶんを　よんで，これから　あとに　たずねて　ある　ことにこたえなさい。

(1) つぎの（　）の　なかに　かんじの　よみがなを　かきなさい。

日時計。時間。十二時。今，棒のかげの落ちている所。四国。水産試験場に着く。君，たもつ君というのだろう。名まえ。顔を見る。海岸。

(2) この　はなしあいを　して　いるのは，つぎの　どの　ひとたちでしょうか。

1. おとこのこと　おんなのこと　しこくの　こども。
2. とおくの　こどもと　しこくの　かいがんの　こどもたち。
3. たもつさんと　かいがんの　こどもたち。
4. しこくの　かいがんの　おんなの　こどもたちと　たもつさん。

(3) こどもたちは「それで　じかんが　わかるの」と，どうして　きいて　いるのですか。

1. ひどけいで　じかんを　はかるのに　しっぱい　して　いるから。
2. ひどけいに　ついて，なんにも　わかって　いないから。
3. ひどけいに　しては，おかしな　ひどけいだから。
4. くもって　いるのに　ひどけいを　みて　いるから。

(4) たもつさんたちは，なぜ しこくから この とちに うつって きたのでしょう。

1. ひどけいを　つくるのには　しこくより　いいから。
2. ひどけいを　まえにも　しこくの　かいがんで　つくった　ことが　あるから。
3. おとうさんが　かいがんを　すきなので。
4. おとうさんが　しこくから　かわって　きたので。

(5) たもつさんは　どうして　ひどけいで　あそんで　いたのでしょう。

1. まえから　ひどけいを　つくって　いたから。
2. つくった　ひどけいを　ためして　みたいと　おもったから。
3. こして　きたばかりで　あそぶ　ともだちも　いないから。

4. こして　きたばかりで　みんなが　あそんで　くれないから。

(6) 「ぼうの　かげの　おちて　いる　ところ」と　ある「かげの　おちて　いる」とは　どんな　ことでしょう。

1. かげが　じめんに　うつって　いる。
2. かげが　ぼうを　おとすと　うつる。
3. うえの　ほうから　ぼうを　おとした　ところの　かげ。
4. ぼうを　たおした　ところに　うつる　かげ。

(7) 「こっちへ　かわって　きたんでね」と　いうのは，なにが　かわった　ことですか。

1. たもつさんたちの　すむ　うち。
2. たもつさんの　かよう　がっこう。
3. おとうさんの　しごとの　やりかた。
4. おとうさんの　つとめる　ところ。

(8) 「へんだなあ」と　おもったのは　どうしてですか。

1. みた　ことの　ない　ものを　もって　いたから。
2. みた　ことの　ない　こどもだったから。
3. おかしな　きものを　きて　いたから。
4. おかしな　ことばで　はなして　いたから。

(9) この　こどもたちは　どうして たもつさんの　なまえを　しったのでしょう。

1. ぼうしの　なまえを　みたから。
2. むねに　なまえが　かいて　あったのを　みたから。
3. でたらめに　いったら　あたって　しまった。
4. おなじ　なまえの　こどもが　がっこうにも　いるから。

(10) 「なあんだ。そうか。」と　いったのは　なぜでしょう。

1. なまえを　よばれて　おかしいなと　おもったから。
2. なまえを　だれかに　おしえて　もらったと　おもったから。
3. なまえを　みて　あてるのは　だれにでも　できるから。
4. おなじ　なまえの　こどもが　いたのでは，あたるのが　あたりまえだから。

(11) 「この　かいがんが　すきに　なった」と　いったのは，どんな　きもちからだったと　おもいますか。

1. すなどけいで　いつでも　あそべるから。
2. おともだちが　きにいったから。
3. ぎしに　なって　いばれるから。

4. うみで　およげて　うれしいから。

(12) この　はなしあいを　よんで　どんな　きもちが　かんじられますか。

1. しこくの　ひとは　めずらしい。
2. すなどけいの　つくりかたを　おしえて　もらいたい。
3. めずらしい　おはなしが　きかれるから　うれしい。
4. あたらしい　ともだちが　できて　うれしい。

第５・６学年の読解文

「次郎君，君はこれから何になるつもりだ。」

「まだ，きめていないよ。」

「ぼく，ほんとうは詩人になりたいんだ。だけど，とても北原白秋(きたはらはくしゅう)のように有名には，なれそうにないな。」

「有名にならなくったって，一郎君いいじゃないか。」

「有名にならなくちゃつまらないよ。」

「ぼくなんか，どんな方面に進むにしても，有名になろうなんて考えないな。」

「ずいぶんあっさりしているんだね次郎君は。有名になれなかったら，せっかく人間に生まれてきたかいが，ないじゃないか。」

「ぼくは，そんなふうに思わないなあ。しっかりした人間にならなければいけないとは思うけれど。」

「ぼくだって，しっかりした人間になろうと思っているのさ。そして，りっぱな行いをして，世の中の人に名まえを知ってもらいたいと思うのだ。だから，つまり君だってぼくだって，同じ考え方をしているんだよ。」

第５・６学年のテスト問題

□べつの　かみの　ぶんを　よんで　これから　あとに　たずねて　ある　ことにこたえなさい。

(1) つぎの（　）の　なかに　かんじの　よみがなを　かきなさい。

次郎君　君はこれから何になるつもりだ。詩人になりたいんだ。有名にはなれそうにないな。どんな方面に進むにしても。人間に生まれてきた。りっぱな行いをして。世の中の人に名まえを知ってもらいたいと思う。同じ考え方。

(2) はなしあって　いるのは　だれと　だれですか。

1. はくしゅう　と　しじん。
2. じろうくん　と　いちろうくん。
3. じろうくん　と　はくしゅう。
4. よのなかの　ゆうめいな　ひとに　ついて。

(3) しじんに　なりたいと　おもって　いるのは　だれですか。

1. じろうくん。
2. せんせい。
3. きたはらさん。
4. いちろうくん。

(4) きたはらはくしゅうは　なんで　ゆうめいに　なった　ひとですか。

1. よのなかの　ひとの　ために　つくした。
2. ゆうめいに　なろうと　がんばった。
3. たくさん　りっぱな　しを　つくった。
4. しんでから　ゆうめいに　なった。

(5) 「りっぱな　おこない」と　いうのは　つぎの　どれですか。

1. そうりだいじんに　なる。
2. じぶんの　おもった　ことを　する。
3. おかねもちで　ゆうめいな　ひとに　なる。
4. よのなかの　ひとの　ために　つくす。

(6) きたはらはくしゅうは　どんな　ことで　ゆうめいな　ひと　ですか。

1. せんせい。
2. しじん。
3. かがくしゃ。
4. しょうにん。

(7) 「ぼくは　そんなふうに　おもわないなあ」の「そんなふう」とは，なにをさして　いますか。

1. にんげんに　うまれて　きた　ことが　ねうちが　ある。

2. ゆうめいに　なる　ことが　ねうちが　ある。
3. きたはらはくしゅうに　ついての　ねうち。
4. よのなかの　ひとに　ついての　ねうち。

(8) 「おなじ　かんがえを　して　いるんだよ」の「おなじ　かんがえ」とは，どういう　かんがえかたですか。
1. しっかりした　にんげんに　なる　こと。
2. よのなかの　ひとに　なまえを　しって　もらうように　なる　こと。
3. はくしゅうの　ように　なる　こと。
4. ゆうめいに　ならなくては，つまらない　こと。

(9) じろうくんは「ゆうめいに　ならなくったって　いいじゃないか」と　なぜ　いったのでしょう。
1. ひとと　おなじ　いけんを　のべる　ことは　ねうちが　ないから。
2. わざと　はんたい　して　こまらして　やりたかったから。
3. ゆうめいに　なる　ことが　ねうちが　あると　おもって　いるから。
4. しっかりした　にんげんに　なる　ことが　ねうちが　あると　おもって　いるから。

(10) いちろうくんは　「はくしゅう」を，どういう　ひとだと　かんがえて　いますか。
1. やくに　たつ　ゆうめいな　ひと。
2. しじんと　して　ゆうめいな　ひと。
3. にんげんと　して　ゆうめいな　ひと。
4. うまれた　かいの　ある　ひと。

(11) しっかり　した　にんげんと，ゆうめいな　にんげんとは，おなじですか。ちがいますか。
1. わからない。
2. にて　いる。
3. ちがう。
4. おなじ。

(12) ふたりは　なにに　ついて　はなしあって　いますか。
1. ゆうめいな　ひとに　ついて。
2. にんげんの　ねうちに　ついて。
3. きたはらはくしゅうに　ついて。
4. ゆうめいに　なる　ほうほうに　ついて。

3. 対話文について，学年別に見た調査結果

〔1〕 第1学年のつまずきの検討

第1学年には問いが11問出されている。それらについて，問題別・選択肢別に正答率を示したものが第4表である。

これによって見ると，正答が50パーセント以下になっているのは，(4)(9)の2問である。

（第4表）　第1学年・選択肢別回答率　　（　）は正答

肢＼問	(1)	(2)	(3)	(4)	(5)	(6)	(7)	(8)	(9)	(10)	(11)
1	15	19	(79)	31	(59)	28	25	13	(44)	9	(58)
2	22	(65)	9	44	28	(53)	(50)	17	32	(81)	19
3	(53)	8	6	(19)	9	15	20	(60)	21	7	19
無	11	9	6	6	4	4	5	4	3	3	4

そのほかに，選択肢によって，20パーセント近くの誤答率があるものは，(1)(5)(6)(7)(11)の5問である。したがって，ここで検討の対象となるものは7問あることになる。検討の対象となる問題は次に示すとおりである。各選択肢のかっこ内には解答率を示した。

(1) おはなし　して　いるのは　だれと　だれですか。(53%)

(4) ゆきこちゃんは　どこに　いますか。(19%)

(5) うさぎは　おすですか。めすですか。(59%)

(6) 「あら,ゆきこちゃん　あっち　むいたわよ」と　いって　いるのは，だれでしょう。(53%)

(7) あきらさんは　どうして「ぼくの　はなしを　きいて　いるんだね」と　いったのでしょう。(50%)

(9) うさぎに　くさを　やったのは，どうしてですか。(44%)

(11) これは　どんな　ことを　かいた　おはなしですか。(58%)

以上の問題のどんなところに，つまずきがあるのか，次に検討してみることにする。以下掲げる問題の選択肢の中で，まる印をつけたものが正答である。

(1) おはなし　して　いるのは，だれと　だれですか。

1．はるおさんと　よしこさん (15%)

2．あきらさんと　あつこさん (22%)

③ あきらさんと　みつこさん (53%)

無答 (11%)

対話の中には，最初の第1行に「あきらさん」,第2行に「みつ子さん」があり，対話文の中ほどに「ゆき子」「ゆき子ちゃん」の名が出てくる。選択肢第1にあげられている名は，この対話文とは無関係のものであるが，これに答えた15パーセントのものは，生活中の直接経験と読むことによる言語経験とを混同している結果である。

無答の11パーセントのものは，対話中から，対話を行っている人物を指摘できなかったものである。

選択肢第2に答えた22パーセントのものは，対話の最初に出てくる「あきらさん」だけは指摘できたが，第2行目の「みつ子」さんと，うさぎの名の「ゆき子」との区別がつかないものが，第2行目の女の子の名が，記憶に残らなかったものと思われる。

(4) ゆきこちゃんは　どこに　いますか。

1．おとなりの　うち (31%)

2．うさぎごやの　まえ (44%)

③ うさぎごやの　なか (19%)

無答　(6%)

この問いは，11問提出された中で，19パーセントという最低の正答率である。その要因をつきとめることは，なかなか困難であるが，次にしるすようなことも，その要因の1つとして考えられる。

これに答えるためには，対話の次の部分のやりとりがじゅうぶんに理解され，その上にその理解の上に立って推読が行われなければならない。それは，文面に答えが暗示される説明部分がないからである。読解部分としては，

「あきらさん，なに　して　いるの。」
①「うさぎを　みて　いるの。みつ子さん　とても　かわいいよ。」
「まあ，かわいい　こと。この　うさぎ　いつ　きたの。」
「きのう，おじさんの　うちから，もらって　きたんだよ。」
「まだ　子どもね。」
「うまれて　やっと　四十日に　なったばかりだって。」
②「なまえは　なんと　いうの。」
「白いから，③ゆき子と　つけたの。」

以上掲げた部分の一まとまりである。しかも①②③が相互関連的に理解されなくてはならない。理解の順序は次のように行われるであろうことが予想

される。

1．だれと　だれが　話し合って　いるか。

2．何に　ついて　話し合って　いるか。

3．どこで　話し合って　いるか。

4．話し合いの　対象と　なる　ものは　どこに　いるか。

この問いの答は，第４に集中されてくるのであるが，さきに掲げた対話のやりとりの中には，この第４のきめ手となる条件は，何も描き出されていない。

したがって，選択肢の第３が，正答としての絶対値を持つとはいいきれない。そのような作問上の思わざる不備な点が，これの正答率を19パーセントにしたものであるから，この結果からすぐに，児童の理解力不足ということはできない。

選択肢の第１，第２ともに正答となり得る可能性もある。「普通一般にありうることとして」という条件のもとに，選択肢第３が正答となってくる。選択肢第２もこの条件に近いものと考えられるから，これも許容してくると，この正答率は，63パーセントとなってくる。

(5)　うさぎは　おすですか。めすですか。

①　めす。　(59%)

2．おす。　(28%)

3．めすと　おす。(９%)

この問いに対する解答は，つぎの対話から引き出されてくる。

「あきらさん，なに　して　いるの。」

「うさぎを　みて　いるの。みつ子さん　とても　かわいいよ。」(中略)

「なまえは　なんと　いうの。」

「白いから，ゆき子と　つけたの。」

対話の第１部分と第２部分とを関連させないと，「ゆき子」という名が，何につけられた名であるかがきめられない。

選択肢第３に９パーセントしか回答していないことから判断すると，うさぎは１匹であることに対する混乱は，ごくわずかであることがわかる。

「おす」と答えた28パーセントのものは，前掲の対話の第１部分と第２部分と関連して，その呼応するところがつかめない結果と考えられる。なおこの誤答の中には，うさぎに人間と同じ名まえがつけられるものかどうかの疑問から混乱を生じて誤答した者も含まれる。

このような混乱は，文を書いた主体者の考えに従って，論理を組み立てていく言語的読解経験に慣れることの少ないために起ってくる。主体者としての文の論理と生活経験者としての読む者の論理との対立ということに原因がある。したがって，指導としては，すなおに読む態度，つまり一応自分の論理はひかえて，まず主体としての文の論理をそのまま受け取っていく態度が育てられなくてはならない。

「めす」「おす」の語義そのものからくる混乱は，ほとんどなかったと思っている。

(6)　「あら，ゆきこちゃん　あっち　むいたわよ」と　いって　いるのは，だれでしょう。

1．あきらさん。(28%)

②　みつこさん。(53%)

3．ゆきこさん。(15%)

選択肢第1の回答は，問いの中に含まれている「あら，———たわよ」に無関心に答えたものと，これが，女子だけに使われることばであるという観点を理解していないこととによる誤答で，その誤答への比率は，前者のほうが重い。

選択肢第3の「ゆきこさん」と誤答したものは，対話部分の最初にある，

「あきらさん，なに　して　いるの。」
「うさぎを　みて　いるの。みつ子さん　とても　かわいいよ。」

が，じゅうぶんに心の中に安定され，つまりおさえるべきものをおさえて，読解を進めていないことが原因している。この対話の中に後出の

「白いから　ゆき子と　つけたの。」

と，前後2回出てくる，女の名まえの，どれが「あきら」の友人の名か，どれがうさぎの名か，はっきり区分がつかないために，この誤答の中にまぎれているものもある。比率としては，むしろ後者のほうが重い。

(7) あきらさんは　どうして「ぼくの　はなしを　きいて　いるんだね」と　いったのでしょう。
1．みみが　おおきいから　なんでも　きこえるので。(25%)
② うさぎが　みみを　ぴんと　たてて　いるので。(50%)
3．こっちを　じっと　みて　いるので。(20%)

この問いに正答するためには，「人の話を聞くときには，耳をすます」ということが前提として理解されていなくてはならない。したがって，選択肢第3が，ただ単に「顔を話す人の方に向ける」と考えて，これを正答と選んだのか，選択肢第2の意味も含めて考えているのかが問題となってくる。つまり，選択肢第3を外面的にみるか，内面的にみるかの問題であるが，これを内面的にみる立場は，一応選択肢第2が代表しているのであるから，たとえ第3の選択肢を内面的とみたとしても，これを正答とするわけにはいかない。

ただし，今述べたように，第3の選択肢を内面的にみたかどうかは疑わしい点がある。この学年の児童は，そこまで，外形に現れた姿と，心の動きとを結びつけては考えてはいないようである。

(9) うさぎに　くさを　やったのは，どうして　ですか。
① うさぎと　なかよしに　なった　しるしに。(44%)
2．うさぎの　おなかが　すいて　いたと　おもったから。(32%)
3．うさぎは　くさが　だいすきだから。(21%)

この問いに関する答は，対話中にはっきりと書かれていることであるが，これの正答率44パーセントは，そのような点から見てあまりに低いものである。これの答は，対話文の最後に，

「じゃあ，あした　また　おはなし　しようね。」
「ええ，そう　しましょう。わたし　なかよしに　なった　しるしに，くさを　やりましょう。」

と書かれている。

選択肢第2，第3の回答は，この文とは全く関係なしに答えている。文の

読解に関する回答はすべて，文を読解して，文に即して答えるという読解の原則がよくのみこまれていないことに原因するものが，これら53パーセントのものであることは，平素の学習指導の反省点として注意したい。

(11) これは　どんな　ことを　かいた　おはなしですか。

① もらって　きた　うさぎを　ふたりで　みて　いる。(58%)

2．かわいい　うさぎが　うまれた。(19%)

3．うさぎが　ぴんと　みみを　たてた。(19%)

この問いは，全文要約の問題であるが，選択肢第2，3の38パーセントのものは，文の部分的なところを答えたものである。文の構造にもよるが，1年生にとっては，文章の全体を見わたすということは，困難な読解技術のように思われる。したがって，58パーセントのものが，正答していることは，1年生としては，正常の正答率とも考えられる。それにしても，選択肢第2，3に回答した38パーセントのものを，できるだけ全体が見わたせるような読解技術を身につけさせるように引き上げる指導を軽く見てもよいということであってはならない。

〔2〕 第2学年のつまずきの検討

第2学年の対話文に対しては，内容に関する問いが11問発せられている。各問いに関する選択肢別の正答率を示したものが，次の第5表である。

正答率が50パーセント以下に落ちているものは，(3)(5)(6)(8)(9)の5問であるが，その他に，誤答率が30パーセント以上になっているものに，(4)(7)(10)(11)の4問がある。

以下これらの問いに関して検討を加えていくことにしたい。

（第5表）　第2学年・選択肢別回答率　　（　）は正答

肢＼問	(1)	(2)	(3)	(4)	(5)	(6)	(7)	(8)	(9)	(10)	(11)
1	8	4	24	35	14	23	25	35	(48)	10	18
2	(75)	3	26	5	30	15	(59)	25	19	19	(59)
3	12	6	(37)	10	(38)	21	1	(27)	18	(58)	7
4	5	(87)	11	(50)	19	(42)	16	14	16	13	16
無	0	0	3	1	0	0	0	0	0	0	0

問題となっている問いと，その正答率を示すと次のとおりである。

(3) はなしあって　いるのは　だれと　だれですか。(37%)

(4) 「三じだよ」と　いって　いるのは　だれですか。(50%)

(5) 「二じ五じゅう五ふんだよ」と　いって　いるのは　だれですか。(38%)

(6) 「三ぷんや　五ふん　どうだって　いいじゃないか」と　いったのはだれですか。(42%)

(7) この　はなしは　なんにんで　して　いるのでしょう。(59%)

(8) だれの　じかんが　あって　いるのでしょう。(27%)

(9) 「ぼくが　ただしい」「いや　わたしが　あって　いる」と　なぜいいあって　いるのですか。(48%)

(10) 「どうだって　いいと　いう　ことは　ないよ」と　いって　いるのは，どんな　きもちで　いって　いるのでしょう。(58%)

(11) はなしの　おわりで　「そうとも　そうとも」と　いって　いますが，これは　どんな　きもちで　いって　いるのですか。(59%)

次に，これらの問いについて，各選択肢別に検討することにしたい。

(3) はなしあって　いるのは　だれと　だれですか。

1．おきどけいと　うでどけい（24%）
2．はしらどけいと　おきどけい（26%）
③　とけいたちと　はしら（37%）
4．ラジオと　はしらと　とけい（11%）

この問いに答えるためには，全文をほとんど読まなくてはいけない。しかも注意深く読む必要がある。次に全文を必要事項に印をつけながら掲げてみることにする。

「いま　ちょうど　三時です。①はしらどけいさん。」
「いまは　二時五十五分だよ。三時には　五分早いよ。」
「いや，たしかに　三時だよ。」
「あら，②おきどけいさん　ちがうわ。二時五十七分よ。」
「えっ。」
「三時だよ。」
「三時五分まえだよ。」
「ちがうわ。三分まえよ。」
「いや……③うでどけいさん，ぼくのが　いいんだよ。」
「いや　ぼくのだよ。」
「いいえ，わたしの方が　ただしいわ。」
「三分や　五分，どうだって　いいじゃないか。みんなが　目を　さまさないといけないよ。」
「④はしらさん，どうだって　いいと　いう　ことは　ないよ。」

本文は，このあと４つの会話が残されているだけで，ほとんど全文を読ま

なくては，「だれと　だれが　話しあって　いるか」には答えられない。しかも，①～④まで読みとるには，これらが分散されているので，かなりの注意を要する。

このような事情がからんでか，正答は37パーセントの低率になっている。

選択肢第１と第２は，話し合っているものの半数に答えたもので，これらは合わせて50パーセントにのぼっている。

選択肢第４の11パーセントのものは，選択肢第１，第２に誤答したものよりも，さらに読みの不正確さの現れているものである。文中に「ラジオさんにきいて　みましょう」とはあるが，ラジオは，この話し合っているグループには参加していないということについての読みが，的確になされていない。

(4)　「三じだよ」と　いって　いるのは　だれですか。
1．はしらどけいさん（35%）
2．ラジオさん（５%）
3．はしらさん（10%）
④　おきどけいさん（50%）

選択肢第１に35パーセントという，かなり多数の誤答が目だつが，これは，文の最初にある「いま　ちょうど　三時です。はしらどけいさん」が的確に読みとれていないからである。

「いま　ちょうど　三時です」
と　はしらどけいさんが　いいました。

の表現との混同から誤答したものと思われる。

(5) 「二じ五十五ふんだよ」と　いっているのは　だれですか」

1．はしらさん（14%）

2．おきどけいさん（30%）

③ はしらどけいさん（38%）

4．うでどけいさん（19%）

この問いに答えるためには，問の(3)の項で述べたように，本文のほとんど全部に目を通して，どの話がだれの発言かを的確に位置づけることが必要である。このような事情もあってか，問(3)と(5)との正答率はほとんど同率になっている。前者が37パーセントに対し，後者は38パーセントである。

どの発言がだれかを読みとる能力のあるものであれば，本文の最初の部分の

「いま　ちょうど　三時ですね。はしらどけいさん。」

「いまは　二時五十五分だよ。三時には　五分　早いよ。」

「いや　たしかに　三時だよ。」

「あら，おきどけいさん　ちがうわ。二時五十七分よ。」

という対話からも，この問いの答は導き出せると思われるが，誤答の63パーセントのものは，大なり小なり，発話者の位置づけを誤っている。その中でも，選択肢第2の誤答は，問(4)の項に述べたと同様の誤りに陥っている。つまり，

「あら，おきどけいさん　ちがうわ。二時五十七分よ。」

「あら，ちがうわ。二時五十七分よ。」

と　おきどけいが　いいました。

の異同がわからないか，この異同を的確に読みとっていない者たちである。

(6) 「三ぷんや　五ふん　どうだって　いいじゃないか」と　いったのはだれですか。

1．はしらどけいさん（23%）

2．おきどけいさん（15%）

3．うでどけいさん（21%）

④ はしらさん（42%）

この問いに答えるためには，本文の後半，特に次の対話に注意しなければならない。

「三分や　五分，どうだって　いいじゃないか。みんなが　目を　さますと　いけないよ。」

「はしらさん，どうだって　いいと　いうことは　ないよ。」

したがって，選択肢の第1，2，3に答えている59パーセントの誤答者は本文中のこの部分が的確に読みとれなかったものである。

問いの(3) (5) (6)に正答している者は，いわば能力のあるものに限られている。そのことは，問い(3)の正答が37パーセント，(5)の正答が38パーセント，(6)の正答が42パーセントと，40パーセント台に止っていることがこの間の，

事情を物語っている。

(7) この　おはなしは　なんにんで　して　いるのでしょう。

1. さんにん (25%)

② よにん　(59%)

3. ひとり　(1%)

4. ふたり　(16%)

選択肢の第3，4に答えている17パーセントの誤答者は，読解能力の低い方の児童である。この正答数は問いの(3)(5)(6)の40パーセント前後の者に，19パーセントほどの者がさらに加わっているが，これは，問いの(3)(5)(6)にくらべれば，この問いは，読解の困難度がゆるめられているための増加であろう。

選択肢第1の25パーセントのものは，「はしらどけい」「おきどけい」「うでどけい」だけを挙げているもので，これに「はしら」が加わっていることが見落されている。

(8) だれの　じかんが　あって　いるのでしょう。

1. はしらどけいさんが　あって　いる。(35%)

2. おきどけいさんが　あって　いる。(2%)

③ だれが　あって　いるのか　わからない。(27%)

4. だれも　あって　いない。(14%)

この問いに答えることは，かなり困難である。少なくとも，この対話からは，選択肢第3に答えるのが妥当であるが，正確な時刻が判明すれば，選択肢の第1，2，4になる可能性もあるわけである。ここでは，正確な時刻は

判然としていないのであるから，選択肢第3以外は，正答とは言い得ない。このような論理性や判断力を伴う問いであるために，各選択肢に，ほぼ同じような回答率が現われている。

(9) 「ぼくが　ただしい」「いや　わたしが　あって　いる」と，なぜ　いいあって　いるのですか。

① じぶんが，ただしいと　おもって　いるから。(48%)

2. じぶんが　いちばん　はやく　しらせたいから。(19%)

3. ほかの　とけいに　まけると　くやしいから。(18%)

4. さっきから　じかんの　ことがきになって　いるから。(16%)

選択肢第2，3，4に答えている53パーセントの誤答者は，いずれも自分の主観を加えて答えている。このような傾向は，日常の学習にもしばしば起ることで，読解力を正常に育てるためには，指導者がわの指導技術に大きな反省をする必要を感じている。つまり文の読解にあたって，主観をまじえないで，文を忠実に読むことの指導に努力したい。

(10) 「どうだって　いいと　いう　ことは　ないよ」と　いって　いるのは，どんな　きもちで　いって　いるのでしょう。

1. さんぷんや　ごふん　ちがっていても　よい。(10%)

2. みんなが　めを　さますから　はなしを　やめたい。(19%)

③ ただしい　じかんを　しらせるのが　よい　とけいだ。(58%)

4. じぶんが　ただしいのだと　おもって　いる。(11%)

この問いは，お互の話のやりとりから，文に即しての判断を要求している。選択肢の第1，2，4に答えた40パーセントの誤答者は，文に即して判断しなければならないところに，第(9)問に見られたような主観が加わったための

誤答である。その上に，本文の全体の流れの上に立って判断しないための，主観の混入もあるように思われる。つまり，本文の一部分からの判断となると，主観の混入してくるすきが生じてくることがうかがわれる。

(11) はなしの　おわりで，「そうとも　そうとも」と　いって　いますが，これは　どんな　きもちで　いって　いるのですか。

1．さわぐと　わたしたちの　ねうちが　なくなると　おもって。（18%）

② ラジオさんに　きいて　みるのが　いちばん　いいと　おもって。（59%）

3．いくら　いいあっても　はなしが　きまらないと　おもって。（7%）

4．はしらに　はんたい　すると　わるいと　おもって。（16%）

選択肢の第1，4に答えた34パーセントの誤答者は，問い(9)(10)に述べた，いわゆる主観によって答えているものである。

選択肢第3の7パーセントの誤答者は，一応の論理性はもっているが，もう一歩高まらなければ，正答に移行できないものである。

〔3〕 第3学年のつまずきの検討

第3学年の対話文については，13問が提出されているが，その中で第(1)は漢字についての問いであり，第(3)は語句についての問いである。この調査結果から見て，これらが，内容についての正答を，それほど強く左右しているとは思われないので，ここで検討することは省略して，内容についての問いだけについて以下報告したい。

第6表は，内容についての問いの回答率を各問題別，選択肢別に示したも

のである。平均正答率は63.9パーセントで，かなりの成績を示している。正答率が50パーセント以下に落ちているのは，問いの第(13)だけである。

正答率から見れば，第(13)だけが問題となるが，その他の問いで，誤答となる選択肢に20パーセントの回答率を示しているものに注意すると，(2)(5)(9)(10)(11)(12)の6問がある。これらの問いもふくめて，以下7問について検討することにしたい。

（第6表）　第3学年・選択肢別回答率　　（ ）は正答

肢＼問	(1)	(2)	(3)	(4)	(5)	(6)	(7)	(8)	(9)	(10)	(11)	(12)	(13)
1	︵	7	︵	(76)	21	12	8	(78)	3	4	9	4	11
2	漢	26	語	11	9	(78)	12	16	14	23	(53)	6	30
3		(66)		6	5	4	(67)	5	27	(56)	13	26	(43)
4	字	0	句	7	(65)	5	12	1	(56)	17	25	(65)	15
無	︶	1	︶	0	0	1	0	0	0	0	0	0	1

問題となっている問いと，その正答率は次のとおりである。

(2) はなしあって　いる　ひとは　だれと　だれですか。（66%）

(5) はなしあって　いる　ところは　どこですか。（65%）

(9) やまむらくんは，なぜ「ごめんね」と　あやまったのでしょう。（56%）

(10) 「いいよ，いいよ。あした　ぼくが　みんなに　わけを　はなすよ」といったのは　どうしてでしょう。（56%）

(11) あさかわくんは，どんな　きもちの　ひとだと　おもいますか。（53%）

(12) あさかわくんは，なぜ　みんなに　うたがわれたのでしょう。（65%）

(13) これは　なんの　ことに　ついて　はなしあって　いるのですか。（43%）

以下各問ごとに，選択肢別の回答率と対照しながら検討したい。

(2) はなしあって　いる　ひとは　だれと　だれですか。

1．まさおさん，あきらさん，よしこさん。（7%）

2．あさかわくん，やまむらくん，おおはしさん。（26%）

③　おかあさん，あさかわくん，やまむらくん，おんなのこたち。(66%)

4．おかあん，おんなのこたち。（0%）

選択肢第2の26パーセントの誤答は，文中に女の子の名は示されていないのに「おおはしさん」と自分で決めていることと，最初にある

「はい，できましたよ。このまま　ほすと　表紙が　そりますから，本の上に　板を　のせて，おしを　して　ほすのですよ。」
「かわいてから，字を　書いてね。おかあさん。」

を，全く無視していることの二つからくる誤答である。

(5) はなしあって　いる　ところは，どこですか。

1．やまむらくんの　いえの　にわ。（21%）

2．ともだちの　いえの　にわ。（9%）

3．おおはしさんの　いえの　にわ。（5%）

④　あさかわくんの　いえの　にわ。（65%）

この問いに答えるためには，文の最初の部分に注意して読むことが大切である。選択肢の第1に答えた21パーセントの誤答は，この最初の部分の対話の位置づけを誤っている。本文の最初の部分には，次のように書かれている。

「はい，できましたよ。このまま　ほすと　表紙が　そりますから，①本の上に　板を　のせて，おしを　して　ほすのですよ。」
「かわいてから，字を　書いてね。おかあさん。」

②「朝川さん。」
「朝川くん。」
「山村くん，にわから　おいでよ。」
「あら……。」
「きれいに　なったわねえ。」
③「朝川くん，ぼくたち，④その　本の　ことを　聞きに　来たんだよ。…三さつも　借り出して　いるので　『また貸し』を　して　いるかも　しれないと　思ったんだ。……ごめんね。」

以上の中で，波線の①～④までが，相互関係的に読まれるならば，「朝川くん」が，本をつくろっていた子であるか，訪ねてきた子どもたちであるかが読みとれるはずである。この誤答は，これらの関係点がおさえられていないが，おさえられても，それを相互に関連させて読みとることができないためのつまずきである。

(9) やまむらくんは，なぜ「ごめんね」と　あやまったのでしょう。

1．おかあさんが　いたので，きまりが　わるく　なったから。（3%）

2．てつだいに　くるのが　おそくなったから。（14%）

3．「またがし」を　して　いるのは，ほかの　ともだちだったから。（27%）

④　「またがし」を　して　いるかも　しれないと　うたがったから。（56%）

この問いに答えるために注意すべきところは，本文中の次の部分である。

「朝川くん，ぼくたち，その　本の　ことを聞きに　来たんだよ。……三さつも　借り出して　いるので，『また貸し』を　して　いるかも　しれないと　思ったんだ。……ごめんね。」

波線の①～③の部分を関係づけるならば，この問いに答えることは，そう困難ではないと思われる。②③を関係づけるだけでも，正答は導き出せる。選択肢第３に答えた27パーセントの誤答は，②だけからの推読である。②と③とを関係的におさえることに欠けるための誤答である。

選択肢第２の14パーセントの誤答は，文に即して考えているのでなく，一応文は読んでいるが，主観によってゆがめられた答である。文の前後関係から導き出されたものではない。

⑽　「いいよ，いいよ。あした　ぼくが　みんなに　わけを　はなすよ。」と　いったのは　どうしてでしょう。

1．あさかわくんの　やすんで　いる　わけが　わかったから。（４％）

2．あさかわくんが　またがしを　して　いた　ことが　わかったから。（23％）

③　あさかわくんが　いくさつも　ほんを　かりて　いる　わけが　わかったから。（56％）

4．あさかわくんの　わるくちを　みんなで　いって　いたのは　わるかったと　おもったから。（17％）

この問いに答えるためには，本文中の次の部分を注意して読むことが必要

である。

「きれいに　なったわねえ。」

「朝川くん，ぼくたち，その本の　ことを　聞きに　来たんだよ。……三さつも　借り出して　いるので，『また貸し』を　して　いるかも　しれないと　思ったんだ。……ごめんね。」

「いや，ぼくが　わるかったんだ。としょがかりに　ことわって　おけばよかったのに　そう　しなかったもんだから，みんなに　うたがわれたんだ。今度から　一さつに　するよ。ごめんね。」

「いいよ，いいよ。本の　つくろいを　するためだったんだから。あした，ぼくが　みんなに　わけを　話すよ。」

この問いに直接関係のあるところは，波線で示した⑥～⑨の部分であるが，⑨の部分の理解は，①～⑤にささえられている。文の読解は，大なり小なりすべて，このような文の前後のからみあいがつかまれないと，単に語句の一般的な意味がわかったというだけでは，理解をもたらさないことを，このつまずきは的確に表わしている。

選択肢の第２の23パーセントの誤答は，③④を関係的に読みとっていないことに原因している。その上，語句そのものの理解，特に③の意味が的確に読みとれていない。

選択肢第４の17パーセントの誤答は，「わるくち」の内容が抽象的に受けとられているための誤答である。その内容が文中の③と関係的に読まれているならば，この中の何人かは正答に移行していくことが予想される。

文中④の「ごめんね」は，③のように考えた誤解に対することばであるし，⑦の「いいよ　いいよ」は，⑥の「ごめんね」に対することばであるが，こ

の選択肢に誤答しているこどもたちは，④の「ごめんね」も，⑥の「ごめんね」も表面的，抽象的に読みとっていく程度の読解力に止まっている。

(11) あさかわくんは，どんな　きもちの　ひとだと　おもいますか。

1．ほんを　こわして　だまって　いる　ひと。（9％）

② だまって　みんなの　ために　よい　ことを　する　ひと。(53％)

3．みんなに　わるくちを　いわれるのを　こわがって　いる　ひと。(13％)

4．だまって　としょしつの　ほんを　もちだす　ひと。（25％）

この問いに答えるためにも，問いの(10)と同じ部分が理解されていれば，これの正答を導き出すことは，むしろ(10)よりも容易であると思われる。正答率は(10)～56パーセント，(11)～53パーセントと，ほぼ同率になっていることが，この間の事情を物語っている。

選択肢第4に答えた25パーセントの誤答は，この答の正否を判断する，本文中の次の部分が，じゅうぶんに読みとられていない。

「朝川くん，ぼくたち，その本の　ことを①　聞きに　来たんだよ。………三さつも　借り出して②　いるので，(以下省略)」

①②の要点が読まれているならば，選択肢第4を正答と判断することはない。けっきょくこの要点①②が的確に読まれてないための誤答である。

選択肢第3の13パーセントの誤答は，答を本文そのものの読解から導き出すことができないための誤答である。つまり，文に即して読む技術が的確でないものたちである。このことは，指導技術にも反省を加えなくてはならな

いと思われる。

(12) あさかわくんは　なぜ　みんなに　うたがわれたのでしょう。

1．がっこうを　だまって　ながく　やすんで　いるから。（4％）

2．みんなに　うそを　いって　ほんを　もちだしたから。（6％）

3．としょしつの　ほんを　だまって　もって　いったから。（26％）

④ さんさつも　いっしょに　かりだして　いたから。（65％）

この問いに対するためには，問い(11)に述べたと同様の読みが必要である。つまり，答えるために要点となる部分が的確におさえられているということである。なお，選択肢第3の問いは，問い(11)の選択肢第4と全く同じ内容のことである。したがって問い(11)の選択肢第4に誤答した25パーセントのものが，そのまま，この選択肢第3に答えていると予想される。誤答率26パーセントと，問(11)の誤答率とほとんど一致していることも，これらの事情を考える上に興味のあることである。

(12) これは　なんの　ことに　ついて　はなしあって　いるのですか。

1．あさかわくんの　またがしの　わるくちを　いった　こと。(11％)

2．あさかわくんが，ほんの　つくろいを　した　こと。(30％)

③ あさかわくんが，ほんを　かりだした　わけが　わかった　こと。(43％)

4．あさかわくんを　みんなで　ほめて　いる　こと。（15％）

この問いは，話しあいの主題についての問いであるが，選択肢第1の11パーセントのものは，本文に話し合われている以前のことを推察して誤答した

ものである。

選択肢第２の30パーセントの誤答は，本文から読みとれる事実ではあるが，主題とはいいきれないものである。もしも，これが主題となるならば，どのようにして，つくろいが進められたか，またつくろいの苦心などが，もっと話題にのぼってくるはずである。

選択肢第４の15パーセントの誤答は，事実においては，そのようになるであろうが，これも本文からの推測ということになる。本文そのものの読解としての答ではない。

〔４〕 第４学年のつまずきの検討

第４学年の対話文に対しては，12問の問いが発せられているが，その中で第１問は漢字についての問題であるから，内容に関しての問いは11問題である。

各問題別に，各選択肢に対する回答率を示したものが，次の第７表である。

（第７表） 第４学年・選択肢別回答率　　（　）は正答

肢＼問	(1)	(2)	(3)	(4)	(5)	(6)	(7)	(8)	(9)	(10)	(11)	(12)
1	（漢字）	29	12	1	11	(64)	19	45	(89)	23	23	11
2		10	(47)	5	49	11	29	(31)	6	11	(57)	12
3		(51)	24	9	(34)	9	5	1	3	(58)	2	12
4		10	16	(85)	5	15	(47)	22	1	7	18	(64)
無		1	1	1	1	1	1	1	1	1	1	1

11問題の中で，正答率が50パーセント以下になっているものは，(3)(5)(7)(8)の４問で，その中でも，(5)(8)の２問は30パーセント台である。

１選択肢に20パーセント以上の誤答があるものに，以上掲げたほかに，(2)(10)(11)の３問がある。これら検討すべき問題となる７問とは，どのような問いであるかを具体的に次に示すことにする。

(2)　この　はなしあいを　して　いるのは，つぎの　どの　ひとたちでしょう。（51%）

(3)　こどもたちは,「それで　じかんが　わかるの」と　どうして　きいているのですか。（47%）

(5)　たもつさんは　どうして　ひどけいで　あそんで　いたのでしょう。（34%）

(7)　「こっちへ　かわって　きたんですね」と　いうのは，なにが　かわった　ことですか。（47%）

(8)　「へんだなあ」と　おもった　のは　どうしてですか。（31%）

(10)　「なあんだ。そうか。」と　いったのは　なぜでしょう。（58%）

(11)　「この　かいがんが　すきに　なった。」と　いったのは，どんなきもちからだったと　おもいますか。（57%）

以上掲げた，かっこ内の数字はそれぞれの正答率である。

以上の各問題を，選択肢別の回答率の上から検討してみることにする。

(2)　この　はなしあいを　して　いるのは，つぎの　どの　ひとたちですか。

1．おとこのこと　おんなのこと　しこくの　こども。（29%）

2．とおくの　こどもと　しこくの　かいがんの　こどもたち。（10%）

③　たもつさんと　かいがんの　こどもたち。（51%）

4．しこくの　かいがんの　おんなの　こどもたちと　たもつさん。（10%）

この問いに答えるためには，文中の次の点が，はっきりとおさえられていることが必要である。

「君，どこから来たの。」
①
「四国から。」
②
（中略）

「君，たもつ君というのだろう。」
③
「どうして，ぼくの名まえを——。」
④
（以下略）

①～④の要点がおさえられれば，①③によびかけられている子は，「たもつ」という名であることがわかる。さらに②と関係づけることによって，四国から来た子であることがはっきりする。④を関係的につかまなくてはならないのは，③が④によって否定されれば，「たもつ」という名は，四国から来た子の名として，確定してこないことになるからである。

選択肢第1の29パーセントの誤答も，選択肢第3の正答がなければ，一応正答として考えることもできるが，両者を比較すれば，後者が正答とならなくてはならない。しかも後者を正答として選ぶためには，前述の要点が関係的に的確に読解できていなければならない。作問上，正答とまぎらわしいものを提出することがよいかどうかは，一応ここでは触れないでおく。

(3)　こどもたちは，「それで　じかんが　わかるの。」と，どうして　きいているのですか。

1．ひどけいで　じかんを　はかるのに　しっぱい　して　いるから。（12%）

②　ひどけいに　ついて　なんにも　わかって　いないから。（47%）

3．ひどけいに　しては，おかしな　ひどけいだから。（24%）

4．くもって　いるのに　ひどけいを　みて　いるから。（16%）

本文中，日時計について話し合っているところは，次に掲げる最初の三つの会話の部分である。

「君，なんだい，それ。」
①
「日時計さ。」
②
「日時計。それで時間がわかるの。」
③　④
「だいたいわかるよ。このくつの所が十二時。だから，今，棒のかげの落ちている所が，——そうだね，二時半ぐらいかな。」
⑤

上に掲げた対話中の，①～③を④と関係的に読解すれば，選択肢第1～3のどれが正答であるかは，はっきりしてくる。ここで読解の技術として問題となってくることは，④が，①～③を受けると解釈するか，直前の③だけを受けると解釈するかによって，選択肢第2～3のいずれを選ぶかが異なってくるであろう。

①～④を全体的に関係づけてしかも主観をまじえないで読むならば，選択肢第1，3と解釈される手がかりは全くない。選択肢第4の16パーセントの誤答は，⑤を無視しているためのつまずきである。

(5)　たもつさんは　どうして　ひどけいで　あそんで　いたのでしょう。

1．まえから　ひどけいを　つくって　いたから。（11%）

2．つくった　ひどけいを　ためして　みたいと　おもったから。（49%）

③　こして　きたばかりで　あそぶ　ともだちも　いないから。（34%）

4．こして　きたばかりで　みんなが　あそんで くれないから。(5％)

この問いのかぎは，文中の次のところにある。この部分の読解ができているかどうかによって，選択肢第2，3のいずれを選ぶかが分れてくる。

「日時計。①それで時間がわかるの。」
②「だいたいわかるよ。このくつの所が十二時。だから，③今，棒のかげの落ちている所が，──そうだね，二時半ぐらいかな。」

波線の②③の読解によって，たもつは，この日時計によって測定した経験があることが読みとれる。したがって，選択肢第2の49パーセントの誤答は，これら②③をおさえての読解が，安定しないままに答えている弱点がうかがわれる。

(7)　「こっちへ　かわって　きたんでね」と　いうのは，なにが　かわった　ことですか。

1．たもつさんたちの　すむ　うち。(19％)
2．たもつさんの　かよう　がっこう。(29％)
3．おとうさんの　しごとの　やりかた。(5％)
④　おとうさんの　つとめる　ところ。(47％)

この問いに答えるため直接関係するところは，文中の次の部分である。

「君，どこから来たの。」
「四国から。」

「四国。」
①「きのう，ここの水産試験場に着いたばかりさ。」
「あら，②では，こんど来たぎしさんのうちの人。」
「そう。③おとうさんがこっちへかわって来たんでね。」

選択肢第1，2，4ともに変っていることは事実であるが，選択肢第1，2は，第4の原因によって，付随的に変更されたのであるから，正答は選択肢第4となる。

選択肢第1，2に誤答した48パーセントのものは，この主従の関係的な判断がつかないか，それを誤ったかしたものである。このことは，文の前後を関係づけ，そこから正しい判断を導き出す力の安定していないことを現わしている。

(8)　「へんだなあ」と　おもったのは　どうしてですか。

1．みた　ことの　ない　ものを　もって　いたから。(45％)
②　みた　ことの　ない　こどもだったから。(31％)
3．おかしな　きものを　きて　いたから。(1％)
4．おかしな　ことばで　はなしていたから。(22％)

これに答えるための関係部分は，文中の次の部分である。

①「きのう，ここの水産試験場に着いたばかりさ。」
「あら，②では，こんど来たぎしさんのうちの人。」
「そう。③おとうさんがこっちへかわって来たんでね。」
「それでわかった。④へんだなあと思ったよ。君を。」

以上示した波線の①～④の部分が，相互関係的に読解されるならば，選択肢第1，4のまぎれこむことはないはずである。これら67パーセントの誤答のものは，波線④と文の最初にある「日時計」とを結んで答えた45パーセント，他の地域から移って来たから，ことばがおかしいとする一般的な考えをあてはめて答えた22パーセントとなっている。

選択肢第1の44パーセントのものは，これらの対話が，何を主題として話し合われているかを的確につかまず，終始,「日時計」について話しあっているとしたところに，誤答への岐路が生じている。

⑽ 「なあんだ。そうか。」と　いったのはなぜでしょう。

1．なまえを　よばれて　おかしいなと　おもったから。(23%)
2．なまえを　だれかに　おしえてもらったと　おもったから。(11%)
③　なまえを　みて　あてるのは　だれにでも　できるから。(58%)
4．おなじ　なまえの　こどもが　いたのでは，あたるのが　あたりまえだから。(7%)

これに答えるための必要部分は，次のところである。

「君，たもつ君というのだろう。」①
「どうして，ぼくの名まえを――。」②
「なあに，顔を見ればわかるのさ。」
「ぼうしで見たのですよ。」③
「なんだあ，そうか。――ぼく，この海岸，すきになったよ。」④

選択肢第1の23パーセントの誤答は，①～④までの関係部分の，③と④とを呼応させて読解することに気づいていないためのつまずきである。呼応すべきものが的確におさえられていないので，その思考の運び方の間にずれが生じてきた例である。

⑾ 「この　かいがんが　すきに　なった」と　いったのは，どんな　きもちからだったと　おもいますか。

1．すなどけいで　いつでも　あそべるから。(23%)
②　おともだちが　きにいったから。(57%)
3．ぎしに　なって　いばれるから。(2%)
4．うみで　およげて　うれしいから。(18%)

この問いに答えるためには，ほとんど全文を見わたして判断しなければならない。文の最初の部分

「君，なんだい，それ。」
「日時計さ。」
「日時計。それで時間がわかるの。」
「だいたいわかるよ。……（以下略す)」

ここに現われている対話のふん囲気は，ざっくばらんに行われているが，まだ，互に解きほぐれないものがある。これが，対話の進行とともに，だんだんとほぐれて，

「わたしたちの学校にはいるんでしょう。」

「そう。あしたから。」
「ぼくたち，みんな四年生だ。」

となり，これがさらにほぐれて，

「君，たもつ君というのだろう。」
「どうして，ぼくの名まえを——。」
「なあに，顔を見ればわかるのさ。」
「ぼうしで見たのですよ。」①
「なあんだ，そうか。②——ぼく，この海岸，すきになったよ。」③

波線の①のような，じょうだんまでするように，互にすっかり親愛の情をもっている。その親愛の情に応じる，たもつのことばが②のような形で現れ，このときほぐれた親愛の情から③のことばが出ているのであるから，正答は選択肢第2となる。

選択肢第1，および第4の誤答となる，41パーセントのものは，たもつの立場からだけの判断で，対話の内容，そのふん囲気がどのように移っていくか。それらのふん囲気のどの部分に，この問いは位置づけられるのかの判断が度外視されている。つまり読解技術に不なれの結果ともみられる。

〔5〕 第5・6学年のつまずきの検討

第6学年に対しては，適当な読解文が見あたらなかったので，5・6学年共通の読解文によって，テストを行った。この両学年の平均正答率の間には，あまり開きはなくわずかに6年が3パーセント上昇しているだけである。

各問題の選択肢別に回答率を示したものが，次に掲げる第8・9表である。

(第8表) 第5学年・選択肢別回答率 ( )は正答

肢＼問	(1)	(2)	(3)	(4)	(5)	(6)	(7)	(8)	(9)	(10)	(11)	(12)
1	(漢	4	25	9	(語	4	39	(45)	5	7	4	15
2		(90)	2	5		(78)	(27)	41	2	(64)	19	(39)
3		4	3	(85)		15	11	9	11	18	(42)	22
4	字)	1	(70)	1	句)	3	23	4	(82)	11	34	23
無		1	0	0		0	0	1	0	0	1	0

(第9表) 第6学年・選択肢別回答率 ( )は正答

肢＼問	(1)	(2)	(3)	(4)	(5)	(6)	(7)	(8)	(9)	(10)	(11)	(12)
1	(漢	0	11	6	(語	4	32	(50)	5	4	2	18
2		(96)	0	8		(84)	(27)	42	8	(65)	29	(43)
3		3	6	(85)		11	10	5	12	11	(41)	11
4	字)	2	(83)	1	句)	1	32	3	(78)	21	28	28
無		0	0	0		0	0	0	0	0	0	0

第1問は漢字に関するもの，第5問は語句に関するものであるから，内容に関する問いは以上の2問を除いて，10問提出されている。

第5・6学年とも正答率が50パーセント以下に落ちている問題は，(7)(11)(13)の3問であるが，第5学年は，このほかに(3)が加わってくる。つまり，第5学年では(7)(8)(11)(13)の4問，第6学年は(7)(11)(13)の3問である。

以上のほかに，選択肢に20パーセント以上の誤答率のあるものをあげると，第5学年において，(3)(10)の2問，第6学年において，(3)(8)(10)の3問がある。

これらの問題が，どのような問いであるかを，具体的に示すことにする。

(3) しじんに　なりたいと　おもって　いるのは　だれですか。

(7) 「ぼくは　そんなふうに　おもわないなあ」の「そんなふう」とは，なにを　さして　いますか。(正答率5・6年とも27%)

(8) 「おなじ　かんがえを　して　いるんだよ」の「おなじ　かんがえ」とは，どういう　かんがえかたですか。(正答率5年～45%，6年～50%)

(10) いちろうくんは「ゆうめいに　ならなくったって　いいじゃないか」と　なぜいったのでしょう。

(11) しっかり　した　にんげんと，ゆうめいな　にんげんとは　おなじですか。ちがいますか。(正答率5年～42%，6年～41%)

(12) なにに　ついて　はなしあって　いますか。(正答率5年～39%，6年～43%)

以下これら6問について，つまずきに関し検討していくことにしたい。

(3) しじんに　なりたいと　おもって　いるのは　だれですか。

1．じろうくん。(25%　11%)

2．せんせい。(2%　0%)

3．きたはらさん。(3%　6%)

④ いちろうさん。(70%　83%)

かっこの中の正答率で，先に示したのが第5学年，後に示したのが第6学年のものである。以下これと同様の示し方をしていくことにする。

この問いに答えることは，この学年の児童には，それほど困難とは思われないが，第5学年が，選択肢第1に25パーセントの誤答をしている。読解すべき部分は，以下示すように文の最初の4行である。

「次郎君，君はこれから何になるつもりだ。」①

「まだ，きめていないよ。」

「ぼく，ほんとうは詩人になりたいんだ。②だけど，とても北原白秋のように有名には，なれそうにないな。」

「有名にならなくったって，一郎君いいじゃないか。」③

波線の①と②の発言者は同一の人間であると読みとることが，この問いに答えるかぎとなる。それが読解できれば，③は，①と②の話の受け答えとして発せられているのであるから，①と②の発言者は「一郎君」となってくる。第5学年の誤答者25パーセントのものは，①～③の受け答えを関係的に読みとっていないことにつまずきの原因がある。

第6学年の 第5学年と 同一の選択肢に 対する誤答者は 11パーセントである。どの学級にも，このくらいのつまずきは生じてくると思われる。このことから考えると，第5学年のつまずきは，約10パーセントの能力の低いものを除いた残りの15パーセントほどのものがつまずきを生じているとも解される。

(7) 「ぼくは　そんなふうに　おもわないなあ」の「そんなふう」とは，なにを　さして　いますか。

1．にんげんに　うまれて　きた　ことが　ねうちが　ある。(39%　32%)

② ゆうめいに　なる　ことが　ねうちが　ある。(27%　27%)

3．きたはらはくしゅうに　ついての　ねうち。(11%　10%)

4．よのなかの　ひとに　ついての　ねうち。(23%　32%)

この問いに答えるためには，次の部分を関係的に読解することが必要である。

「ぼくなんか，①どんな方面に進むにしても，有名になろうなんて考えないな。」
「ずいぶんあっさりしているんだね次郎君は。②有名になれなかったら，せっかく人間に生まれてきたかいが，ないじゃないか。」
「ぼくは，③そんなふうには思わないなあ。しっかりした人間にならなければいけないとは思うけれど。」

波線の②③が関係的に読解できれば，正答であるが，正答のものは，両学年とも27パーセントになっている。10問題中で，30パーセント以下に落ちているのは，この問いだけである。

選択肢第１に誤答した５年39パーセント，６年32パーセントのものは，波線の②の部分だけに気をとられて，②③を関係づけて読解していない。問に答えるために，どの部分を読めばよいかということには気づいているが，関係的に読んでいく技術にふなれであることが，つまずきの原因とみられる。

選択肢第４の誤答５年23パーセント，６年32％は，①②を関係的には読んでいるが，それに③をからませる，そして結論を出すという手順に欠けている。ただし選択肢第１の誤答者よりは読解力上位の誤答である。

(8)　「おなじ　かんがえを　して　いるんだよ」の「おなじ　かんがえ」とは，どういう　かんがえかたですか。

①　しっかりした　にんげんに　なる　こと。（45％　50％）

2．よのなかの　ひとに　なまえを　しって　もらうように　なること。

（41％　42％）

3．はくしゅうの　ように　なる　こと。（９％　５％）

4．ゆうめいに　ならなくては，つまらない　こと。（４％　３％）

この問いに答えるために読解すべき関係部分は，次の部分である。

「ずいぶんあっさりしているんだね次郎君は。①有名になれなかったら，せっかく人間に生まれてきたかいが，ないじゃないか。」
「ぼくは，②そんなふうに思わないなあ。③しっかりした人間にならなければいけないとは思うけれど。」
「ぼくだって，④しっかりした人間になろうと思っているのさ。そして，⑤りっぱな行いをして，世の中の人に名まえを知ってもらいたいと思うのだ。だから，つまり⑥君だってぼくだって，同じ考え方をしているんだよ。」

波線の②④⑥とを結んで考えると，同じ考え方をしているとは，②を受けて④があり，それを結ぶことばとして，④が位置づけられてくるから，正答は選択肢第１となる。

選択肢第２に誤答している40パーセントのものは，①と②とを結んで読解することの的確さを欠いたためである。①と②と関係的に読解できれば，「有名になる」という①の発言を②で否定しているのであるから，選択肢第２が誤答であることに気づかなければならない。①だけ読んで，②と関係づけることを忘れた場合に，このような誤答が生じてくる。この誤答の傾向は，５・６年の間にほとんど開きがない。

⑽　いちろうくんは「はくしゅう」を　どういう　ひとだと　かんがえて

いますか。

1．やくにたつ　ゆうめいな　ひと。（7％　4％）

②．しじんと　して　ゆうめいな　ひと。（64％　65％）

3．にんげんと　して　ゆうめいなひと。（18％　11％）

4．うまれた　かいの　ある　ひと。（11％　21％）

この問いに答えるために読解すべき部分を次に掲げてみる。

「ぼく，ほんとうは詩人になりたいんだ。だけど，とても北原白秋のように有名には，なれそうにないな。」
「有名にならなくたって，一郎君いいじゃないか。」
「有名にならなくちゃつまらないよ。」
「ぼくなんか，どんな方面に進むにしても，有名になろうなんて考えないな。」
「ずいぶんあっさりしているんだね次郎君は。有名になれなかったら，せっかく人間に生まれてきたかいが，ないじゃないか。」

上に掲げた波線の①と②とを関係的に読むならば，選択肢第2の正答が導き出せる。③と④は，②の「有名」に対する一郎の執着の度のあらわれたことばとして②と関係的な位置にある。

選択肢第3と第4では，誤答率が5年と6年で，ちょうど強弱の度が逆になっている。

第5学年は選択肢第3に，第6学年は選択肢第4に多く答えている。選択肢第3，4をくらべると，読解としての抽象性は，第5学年の方に強い。第5学年は．白秋を文から抽象させて答えている上に，波線の①をふまえて読

解していないきらいがみえる。

これに対し，第6学年の21パーセントの誤答となっている選択肢第4は，①と④とを関係的に読んでいる点で，第5学年よりも，読解力が安定しているとみられる。ただし，①と④とを関係づける上において，①を軽く見すぎている。つまり関係の比重を誤った点において，誤答としたのであるが，全く誤答として，捨ててしまってよいものかどうかについては，作問上の疑問がないでもない。それは，①を前提とすれば，正答に近い解釈となるからである。

(11)　しっかり　した　にんげんと，ゆうめいな　にんげんとは，おなじですか。ちがいますか。

1．わからない　。（4％　2％）

2．にて　いる。（19％　29％）

③　ちがう。（42％　41％）

4．おなじ。（34％　28％）

この問いに答えるための手がかりとなる部分は，ほとんど全文にわたっている。それだけにつかみにくい問題である。

「ぼく，ほんとうは詩人になりたいんだ。だけど，とても北原白秋のように有名には，なれそうにないな。」
「有名にならなくたって，一郎君いいじゃないか。」
「有名にならなくちゃつまらないよ。」
「ぼくなんか，どんな方面に進むにしても，有名になろうなんて考えないな。」

「ずいぶんあっさりしているんだね次郎君は。⑤有名になれなかったら，せっかく人間に生まれてきたかいが，ないじゃないか。」

「ぼくは，⑥そんなふうに思わないなあ。しっかりした人間にならなければいけないとは思うけれど。」

「ぼくだって，しっかりした人間になろうと思っているのさ。そして，りっぱな行いをして，⑦世の中の人に名まえを知ってもらいたいと思うのだ。⑧だから，つまり君だってぼくだって，同じ考え方をしているんだよ。」

以上波線の中で，①③⑤⑦⑧は，一郎の発言である。一郎は「有名になる」ということが第一で，これに付随して，「しっかりした人間」ということが言われている。

これに反して，次郎の発言は，②④⑥の3つであるが，この発言にあらわれていることは，終始「しっかりした人間」になることで，「世に名を知られる」ということは，問題にしていない。

この両者の意見をみれば，人間のねうちについて論じていることにもなる。これについては，問(12)でたずねている。

したがって，この問(11)についての正答は，この対話の主題から決定してくるわけで，一郎を是とするか，次郎を是とするかの判断によってわかれてくる。

選択肢第2の誤答，第4の誤答は，白秋のような特定の人物にはあてはまるが，その他の場合には，一つの条件を立てなければ，正答とはならない。

なお選択肢第4の誤答者の中には，一郎の最後の発言「つまり，君だってぼくだって，同じ考え方をしているんだ。」の波線の部分に，表面的にひきずられて答えているものも含まれていることが予想される。

(12) ふたりは　なにに　ついて　はなしあって　いますか。

1．ゆうめいな　ひとに　ついて。（15%　18%）

② にんげんの　ねうちに　ついて。（39%　43%）

3．きたはらはくしゅうに　ついて。（22%　11%）

4．ゆうめいに　なる　ほうほうについて。（23%　28%）

この問いに答えるためには，問(11)のところに掲げたように，一郎の主張，次郎の主張が同一人の発言として相互関係的につかめなくては正答できない。したがって問(11)に正答できたものにとっては，この問いに正答することは，それほど困難なことではない。そのことは，5，6学年とも，問(11)の正答率が，5年が42パーセント，6年が41パーセントとなり，問(12)の正答率が5年で39パーセント，6年で43パーセントとなっていて，問(11)(12)の正答率がほぼ同率であることからも，察せられることである。

4. 詩の調査に用いられた読解文とそのテスト問題

第１学年の読解文

えんがわに，ねこが　ねて　いた。
おばあさんが，あみものを　して　いた。
「なにを　あんで　いるの。」
「手ぶくろだよ。」
「だれの　手ぶくろ。」
「さあ，——。」
おばあさんは，
ぼくを　みて，にっこり　なさった。

えんがわに，
ふとんが　ほして　ある。
ふっくらと　ふくれて　いる。
ねころんで　そらを　見た。
白い　くもが，
ながれて　いた。
目を　つぶっても
くもが　見えるようだ。

第１学年のテスト問題

(1) つぎの（　）の　なかに　かんじの　よみがなを　かきなさい。
（　）手ぶくろ。（　）白い　くも。（　）目を　つぶる。　くもが（　）見えるようだ。

(2) おばあさんは　なにを　して　いますか。
1. おしごと。
2. あみもの。
3. おてつだい。

(3) だれと　だれが　はなしを　して　いるのですか。
1. おばあさんと　はるおさん。
2. おばあさんと　ねこ。
3. おばあさんと　ぼく。

(4) 「だれの　てぶくろ。」「さあ，——。」と　ある「さあ，——。」の　——の　ところに　つぎの　どの　ことばを　いれたら　よいでしょう。
1. 「さあ，だれのでしょうね。」
2. 「さあ，むこうへ　いって　いなさい。」
3. 「さあ，みれば　わかるよ。」

(5) なぜ　おばあさんは，ぼくを　みて　にっこり　なさったのですか。
1. ぼくの　てぶくろを　あんで　いたから。
2. ぼくの　かおに　すみが　ついて　いたから。
3. ぼくが　おもしろい　はなしを　したから。

(6) てぶくろの　うたは　いつごろの　うたでしょう。
1. はるの　はじめ。
2. あきの　はじめ。
3. ふゆの　はじめ。

(7) 「ねころんで」と　いうのは　つぎの　どの　ことばと　おなじですか。
1. よこに　ころんで。
2. よこに　なって。
3. よこに　なって　ねむって。

(8) 「しろい　くもが　ながれて　いた。」と　いうのは　つぎの　どの　ことばと　おなじですか。
1. しろい　くもが　しずかに　うごいて　いた。
2. かわの　みずが　しずかに　ながれて　いた。
3. かぜが　しずかに　くもを　ふきとばした。

(9) 「めを　つぶっても」と　いうのは　つぎの　どの　ことばと　おなじですか。
  1. めが　つぶれても。
  2. めを　とじても。
  3. めが　いたくても。

(10) ふとんは　どこに　ほして　あるのですか。
  1. やねの　うえ。
  2. ものほしざお。
  3. えんがわ。

(11) 「ふっくらと　ふくれて　いる。」と　いうのは，なにが　ふくれて　いるのですか。
  1. ほして　ある　ふとん。
  2. ひなたぼっこ　して　いる　ねこ。
  3. ふうせんを　ふくらますと，ほおが　ふくれる。

(12) 「ふっくらと　ふくれて　いる。」と　いうのは　どんな　ようすですか。
  1. わたが　たくさん　はいって　ふくれて　いる。
  2. ひに　てらされて　ふんわり　して　いる。
  3. ごむふうせんの　ように　ふくらんで　いる。

(13) なぜ　めを　つぶっても　くもが　みえるようなのですか。
  1. えに　かいたように　きれいだったから。
  2. ぼくの　かいた　くもの　えと　にて　いるから。
  3. めの　なかに　くもが　はいったから。

第2学年の読解文

たんぼの　土と　わらくずを　かためて
作った　つばめの　すに，
ひなが　かえった。
白い　ふちの　ある
やわらかそうな　くちばしだ。
おやつばめが
出たり　はいったり　する　たびに，

チイ　チイ　チイ　チイ　ないて　いた。

ぼくは，
学校へ　行く　時も
学校から　かえった　時も，
つばめの　子を　見るのが　たのしかった。

大きく　なった　子つばめは，
つやつやした　くろい　つばさが　のびて，
すから　こぼれそうに　なって　きた。

ある日，ぼくが　学校から　かえると，
すは　からっぽだった。

つばめは　どこへ　行ったのだろう。
ぼくは　いそいで　おもてに　出た。
おやつばめと　いっしょに
電せんの　上に　ならんで，
チイ　チイ　チイ　チイ　ないて　いた。

第2学年のテスト問題

(1) つぎの（　）の　なかに　かんじの　よみがなを　かきなさい。

たんぼの　（　）土と　わらくずを　かためて　（　）作った　つばめの　す。
（　）白い　ふちの　ある　くちばし。（　）出たり　はいったり　する。
（　）学校へ　（　）行く　（　）時。つばめの　（　）子を　（　）見る。（　）大きく　なった。

( )( ) ( )
ある日。電せんの 上。

(2) 「ひなが かえった」と いうのは，どういう ことですか。
1. ひなが すへ もどって きた こと。
2. たまごから ひなに なった こと。
3. がっこうから うちへ かえった こと。
4. ひなの ところへ えさを もって きた こと。

(3) つばめの すは，なにで つくって ありますか。
1. たんぼの つちと きの はを かためて つくって ある。
2. ねんどと くさの みを かためて つくって ある。
3. きの えだを かさねて つくって ある。
4. たんぼの つちと わらくずを かためて つくって ある。

(4) しろい やわらかそうな くちばしを もって いるのは，つぎの どれですか。
1. かえって きた おやつばめ。
2. そらを とんで いる つばめ。
3. ひなから かえった つばめ。
4. でんせんの うえで ないて いる つばめ。

(5) 「おやつばめが でたり はいったり する たびに チイ チイ チイ チイ ないて いた。」と いうこと から こつばめの どんな ようすを おもいうかべますか。
1. くちを おおきく あけて えさを ほしそうに ないて いる ようす。
2. したを むいて かなしそうに ないて いる ようす。
3. たのしそうに うたを うたって いる ようす。
4. けんかを して いたそうに ないて いる ようす。

(6) どうして すから こぼれそうに なって きたのですか。
1. すの なかで あばれるので。
2. おともだちが ふえたので。
3. ひなが おおきく なったので。
4. みずが いっぱいに なったので。

(7) 「すは からっぽだった。」と ありますが，つばめは どこへ いったのでしょう。
1. あたたかな みなみの くにへ とんで いった。
2. みんな ねこに さらわれて しまった。

3. でんせんの うえに ならんで ないて いた。
4. えさを さがしに とおくへ とんで いった。

(8) でんせんの うえに ならんで ないて いた こつばめを みた ときに，この ひとは どんな きもちが したでしょう。
1. なにが かなしくて，あんなに ないて いるのだろうと おもった。
2. 「もう とべるように なったのだな。」と うれしく おもった。
3. あんな たかい ところで なにを して いるのだろうと おもった。
4. はやく みなみの くにへ とんで いってしまえば いいのにと おもった。

(9) この うたは，つばめの どんな ようすを かいたのですか。
1. みなみの くにで，おやつばめと こつばめが なかよく くらして いる。
2. こうしゃの のきしたで うまれた こつばめが，だんだん おおきく なる。
3. つばめが ひなを そだてるために，つちや わらくずを はこんで すを つくって いる。
4. じぶんの いえで かえった こつばめが，とべるように なった。

第3学年の読解文

よいしょ，よいしょ。
とうげの坂みち。
ぼくは車のあとおしだ。
おとうさんのシャツに，
あせがにじんでいる。

ぼくが，ちょっと
おすのをやめたら，
車が少しあともどりした。
おとうさんが
うしろを向いた。

やっぱり，

ぼくの力も

役にたっているのだな。

〰〰〰〰〰〰〰〰〰〰

第3学年テスト問題

(1) つぎの（ ）の なかに かんじの よみがなを かきなさい。

（ ）坂みち。（ ）車の あとおし。（ ）少し。うしろを （ ）向いた。ぼくの （ ）力も （ ）役に たっている。

(2) くるまの あとおしを したのは どこですか。

1. やまの ほそい みち。
2. とうげの さかみち。
3. いつも とおる さかみち。
4. くるまが たくさん とおる さかみち。

(3) おとうさんの シャツに あせが にじんだのは どうしてですか。

1. いっしょうけんめい くるまを ひいたから。
2. ぼくが おすのを やめたから。
3. ひが かんかん てって いたから。
4. いっしょうけんめい くるまを おしたから。

(4) くるまが あともどりを したのは どうしてですか。

1. おとうさんが うしろを むいたから。
2. ぬかっていて すべったから。
3. おとうさんが ひくのを やめたから。
4. ぼくが おすのを やめたから。

(5) おとうさんが うしろを むいたのは どうしてですか。

1. ぼくの かおが みたいから。
2. くるまが すこし あともどり したから。
3. くるまが うごかなくなったから。
4. くるまが かるく うごきだしたから。

(6) やっぱり ぼくの ちからも やくに たって いるのだと，どうして わかりましたか。

1. おとうさんが たびたび うしろを むいたから。
2. おとうさんの シャツに あせが にじんで いるから。

3. おすのを やめたら，くるまが すこし あともどりを したから。
4. ぼくにも くるまが ひける じしんが あるから。

(7) この しは，どんな ことを うたったのですか。

1. くるまの あとおしに，ぼくの ちからが やくに たって うれしい。
2. とうげの さかみちを，おとうさんと いっしょに のぼった。
3. くるまが あともどりを したので，ぼくは はらはら した。
4. おとうさんは，ぼくが くるまの あとおしを しないと こまる。

第4学年の読解文

足もとから

ピーンピーンと

木のえだがはね起きる。

えだは，どれも，

かたい，小さな芽のたまをもっている。

冬の間，深い雪の下で，

じっとしんぼうしていて，ふくらんだのだ。

野山の雪がきえるころ

たまははじけて，

うす青い葉をふき出すだろう。

うすべに色の花もさくだろう。

夏になると，

それが，

一面に野山をそめるのだ。

北の国じゅうを

こいみどり色にするのだ。

〰〰〰〰〰〰〰〰〰〰〰〰〰〰〰〰〰〰〰〰〰〰〰〰〰〰〰

第4学年のテスト問題

(1) つぎの（ ）の　なかに　かんじの　よみがなを　かきなさい。

（　）（　）　（　）（　）（　）（　）（　）（　）（　）（　）
足もと。木の　えだが　はね起きる。小さな　芽。冬の間。深い　雪の　下。

（　）（　）（　）（　）（　）（　）（　）（　）（　）（　）
野山。うすい青い葉を　ふき出す。うすべに色の　花。夏。一面に。北の　国じゅう。

(2) 「きの　えだが　はねおきる」の　「はねおきる」と　いうのは　どんな　ことですか。

1. ゆきが　とけたので，きの　えだが　はねて　おきる。
2. ゆきの　おもさで，えだが　ゆっくり　おきる。
3. あしで　ふんだので，えだが　おれて　おきる。
4. ゆきが　とけたので，えだが　いきおいよく　おきる。

(3) 「ちいさな　めの　たま」と　いうのは　なにを　さしますか。

1. きに　いる　むしの　ちいさな　めだま。
2. まだ　ひらかない　ちいさな　かたい　め。
3. ふゆに　さく　ちいさな　はな。
4. はが　のびた　ちいさな　め。

(4) 「じっと　しんぼう　して」と　いうのは　どんな　ことですか。

1. しかられても　じっと　がまん　して　いる。
2. きの　めを　こおらせない　ように　して　いる。
3. ゆきや　さむさにも　まけないで　がまん　して　いる。
4. さむいので　けだものが　おとなしく　して　いる。

(5) 「はじける」とは　ここでは　どういう　ことですか。

1. ゆきの　たまが　ぱっと　われる。
2. ちいさな　めが　われて　ひらく。
3. きれいな　はなが　ぱっと　ひらく。
4. ちいさな　めが　きゅうに　なくなる。

(6) 「うすあおい　はを　ふきだす」と　いうのは，なにが　どう　なる　ことですか。

1. きから　うすあおい　めが　ふきでる。
2. きれいな　はなが，はを　ふく　ように　のびる。

3. はが　うすあおいので　ふきだして　わらう。
4. ちいさな　めから，わかばが　げんき　よく　のびる。

(7) 「のやまの　ゆきが　きえる　ころ」と　いうのは，いちねんの　いつごろの　ことですか。

1. はるの　おわり。
2. あきの　おわり。
3. はるの　はじめ。
4. ふゆの　はじめ。

(8) 「のやまを　そめる」とは　どう　なる　ことでしょう。

1. のやまが，いちめんに　こい　みどりいろに　なる。
2. のやまが，いちめんに　もみじで　きれいに　なる。
3. のやまが，いちめんに　ゆうひに　てらされる。
4. のやまが，いちめんに　ゆきで　まっしろに　なる。

(9) 「なつに　なると　それが　いちめんに……」の　「それが」と　いうのは，なにを　さして　いるのですか。

1. のやまに　ふった　しろい　ゆき。
2. やまに　さく　うすべにいろの　はな。
3. ちいさな　めから　でた　わかば。
4. ゆきを　かぶった　きの　えだ。

(10) この　しを　つくったのは，いちねんの　いつごろでしょう。

1. ゆきの　ふかい　ふゆの　ころ。
2. ゆきの　とける　はるの　ころ。
3. のやまを　そめる　なつの　ころ。
4. うすあおい　はが，あかく　なる　あきの　ころ。

(11) この　しは　どんな　きもちを　うたって　いますか。

1. きの　えだの　はじける　おもしろさ。
2. ゆきげしきの　うつくしさ。
3. なつの　みどりの　うつくしさ。
4. ふゆから　はるに　うつる　よろこび。

第5学年の読解文

雪が積もる。

山の上の小さな学校で
けさも始業のかねが鳴る。

オルガンがひびき，
子供たちの
本を読む声や
手をあげる声が，
かん高く聞こえる。
そして，しばらく
しんとする。
ああ，ああ，静かだ。
まったく静かだ。

木々がだまって
それを聞いている。
どこか遠い谷ぞいの
雪にうずもれた根株や葉のかげで，
山々のりすやうさぎたちが，
耳を立ててじっと
それを聞いている。

第5学年のテスト問題

(1) つぎの（ ）の なかに かんじの よみがなを かきなさい。

雪が積もる。山の上の小さな学校。始業のかねが鳴る。子供たちの本を読む声。手をあげる。かん高く聞こえる。まったく静かだ。木々がだまって。遠い谷ぞい。

根株や葉のかげ。山のりす。耳を立てて。

(2) 「しぎょうのかね」とある 「しぎょう」 とは，どんな いみですか。
1. これから やすみじかんと いう こと。
2. やくしょや かいしゃの しごとの こと。
3. がっこうで する べんきょうの こと。
4. じゅぎょうの はじまりの こと。

(3) 「かんだかく きこえる」の 「かんだかく」とは，なにが そのように きこえるのですか。
1. かねの なる おと。
2. こどもたちの こえ。
3. オルガンの ひびき。
4. かんかんと なる おと。

(4) 「しんと する」と いう ことで，どんな ことが わかりますか。
1. やまの がっこうの せいとは，ぎょうぎが いい こと。
2. みんな くちを むすんで，はなしを しない こと。
3. ゆきの ふって いる，やまの がっこうの しずかな こと。
4. やまの なかは さびしいので，みんな だまって いる こと。

(5) 「たにぞい」とは どんな ところですか。
1. たにがわ の ながれて いる ところ。
2. やま と やまに はさまれた ひくい ところ。
3. たにの そこ。
4. せまい やまみち。

(6) 「うずもれた」とは どう なって いる こと ですか。
1. うずの なかに まきこまれて みえなく なる。
2. どこかに もぐって しまう。
3. つちの なかに うずめて みえない ように する。
4. うずまって みえなく なって いる。

(7) 「ねかぶ」とは どんな ところ ですか。
1. ね の さきの ほう。
2. きを きった あとの あな。
3. きを きった あとの ねもと。
4. ねもとが こぶのように なって いる ところ。

(8) 「そして しばらく しん と する」と ありますが，どうして しんとしたのでしょう。

1. オルガンや　こどもたちの　こえが　やんだから。
2. ゆきが　たくさん　つもって，だれも　とおらないから。
3. りすや　うさぎが　じっと　みみを　たてて　いたから。
4. こどもたちが　みんな　かえって　しまったから。

(9) 「だまって　それを　きいて　いる」と　ある，「それ」とは　なにを　さして　いるのですか。

1. やまの　うえの　がっこうの　しぎょうの　かねの　おと。
2. むらの　ひとたちが，こたつの　なかで　じっと　きいて　いる　かねの　おと。
3. りすや　うさぎたちが，そっと　はなしあって　いる　こえ。
4. オルガンの　おとや　こどもたちの　こえ。

(10) 「きぎが　だまって」と　いうのは，きぎが　どうして　いる　ことですか。

1. だまって　きいて　いる　こと。
2. そよそよと　ゆれて　いる　こと。
3. ちっとも　ゆれないで　しずかな　こと。
4. きが　かれてしまった　こと。

(11) この　しは　ゆきの　ひの　どんな　ようすを　かいた　もの　ですか。

第6学年の読解文

浅い水たまりが
大空を飲みほしている。
とび色のすな地のなかの
すずしげな青白い水たまり。.
そのなかに雲がうつり，
岸べの家がうつり，
風がふくと
かがやく水面にさざなみがたつ。

わたしはその浅い水たまりを横ぎって進む――。

その美しい表面に星を飛ばして
ぶくぶく出てくるあわ――。
わたしはふり返って見まもる。
風にしわのできたうす黒いすな地のなかの
水のにじみ出る自分のくつのあとを。

第6学年のテスト問題

べつの　かみの　ぶんを　よんで　これから　あとに　たずねて　ある　ことに　こたえなさい。

(1) つぎの　(　)の　なかに　かんじの　よみがなを　かきなさい。

浅い水たまり。大空を飲みほしている。とび色のすな地。青白い水たまり。雲がうつる。岸べの家。風がふくとかがやく水面にさざなみがたつ。横ぎって進む。美しい表面に星を飛ばして。出てくるあわ。ふり返って見まもる。黒い。自分のくつのあと。

(2) 「おおぞらを　のみほしている」と　いうのは　つぎの　どの　ことばと　おなじですか。

1. おおぞらを　のんで　しまった。
2. おおぞらを　わたしが　みつめて　いる。
3. みずたまりに　よく　おおぞらが　うつって　いる。
4. みずたまりを　みて　いると　のみたいように　きれいだ。

(3) 「すずしげな　あおじろい　みずたまり」と　いうのは　どんな　「みずたまり」の　ことですか。

1. あおじろくて　すずしく　なる　みずたまり。
2. あおあおした　ふかい　みずたまり。
3. あおぞらが　すずしげに　みえる　ひの　みずたまり。
4. あおぞらの　うつった　きれいな　みずたまり。

(4) 「かぜが　ふくと　さざなみが　たつ」と　いうのは　かぜが　どのように　ふいて　いる　こと　ですか。

1. ささやきあうように。
2. そよそよと　しずかに。

3. そっと　ぬきあしの　ように。
4. そよそよと　うごくように。

(5) 「よこぎって　すすむ」と　いうのは　つぎの　どの　ことばと　おなじですか。
1. よこに　せんを　ひいて　すすむ。
2. ちょっかくに　まがって　あるく。
3. その　なかを　とおりぬけて　いく。
4. からだを　よこに　して　すすむ。

(6) 「ふりかえって　みまもる」の「みまもる」とは　どう　する　ことですか。
1. じっと　みて　よく　まもる。
2. じっと　みつめて　いる。
3. その　ばしょを　うしろから　みる。
4. その　ばしょへ　いって　みる。

(7) 「にじみでる」と　いうのは　どういう　ことですか。
1. しみずが　わきでて　くる。
2. しみずが　どろに　にじんで　いる。
3. ふみつけられたので　みずが　にごった。
4. ふみつけられた　あとから　しみでてくる。

(8) 「あさい　みずたまり」は，どこに　ありますか。
1. がっこうの　にわに。
2. いえの　にわに。
3. すなち。
4. きしべ。

(9) 「その　なかに　くもが　うつり」と　ある「その」とは　ここでは　なにを　さして　いますか。
1. あおぞら。
2. みずたまり。
3. おがわ。
4. いずみ。

(10) 「その　うつくしい　ひょうめんに　ほしを　とばして」と　ある，「ほし」とは　ここでは　なにを　さして　いますか。
1. おおぞらの　ほし。
2. みずに　うつった　ほし。
3. ぶくぶく　わきでる　みず。

4. ぶくぶく　でてくる　あわ。

(11) 「その　うつくしい　ひょうめんに　ほしを　とばして」と　いう，「うつくしい」と　あるのは　なにが　うつくしいのですか。
1. おおぞらに　かがやいて　いる　ほし。
2. おおぞらを　うつして　いる　みずたまり。
3. みずたまりに　ほしが　ういて　いる。
4. みずたまりに　あわが　ういて　いる。

(12) この　うたを　よんで　いちばん　こころを　ひきつけられた　ことに　ついて，あなたの　かんそうを　つぎに　かきなさい。

5. 詩について，学年別に見た調査結果

〔1〕 第1学年のつまずきの検討

この学年に提出された問題は13問であるが，第1問は漢字の読みに関するものであり，第7，8，9の3問は語句に関するものであるから，内容に関しての問いは，9問題である。

9問題中，正答率が50パーセント以下になっているのは，(4)(12)(13)の3問題である。

（第10表）　第1学年問題別・選択肢別回答率

肢＼問	(1)	(2)	(3)	(4)	(5)	(6)	(7)	(8)	(9)	(10)	(11)	(12)	(13)
1	漢字	5	22	(34)	(48)	10	語句	語句	語句	4	(48)	語句	(35)
2		(80)	14	12	20	11				27	21		36
3		5	(50)	39	20	(68)				(59)	23		19
無		10	13	14	13	12				9	10		9

なお選択肢の中で，20パーセント以上の回答率をもっているのは，(3)(5)(10)(11)の4問題である。以下これらのつまずきについて検討することにしたい。

(3) だれと　だれが　はなしを　して　いるのですか。

1. おばあさんと　はるおさん。 (22%)
2. おばあさんと　ねこ。 (14%)
③ おばあさんと　ぼく。 (50%)

この詩は2連からなりたっているが，その前半の読解ができれば，この問いは困難なものではない。

えんがわに，ねこが　ねて　いた。
①おばあさんが，あみものを　して　いた。
「なにを　あんで　いるの。」
「手ぶくろだよ。」
「だれの　手ぶくろ。」
「さあ，——。」
おばあさんは，
②ぼくを　みて，にっこり　なさった。

波線の①②が関係的にとらえられれば，当然選択肢第3に正答できると思われるのに，選択肢第1に22パーセントの誤答がある。これは平素の指導法に関係するところが深いように反省される。つまり児童との問答に当って，選択肢第1や第2のような答を，教師がどのように処理してきたかが反省されなければならない。

(4) 「だれの　てぶくろ。」「さあ，——。」とある「さあ，——。」の——の　ところに　つぎの　どの　ことばを　いれたら　よいでしょよ。

① 「さあ，だれのでしょうね。」(34%)
2. 「さあ，むこうへ　いって　いなさい。」(12%)
3. 「さあ，みれば　わかるよ。」(39%)

この問いに正答するために，注意深く読解しなければならない部分は，次

に示す波線の部分である。

「だれの　手ぶくろ。」
「さあ，——。」
おばあさんは，
ぼくを　みて，にっこり　なさった。

この波線の部分に流れる情緒的なものを，正しく読解できているかどうかによって，選択肢の第1，2，3のいずれをとるかが決まってくる。ここに流れる感情は，やわらかな，なごやかなものであるから，選択肢第1が正答となる。正答とほぼ同率の誤答となっている選択肢第3は，選択肢第1よりも，感情が少しかたい。しかし，これらの会話は，日常家庭生活でも，しばしば経験するところであるから，家庭において，選択肢第1と第3との，どちらを耳にすることが多いかということが，誤答の要因として，はたらいているとも考えられる。

(5) なぜ　おばあさんは，ぼくを　みて　にっこり　なさったのですか。
① ぼくの　てぶくろを　あんで　いたから。(48%)
2. ぼくの　かおに　すみが　ついて　いたから。(20%)
3. ぼくが　おもしろい　はなしを　したから。(20%)

選択肢第2，第3に20パーセントずつの誤答があるが，これらの誤答者は，「おばあさんは，ぼくを　みて　にっこり　なさった。」だけによって，答をみちびき出している意味で，正しい読解をしていないことになる。このことは，文の前後を関係的に読解していないことに原因している。低学年は低学年相当の読解文によって，低学年相応に，文を前後関係的に読む指導の必要

を，ここでも，対話文のつまずきの吟味のところで述べたように，強く感じさせられる。

(10) ふとんは　どこに　ほして　あるのですか。
1. やねの　うえ。(4%)
2. ものほしざお。(27%)
③ えんがわ。(59%)

詩の後半の最初に，次のように書かれている。ここを読めば，この問いに正答することは，それほど困難なことではない。

えんがわに，
ふとんが　ほして　ある。

選択肢第1の4パーセントの誤答，第2の27パーセントの誤答は，つまずきの原因は同じところにある。つまり，
1. 文に即して考えを進めていない。
2. 生活経験の中で答えている。
の2点である。

(11) 「ふっくらと　ふくれて　いる。」と　いうのは，なにが　ふくれているのですか。
① ほして　ある　ふとん。(48%)
2. ひなたぼっこ　して　いる　ねこ。(21%)
3. ふうせんを　ふくらますと，ほおが　ふくれる。(23%)

この問いは事がらを聞いているのであるが，これに正答するためには，次に示す波線の①②が関係的に読みとれればよいのであるが，選択肢第2の21パーセントの誤答は，この関係的な読解ができていない。

選択肢第3の23パーセントの誤答の中には，「ふっくら」の語義不明のためのつまずきが，13パーセント前後ふくまれているが，問題(10)で指摘した，「自己の経験の中で答える」ものが10パーセントほどふくまれていると予想される。

そのことは，次の問題(12)は，「ふっくら」の語義をたずねていることについての誤答から推定されるわけである。

① えんがわに，
ふとんが　ほして　ある。
② ふっくらと　ふくれて　いる。

以上の①②を関係的に読解しないで，②だけを文の全体的な関連から抽象して答えるならば，選択肢第1，2，3のいずれが正答かを決定するかぎりは，なくなってくる。

(13) なぜ　めを　つぶっても，くもが　みえるようなのですか。
① えに　かいたように　きれいだったから。(35%)
2. ぼくの　かいた　くもの　えと　にて　いるから。(36%)
3. めの　なかに　くもが　はいったから。(19%)

選択肢第2，第3に誤答しているものは，55パーセントの多きにのぼっている。この中で選択肢第3の19パーセントは，全くまとはずれの回答のようであるが，これらの児童は，「めの　なかに　くもが　はいった」と，「くもを　みた」と同義に考えているものが多い。

選択肢第2に回答した児童たちは，「なぜ　めを　つぶっても」雲が印象に残るのかの問を，文中に位置づけ，文に即して考えるという，読書技術の不安定なものが多いことに，つまずきの原因がある。

〔2〕 第2学年のつまずきの検討

第2学年には，9問題が提出されているが，その中で第1問は漢字についての問題である。したがって内容についての問題は8問題である。

第11表は，これら内容についての問題の，問題別・選択肢別の回答率を示したものである。これによって見ると，正答率50パーセント以下のものは，第9問だけである。そのほか，選択肢の中で20パーセント前後の回答率の集っている誤答をふくむものに，第4・第8の2問題がある。

以下これらの3問題について，つまずきの原因を検討することにする。

（第11表）　第2学年問題別・選択肢別回答率

肢＼問	(1)	(2)	(3)	(4)	(5)	(6)	(7)	(8)	(9)
1	漢字	語句	11	20	(72)	11	12	8	16
2			1	5	12	9	2	(65)	17
3			7	(68)	13	(73)	(84)	17	34
4			(79)	7	3	5	2	9	(33)
無			2	0	0	2	0	1	0

(4) しろい　ふちの　ある　やわらかそうな　くちばしを　もって　いるのは，つぎの　どれですか。

1. かえって　きた　おやつばめ。(20%)

2. そらを　とんで　いる　つばめ。(5%)

③ ひなから　かえった　つばめ。(68%)

4. でんせんの　うえで　ないて　いる　つばめ。(7%)

この問いについては，文中に次のように書かれている。

たんぼの　土と　わらくずを　かためて　作った　つばめの　すに，
ひなが　かえった。①
白い　ふちの　ある②
やわらかそうな　くちばしだ。
おやつばめが
出たり　はいったり　するたびに，
チイ　チイ　チイ　チイ　ないて　いた。③

選択肢第1の20パーセントの誤答は，「かえった」を「ひなが　かえった」と「帰った」と混同したことからの誤答とも考えられるふしもあるが，「かえった」の語義については，問題(2)で79パーセントの正答をしているのであるから，語義の混同が，誤答の主たる要因とは考えられない。

このことは，上掲の本文中，波線で示した①と②を関係的に読解しているかどうかにかかってくる。②と次の「おやつばめが」にあやまって結合するところに，誤答の原因があったと見るべきであろう。どの文とどの文とを関係的に読むかの読解技術の不安定な結果の誤答である。このような誤答の要因は，他の学年にも，また対話文のばあいにも，たびたび見られたつまずきである。

(8) でんせんの　うえに　ならんで　ないて　いた　こつばめを　みたときに，この　ひとは　どんな　きもちが　したでしょう。

1. なにが　かなしくて　あんなに　ないて　いるのだろうと　おもった。(8%)

② 「もう　とべるように　なったのだな。」と　うれしく　おもった。(65%)

3. あんな　たかい　ところで　なにを　して　いるのだろうと　おもった。(17%)

4. はやく　みなみの　くにへ　とんで　いって　しまえば　いいのにと　おもった。(9%)

この問いに答えるためには，本文中の次に示す波線の文が，相互に関係づけられて読解されることが必要である。

大きく　なった　子つばめは，①
つやつやした　くろい　つばさが　のびて，すから　こぼれそうに　なって　きた。

ある日，ぼくが　学校から　かえると，
すは　からっぽだった。②

つばめは　どこへ　行ったのだろう。
ぼくは　いそいで　おもてに　出た。
おやつばめと　いっしょに③
電せんの　上に　ならんで，

チイ　チイ　チイ　チイ　ないて　いた。

選択肢第3の17パーセントの誤答は，波線の③だけから答えている。このつまずきも，問題(4)のところで述べたと同様に，どの文とどの文を前後関係的に読むかがわからないことに原因している。

(9) この　うたは，つばめの　どんな　ことに　ついて　かいたのですか。

1. みなみの　くにで，おやつばめと　こつばめが　なかよく　くらして　いる。(16%)
2. こうしゃの　のきしたで　うまれた　こつばめが，だんだん　おおきく　なる。(17%)
3. つばめが　ひなを　そだてるために，つちや　わらくずを　はこんで　すを　つくって　いる。(24%)

④ じぶんの　いえで　かえった　こつばめが，とべるように　なった。(33%)

この問いに答えるためには，文章(詩)の全体に目を通し，その関係文(文章ではない)を前後関係的に読みとらなくてはならない。これまで触れてきたように，関係文が的確におさえられ，それの前後関係させる位置づけを誤らないようにすることが，読解のきめ手となってくる。

選択肢第1の誤答16パーセントは，

たんぼの　土と　わらくずを　かためて　作った　つばめの　すに，
①ひなが　かえった。

②ぼくは，
学校へ　行く　時も
学校から　かえった　時も，
つばめの　子を　見るのが　たのしかった。

③大きく　なった　子つばめは，

などの，関係文のおさえ方，前後関係的な位置づけが的確でないための誤りである。

選択肢第2の17パーセントの誤答は，上に掲げた関係文の②が的確に読みとれていないので，「こうしゃの　のきしたで」という場所的な誤りが出てくる。そのほか，関係文の前後結合の位置づけも的確でない。

選択肢第3の24パーセントの誤答は，上に掲げた関係文の①だけしか読みとっていない。したがって，関係文を前後位置づけていく読解技術にも欠けている。

〔3〕 第3学年のつまずきの検討

第3学年には7問題が提出されているが，その中で第1問は漢字についての問いであるから，内容については，6問題が出されていることになる。

(第12表)　第3学年問題別・選択肢別

肢＼問	(1)	(2)	(3)	(4)	(5)	(6)	(7)
1	漢字	2	(52)	7	6	9	(49)
2		(85)	28	5	(76)	13	29
3		8	9	4	11	(44)	8
4		4	20	(83)	5	32	12

その中で，正答率が50パーセント以下のものは，第6問1つであ

るが，選択肢の回答率20パーセントにのぼるものをふくむ問いが，第３問，第７問の２問題ある。以下この(3)(6)(7)の３問題について検討を加えていくことにする。

(3) おとうさんの　シャツに　あせが　にじんだのは　どうしてですか。

①　いっしょうけんめい　くるまを　ひいたから。(52%)

2. ぼくが　おすのを　やめたから。(28%)

3. ひが　かんかん　てって　いたから。(９%)

4. いっしょうけんめい　くるまを　おしたから。(20%)

この詩は，前後二連から組み立てられているが，この問いに答えるためには，前半を読解すれば回答できる。前半には，次のように書かれている。

①よいしょ，よいしょ。
とうげの坂みち。
ぼくは車のあとおしだ。
②おとうさんのシャツに，
あせがにじんでいる。

上掲の波線の①②を相互関連的に読解するならば，この正答を導き出すことは，それほど困難なものではない。

選択肢第２の28パーセントの誤答は，文中のおさえるべき部分がおさえられていない。その上かなり主観をまじえた誤答である。

選択肢第４の20パーセントの誤答は，だれについて問われているのかの主体を取り違えた結果の誤りである。

(6) やっぱり　ぼくの　ちからも　やくに　たって　いるのだと，どうして　わかりましたか。

1. おとうさんが　たびたび　うしろを　むいたから。(９%)

2. おとうさんの　シャツに　あせが　にじんで　いるから。(13%)

③　おすのを　やめたら，くるまが　すこし　あともどりを　したから。(44%)

4. ぼくにも　くるまが　ひける　じしんが　あるから。(32%)

この問いのためには，後半の波線①②③の部分が相互に関係つけられて読まれなくてはならない。

①ぼくが，ちょっと
おすのをやめたら，
車が少しあともどりした。
②おとうさんが
うしろを向いた。
③やっぱり，
ぼくの力も
役にたっているのだな。

選択肢第４の32パーセントの誤答は，③だけに着目し，しかも，「やっぱり　ぼくの力も」を主観でゆがめて，そこから回答している傾向が強い。

(7) この　しは，どんな　ことを　うたったのですか。

①　くるまの　あとおしに　ぼくの　ちからが　やくに　たって　うれ

しい。（49%）

2. とうげの　さかみちを，おとうさんと　いっしょに　のぼった。（29%）

3. くるまが　あともどりを　したので，ぼくは　はらはらした。（8%）

4. おとうさんは，ぼくが　くるまの　あとおしを　しないと　こまる。（12%）

この問いに答えるためには，前後二連を通して，全文を前後関係的に読解することが必要である。特に，(6)に掲げた後半の③にこめられている感情を読みとることがたいせつである。

選択肢第2の29パーセントの誤答は，前半の「ぼくは　車の　あとおしだ」と，後半の「ぼくの　力も　役に　たって　いるのだな」との関連的な読解が忘れられている。その上，最後の結びとなる「ぼくの　力も　役に　たって　いるのだな」が，じゅうぶんに読みとられていない。これら誤答の児童にとっては，「役に　たって　いる」「役に　たって　いるのだ」「役に　たって　いるのだな」の異同が理解されていない。

〔4〕 第4学年のつまずきの検討

第4学年には，11問題提出されている。そのうち，第1問は漢字についての問題，第2，3，4，5，6，8の6問題は語句についての問題である。内容については，残りの第7，9，10，11の4問題が提出されている。

以上の4問題の中で，正答率が50パーセント以下に落ちているものは1問題もないが，選択肢の中で，20パーセント以上の回答率をもっているものは，

5. 詩について，学年別に見た調査結果

（第13表）　第4学年問題別・選択肢別回答率

肢＼問	(1)	(2)	(3)	(4)	(5)	(6)	(7)	(8)	(9)	(10)	(11)
1	漢字	語句	語句	語句	語句	語句	15	語句	9	24	9
2							20		65	(53)	6
3							(63)		(23)	13	15
4							2		3	10	(70)

(7)(9)(10)の3問題である。

以下これらのつまずきについて検討を進めることにする。

(7) 「のやまの　ゆきが　きえる　ころ」と　いうのは，いちねんの　いつごろの　ことですか。

1. はるの　おわり（15%）
2. あきの　おわり（20%）
③ はるの　はじめ（63%）
4. ふゆの　はじめ（2%）

この問いに答えるためには，3連の詩の中で，第2連の部分を読解すればよい。ただし，前後関係的に読解しないと，つまずきを生じてくるおそれがある。第2連の部分と，関連する部分を波線で，次に記すことにする。

えだは，どれも，
①かたい，小さな芽のたまをもっている。
②冬の間，深い雪の下で，
じっとしんぼうしていて，③ふくらんだのだ。

④野山の雪がきえるころ
たまははじけて，
うす青い葉をふき出すだろう。
うすべに色の花もさくだろう。

選択肢第1の15パーセントの誤答は，第3連との関連において，読解を進めていないので，時期的な判断を誤ったものである。

選択肢第2の20パーセントの誤答は，上掲の波線②④を関係的に読んでいない。②は④にかかかってくる部分であるから，この起承の関係をつかんで読みを進めていかないと，それは単なる主観的な答えとなってくる。

(9) 「なつに　なると　それが　いちめんに　……」の「それが」というのは，なにを　さして　いるのですか。

1. のやまに　ふった　しろい　ゆき。（9％）
2. やまに　さく　うすべにいろの　はな。（65％）
③ ちいさな　めから　でた　わかば。（23％）
4. ゆきを　かぶった　きの　えだ。（3％）

この問いに答えるためには，第2連と第3連とを関係的に読むとともに，結びのことばともとれる「北の国じゅうを　こいみどり色にするのだ」と，関連して読みとることを忘れてはならない。ところが，選択肢第2の65パーセントの誤答は，このことに心を向けて読みを進めていない。それよりも，さらに大きく，つまずきの要因となっていることは，

夏になると，

それが，一面に野山をそめるのだ。
北の国じゅうを
こいみどり色にするのだ。

における，「それが」を，すぐ前の語を受けるのだと，機械的に形式的に指導した結果ではあるまいかと反省される。

(10) この　しを　つくったのは，いちねんの　いつごろでしょう。

1. ゆきの　ふかい　ふゆの　ころ。（24％）
② ゆきの　とける　はるの　ころ。（53％）
3. のやまを　そめる　なつの　ころ。（13％）
4. うすあおい　はが，あかく　なる　あきの　ころ。（10％）

この問いに答えるためには，第1連第2連の次の部分を前後関係的に読解することが，たいせつである。

足もとから
①ピーンピーンと
木のえだがはね起きる。

えだは，どれも，
②かたい，小さな芽のたまをもっている。
③冬の間，深い雪の下で，
じっとしんぼうしていて，ふくらんだのだ。
④野山の雪がきえるころ

たまははじけて，
うす青い葉をふき出すだろう。
うすべに色の花もさくだろう。

選択肢第1の24パーセントの誤答は，波線の①③④を前後関係的に読解し，そこから，すでに深い雪がとけ始めて，その結果，①の現象が起っていることを読みとっていない。

選択肢第3の13パーセントの誤答は，上に示した第1および第2連の部分よりも，むしろ第3連に読みの注意をうばわれている。これも，前後関連的な読みに不熟なためであるし，上掲④の二重波線の語法から，時間的な関係を読みとる力に欠けているつまずきも見られる。

選択肢第4の10パーセントの誤答にいたっては，本文の読みが，全く表面をすべっている感が深い。この誤答者の中には，第2連の最後の「うすべに色の花もさくだろう。」の「うすべに色の花」だけから，秋の紅葉へと考えが飛躍したものもふくまれている。この誤答には一般に読解の能力の低いものが，ふくまれている。

〔5〕 第5学年のつまずきの検討

この学年に提出されている問題は，11問題であるが，その中で，(1)は漢字についての問題，(2)(5)(6)(7)は語句についての問題，(11)は主題について筆答を求めたものである。したがって，選択肢を付して内容についてたずねているのは，(3)(4)(8)(9)(10)の5問題である。以下これらの問いについて，そのつまずきを検討していきたい。

正答率が50パーセント以下になっているのは，(4)(10)の2問題であるが，そ

(第14表)　第5学年問題別・選択肢別回答率

問＼肢	(1)	(2)	(3)	(4)	(5)	(6)	(7)	(8)	(9)	(10)	(11)
1	漢字	語句	10	7	語句	語句	語句	(64)	10	59	筆答
2			(50)	36				5	8	4	
3			37	(49)				26	20	(25)	
4			2	7				4	(60)	9	

の中で(4)は49パーセントであるから，事実上50パーセント以下となっているのは，(10)の1問題だけである。

(3)(4)(8)(9)の4問題は，選択肢の回答率の中に20パーセント以上のつまずきをもっている問題である。

(3)　「かんだかく　きこえる」の「かんだかく」とは，なにが　そのようにきこえるのですか。
1. かねの　なる　おと。(10%)
② こどもたちの　こえ。(50%)
3. オルガンの　ひびき。(37%)
4. かんかんと　なる　おと。(2%)

この問いに関係する部分は，第2連の部分である。第2連の全文を次に掲げてみる。

①オルガンがひびき，
②子供たちの
本を読む声や

手をあげる声が，
かん高く聞こえる。
③そしてしばらく
しんとする。
ああ，ああ，静かだ。
まったく静かだ。

上に掲げた波線の①②③を，どう前後結んでいくかによって，選択肢第3の37パーセントの誤答が生じたともとれるが，それにしても，つまずきが大きすぎるように思われる。

学校としては，次に記すような事情も，これにからんでくると考えられる。

1. 現在採用している教科書（東京書籍株式会社）には，読解資料としての詩が少ない。そのため，詩の読解になれることも少ない。
2. これらの事情を察して，教師が教科書外に詩を読解資料として用意すればよいのであるが，それは，現在のこの学校の教師の能力としては実施不可能である。
3. 実験学校としての第1年次の読解調査の結果に基いて，それまでは，教師の問いに答える際「はい，はい。」と声をあげて挙手していたことを禁止した。その結果，教室の学習は，かなり静かであって，かえって，隣の教室のオルガンの音が強く響いてくるという事実がある。

これらの事情から察すると，上にあげた1，2のこともつまずきの要因としては考えられるが，3の事実に立って答えたと思われるふしが強い。

(4) 「しんと　する」と　いう　ことで，どんな　ことが　わかりますか。

1. やまの　がっこうの　せいとは，ぎょうぎが　いい　こと。（7％）
2. みんな　くちを　むすんで，はなしを　しない　こと。（36％）
③ ゆきの　ふって　いる，やまの　がっこうの　しずかな　こと。（49％）
4. やまの　なかは　さびしいので，みんな　だまって　いる　こと。（7％）

選択肢第2の36パーセントの誤答は，さきに吟味した問題(3)におけると同じつまずきがふくまれていると考えられる。つまり，教室において，しんとするのはどんな場合かの事実を答えたものと思われることである。

このほかに，全文を読み通して，その上に立って，「しんと　する」を文中に正しく位置づけて読解していないことも，つまずきの要因となっている。

雪が積もる。
①山の上の小さな学校で
けさも始業のかねが鳴る。
②

オルガンがひびき，
子供たちの
本を読む声や
手をあげる声が，
かん高く聞える。
③そして，しばらく
④しんとする。
ああ，ああ，静かだ。
⑤

まったく静かだ。

上に掲げた波線の④⑤を相互に関係づけて読むならば，選択肢第３の正答が浮かぶはずであるが，この前後の関係づけを③④と結んで⑤を無視すると，選択肢第２の誤答となってくる。結局このつまずきは，前後の起承に対する判断の誤りである。

さきの④⑤に，①②を関係づけるならば，この正答は，さらに明確になってくる。この問いは，たとえ１語の意味内容に関するものであっても，前後関係的にその関係づけを誤ると，大きなつまずきの原因となることの，よい例である。このことを通して見るとき，１語を文中に定着し，その意味を限定するといっても，文の構造によっては，かなり高度の読書技術を必要とすることがうかがわれる意味において，だいじな問いであったと考えられる。

(8) 「そして　しばらく　しんと　する」と　ありますが，どうして　しんと　したのでしょう。

① オルガンや　こどもたちの　こえが　やんだから。(64%)
2. ゆきが　たくさん　つもって　だれも　とおらないから。(５%)
3. りすや　うさぎが　じっと　みみを　たてて　いたから。(26%)
4. こどもたちが　みんな　かえってしまったから。(４%)

この問いに答えるための関係部分を示すと次のとおりである。

① オルガンがひびき，
子供たちの
本を読む声や

手をあげる声が，
② かん高く聞こえる。
③ そして，しばらく
しんとする。
ああ，ああ，静かだ。
まったく静かだ。

木々がだまって
それを聞いている。
どこか遠い谷ぞいの
雪にうずもれた根株や葉のかげで，
山々のりすやうさぎたちが，
④ 耳を立ててじっと
それを聞いている。

正答は，上に掲げた波線の①②③を前後関係的におさえて読解したものであるが，選択肢第３の26パーセントの誤答は，③④を結んだ結果のつまずきで，前後の起承の関係づけを誤ったものである。

(9) 「だまって　それを　きいて　いる」とある，「それ」とは　なにを　さして　いるのですか。

1. やまの　うえの　がっこうの　しぎょうの　かねの　おと。(10%)
2. むらの　ひとたちが　こたつの　なかで　じっと　きいて　いる　かねの　おと。(８%)
3. りすや　うさぎたちが，そっと　はなしあって　いる　こえ。(20

%)

④ オルガンの　おとや　こどもたちの　こえ。(60%)

この問いに答えるためには，第2連と第3連とを関係的に読解しなくてはならない。関係部分を次に記すことにする。

① オルガンがひびき，
② 子供たちの
本を読む声や
手をあげる声が，
かん高く聞こえる。
そして，しばらく
しんとする。
ああ，ああ，静かだ。
まったく静かだ。

③ 木々がだまって
それを聞いている。
どこか遠い谷ぞいの
雪にうずもれた根株や葉のかげで，
④ 山々のりすやうさぎたちが，
耳を立ててじっと
それを聞いている。

上掲の波線の①②③を関係的に読解すれば正答になるのであるが，選択肢

第3の20パーセントの誤答は，「それを聞いている」だけを念頭において，問われていることは④であると判断し，この部分だけから回答をひき出そうとしている。その結果，主観的な推定が加わっての誤答である。前後関係的に読解する技術の不足がつまずきの原因となっている。

(10) 「きぎが　だまって」と　いうのは，きぎが　どうして　いる　ことですか。
1. だまって　きいて　いる　こと。(59%)
2. そよそよと　ゆれて　いる　こと。(4%)
③ ちっとも　ゆれないで　しずかな　こと。(25%)
4. きが　かれてしまった　こと。(9%)

この問いに答えるためには，この詩の全体に流れている情緒的なものが読解され，その上に立って，問われている方向に，関係的に読解することが必要である。このことは，これまでも，たびたび触れてきたように，文章の中の文を前後関係的に結び合わせて読解するという読解技術に関係することである。

問題の(9)に掲げた，第2連と第3連とを関係的におさえることが必要であるが，そのことに注意をはらわなかったための大きなつまずきとして，59パーセントのものが誤答している。

選択肢第4に回答している9パーセントのものは，いわゆる学習不振児に属するものたちであるから，選択肢第1に回答した59パーセントの中には，これらの児童はふくまれていない。

つまずきの第2の原因として考えられることは，詩のような，象徴的な文章の読解になれていないということである。「木々がだまってそれを聞いている」の「だまって」は，「口を黙して」という表面的な意味ではなくて，

象徴的に使われている語である。

〔6〕 第6学年のつまずきの検討

この学年に提出されている問題は，12問あるが，その中で，(1)は漢字についての問題であり，(2)以下(7)までの6問題は，語句についてたずねたものである。なお⑿は，感想を筆答で求めたものであるから，内容について，選択肢を付してたずねているのは，(8)(9)⑽⑾の4問題である。

以下これら4問題について，そのつまずきを検討していくことにする。

(第15表)　　第6学年問題別・選択肢別回答率

肢＼問	(1)	(2)	(3)	(4)	(5)	(6)	(7)	(8)	(9)	⑽	⑾	⑿
1	漢字	語句	語句	語句	語句	語句	語句	3	5	7	13	感想筆答
2								8	(92)	47	(50)	
3								(60)	0	0	17	
4								30	3	(47)	20	

(8)　「あさい　みずたまり」は，どこに　ありますか。

1. がっこうの　にわ。(3%)
2. いえの　にわ。(8%)
③ すなち。(60%)
4. きしべ。(30%)

この問いに答えるための本文は，2連からなっているこの詩の，第1連の方にある。それを以下掲げてみると，次のとおりである。

①浅い水たまりが
大空を飲みほしている。
②とび色のすな地のなかの
すずしげな青白い水たまり。
そのなかに雲がうつり，
③岸べの家がうつり，
風がふくと
かがやく水面にさざなみがたつ。

上の文章で，①の「水たまり」と，②の「水たまり」とが同一のものであることに気づくことと，①②を関係的に読解することが，正答するためには必要である。それほど困難な問いとは考えられない。

選択肢第4の30パーセントの誤答は，③の1句がじゅうぶんに読みとれていない。「岸べの家」が水にうつるのであるから，水たまりは岸べにあると考えたものである。しかしこの本文中からは，そのような断定はくだせない。この誤答は，このような前後の見とおしがきいていないためである。

⑽　「その　うつくしい　ひょうめんに　ほしを　とばして」と　ある，「ほし」　とは　ここでは　なにを　さして　いますか。

1. おおぞらの　ほし(7%)
2. みずに　うつった　ほし。(47%)
3. ぶくぶく　わきでる　みず。(0%)
④ ぶくぶく　でてくる　あわ。(47%)

この問いに対しては，選択肢第２の誤答と，選択肢第４の正答とが同率の47パーセントずつになっている。

この問いに答えるためには，次に掲げる第２連の文章の波線の文を，①②③と相互関係づけて読解することが必要である。

① わたしはその浅い水たまりを横ぎって進む――。
② その美しい表面に星を飛ばして
ぶくぶく出てくるあわ――。
わたしはふり返って見まもる。
風にしわのできた③うす黒いすな地のなかの水のにじみ出る自分のくつのあとを。

選択肢第２の47パーセントの誤答は，波線の②だけに着眼して答えている上に，②の文そのものの読解もできていない。ただ単に「その美しい表面に星を飛ばして」だけを読んでいるので，後半の「ぶくぶく出てくるあわ―。」を関係づけて読んでいない。

また，一応文から離れて，この詩の全体を読んでみて，この詩が昼間の情景をうたったものか，夜間の情景をうたったものかさえも，反省的に考えていない。詩の全体を通して，星の出ている夜間とか，夕刻とか断定する語句や表現は，どこにも見当らない。このことからも，水たまりに星が映じると答えることは，思考の論理に合わないことである。

⑾ 「その　うつくしい　ひょうめんに　ほしを　とばして」と　いう，
「うつくしい」と　あるのは　なにが　うつくしいのですか。
1. おおぞらに　かがやいて　いる　ほし。(13%)

② おおぞらを　うつして　いる　みずたまり。(50%)
3. みずたまりに　ほしが　ういて　いる。(17%)
4. みずたまりに　あわが　ういて　いる。(20%)

この問いに答えるためには，問題⑽に掲げた本文，つまり第２連の部分が読解できていればよい。

問題⑽で，水たまりに星が映じていると誤答した47パーセントのものの読解程度のものは，問題⑾の選択肢第１の17パーセント，選択肢第３の17パーセントに分散し，合わせて30パーセントの誤答となっている。

選択肢第４の20パーセントの誤りは，

① その美しい表面に星を飛ばして
ぶくぶく出てくるあわ――。

② その美しく表面に星を飛ばして
ぶくぶく出てくるあわ――。

上掲の二重波線①の表現を，②の表現のように読みとっているものである。②のように読みとれば，美しくは，あわにかかってくる。微妙な表現上の違いである。

6. 調査結果のまとめ

これまで述べてきたことについて，ここには全体的にまとめて，対話文および詩のつまずきの調査を通して見わたされたことについて述べることにする。

第１図および第16表は，昭和27年３月に実施した全国調査と，これと同じ問題を昭和28年７月実験学校に実施したものとの比較と，この結果に基いて昭和30年１月に実施した，対話文および詩の調査結果とを相互に比較したものである。

これらの図および表によって，いくつかの考察をしてみたい。

（第16表）文章の類型による正答の比較

種＼学年	I	II	III	IV	V	VI
(27.3) 全国調査	56	61	53	64	60	65
(28.7) 清滝小	59	64	51	65	61	66
(30.1) 対話	56	53	64	57	62	65
(30.1) 詩	51	68	65	61	46	56

1. 昭和27年３月に文部省が全国的に実施した調査結果と，昭和28年７月に清滝小学校に実施した同じ文章，同じ問題の調査結果とは，ほとんど，同じ結果が現われている。
2. この調査で第３学年の正答率は，その前後の学年と比べて，次のようになっている。

　全国調査　53％（２年よりも８％，４年よりも11％低い）

　清滝小学校　51％（２年よりも13％，４年よりも14％低い）

いずれも，前後の学年より10パーセントほどの差が認められる。

3. この正答率の差は，第３学年に実施された，文章の種類によって生じた困難度の現われであるかも知れないという疑問が起ってきた。

（第１図）　文章の類型による正答の比較

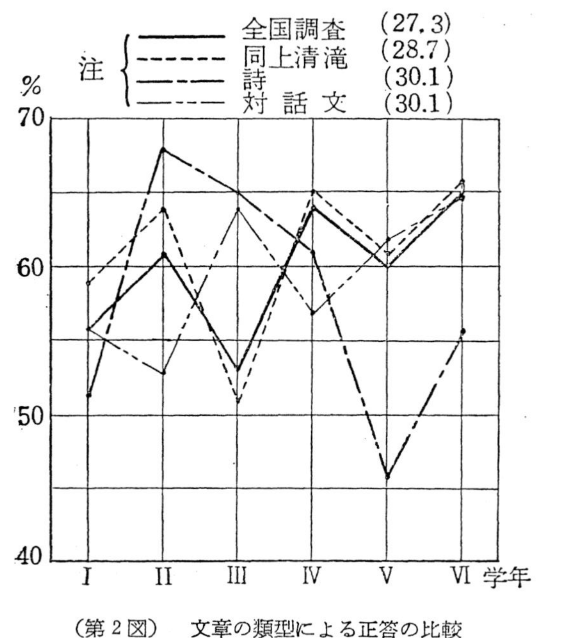

（第２図）　文章の類型による正答の比較

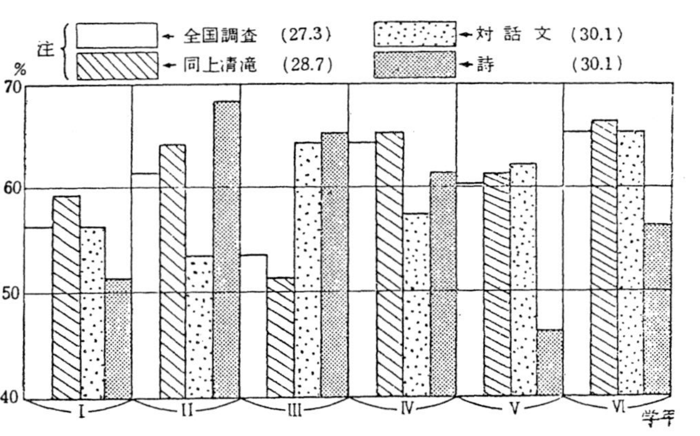

4. 以上の理由によって，これを検討するために，昭和30年1月に第1学年から第6学年にわたる全学年に，

(1) 地の文なしの対話文

(2) 詩

の2種類の読解調査を行った。(1)と(2)では，調査結果の処理上，別の学級に実施した。

5. この調査結果を，さきに問題となった第3学年だけについて見ると，同じ種類の対話文であっても，第2回目の結果は13パーセントの上昇である。詩についての正答率も，14パーセントの上昇である。

6. 以上の観点から，第1図および第16表を各学年別に検討して見ても，文章の種類が正答率を左右する要因として，強く働いているのではなく，むしろ文章の構造そのものの方が要因となっているのではあるまいかと考えられる。

次に昭和30年1月に実施した，地の文なしの対話文，および詩についての読解のつまずきの強く現れている点について，昭和28年7月の第1回の調査結果から発足した実験研究の経過などとも合わせて，以下述べることにしたい。

このことについて，詳しくは，文部省刊行の「読解のつまずきとその指導」(1)（初等教育研究資料第XII集）に各学年別に報告されている。

全国調査の第3学年に課せられた読解文は，これまでにも述べたように，地の文なしの対話文で，その文章中にふくまれる漢字についても，82パーセントの正答率であるので，ほとんどつまずきはない。語句については，いわゆる読解のつまずきとなるものはなかったので，語句についての問いは提出していない。

したがって，第3学年におけるつまずきは，もっぱら内容読解に関するつまずきである。

内容読解の問は，次にしるす4項目について提出されていた。（「読解のつまずきとその指導」(1)P.50～53，P.91～92，P.100～103，P.109～112，P.122，P.125～126，参照）

1. 書かれている事がらが正しく読みとれる。

(3) まつのきや　くもや　とりを　かいたのは　だれですか。(62%)

(8) 「ぼくは　とんびなんか……」といって　いるのは　だれですか。(61%)

2. 要点を正しく読みとる。

(5) さんちゃんは　ともだちから　どんな　ふうに　おもわれて　いるこどもですか。(70%)

(6) 「きのうの　しゃせいって　そんな　もの　あるの」と　いっているのは　だれですか。(38%)

(7) 「でも　へんかな」と　なぜ　さんちゃんは　いいだしたのでしょう。(21%)

3. 文の主題を読みとる。

(11) これは　なんの　ことに　ついて　はなしあって　いるのですか。(38%)

4. 書き手の立場や書かれている内容を考えながら批判的に読む。

(9) さんちゃんは　えが　じょうずだと　おもいますか。(59%)

(10) 「そうでもないよ」と　いって　いるのは，どんな　きもちで　いって　いるのでしょう。(26%)

以上掲げた各問題の百分率は，その問に対する正答率である。これらの正答率からみて検討の対象となるものは，上掲の問題種別の2に属する(6)の38

パーセント，(7)の21パーセント，3に属する(11)の38パーセント，4に属する(10)の23パーセントの4問題である。

これらのつまずきを掲げると，次のようなことである。(「読解のつまずきとその指導」(1)のP.110，122，126参照)

1. 対話文における人物の位置づけが，正しく行われていない。
2. だれとだれとの話のやりとりかが，1つ1つおさえられていない。
3. したがって，対話の中に，ただ1回しか顔を出していない，女の子の位置ずけを誤っている。
4. 話題の中心になっていること（主題）と，話題の資料として，ひきあいに出されていることとの判別がついていない。
5. 以上の混乱もあって，対話文の主題の読みとりかたになれていない。
6. 話題の展開による，話の筋の展開が的確につかまれていない。
7. 話のやりとりの前後の結びつけを誤るために，前後の話のやりとりから，人物の人間像を描くことができない。

以上述べたつまずきは，「読解のつまずきとその指導」(1)において，指摘された対話文のつまずきである。さらに，同上報告書を結ぶに当って，次のようにも記した。

読解ということは，読まれる文と，読む主体の働きとのからみ合いによって，分節された部分の，従属関係や，語法的な意味の導き出しかた，つまり文を構成している語や句や節の互にささえ，ささえられて，意味をになっている前後関係が的確につかまれ，それを一文の指向する有機的な全体にまでまとめることである。（P.130)

滑滝小学校において，第1年次の調査に現れた一般的なつまずきとしての

1. 文中におかれた語句を，文から抽象して，一般的な語義におきかえ，いわゆる言いかえをする。
2. 問われていることが，文中のどの個処であるかがわからない。
3. 問われていることを，自分の主観でゆがめて，異なった方向の問いに変えてしまう。

の3点は，第1年次の調査結果に基く，およそ1か年の指導によって，ほぼ取り除かれていることが，この第2回目に報告する昭和30年1月施行の調査結果から判断することができた。

ここに報告する対話文および詩の読解のつまずきとして，第1学年から第6学年にわたり，共通的なものとして強く現れていることは，さきに第1回の報告書の130ページから引用した，「文を構成している語や句や節の互にささえ，ささえられて，意味をになっている前後関係」が，的確に，有機的にとらえられないということである。

このことについては，それぞれの学年について，いたるところに述べてきたので，ここには改めて記すことは避けたい。

この調査に現れたつまずきの各学年に共通する特徴的なところは，一言にしていうならば，語と語の相互関連というよりも，文と文との相互関連をとらえることの未熟さということである。このことは，対話文においても詩においても同様に言えることである。

一文章の中に，それぞれの位置を与えられた各文は，それぞれ互に依存し，貫かれて主題を描き出していると言える。このように考えるとき，読解の窮極のねらいは，一文章の主題を的確にとらえることであるから，当然この各文の相互依存の関係を的確にとらえることにあるとも言えるわけである。

したがって，第1回に報告した，「文を忠実に読む」とか，「文の秩序づけ」とかも，それは，文の相互依存の関係はあくということにほかならないとい

えるであろう。

また「文を論理的に読む」ということも，この相互依存の関係を論理的にとらえるということになるのではあるまいか。文の論理といっても，相互依存の関係的な流れをほかにして，文章のそとに論理があるのではないと考えるからである。

最後に，このような観点に立って，読解の学習指導が，どのように行われたかの実践記録を次に掲げることにした。学習資料は，清滝小学校で採用している教科書によることにした。

7. 実験学校における指導記録

〔1〕 学習資料としての本文

3. 作られるまで

（2） ペニシリンを作り上げた人々

1950年８月半ば，わたしは，ブラジルの首府リオーデージャネイロにいた。この地で第５回国際微生物学会議があるので，それに出席するため，ニューヨークから飛行機で，まっすぐ飛んで来たのである。

わたしのとまっていたホテルは，リオーデージャネイロの古い町から少しはなれた，コパカバナという海岸に臨んでいた。高さ300メートルほどの「さとうパン」という名のついた大きな岩が海の中につき立っていて，けしきがよく，気持がよいので，世界に名高い所である。

８月と言えば，南半球は冬で，リオではいちばん気候のよい時だというが，それでも，アメリカから着て来た夏服が，そのままでちょうどよい加減であった。日の光もなかなか強く，海岸に近いホテルのへやは，明かるすぎてまぶしいほどであった。

会議の日が近くなると，世界の各国から，それぞれの専門の学者が，この地に集まって来た。そして，このホテルにも，それらしい人が目に見えてふえてきた。

いよいよ開会式があるという朝，海が目の前に見えるホテルの１階の広間にいると，年をとった，いかにも気のよさそうな小がらな西洋人がわたしを見て，英語で話しかけた。

「あなたは日本人ですね。医学者ですか。わたしはかびが専門で，チャールズ=トムという者です。日本のA博士やB教授をよく知っています」

こう言って，気軽に手をさし出した。わたしは，この身なりをかまわぬ学者の名を聞いて，すぐペニシリンのことを思い出した。

ペニシリンは，ペニシリウムというあおかびの種類が出す液から作るのである。1928年に，イギリスのアレキサンダー=フレミング博士が，ふとしたことから発見したのだが，フレミングは，そのあおかびがペニシリウム類のものだということまではわかっても，はっきりと種類を決めることができなかった。少しあとになって，その種類をはっきりと決めたのが，アメリカのかびの学者チャールズ=トム博士であった。そのトム博士が，わたしの前に現われたのである。

会議第1日の朝，一つの会場へ行ってみると，もう講演が始まっていた。

よく見ると議長の席に着いているのは，写真で見覚えのある人であった。それがフレミング博士であることは，すぐわかった。

フレミング博士も，どちらかと言えば，小がらな，がっしりとしたからだつきの人で，頭の毛はまっ白で，めがねのおくにするどい目が光っている。ある人の研究発表のあとで，2，3人の人が自分の意見を強く言い張るので，なかなか討論が終わらない。そのうちに議長のフレミング博士が，おもしろいことを言って人をわらわせながら，討論をうまく終わらせた。

やがて，フレミング博士は，自分の研究発表をする番になったので，議長の席をほかの人にゆずって，なかなかおもしろい研究を，黒板に絵をかきながら，ゆったりと落ち着いて，わかりやすく講演した。少しもえらそうなようすも見せず，自分の発表している研究が，おもしろくてしかたがないというふうであった。それは，少しはペニシリンに関係のある研究であったが，

ほんとうにじみな，しかし，人の気が付いていない，めずらしい研究であった。会場にいた人は，みんな，この有名な学者の講演を，静かに聞いていた。

フレミングがペニシリンを発見したのは，ほんのちょっとしたきっかけからであった。その時フレミングは48歳(さい)であった。1928年のころ，フレミングはある細菌(さいきん)を研究していた。ふたのある，まるいガラスのペトリのさらと言っている平たい器に，細菌の養分をかんてんにとかして固めてたくさん作っておいて，それに細菌を植えると，次の日くらいには，まるいぽつぽつした固まりがたくさんできてくる。これが，細菌がふえてできた集まりである。フレミングは，このようなペトリのさらのふたをあけては，つぎつぎと調べていた。

ところが，ある時，こうして調べたあとのペトリのさらの中のかんてんに，あおかびが大きくはえているのがあった。よく見ると，このかびのまわりには，細菌のぽつぽつのまるい固まりがなくなっている。それまで確かにあったものが，あおかびがはえたために，とけてしまったものらしい。

フレミングは，これはきっと，あおかびから細菌をとかすような液が出て，それがまわりにしみ出したためであろうと考えた。そこで，フレミングは，そのあおかびだけを取って，養分のある液に植えてみた。1，2週間たってからその液を調べると，やはりこの液のある所では，細菌が育たないことがわかった。

おもしろいことには，このあおかびのはえた液は，どんな種類の細菌でもとかすというのではなく，種類によっては，全くとかせないものがある。そうなると，いろいろの細菌が混じっているものにこのあおかびの液を入れると，これで死なない種類の細菌だけを分けることができる。フレミングは，このようなことを実験して，1929年にある雑誌(ざっし)に発表した。そして，その論

文の中で，このあおかびのはえた液にふくまれているものに，ペニシリンという名を付けた。あおかびのことをペニシリウムと言うからである。また，この論文の中に，細菌で起こった人の病気を使って，なかなかよさそうだということが書いてある。

これが，ペニシリンの生まれた時のありさまである。

その後，このペニシリンを研究した人もいくらかあったが，うまくいかなかった。このペニシリンを作るあおかびの種類を，チャールズ=トム博士が決めてくれたことは，さっき言ったとおりである。

フレミングがペニシリンを発見してから10年ばかりは，たいした発展もなかったが，1938年になって，同じイギリスのフローリーとチェーンという研究者が，また新しくペニシリンの研究を始めた。そして1940年には，ペニシリンの性質や，動物の病気がおどろくほどよく直ることなどについて発表し，あくる年には，ほんのわずかなペニシリンを人に使ってみて，びっくりするほどよくなったことを報告した。これからというものは，人々が急に目を着けるようになったが，もうそのころ，イギリスでは第二次世界大戦が始まっていて，ペニシリンをたくさん作る研究もなかなか思うようにいかなくなっていた。

そこで，アメリカのロックフェラー財団は，1941年の夏，フローリー博士をアメリカによんで，それまでの研究のことを話してもらい，アメリカのあちらこちらの学者や，研究所・会社の協力を求めて，とうとうたくさんのペニシリンを作った。あくる年には，戦争でけがをした人をはじめ，たくさんの人に使って，今までなら死んでしまうような病人を，たくさん救うことができるようになった。

ペニシリンの研究は，それからもどんどん進んだのは，言うまでもない。

ペニシリンが発見されてからは，細菌で起こる病気の直し方も直り方もすっかり変わってしまった。こんな大きな変わり方は，これまではなかったことである。

このようにフレミングの功績は大きいので，イギリスではサーという名誉ある称号を授けた。また1945年には，フレミングとフローリーとチェーンとがノーベル賞をもらった。

さて，第5回国際微生物学会議の会場でフレミングを知ってから，会議の間，ホテルの廊下や食堂や会場で，たびたびフレミングを見かけた。フレミングは，よくサインを求められたり，写真を写されたりしていた。みんなも心からこの恩人を敬っていた。

わたしも，一度声をかけて，話を聞かせてもらおうと思ったがついつい遠慮して，とうとう，話をせずに終わってしまった。あとから考えると，こんな遠慮はしないほうがよかった。

ただ，みんなでリオの国立伝染病研究所へ見学に行った時，フレミングの写真を天然色フィルムで2，3枚写しただけであった。

この会議には，日本の学者が3人出席したが，わたしは日本への帰りを急いでいたので，ふたりと別れて，一足先にアメリカに帰り，アメリカから日本へ帰ることにしていた。

会議がすんだ次の日，リオの国際飛行場で飛行機を待っていると，トム博士とばったり出会った。

「この飛行機でお帰りですか。」

とたずねると，気軽に，「そうです。」と答えた。飛行機は夜になってから飛び立ったが，トム博士はわたしの1つ前の席に居た。

あくる日，飛行機はいくつかの場所で着陸した。ある飛行場では，すぐそばに野原や森があった。トム博士は，飛行機からおりるたびに，そのあたりの草花をむしっては，小さな小刀のようなものをポケットから出し，中をわって虫めがねで調べていた。わたしは，トム博士といっしょに歩きながら，この年とった学者にたずねると，「わたしはこんなことをやっているのが，とても楽しみです。」と言っていた。

飛行機がニューヨークに着いたのは，次の日の真夜中であった。わたしはここでトム博士に「さようなら，おやすみなさい。」と言って別れた。

フレミング博士の天然色写真は，今でもときどき出してみる。そして，この白髪(はくはつ)の小がらな学者のするどい目と，あのまるい，ガラスのさらにはえたあおかびと結び着けて，そのふしぎな取り合わせに，いまさらのように感心する。そしてまた，トム博士や，そのほかペニシリンが薬として生まれるまでに，力を合わせた多くの研究者を思い起こして，測り知れぬ人の力をつくづく考えるのである。

（緒方富雄(おがたとみお)の文による）

付記　清滝小学校の採用国語教科書は，東京書籍株式会社のものである関係上，ここに掲げた学習資料も，これに拠っている。

〔2〕 国語科学習の指導記録

第 6 学年

目　標	指導内容	指　導　記　録	所　見
長文を大きく見とおす読書技術になれる。	（第1次） 世界地図（白地図を印刷して配布した。 ブラジル・リオーデ-ジャネイロ・ニューヨークなどを記入し，地図上ではっきりととらえる	「前の社会の時間に，大きくなったらアメリカへ行きたい（留学生の問題から）という人がいましたが，アメリカへ行くのには，どのようにして行くのでしょう？」 児童「船で行きます」 「ぼくは飛行機で行きます」 「ぼくはお金の節約から船で行きます」 「はい。いいでしょう。それではきょうはこの白地図に，アメリカへ行く航路と航空路とを記入してみましょう」 各自，世界地図を見ながら，色鉛筆を使って記入しはじめる。 ——間—— 机間巡視。 「大きな都市も入れてみましょう」 サンフランシスコ／ニューヨーク／ワシントン　など記入している。 ——間—— 指名して掛図で都市を示させ，再認識する。	導入 社会科2時間続行の時間割。そのうち後の1時間をこれに当てた。 たいへん活発で，まだ話したい様子であったが，早めに切り上げる。 サンフランシスコ ニューヨーク ワシントンは$\frac{2}{3}$ぐらいの児童はよく知っていた。

	「リオーデージャネイロは，どこにあるのでしょう」 ひとりだけ挙手。 各自地図上で，さがしている。 「南米のほうですよ」 うれしそうに10人挙手。指名して掛図で示させる 「ニューヨークからリオに行く航空路を記入してみましょう」 ブラジル記入している。 「ブラジルの産物で有名なものは？」「コーヒーです」 不明な文字，語句は，漢字カード。読みの手びき辞典などによってめいめい調べる。 素読は放課後各グループごとに読みの審査員をつくり，その児童が遅れているこどもを親切に，かつ徹底的に指導している。その結果大分向上してきた。	大部分の児童は，知らなかった。しかしさがすことにより，興味を覚えた様子。 ⅓ぐらい知っていた。 この題材には，大分漢字は多いのであるが，左のことから，特別に漢字語いを取り上げて読みの指導をしなくても，だいじょうぶであろう……の見通しをもった。なるべくこどもとともにいて関心を示し，仕事を進めながら観察。学習意欲は高まる。
第一時 ペニシリンについて，めいめいの知っていることを話合う（導入）	ペニシリンについての話合いは活発。 しかし実物を知らない児童が⅔ぐらいいるので，病院から借りてきて見せる。 「ペニシリンについて，知っていることを話してみましょう」 5，6人挙手，指名。 「薬です。ちゅうさします」 「はい。もう一度いってごらん」注射……板書。 「薬で，ちゅうさします」教師首をかしげる。こども	板書により，注意を促す。

	たち挙手。 「この文字は何と読むのでしょう」……板書の文字をさして 「ちゅうしゃ」 「ちゅうしゃ」 「ちゅうしゃ」 （まちがったこども。その他のこども（朝の話合いで発音の正しくないと思われるこども）を指名して発音に注意する。） 「そう。まちがわないように注意しましょう」 「ペニシリンの注射をしたことのある人？」 3人除いて全部挙手。 「どんな時に，その注射をしたのですか」……………	
	「おできのとき」 「へんとうせん炎」 「肺炎」 「中耳炎」 「足を手術して，うまないように注射しました」 「先生，なんこうもあります」「傷につけます」	この問いから，活発になる。
	板書事項 ペニシリンについて (イ) 油性——注射 (ロ) なんこう じょうりゅう水 医薬、治療 。へんとうせん炎 。肺炎 。手術後かのう止め 。中耳炎 。はれもの ストレプトマイシン クロロマイセチン オーレオマイシン 「いいことに気づきました」 「その他，このごろはたいへんよい薬ができています	注射の時に使うじょうりゅう水を，もの珍しそうに見ているので，これは休み時間に説明する。 「注射の時に，じょうりゅう水も使うのでしたね」といって板書した。

どんな計画で，学習を進めたらよいのか，めいめい考えながら読む。
文の土台になっている事がらを調べる。

が……やはりおしまいにはンがつきます」
3人挙手。
「ストレプトマイシン。オーレオマイシン。クロロマイセチン」
「では，教科書を……」ひらく。
「どんな計画で学習を進めていったらよいのか，めいめい考えながら読んでみましょう」
机 間 巡 視
ノートの使用
大部分の児童は，長々と荒筋を書き始めた。

（ノート）
教師といっしょに板書事項
自分で研究

すぐれているこども…要点。
普　通……………………すじ。
遅れているこども……印象づけられたあらすじ。

「どのように調べたらよいのか。困っている人は，いつ，どこで，だれが，というように書いてみましょう」
科学史的なものと，紀行文的なものとからなる比較的複雑な構文と考えたので，遅れている児童のためにいつ，どこで，だれがを指示した。それだけ板書。
机間巡視。

不明な文字の質問はあまりなかった，教科書の（P.51.—5, 60.3）居る。をいると訂正させる。これはまちがいではないが，新字体では使わないことを言い添えて，書かせる。
居　い
る　る
①科学的なかおりの語句や年月年代の記述
②それに加えて文脈指示語が多い。
②は文章の読解から自然にわかるので，あとで学習することにして①のなかで，つまずきの予想された語句をしゅくだいにして，図書室あるいは家で調べさ

ペニシリンを作り上げた人々
第五回微生物学会議
リオーデージャネイロ

〈いつ〉	〈どこで〉	〈だれが〉
一九五〇八月半ば	リオ　ホテル	私
×会議の日が近づいて		世界各国のそれぞれ専門の学者
開会式の朝	一階の広間で	トム博士と
会議第一日	一つの会場で	
一九二八		フレミング博士の
一九二九		
一九三八		フローリー。チェーン。
一九四〇		ロックフェラー財団。
一九四一		
一九四五		アメリカの学者。研究所，会社。

傍線の部分は，大部分の児童がメモしていた。後半がメモされていないので「年代を順を追ってていねいに書いてみましょう」と指示。思ったよりノートによく書けていた。その理由は，上巻の友情のメダル，ルポルタージュ的物語で，相手によくわかるようにするために，書き抜く要点の整理のしかたを勉強ずみなので，その方法に慣れていると思われる。

教「永島さんは，どんなことを書きましたか」
児「1950年の8月の半ば，私はリオ-ジャネイロにいました」
教「リオ-ジャネイロ？」「堀越幹雄さん」
児「リオ-デ-ジャネイロです」
教「伊倉さん」
児「リオ-デ-ジャネエロ」
教　その他二，三人指名。「永島さん」児「リオ-デ-ジャネイロです」
教「正しい発音をするように注意しましょう」……み

せた。
ロックフェラー財団
ノーベル賞
第二次世界大戦
ペニシリン
その結果，発明発見の物語を進んで読もうとする態度がめぐらい見られた。
よく調べた児童には，もう一度清書させ，掲示して，遅れているこどもの参考とした。

リオ-デ-ジャネイロの発音が，たいへんむずかしいようで，正しい発音に苦労した。栃木県人の方言の発音。…特にいとえがはっきりせず，中間母音。これは低学年のうちから意識してなまりのない発

	んなに注意。 教「みんなで」傍線の板書の文字を一つずつさして， 児「リオーデージャネイロ」教「リオーデージャネイロ」 児たち「リオーデージャネイロ」 教「わたくしは，どうしてリオーデージャネイロにいたのでしょう」 「福本さん」 児「第5回微生物学会議があるので，それに出席するため，ニューヨークから飛行機でまっすぐ飛んできてこの地にいました」 教「よくできました。そこをだれかに読んでいただきましょう」傍線の部分板書 「田島さん」P.50.3.まで指名読。 児「その他，書けた人は」 「福田一夫さん」 児「いよいよ開会式の朝，ホテルの1階の広間でチャールズ，トム博士とあいました」	音で話そうとするように，基本的な音の発音に注意したい。 （自分の地方の発音が共通語と，どんな関係にあるかを調べ指導を正しく。）
教　板書後「その前のところで」 児「会議の日が近づいて（省略）」板書	×少し間を置いて板書（会議の日が近づいて世界各国からそれぞれ専門の学者が集まったを入れたいため） 教「それから……福田ふみえさん」 児「フレミング博士」 教「はい。いいでしょう。いつ？　どこで？　これを知るのには，文章のどこを読めどわかるでしょう」 「田崎さん」 児　考えながら「52ページの後から3行目です」	ここは，遅れている子どもを指名 遅れているこども

	教　自信がなさそうなので「はい。大変よくできました。そこを各自読んでみてください」 「わかりましたか」ほとんど挙手。 「信金さん」 児「会議第1日の朝，一つの会場で」傍線板書 教「はい。よくできましたね。一つの会場ということからどういうことがわかりますか」「吉岡さん」 児「そのほかにも会場がたくさんあるんだなということがわかります」 教　うなずきながら「後藤さんは」 児「ぼくもそう思います」 教「そう思うってどういうことですか。いってみましょう」 児「そこの会場だけでなく……ほかにも会場はあったっていうことがわかります」 教「そうです。よくできました」こどもたちうれしそう。 「では次にどんな人がでてくるでしょう」 教「磯さん」 児「フローリーとチェーン」 教「柿沼さん」 児「ロックフェラー財団」「アメリカの学者。研究所。会社」板書 教「もう一度いってごらんなさい」「野上さん」 児「ロックフェーラー財団」	フローリー。チェーン。ロックフェラーの発音が困難。正しくないものは教師のまわりに集め，個人指導をした結果6人だけ除いて，だ

		教「ロックフェラー」「辻村さん」 児「ロックフェラー」 教「ロックフェラー」「篠原さん」 児「ロックフェラー」 教「たいへんきれいです」「佐藤さん」 児「ロックフォラー」 教「フェラー」「みんなで練習してみましょう」指名。発音。直す。 「年代と結べましたか」 机　間　巡　視 教「麦島さん」 児「1938年に，イギリスのフローリーとチェーンが研究をはじめました」 教「竹尾さんは」 児「1938年にフローリーとチェーンという研究者がでました」 教「石塚さんは」 児「1941年には，アメリカのロックフェラー財団は，フローリー博士をアメリカによんで，研究のことを話してもらい，学者や，研究所，会社の協力を求めて，たくさんペニシリンを作りました」 教「いま石塚さん，竹尾さん，麦島さんの答えは，この文章のどこに書いてあるでしょう」 「斎藤有子さん」 児「56—3～57—2まで」	いたい正しく言えるようになったが，放課後までに，よく発音できるまで練習しておくようにいっておく。放課後はひとりだけ残して正しい発音となった。しかしロックフェラーには，だいぶこどもも教師も苦心した。正しいはっきりとした発音を……と意識させることがたいせつであると思う。

	文のあらすじを読みとる。	教「千田さん」 児「56—3～56—4まで」 教「出島さんは」 児「56—3～57—2までと，56—6～57—4までですが，56—4～56—2まで読んだほうが，わかりやすいと思います」 教「ではそこを読んでいただきましょう」 「後藤さん」指名読。 「たいへんよく読めました」 「それでは，どんなことが書いてあるのか。筋を話してみましょう」 児童たち本に傍線を引きはじめる。 「吉岡さん」 児「1950年の8月の半ば，リオーデージャネイロで第5回微生物学会議があるので日本では，三人出席した。会議第一日。一つの会場へ行ってみると，フレミング博士が議長の席についていた。やがてフレミングの発表の番になったので議長の席をゆずり黒板に絵を書きながら説明した。みなも静かに聞いていた。 少しはペニシリンに関係があった。 この時フレミングは48才であった。 ペニシリンは，フレミングとフローリーとチェーンとが力を合せて作ったものであった。 帰りは飛行機でかえってきた。今でも写真を見ておもいだす」	そこに，どんな事がらが，どんな順序で書かれているのか，教科書を見ながら，あるいは，ノートを見ながら発表（本を見ないで話すことは無理である。要約の段階であれば可）

教「筋がとおってよくまとめられました」
「佐藤さん」
児「1950年8月第5回微生物学会議に出席するため，リオーデージャネイロのホテルにいた。世界の学者がリオにくるのである。ある会場でフレミングが演説を始めていた。かれは自分の発表の時，ペニシリンのことを話した。ペニシリンは青かびからとるのである。
フレミングの発見したこれは，のちにフローリーとチェーンが研究しはじめた。フレミングとチェーンとフローリーはノーベル賞をもらった。
かえる日の飛行機には，トム博士がのっていた。
今，私は家でフレミングの写真をみて人の力を思いだす」
教「どんな順序で書かれているか，よく読んでいますね」
「田島さん」
児「1950年8月半ば，第5回微生物学会議に出席するため，リオにやってきた。ホテルのまわりもきれいであった。
開会式の朝，青かびの種類をはっきりきめたチャールズ・トム博士とあった。
会議第1日の朝，一つの会場では，フレミング博士が，わかりやすくおもしろく演説していた。
フレミング博士は，1928年，青かびによるある細菌

野上，佐藤け，笹原，堀越よ，石塚，福田一，早乙女，後藤（男）
吉岡，樋口，田島，斎藤有，神山，田村，磯，辻村，篠原，猪瀬（女）
。荒筋を順序よく書けたもの……18名
。荒筋を，だいたい順序づけて書けたもの……………25名
。前の部分で印象づけられたことのみ…13名　このグループの児童には，放課後残して最後までノートに書かせた。困難な

を研究し，1929年雑誌に発表した。そしてそれにペニシリンと名をつけ，なかなかよくきくことも書いた。
1938年イギリスのフローリーとチェーンが研究し始めまた，新しい研究者が現われ，多くの人々と協力して，ペニシリンの研究が進められた。これが発見されてから細菌で起る病気の直り方，直し方が，きゅうに変り，1945年にフローリーとフレミングとチェーンがノーベル賞をもらった。
さて会議が終ってリオの国立伝染病研究所へ見学に行って，帰りに，チャールズ・トム博士と途中までいっしょであった。かれは飛行機からおりるたびに草花をむしっては，虫めがねで調べていた。
家にかえって，今でもペニシリンを作るまでに協力した人々をつくづく考える。」
教「順序よく，たいへんりっぱにできました。まだほかに，たくさんいると思いますが，きょうは，ここまでにしておきましょう。きょう家にかえって，もう一度荒筋をノートに書いてみましょう。あしたは，その発表から，研究していきましょう」

もの2名。
特にこの教材では，文を読むための準備は，ていねいにしたが文がその児童の理解力の程度を越えているので，それから，それからと聞きながら，読ませるか，または，もっと易しい文を与えるかしなければ，できない。

見通しをより確かにする。

（第2次）

教「きょうは，どこを勉強するわけですか。みんなでいってみましょう」
児たち「ペニシリンを作り上げた人々」
題を板書。
教「どんなことが書いてあるのか，筋を話してみましょう」

		「辻村さん」 児「1950年，リオで第5回微生物学会議があるので，日本から3人出席し自分もそのひとりであった。会議の日が近づくと，各国からぞくぞく専門の学者が集まった。その日の朝，チャールズ博士に会い話しかけられた。チャールズはかびの種類を，はっきりときめた人である。 会議第1日の朝，会場へ行くとフレミングが議長席についていた。自分の番にはわかりやすく演説した。ペニシリンに関係のあるものであった。 フレミングがペニシリンを発見したのは，細菌の養分をかんてんにとかし，かためたものに青かびがはえているところから発見した。 その後1938年にフローリー，チェーンが研究しはじめた。この3人，フレミングとフローリーとチェーンはノーベル賞をもらった。 また私は会議の間，フレミングに何度かあったが，写真を2，3枚しかうつさなかった。 私は会議が終ってから，帰りをいそいでいたため，他の人と別れて，飛行場でトム博士と会い飛行機にのると博士は私の一つ前の席にすわっていた。 今でも時々フレミングの写真を出してみるが，測り知れぬ人の力をいまさらのように考える」 教師うなずく。 「磯さん」	

		児「1950年の8月半ばブラジルの首府リオで，微生物学会議があるので世界の学者や日本の学者が出席した。わたくしはトム博士と出あった。 フレミング博士がペニシリンに関係のある演説をした。ロックフェラー財団は，学者，研究者の協力でペニシリンをたくさん作った。 1945年。フレミング，チェーン，フローリーがノーベル賞をもらった。 飛行場でトム博士と出あった。トム博士は，草花をとって調べていた。 私はときどき研究者を思いうかべる」	
見通しを文の組立から検討する。	文の組立を調べる。	教「はい，たいへん順序よく話せました。もっとはっきりつかむためには，どうしたらよいでしょう」 「斎藤有子さん」 児「文段にくぎります」 教「行田さん」 児「文の組立を調べる」 教「篠原さん」 児「文段にくぎったら，自分はどうしてそこでくぎったか考え，そのことばをつかみます」 教「笹原さん」 児「要点をまとめる」	そこに書いてあることを，はっきりつかむために便宜上，文段に分けて調べることを念をおす。
	(イ) 文の筋はどのように組み立てられているか段	教「そうですね。きょうは文の組立を調べて，その要点をまとめる勉強ですよ」 児童たち教科書にしるしをつけはじめる。	いつも目標をはっきりさせる。

落をきめる。

教「文段にくぎる場合どういう立場で分けたかということを考えながら進めましょう」

「また，どういうことばがあるからということもおさえられれば，おさえてみましょう」

黒板にテープをひく。机間巡視。

	「星野さん」	「笹原さん」	「福田さん」	「早乙女さん」	「堀越さん」
教					
児	•51.6 •52—4 •58—4 •59—6 •終まで 5つに切りました場所ですそれに間があいているから	•52—4 •56—5 •58—4 •59—3 •終まで 5つに切りました	ぼくは時と年代で3つに区切りました。 •53後まで •58—4 •終まで	•52—4 •59—3 •終まで <会議第一日の朝 会議がすんだ次の日> のことばがあるからきりました。	•53後まで •59—3 •60終まで •終まで ぼくは過去のこと，会議のことなど，時を中心にくぎりました。

板書

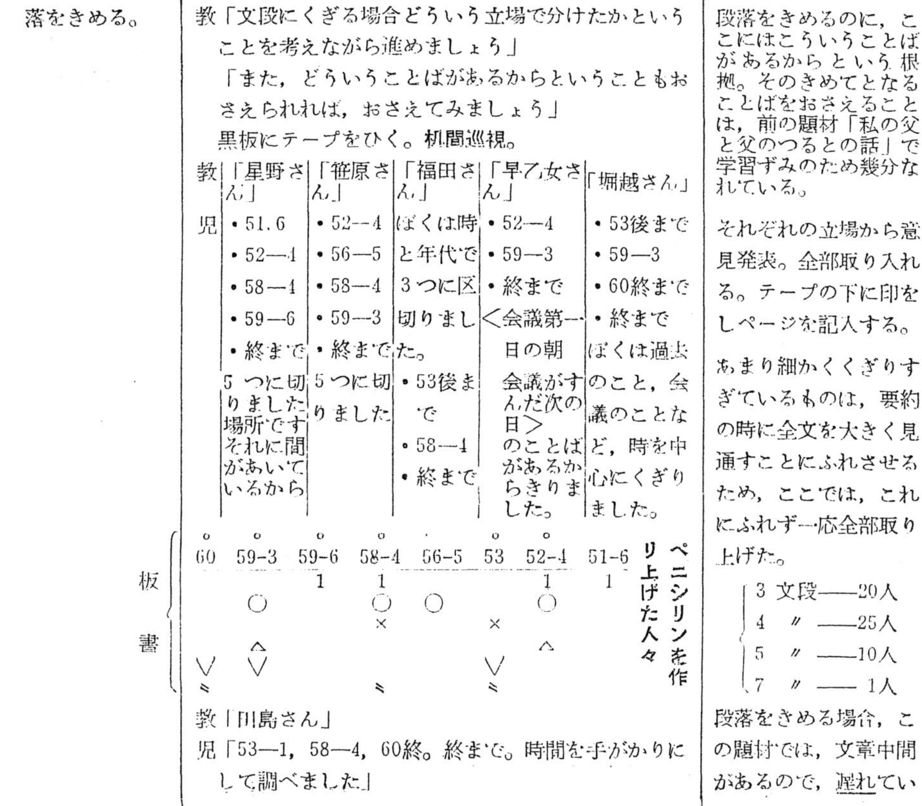

教「川島さん」

児「53—1，58—4，60終。終まで。時間を手がかりにして調べました」

段落をきめるのに，ここにはこういうことばがあるからという根拠。そのきめてとなることばをおさえることは，前の題材「私の父と父のつるとの話」で学習ずみのため幾分なれている。

それぞれの立場から意見発表。全部取り入れる。テープの下に印をしページを記入する。

あまり細かくくぎりすぎているものは，要約の時に全文を大きく見通すことにふれさせるため，ここでは，これにふれず一応全部取り上げた。

3 文段——20人
4 〃 ——25人
5 〃 ——10人
7 〃 —— 1人

段落をきめる場合，この題材では，文章中間があるので，遅れている子らのたすけとなった。

教　**各自の発表を板書。**「まだいろいろあると思いますが…」

「それでは，共通的なところから，みんなといっしょに調べて行きましょう。まず最初はどこでしょう」

児たち「58—4」

教「ここでくぎった人」

だいぶ挙手が見られた。

「福田義輝さん」

児「間があいているから」

教「いいところに気づきましたね。ほかに」

「福田一夫さん」

児「時間的にみて」

板書

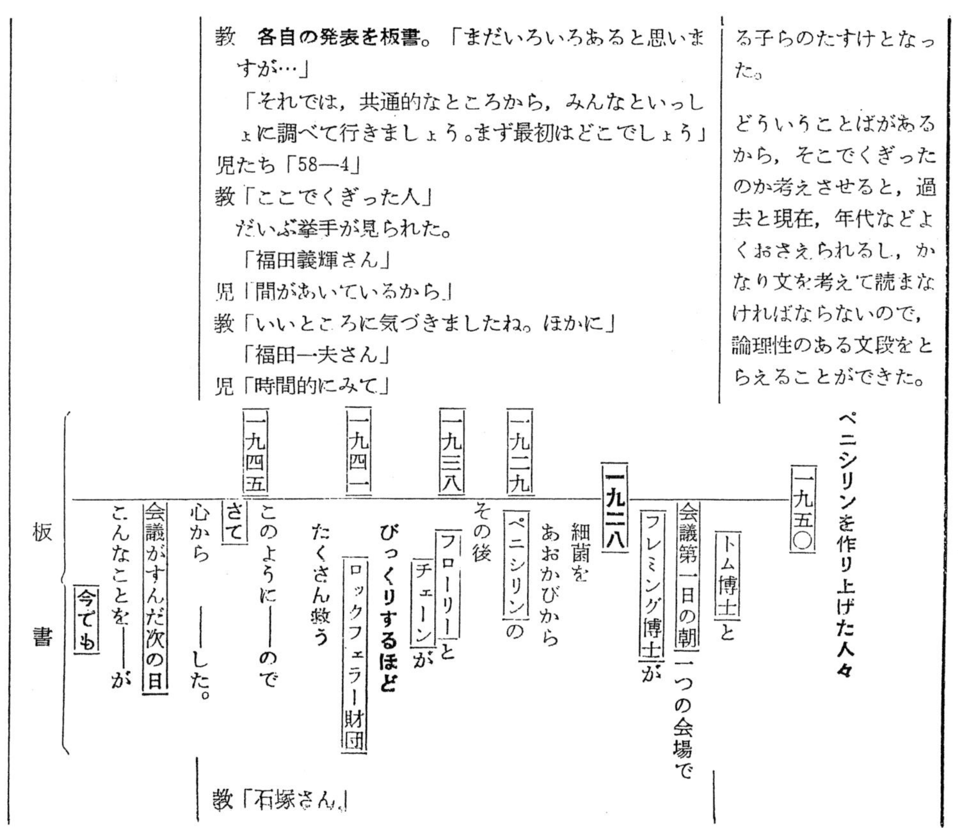

教「石塚さん」

どういうことばがあるから，そこでくぎったのか考えさせると，過去と現在，年代などよくおさえられるし，かなり文を考えて読まなければならないので，論理性のある文段をとらえることができた。

児「さて　ということばがあるから」

教 [さて]…語いカードをはる

「次は 52—4 ですか。ここでくぎった人は」だいぶ挙手。

「小野さん」

児「間があいているから」

教「星野さん」

児「場所的に見て切りました」

教「早乙女さん」

児「会議第一日の朝と書いてあるのでくぎりました」

教 [会議第一日の朝]…はる

「柿沼さん，あなたは」

児「一つの会場でということばも書いてあるのでくぎりました」

教　一つの会場で　……板書

「次は」

児たち「53ページのおわりまで」

教「ここで，便宜上くぎった人は」　7人挙手

「篠原さん」

児「ペトリのなかにはえた，ペニシリンのことを考え

（備考）特別おくれている児童

（備考）篠原，福本，田島，(女) 児玉，堀越，(よ) 福田，(一) 後藤（男）

て，くぎりました」

教「後藤さん」

児「ぼくは，時間と年代でくぎってみました」

教「福本さん」

児「時を中心にきりました」

教「はい。時間，年代を考えて，くぎってみる，ということは，たいへんよい考えだと思います」

「ここでは，かなり前と区別されますが，そのことばに気づいた人」

（児）教科書をみて考える。

「年代を注意してみましょう」

児童たち，線を，教科書にひきだす。

だいぶ，挙手。

「吉岡さん」

児「1928年のころ，っていう年代があるからです」

教「そうですね。ではその前のところはいつのことが書いてあるのでしょう」[一九二八]をはる。

「年代は」　ほとんど挙手

「坂本さん」

児「1950年のころのこと」

「広瀬さん」

児「1950年です」

（備考）ページが変るので，間のあることに気づいた児童は少なかった。すぐれている児童は，ほとんど，ここで分けている。

教師うなずきながら

「はい。そうですね」 一九五〇 をはる。

「では，次に行きましょう。こんどは，どこでしょう」

児たち「59ページの後から3行」

教「ここでくぎった人は」

「笹原さん」

児「あの……会議がすんだ次の日ということばがあるので前と区別されると思ってきりました」

教「59ページのうしろから6行目でくぎった星野さんは」

児「間があいているから切りました。それに前のほうは，国立伝染病研究所へ行った時，フレミングの写真を写したことが書いてあって，後のほうは，帰りのことが書いてあるからです」

教「いいでしょう。田島さんはどう思いますか」

児「この会議には，というのは第5回微生物学会議のことをさしているので，そこは切らずに，そのへんで切るとすれば会議がすんだ次の日というところから，帰途のことが書いてあるから，59ページの後から3行目で切ったほうがよいと思います」 教師うなずく。

教「そのほかに」

少し高度の質問と考えたのでこの児童は 58—4。60 終。最後。 と分けていたが，試みに指名した。そのために「そのへんで切るとすれば」のことばがはいったと思われる。

後から3行目のほうがいいという声がきこえる。

「星野さんの分けかたは，まちがいではないのですよ。ここでは，便宜上59ページの後から3行としてみましょう」

教「どういうことばがあるからでしょう」

「大橋さん」

児「会議がすんだ次の日」 教師 会議がすんだ次の日 をはる。

教「次は。60ページの終で切った人」 9人挙手。

「どうしてここで分けたのでしょう」

分けなかった人も，なぜと考えてみましょう」

だいぶ挙手

「永島さん」

児「文のかたちからです」

教「間があいているからですね」

「千田さん」

児「フレミングの写真を，今でもときどき出して見る。と書いてあるから」

「神山さん」

児「今でもということばがあるからです」（教）「よい所に気づきました」

「そこをだれかによんでいただきましょう。田村さん」

指名読

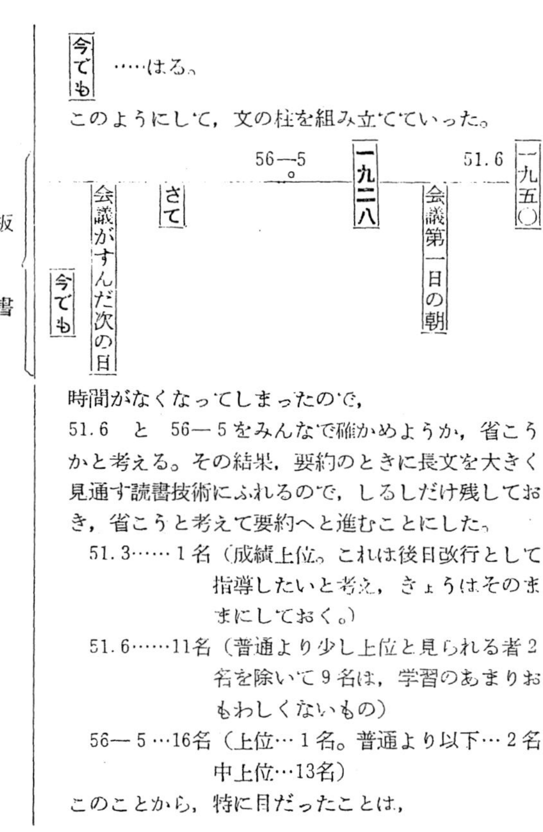

今でも ……はる。

このようにして，文の柱を組み立てていった。

時間がなくなってしまったので，

51.6　と　56—5をみんなで確かめようか，省こうかと考える。その結果，要約のときに長文を大きく見通す読書技術にふれるので，しるしだけ残しておき，省こうと考えて要約へと進むことにした。

51.3……1名（成績上位。これは後日改行として指導したいと考え，きょうはそのままにしておく。）

51.6……11名（普通より少し上位と見られる者2名を除いて9名は，学習のあまりおもわしくないもの）

56—5…16名（上位…1名。普通より以下…2名　中上位…13名）

このことから，特に目だったことは，

文段に切る場合，どういうまとまりで展開されるか。約束としてのことばがおさえられて接続しているかに注意している。

— 134 —

一九二八 に目をつけた者……成績上位。

56—5で文を切ることに目をつけたもの…成績中位。この題材は，文章が複雑ではあるが，間隔があるので文段に分けて，一つのまとまりと考えるさいに，おくれているこどもたちの思考の助けとなった。

素読がじゅうぶんされ，抵抗語を取り除いておくことがたいせつである。その後いっせい学習のなかで，読みとる目標を同じにして，作業をするわけであるが，この時に，おくれている子供たちと成績上位の子供との差が質的，量的に非常に大である。したがって，おくれている子供たちのために一段とさげた発問のくふうは，もちろんのこと，読みとる範囲を狭くしてやることが考えられる。これは教師が指示し助言することも必要であると思う。

文の組立ての研究の時に，それぞれ児童の能力で文の柱を組み立て，その間をまとめるのであるが，概して，おくれている子供は，細かく文を切って考えている。

教　板書事項を指示し

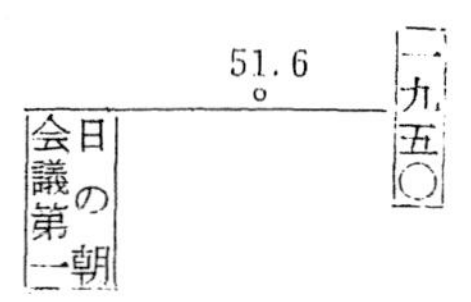

上位の児童は，

読みの技術をある程度まで習得している。

荒筋をつかむ作業のときに，すでに要点を摘出している。

さらに文の組立ての研究の時には，きっかけとなることばを正しくおさえることができて，要約の方向へと進んでいることがわかる。

次の題材「人間の尊さ」に入ってからは，荒筋の段階の時に，きっかけとなることばをおさえることができて中の間の要点をまとめ，要約の方向へと進んでいることがわかった。一段の進歩を見ることができた。

もう一方，おくれている児童のために，なん

— 135 —

「ここから　ここまでは，どんなことが書いてあるのか，まとめてみましょう」

「斉藤さん」

児「リオの気候のことと，トム博士にあったことが書いてあります」

教「佐藤さんは」

児「この地で第五回微生物学会議があるので，それに出席するためリオに来たということ。それから，リオの気候。ホテルのようす。開会式の朝，トム博士にあったことが，書いてあります」

教「この地というのは，どこですか」

「松山さん」

児「リオ」

教「石塚さん」

児「リオーデージャネイロです」

教「そうですね」

「では，まとめていうと，堀越幹雄さん」

児「リオの気候やけしきのこと。それから……会議の日が近くなり，世界各国から，それぞれ専門の学者がリオに集まった。

いよいよ開会式の朝，ホテルでトム博士にいきあったことが書いてあります」

教「後藤さんは」

児「会議の前の日のようす」

教「吉岡さんは」

らかの手がかりを与えてやること。または，あらかじめ，教師がきっかけとなることばをおさえて，指示し，要約されることの必要を感じる。

大部分挙手

児「1950年の8月半ば，リオで第5回微生物学会議があり，会議の日が近づくと，世界各国のそれぞれ専門の学者が集まってきた。チャールズ・トム博士とあったこと」

教「トム博士とあったこと」といいながら

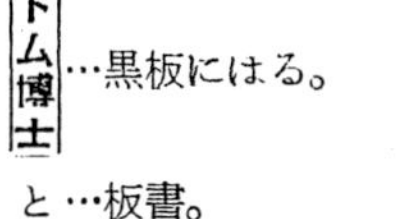

と…板書。

それでは

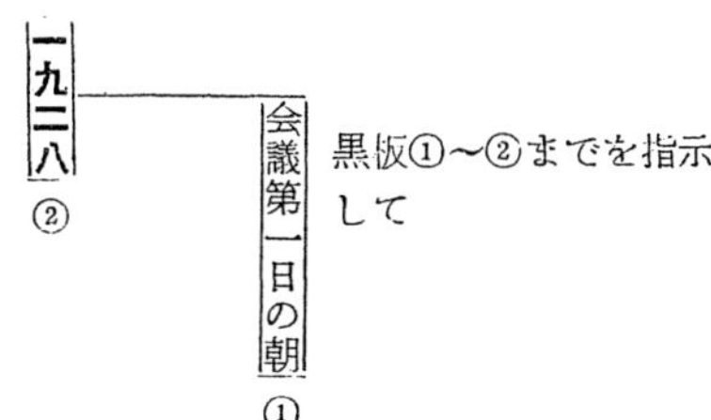

「ここから，ここまでは，どんなことが書いてあるでしょう」

「篠原さん」

児「会議第一日の朝，ある一つの会場でフレミング博士が議長をして討論をうまく終らせたことと，フレミングのわかりやすい演説。」

教「田村さんは」

児「フレミングの研究発表。それから人がら。わかりやすい発表であり，じみで，人の気がついていないめずらしい研究だったので，会場の人は，感心して聞いていた」

「柿沼さんは」

児「会議第一日の朝，ある一つの会場へいくと，フレミング博士が議長をしていました。その議長ぶりと自分の研究がおもしろくてしかたがないといったようすの研究発表。それは，少しペニシリンに関係のある研究でした。」

教「次は大部長いのですが，……」

56—5

さて ……… 。 一九二八

指示して，「ここからここまでは，どんなことが書いてあるでしょう」

「行田さん」

児「ペニシリンのこと」

教「早乙女さんは」

児「ペニシリンの発展が書いてあります」

教「いいでしょう。それでは，ここのところを，二つに切って考えている人は，どのようにまとめました？」

「竹尾さん」

児「フレミングの青かび発見から，その後のペニシリンについて」

p.54〜p.59，までを，「やま」として，進めたいと思ったので，その他のところはあまり深入りしないようにして進めることにした。

教「星野さんは」

児「フレミングのペニシリンの研究のことと，十年ばかりはたいした発展もなかったが，フローリーとチェーンが，ノーベル賞をもらったこと」

教「それでは，教科書を読んで，ここは大切だと思うところに線を引いてみましょう」

——少し考える間，机間巡視——

「佐藤さんは，どこが大切だと思いましたか」

児「フレミングが，ペニシリンを発見したのは，ちょっとしたきっかけからで，その時，彼は四十八才でした。1928年のころ，フレミングは細菌を研究していた。ところがある時，ペトリのさらの中のかんてんに青かびがはえていた。それでこの青かびのはえた液から，いろいろ考えたり，調べたりしてわかった実験を1929年雑誌に発表した」

教「大変よく筋がとおって，まとめられました」

「フレミング博士がペニシリンを発見したそのきっかけは，何でしょう」

「広瀬さん」

児「青かび」

「大橋さん」

児「細菌を研究している時にはえた青かび」

「辻村さん」

児「細菌を研究している時に，ペトリのさらの中のかんてんにはえた青かびが，きっかけとなって，ペニ

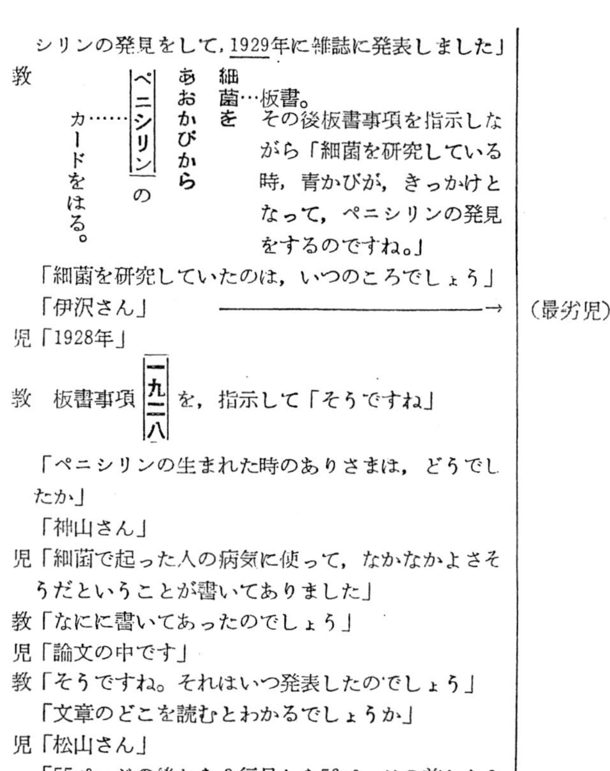

シリンの発見をして，1929年に雑誌に発表しました」

教 細菌を…板書。
　あおかびから
　ペニシリン の……カードをはる。

その後板書事項を指示しながら「細菌を研究している時，青かびが，きっかけとなって，ペニシリンの発見をするのですね。」

「細菌を研究していたのは，いつのころでしょう」

「伊沢さん」 ――――→ （最劣児）

児「1928年」

教 板書事項 一九二八 を，指示して「そうですね」

「ペニシリンの生まれた時のありさまは，どうでしたか」

「神山さん」

児「細菌で起った人の病気に使って，なかなかよさそうだということが書いてありました」

教「なにに書いてあったのでしょう」

児「論文の中です」

教「そうですね。それはいつ発表したのでしょう」

「文章のどこを読むとわかるでしょうか」

児「松山さん」

「55ページの後から2行目から56ページの前から3行目まで」

おくれているこどもたちは，教科書を見る。

教「塩谷さん」

児「1929年に発表しました」

教 一九二九……はる。

教「ペニシリンが生まれてから後の発展は，どうでしょう」

「福本さん」

児「その後，ペニシリンを研究した人もいくらかあったが，うまくいかなかったので，10年ばかりは，たいした発展もなかった」

その後…板書。

「田島さん」

「1938年には，イギリスのフローリーとチェーンが新しく細菌の研究を始め，

1940年には，よく直ることを発表しました。

そして，1941年には，アメリカのロックフェラー財団は，学者，研究所，会社の協力でたくさんのペニシリンを作りました。

1945年には，フレミングとフローリーとチェーンとがノーベル賞をもらいました。

教「児玉さんは」

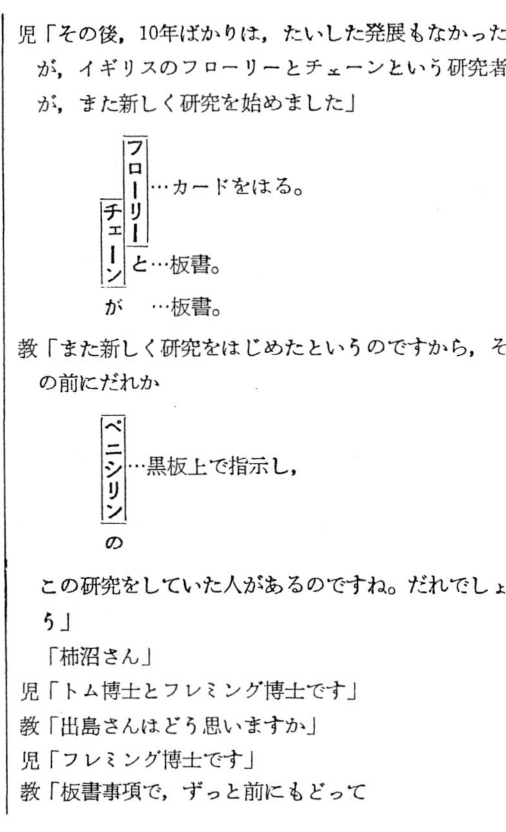

児「その後，10年ばかりは，たいした発展もなかったが，イギリスのフローリーとチェーンという研究者が，また新しく研究を始めました」

[フローリー]…カードをはる。
[チェーン]と…板書。
が …板書。

教「また新しく研究をはじめたというのですから，その前にだれか

[ペニシリン]…黒板上で指示し，
の

この研究をしていた人があるのですね。だれでしょう」
「柿沼さん」
児「トム博士とフレミング博士です」
教「出島さんはどう思いますか」
児「フレミング博士です」
教「板書事項で，ずっと前にもどって

教科書では，フローリーとチェーンという研究者が…と書いてあるけれども，辞典には，フローリーの助手であるチェーンとあるので，チェーンは，一段低く板書した。

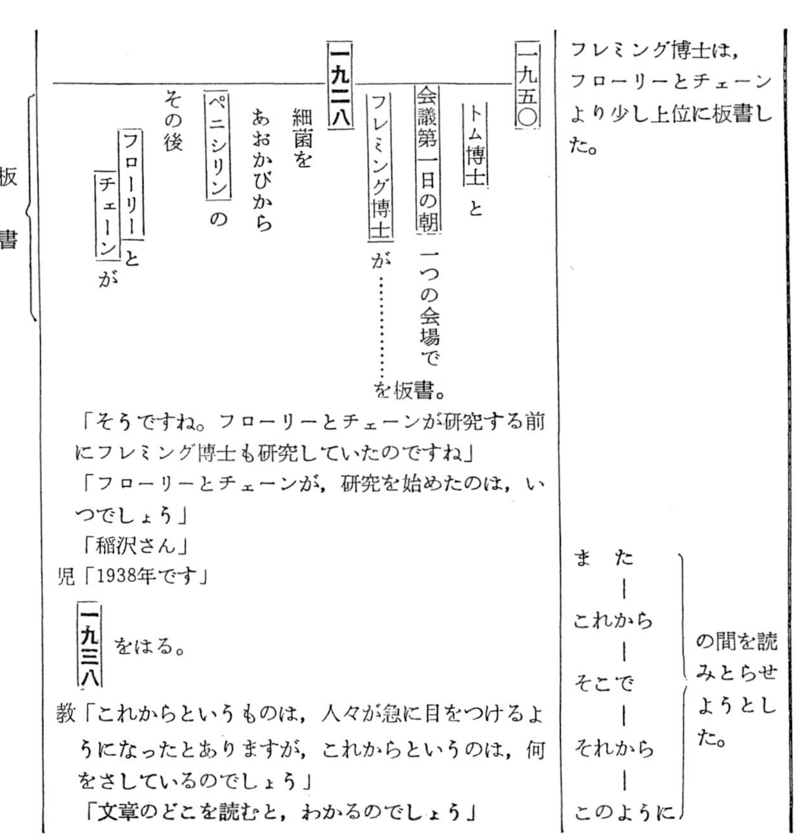

「そうですね。フローリーとチェーンが研究する前にフレミング博士も研究していたのですね」
「フローリーとチェーンが，研究を始めたのは，いつでしょう」
「稲沢さん」
児「1938年です」

[一九三八] をはる。

教「これからというものは，人々が急に目をつけるようになったとありますが，これからというのは，何をさしているのでしょう」
「文章のどこを読むと，わかるのでしょう」

フレミング博士は，フローリーとチェーンより少し上位に板書した。

また—これから—そこで—それから—このように の間を読みとらせようとした。

「野上さん」
児「56ページの後から2行目から57ページの前から2行目まで」
教「これからというものは，……のすぐ前を読むとわかりますね。そこをだれかに読んでいただきましょう」
「金子さん」
児「そして1940年には，ペニシリンの性質や，動物の病気がおどろくほどよく直る（うる）ことなどについて発表し，あくる年には，ほんのわずかなペニシリンを人に使ってみてびっくりするほどよくなったことを報告した」—音読—　指名読。
教「まちがったところがありましたよ。きっと，あわてたからでしょうね。おどろくほど，その次をもう一度いってみてください」
児「おどろくほどうること」
教「**直る**」……板書。「そうでしょうか。広瀬さん」
児「なおる」
教「金子さん」
児「なおる」
教「そう。なおるですよ。よくなおして覚えておきましょうね」
「では，どういうことがあってから，人々は目をつけるようになったのでしょう」
「後藤さん」

児「ペニシリンを使ってみて，びっくりするほどよくなったことを報告したから」
教　　　**びっくりするほど**…………板書。
教「これは，いつでしょう」
児「1941年」

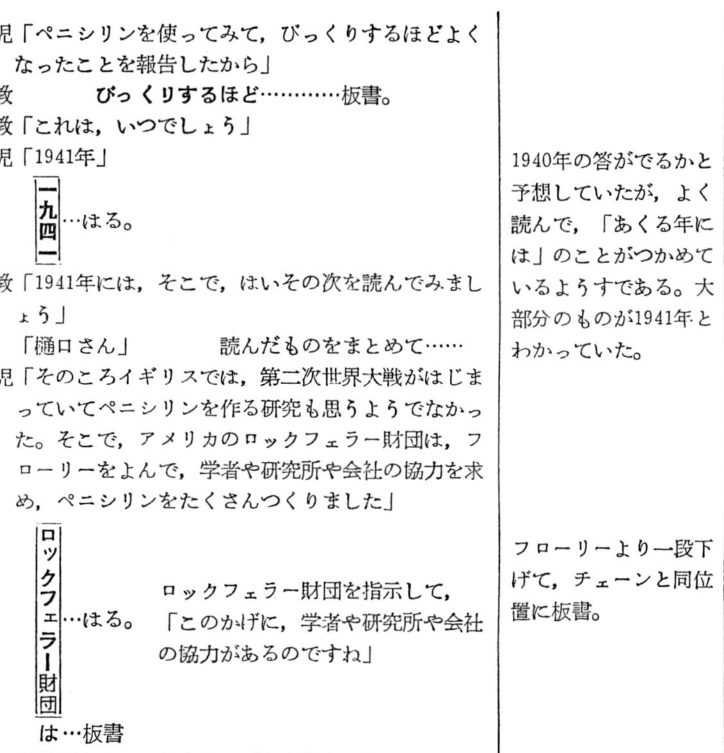

一九四一…はる。

1940年の答がでるかと予想していたが，よく読んで，「あくる年には」のことがつかめているようすである。大部分のものが1941年とわかっていた。

教「1941年には，そこで，はいその次を読んでみましょう」
「樋口さん」　　　読んだものをまとめて……
児「そのころイギリスでは，第二次世界大戦がはじまっていてペニシリンを作る研究も思うようでなかった。そこで，アメリカのロックフェラー財団は，フローリーをよんで，学者や研究所や会社の協力を求め，ペニシリンをたくさんつくりました」

ロックフェラー財団…はる。　　ロックフェラー財団を指示して，「このかげに，学者や研究所や会社の協力があるのですね」

フローリーより一段下げて，チェーンと同位置に板書。

は…板書
「児玉さん　これよんでごらんなさい」
教「ロックフェラー財団」

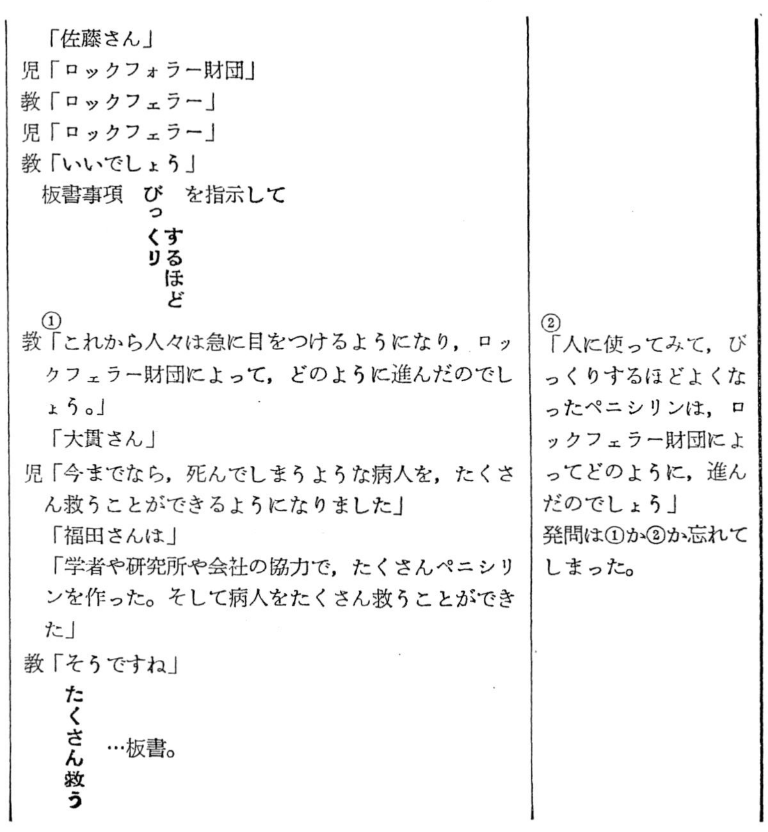

「佐藤さん」
児「ロックフォラー財団」
教「ロックフェラー」
児「ロックフェラー」
教「いいでしょう」
板書事項 びっくりするほど を指示して

①
教「これから人々は急に目をつけるようになり，ロックフェラー財団によって，どのように進んだのでしょう。」
「大貫さん」
児「今までなら，死んでしまうような病人を，たくさん救うことができるようになりました」
「福田さんは」
「学者や研究所や会社の協力で，たくさんペニシリンを作った。そして病人をたくさん救うことができた」
教「そうですね」
たくさん救う …板書。

②
「人に使ってみて，びっくりするほどよくなったペニシリンは，ロックフェラー財団によってどのように，進んだのでしょう」
発問は①か②か忘れてしまった。

「多くの人々の協力で，たくさんペニシリンを作った」
板書事項を指示して「そして病人をたくさん救うことができたのですね」
「ペニシリンの研究は，それからも？…—少し間—」
「猪瀬さん」
児「ペニシリンの研究は，どんどん進み1945年には，フレミングとフローリーとチェーンとが，ノーベル賞をもらった」
教「なぜノーベル賞をもらったのでしょう」
「神山さん」
児「ペニシリンが発見されてからは，細菌で起る病気の直し方も，直り方もすっかり変わってしまい，こんな大きな変わり方は，これまではなかったからです」
教「早乙女さんは」
児「人をたくさん救ったりして，フレミングの功績は大きかったから」
教「はい，いいでしょう」
このように——ので 板書

(大部分挙手)

このように——ので，これをよくつかませるために，「この文章のどこを読めばわかるでしょうか」と発問したかったが，時間の関係上省いた。
㋑ p. 58. 1〜58. 4
㋺ p. 56—4〜58. 4
㋩ p. 54. 1〜58. 4
が考えられるが，たいていの児童は㋺を読んでいたようすが，うかがえた。

—148—

	文を大きく見通すということを，最後の文段[今でも]から話させようと考えていたが，時間の都合上ここで取上げた。	「このようにフレミングの功績は大きいので，（板書事項を前のほうから，順に指示しながら）ノーベル賞をもらったのですね」 ② 一九四五　① 一九二八 ①～②までを指示し， 「では，この文を大きく見通すと，どういうことになるでしょう」 「堀越さん」 （よし） 児「フレミングは研究の結果，青かびからペニシリンを作り出すことができたが，そのころ別の薬がつかわれていたため，フレミングの研究はうずもれてしまった。10年ほどたって，フローリーとチェーンとが，新しくペニシリンの研究をはじめ，とてもよくきくことを発表した。アメリカのロックフェラー財団は，フローリーをアメリカによび，たくさんのペニシリンをつくって，ペニシリンの発展に協力した。こうしてペニシリンは，おおくの研究者の力によってできたが，その大本となるのは，やはりフレミングのペニシリン発見なので，イギリスでは，サーという称号を授けた。 フレミング，フローリー，チェーンの三人は，ノー	①このように功績は大きいので， ②ノーベル賞をもらった。 子供たちは，ほとんど②をノートに記録していた。 ①と②を比較するとき①のほうに，ことばの重さがあると考えて，①を板書した。文の中にあることばの重さは表面では同列でも，軽重があるので，これを，見抜くためには，教師の精密にして徹底的な教材研究が必要となる。 文脈指示語のとらえかたは，練習してなれること。その結果，複雑な文章でも，すぐ，とらえることができるであろうと思われる。

—149—

		ベル賞をもらった」 ——教科書もノートも見ないで，しかも，よくまとめて，話ができたことには，まったく感心した。—— 教「大変よく考えています」 板書事項を指示して，以上のようなことであるが， →＜[さて] さて，①※ このように功績が大きかったので＞ ② 会議がすんだ次の日　① さて ※から②までを指示して， 「ここから，ここまでは，どんなことが書いてあるでしょう」 「石塚さん」 児「みんなで，国立伝染病研究所へ見学に行った時，フレミングの写真を二，三枚写した」 「堀越幹雄さんは」 児「フレミングは，みんなにサインを求められたり，	板書は，あまり時間をとらないよう，文字カードにした。（読みの練習や発音の練習にも使う。そのため，…が…は，など助詞は板書した） 板書事項を整理するとき，教師の考えや指導の順序も発問にからんで整理される。したがって，こどもたちの思考過程も整然と順序づけられる。

—150—

写真を写されたりして，人気があったこと」
教「篠原さんは」
児「私はフレミングを知ってから，ホテルの廊下，食堂でたびたび見かけた。みんなは心からこの恩人を敬っていた」
教「佐藤さんは」
児「みんなもフレミングを心から敬った」
教「いいでしょう」

心から——した。　心から尊敬した。といいながら板書。

「会議がすんだ次の日からは，あした勉強することにしましょう。よくまとめておきましょう。ノートを整理しておくように。きょうは大変よく勉強しました。おわり」

意味は，ことばとことばの間に，少しずつ姿を見せるものであることがわかった。
<教師>

読解のつまずきとその指導 (2)

（第3次）

教「さっそくはじめましょう。どこからですか」
児たち「会議がすんだ次の日」から
教「それでは，きのうの復習になりますが，会議第1日の朝から会議がすんだ次の日まで，話していただきましょう」
「福本さん」
児「会議第1日の朝，一つの会議でフレミングを議長に話合いが進んでいた。フレミングの研究発表はみんな静かにきいている。フレミングの研究は，
1928年には，細菌を研究
1929年には，実験を雑誌に発表
1938年には，フローリとチェーンとが，また新しくペニシリンの研究
1940年には，おどろくほどよく直ることを発表
1941年には，びっくりするほどよくなったことを報告した。
ロックフェラー財団は，フローリをよんで，たくさんのペニシリンを作った。
おおくの人々の協力で，ペニシリンはできた。そのおかげで病人をたくさん救うことができた。
フレミングの功績は大きいので，イギリスでは，サーという称号を授けた。フローリーとチェーンと，フレミングはノーベル賞をもらった。
フレミングを，みんなが心から恩人として敬っていた」
教「いいでしょう」「きょうはその次でしたね」
「便宜上文段は？」 ………
児たち「会議がすんだ次の日」から「今でも」
(59—2) ～ (60) まで。
教「p.59—2 から p.60 終までは，どんなことが書いてあるのでしょう」
「出島さん」
児「帰りの飛行機はトム博士といっしょであった。博

そこに書いてあることを，はっきりつかむために文段に切ることは子供たちも知っているので，ここでは省いた。

—151—

7. 実験学校における指導記録

士は，着陸のたびに草花の研究をしていた」
教「吉岡さんは」
児「トム博士の研究心」
教「それは，この文章のどこで，わかるでしょう」
「小口さん」
児「草花をむしっては，小さな小刀のようなもので中をわって虫めがねで調べていた」
教「そうですね。そこでわかりますね」
「坂本さん，トム博士のいったことばを読んでみましょう」
児「私はこんなことをやっているのが，とても楽しみです」
教 **こんなことを——が**（板書）
指示して，
「**こんなこと**とは，何をさしていますか」
「宮杉さん」(劣児)

大部分挙手

児「草花を，虫めがねでしらべること」
教「そうです。よくできました」
「では，最後はどんなことが書いてあるでしょう」
「麦島さん」
児「家に帰ってからのこと」
教「行田さん」
児「ペニシリンができるまでに，つくした人々に，つ

くづく感心するということ」
教「柿沼さんは」
児「フレミングの写真をみながら，ペニシリンを作り上げるまでに協力した人々を，つくづく考えながら尊敬する」
「星野さんは」
「現在，人々の力について考える」
教「いいでしょう」

(記録省略)
- 。全体を通してのまとめ
- 。フレミング博士とトム博士の人がら
- 。情景のよく書かれているところ

…話合い

ノートへ記録。（しゅくだい）

児童たちの感想のなかから

(1)この文章には，かたかなが多いので，その発音と読みに苦労した。
(2)外国の名前がいいにくい。
(3)ペニシリンのことがよくわかった。
(4)日本で発明できなくて残念であった。
(5)フレミング博士の努力やペニシリンを作るまでに協力した人人の努力と苦労は，大変だったと思う。その人々に感謝する。
(6)この文章のやまは，p. 54～p. 58—4 までであると思う。そこを読めば，ペニシリンを作り上げた研究者のことがよくわかると思った。
(7)全体を見通すときにこの文では場所よりも，時でくぎったほうが，大きく見通すことができると思う。

初等教育研究資料第XⅧ集
読解のつまずきとその指導
（2）

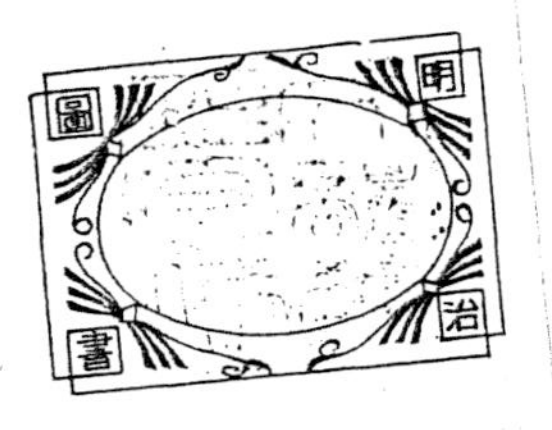

MEJ 2598

昭和31年11月10日　印刷
昭和31年11月15日　発行

著作権所有　文　部　省

東京都中央区入船町3の3
発行者　藤　原　政　雄

東京都台東区上根岸72
印刷所　株式会社　第一印刷所東京工場

東京都中央区入船町3丁目3番地
発行所　明治図書出版株式会社
代表電話築地4351　振替東京151318

定価91円

明治図書出版株式会社
定価91円